LA PÉDAGOGIE DE LA CRAINTE
DANS L'HISTOIRE DU SALUT
SELON THOMAS D'AQUIN

ANDRÉ GUINDON, O.M.I.

LA PÉDAGOGIE DE LA CRAINTE DANS L'HISTOIRE DU SALUT SELON THOMAS D'AQUIN

DESCLÉE & CIE | BELLARMIN

TOURNAI | MONTRÉAL

1975

Le présent ouvrage a été publié grâce à une subvention accordée par le Conseil Canadien de Recherches sur les Humanités, dont les fonds ont été fournis par le Conseil des Arts du Canada.

Dépôt légal — 2e trimestre 1975 — Bibliothèque Nationale du Québec
Copyright © Les Éditions Bellarmin 1975
ISBN 0-88502-197-5 Bellarmin
ISBN 2-7189-0056-3 Desclée

RECHERCHES 15

Théologie

Collection dirigée par les Facultés
de la Compagnie de Jésus
au Québec

LISTE DES ABRÉVIATIONS

1. Dictionnaires et revues

AFP	— *Archivum Fratrum Prædicatorum*, Rome.
AHDLMA	— *Archives d'histoire doctrinale et littéraire du moyen âge*, Paris.
Ang	— *Angelicum*, Rome.
ATA	— *L'Année théologique augustinienne*, Paris.
BT	— *Bulletin thomiste*, Le Saulchoir.
CCL	— *Corpus Christianorum, series latina*, Turnhout.
Chr	— *Christus*, Paris.
CT	— *Ciencia tomista*, Salamanque.
DAFC	— *Dictionnaire apologétique de la foi catholique*, éd. A. d'ALES, Paris.
DC	— *Doctor communis*, Rome.
DSp	— *Dictionnaire de spiritualité*, éd. M. VILLER, F. CAVALLERA, J. de GUIBERT et A. RAYEZ, Paris.
DSt	— *Dominican Studies*, Oxford.
DTC	— *Dictionnaire de théologie catholique*, éd. A. VACANT, A. MANGENOT et E. AMANN, Paris.
DTFr	— *Divus Thomas*, Fribourg.
EgTh	— *Église et Théologie*, Ottawa.
ETL	— *Ephemerides theologicae lovanienses*, Louvain.
FSt	— *Franciscan Studies*, St. Bonaventure (New York).
Greg	— *Gregorianum*, Rome.
HJ	— *The Heythrop Journal*, Oxford.
JThSt	— *Journal of Theological Studies*, Oxford.
NRT	— *Nouvelle revue théologique*, Louvain.
PG	— *Patrologia graeca*, éd. J. P. MIGNE, Paris.
PL	— *Patrologia latina*, éd. J. P. MIGNE, Paris.
RAM	— *Revue d'ascétique et de mystique*, Toulouse.
RB	— *Revue biblique*, Paris.
RBén	— *Revue bénédictine*, Maredsous.
RdP	— *Revue de philosophie*, Paris.
RET	— *Revista española de teología*, Madrid.
RHEF	— *Revue d'histoire de l'Église de France*, Paris.
RLT	— *Rassegna di letteratura tomistica*, Rome.

RMAL   — *Revue du moyen âge latin*, Lyon.
RPL   — *Revue philosophique de Louvain*, Louvain.
RSPT   — *Revue des sciences philosophiques et théologiques*, Le Saul-
           choir.
RSR   — *Recherches de sciences religieuses*, Paris.
RT   — *Revue thomiste*, Paris – Toulouse.
RTAM   — *Recherches de théologie ancienne et médiévale*, Louvain.
RUO   — *Revue de l'Université d'Ottawa*, Ottawa.
SC   — *Scuola cattolica*, Varese.
SaE   — *Sacris erudiri*, Assebroek.
ScE   — *Sciences ecclésiastiques*, Montréal.
SMR   — *Studia Montis Regii*, Montréal.
Sz   — *Sapienza*, Naples.
Thom   — *The Thomist*, New York.
Trad   — *Traditio*, New York.
TSt   — *Theological Studies*, Woodstock – New York.
VSp   — *La vie spirituelle*, Paris.
ZKTh   — *Zeitschrift für Katholische Theologie*, Vienne.

2. Oeuvres de Thomas d'Aquin

COMMENTAIRES SUR L'ÉCRITURE (classés selon l'ordre de la
   Vulgate)

   Les deux chiffres qui suivent le titre renvoient toujours
   au chapitre et au verset commentés.

In Job   — *Expositio super Job ad litteram*, éd. Commission
                  Léonine, t. XXVI, 1965.
In Psalm.   — *In Psalmos Davidis Expositio* (psalm. 1 à 51),
                  Opera omnia, éd. Parme, t. XIV, 1863, pp. 148–353.
                — *S. Thomæ Aquinatis Doctoris Angelici Ord. Præd.
                  ..., In Tres Psalmos David* (psalm. 52 à 54), éd.
                  P. A. UCCELLI, Romæ, Typographia polyglotta S. C.
                  de Propaganda Fide, 1880, pp. 243–254.
In Is.   — *In Isaiam Prophetam Expositio*, éd. Parme, t. XIV,
                  1863, pp. 427–576.
In Jer.   — *In Jeremiam Prophetam Expositio*, ibid., pp. 577–
                  667.
In Thr.   — *In Thrennos Jeremiæ Expositio*, ibid., pp. 668–685.
In Matth.   — *Super Evangelium S. Matthaei lectura*, éd. R. CAI,
                  Turin–Rome, Marietti, 1951.
In Joan.   — *Super Evangelium S. Joannis lectura*, éd. R. CAI,
                  Turin–Rome, Marietti, 1952.
Catena super   — *Catena aurea in quatuor evangelia*, éd. A. GUA-
   Matth. (Marc., RIENTI, Turin–Rome, Marietti, 1953, 2 vol.
   etc.)
In ad Rom. (etc.) — *Super epistolas S. Pauli lectura et expositio*, éd.
                  R. CAI, Turin–Rome, Marietti, 1953, 2 vol.

COMMENTAIRES SUR ARISTOTE (classés selon l'ordre alphabétique des œuvres)

In Post. Anal.   — *In Aristotelis libros Posteriorum analyticorum expositio*, éd. R. M. Spiazzi, Turin–Rome, Marietti, 1964, pp. 147–404 (nn. 1–596).

In de Ani.   — *In Aristotelis librum De Anima commentarium*, éd. A. M. Pirotta, Turin–Rome, Marietti, 1959.

In de Cælo et Mundo   — *In Aristotelis libros De cælo et mundo*, éd. R. M. Spiazzi, Turin–Rome, Marietti, 1952, pp. 1–311 (nn. 1–603).

In Ethic.   — *In decem libros Ethicorum Aristotelis ad Nicomachum expositio*, éd. R. M. Spiazzi, Turin–Rome, 1964.

In de Mem. et Rem.   — *In Aristotelis libros De memoria et reminescentia commentarium*, éd. R. M. Spiazzi, Turin–Rome, Marietti, 1949, pp. 85–115 (nn. 298–409).

In Metaph.   — *In duodecim libros Metaphysicorum Aristotelis expositio*, éd. M. R. Cathala et R. M. Spiazzi, Turin–Rome, Marietti, 1964.

In Phys.   — *In octo libros Physicorum Aristotelis expositio*, éd. P. M. Maggiolo, Turin–Rome, Marietti, 1954.

In Pol.   — *In libros Politicorum Aristotelis expositio*, éd. R. M. Spiazzi, Turin–Rome, Marietti, 1951.

In de Sensu et Sen.   — *In Aristotelis libros De sensu et sensato commentarium*, éd. R. M. Spiazzi, Turin–Rome, Marietti, 1949, pp. 3–82 (nn. 1–297).

COMMENTAIRES SUR BOECE

In Boet. de Hebd.   — *In librum Boetii De hebdomadibus expositio*, éd. M. Calcaterra, dans *Opuscula theologica*, Turin–Rome, Marietti, 1954, pp. 391–408.

In Boet. de Trin.   — *Expositio super librum Boethii de Trinitate*, éd. B. Decker, Leiden, E. J. Brill. 1955.

SUR LE PSEUDO-DENYS

In de Div. Nom.   — *In librum beati Dionysii de Divinis Nominibus expositio*, éd. C. Pera, Turin–Rome, Marietti, 1950.

SUR PIERRE LOMBARD

In Sent.   — *Scriptum super Sententiis Magistri Petri Lombardi* :
Livres I–II, éd. P. Mandonnet, Paris, P. Lethielleux, 1929.
Livres III–IV, dd. 1 à 22, éd. M. F. Moos, ibid., 1932, et 1947.
Livre IV, dd. 23 à 50, dans *Opera omnia*, éd. Parme, t. VII, 1858, pp. 872–1259.

OPUSCULES (classés selon l'ordre alphabétique du premier mot du titre)

Compend. theol.	— *Compendium theologiæ ad fratrem Reginaldum*, éd. R. A. VERARDO, dans *Opuscula theologica*, vol. I, Turin–Rome, Marietti, 1954, pp. 13–138 (nn. 1–596).
Contra impugnantes	— *Contra impugnantes Dei cultum et religionem*, éd. R. M. SPIAZZI, dans *Op. theol.*, vol. II, ibid., pp. 5–110 (nn. 1–557).
Contra retrahentes	— *Contra pestiferam doctrinam retrahentium homines a religionis ingressu*, éd. R. M. SPIAZZI, ibid., pp. 159–190 (nn. 735–859).
Contra Sar., Graec. et Armen.	— *De rationibus fidei contra Saracenos, Graecos et Armenos ad Cantorem Antiochenum*, éd. R. A. VERARDO, ibid., vol. I, pp. 253–268 (nn. 949–1027).
De art. fidei	— *De articulis fidei et Ecclesiæ sacramentis ad archiepiscopum Panormitarum*, éd. R. A. VERARDO, ibid., pp. 141–151 (nn. 597–629).
De empt.	— *De emptione et cenditione ad tempus*, éd. R. A. VERARDO, ibid., pp. 185–186 (nn. 720–724).
De jud. astr.	— *De judiciis astrorum*, éd. R. A. VERARDO, ibid., p. 155 (nn. 630–632).
De motu cord.	— *De motu cordis ad magistrum Philippum*, éd. R. A. VERARDO, ibid., pp. 165–168 (nn. 452–463).
De perf. vitæ spir.	— *De perfectione vitæ spiritualis*, éd. R. M. SPIAZZI, ibid., vol. II, pp. 115–153 (nn. 558–734).
De Regim. Princ.	— *De Regimine Principum ad regem Cypri*, éd. R. M. SPIAZZI, dans *Opuscula philosophica*, Turin–Rome, Marietti, 1954, pp. 257–280 (nn. 739–846).
De secreto	— *De secreto*, éd. R. A. VERARDO, dans *Op. theol.*, ibid., vol. I, pp. 447–448 (nn. 1216–1222).
De sortibus	— *De sortibus ad dominum Jacobum de Burgo*, éd. R. A. VERARDO, ibid., pp. 159–167 (nn. 633–673).
De subst. separ.	— *De substantiis separatis seu de angelorum natura*, éd. R. M. SPIAZZI, dans *Op. phil.*, ibid., pp. 21–58 (nn. 42–172).
De unit. intell.	— *De unitate intellectus contra Averroistas*, éd. R. M. SPIAZZI, ibid., pp. 63–90 (nn. 173–268).

QUESTIONS

DISPUTÉES

De Anima	— *De Anima*, éd. P. M. CALCATERRA et T. S. CENTI, dans *Quæstiones disputatæ*, Turin–Rome, Marietti, 1965, vol. II, pp. 281–362.
De Carit.	— *De Caritate*, éd. A. ODETTO, ibid., pp. 753–791.
De Corr. frat.	— *De correctione fraterna*, éd. A. ODETTO, ibid., pp. 793–802.

De Malo — *De Malo*, éd. P. Bazzi et M. Pession, ibid., pp. 445–699.

De Pot. — *De Potentia*, éd. M. Pession, ibid., pp. 7–276.

De Pueris — *De pueris in religionem recipiendis*, éd. R. M. Spiazzi, dans *Quæstiones quodlibetales*, Turin–Rome, Marietti, 1949, pp. 86–96 (correspond à Quodl. IV, aa. 23–24).

De Spe — *De Spe*, éd. A. Odetto, dans *Quæst. disp.*, ibid., 1965, vol. II, pp. 803–812.

De Ver. — *De Veritate*, éd. R. M. Spiazzi, ibid., vol. I, 1964.

De Virt. card. — *De Virtutibus cardinalibus*, éd. A. Odetto, ibid., vol. II, pp. 813–828.

De Virt. in com. — *De Virtutibus in communi*, éd. A. Odetto, ibid., pp. 707–751.

QUODLIBÉTIQUES

Quodl. — *Quæstiones quodlibetales*, éd. R. M. Spiazzi, Turin–Rome, Marietti, 1949.

SOMMES

ScG — *Liber de Veritate Catholicæ Fidei contra errores Infidelium qui dicitur « Summa Contra Gentiles »*, éd. C. Pera, P. Marc et P. Caramello, Turin–Rome, Marietti, 1961, vol. II et III.

Ia, Ia–IIae, etc. — *Summa theologiæ, Prima pars, Prima Secundæ*, etc., Alba–Rome, Editiones Paulinæ, 1962. Cette édition manuelle suit le texte de l'édition critique de la Commission Léonine. Nous avons également vérifié le texte de l'édition Piana, Ottawa, 1953.

SERMONS, ETC. (classés selon l'ordre alphabétique du premier mot du titre).

De duobus præcept. — *In duo præcepta caritatis et in decem præcepta legis*, éd. R. M. Spiazzi, dans *Op. theol.*, Turin–Rome, Marietti, 1954, vol. II, pp. 245–271 (nn. 1128–1332).

Exp. Orat. dom — *In Orationem dominicam expositio*, éd. R. M. Spiazzi, ibid., pp. 221–235 (nn. 1019–1109).

Exp. Symb. apost. — *In Symbolum apostolorum expositio*, éd. R. M. Spiazzi, ibid., pp. 193–217 (nn. 860–1018).

Piæ Preces — *Piæ Preces*, éd. R. M. Spiazzi, ibid., pp. 285–289.

Princ. « Hic est liber » — *Principium « Hic est liber »*, éd. R. A. Verardo, ibid., vol. I, pp. 435–439 (nn. 1199–1208).

Princ. « Rigans montes » — *Principium « Rigans montes »*, éd. R. A. Verardo, ibid., pp. 441–443 (nn. 1209–1215).

Les abréviations des divisions de ces ouvrages sont indiquées de la façon suivante :

a. — articulus	lect. — lectio
c. — caput	q. — quæstio
d. — distinctio	qla. — quæstiuncula

Le chiffre romain renvoie toujours au livre.

Le chiffre entre parenthèses réfère :

soit à la numérotation des éditions Marietti (no ...)
soit à la pagination de l'édition de Parme (p. ...)
soit aux lignes de l'édition Léonine (11. ...)
Aucune de ces références supplémentaires n'a été indiquée lorsque le texte est facile à trouver.

INTRODUCTION

À notre époque, où l'on découvre l'importance des facteurs anxiogènes dans le comportement humain, les chrétiens, pour leur part, n'ont jamais eu autant à cœur de prêcher une « religion d'amour » décantée de tout ce qui évoque, d'une façon ou d'une autre, la peur. Si l'on retient quelque chose des doctrines actuelles relatives aux formes diverses de la crainte et de ses manifestations, c'est uniquement, ou peu s'en faut, pour expliquer les « cas anormaux ». Le chrétien, dit-on, est, par la loi du Christ, affranchi de la crainte. On cite Paul aux Romains : « Aussi bien n'avez-vous pas reçu un esprit d'esclaves pour retomber dans la crainte ; vous avez reçu un esprit de fils adoptifs qui nous fait nous écrier : Abba ! Père ! » [1]. On affirme, qu'à sa suite, la théologie chrétienne a toujours distingué l'Ancien Testament du Nouveau d'après ce critère : la crainte et l'amour. On invoque le témoignage non équivoque d'Augustin : « Telle est la différence la plus brève et la plus évidente des deux Testaments : la crainte et l'amour. Celle-là relève du vieil homme, celle-ci de l'homme nouveau. Toutes deux sont produites conjointement par la dispensation très miséricordieuse du même Dieu » [2]. Enfin, comme dernière preuve de son orthodoxie, on rappelle que Thomas d'Aquin, qu'on nomme pour l'occasion le Docteur commun, a également opposé la nouvelle « loi d'amour » à l'ancienne « loi de crainte ».

Il nous a semblé que cette façon courante de présenter les choses soulève des problèmes d'une telle ampleur qu'il n'était pas inutile de vérifier le bien-fondé d'une autorité invoquée à ce propos. Nous avons arrêté notre choix sur celle de l'Aquinate chez qui le thème lex timoris - lex amoris marque trop sa théologie de l' « histoire du salut » [3] pour ne voir en lui qu'une pieuse référence à un lieu commun de la tradition dans laquelle il s'inscrit. Nous nous som-

mes donc posé, à partir de ce thème, la question suivante : comment Thomas d'Aquin conçoit-il le rôle de la crainte dans l'histoire du salut ? Nous avions cru, à tort, que la réponse serait aussi simple que la question. Après avoir dépouillé systématiquement l'œuvre intégrale de l'Aquinate, nous y avons découvert une théologie soigneusement et progressivement élaborée de la pédagogie de la crainte dans l'histoire du salut. Aussi avons-nous été amené à conclure que, si l'étude attentive de la théologie de la loi, dans Thomas d'Aquin, justifie le titre Via caritatis *qu'on lui a récemment donné⁴, on ne saurait, sans détriment pour son équilibre, méconnaître ce par quoi elle est aussi une* Via timoris. *Or cette étude n'a jamais été faite⁵. Puisque des travaux sérieux d'exégèse nous mettent en garde contre le simplisme qui fait de l'Ancien Testament une « religion de crainte », ou de la loi opposée à l'Évangile⁶, il n'est peut-être pas inutile de savoir comment un théologien comme Thomas avait, sur ce point, compris l'enseignement biblique. La connaissance du passé peut encore, croyons-nous, apporter une contribution aux recherches actuelles sur la « théologie de l'Ancien Testament »⁷. Est-il nécessaire d'ajouter que nous nous sommes néanmoins abstenu d'introduire dans l'œuvre de l'Aquinate certains aspects d'une problématique qui n'était pas la sienne. Nous avons simplement lu ses textes. Là où ils sont muets, nous n'avons rien entrepris pour leur imposer une allure moderne. Quelle raison aurions-nous eu de le faire ?*

Ce qui fait l'intérêt du thème lex timoris - lex amoris *dans les écrits de Thomas est également source de nombreuses difficultés méthodologiques pour l'historien de sa pensée. Outre que l'expression des deux lois divines fondée sur la crainte et l'amour n'est pas une invention de Thomas mais fait partie d'un héritage, on doit aussi constater que sa pensée sur le sujet s'est élaborée progressivement⁸. Ces problèmes d'histoire littéraire et d'histoire doctrinale sont d'autant plus complexes que le thème, chez Thomas comme chez ses prédécesseurs, est lié à toute une série de questions théologiques. À moins de se condamner à écrire une histoire toute matérielle de la loi de crainte dans la théologie, il faudrait, pour comprendre la signification d'une telle expression chez chaque auteur, étudier sa théologie de la loi, ses méthodes d'exégèse, sa notion de la crainte. Or des études récentes nous ont vite convaincu qu'il était impossible de reconstituer ici l'histoire littéraire du thème chez les prédécesseurs de Thomas⁹. Certes, nous n'avons pas ignoré les influences reçues par Thomas. Nous avons cependant préféré les étudier en fonction de ses prises de position face à celles de ses devanciers dans le cadre même de l'histoire doctrinale et dans la mesure où elles sont nécessaires à son interprétation. Nous sommes pourtant bien conscient des limites que comporte nécessairement une telle méthode.*

D'ailleurs, la complexité du thème ne soulève pas une difficulté au seul plan de l'histoire littéraire. Aucune œuvre de Thomas, en effet, ne fournit un traité de timoris lege *qui examinerait de façon exhaustive, les divers aspects de la question. À notre avis il serait d'ailleurs hasardeux de vouloir construire une telle monographie à partir des textes et de prétendre ensuite qu'elle représente* la *pensée de l'Aquinate ; aussi avons-nous abandonné notre projet initial en ce sens. Nous avons préféré suivre le développement progressif du thème, en tenant compte à la fois de la chronologie et du genre littéraire des écrits de Thomas. Cette méthode comporte des inconvénients évidents dont le danger de répétitions fastidieuses n'est pas le moindre. Par contre elle nous a permis, non seulement de mieux traduire le « thomisme » de Thomas [10], mais aussi de faire un certain nombre de découvertes qui sont les fruits véritables de ce travail.*

Premièrement, elle a permis une plus juste appréciation de l'influence de certaines œuvres, selon leur nature et leur structure, sur la présentation du thème par Thomas. Il apparaîtra que notre sujet n'a pas exactement les mêmes caractéristiques dans tous les écrits de Thomas, parce que, justement, l'un est un commentaire [11] des épîtres de Paul tandis que l'autre en est un du livre de Job ; ou, encore, parce que la Somme contre les Gentils *n'est pas structurée de la même façon que la* Somme de théologie. *Pourtant si chacun de ces contextes contribue à mettre en lumière tel aspect de la question plutôt que tel autre, il n'en laisse pas moins des traces permanentes. Nous sommes donc à même d'en suivre le développement progressif et de déterminer, en cours de route, l'origine de certains de ses enrichissements.*

Deuxièmement, nous pouvons assister à la transformation du thème lex timoris - lex amoris *en une réelle technique d'analyse. Les deux étapes historiques de la loi divine en constituent le prototype, mais la technique trouve d'autres domaines d'application. Sans doute eût-il été possible de discerner ce procédé sans s'as-*

treindre à une étude soucieuse de chronologie. Au reste, nous l'avons pressenti dès notre premier examen des textes de la première période d'enseignement de Thomas à Paris. Néanmoins nous ne pouvions échapper à la pure hypothèse de travail, tant qu'il n'était pas prouvé que, d'un groupe d'œuvres à l'autre, Thomas modifiait, de façon cohérente, et le thème historique et la technique correspondante.

Troisièmement, nous sommes maintenant autorisé à affirmer que, pour Thomas d'Aquin, il n'y a pas un certain nombre de problèmes cloisonnés, soulevés par des réalités fort différentes auxquelles on attribuait, par quelque déplorable malentendu, le même nom de crainte ; pour lui LA *crainte est, fondamentalement, une seule réalité soulevant des problèmes nécessairement connexes. Des résultats de nos recherches, c'est celui qui a peut-être entraîné les plus nombreuses conséquences. À notre avis tous ces problèmes spécifiques — crainte et attrition, crainte et volontaire, religion de crainte* versus *religion d'amour, etc. — , qu'on a ressassés au cours des siècles en dehors du vaste contexte de la crainte dans la théologie de l'Aquinate, ne peuvent en aucune façon se réclamer de son autorité. Nous estimons, par exemple, que la juxtaposition incohérente des thèmes relatifs à la crainte que A. Gardeil proposait, au début du siècle, dans le* Dictionnaire de théologie catholique, *« d'après saint Thomas d'Aquin pris comme centre de perspectives »* [12], *en trahit, en fait, l'esprit. Devant l'état chaotique où se trouvaient certains aspects des problèmes de la crainte chez ses devanciers, les premières prises de position du jeune bachelier sententiaire furent orientées par un parti pris d'unification et de cohérence. Mais la preuve la plus solide de notre assertion s'établit moins à partir de certains grands schémas théoriques — ne peut-on pas les soupçonner d'être des vues logiques de l'esprit dont la pensée réelle de l'auteur ne serait guère marquée ? — que par la constatation d'une intégration graduelle de tous les aspects de la crainte et de ses problèmes. De ce travail, nous pouvons être les témoins en suivant pas à pas le développement du thème* lex timoris - lex amoris. *Non seulement, en effet, présuppose-t-il la connaissance de l'enseignement de Thomas sur la crainte, mais cet enseignement envahit progressivement, soit par de brefs exposés, soit par des références explicites, le cadre même de sa théologie de l'Ancien Testament.*

Les cinq parties de notre étude s'expliquent par notre souci de respecter, et la chronologie, et la nature des œuvres principales où notre thème est traité. Nous nous en expliquons dans l'introduction à chacune d'entre elles. Qu'il suffise d'indiquer, pour le moment, que nous examinerons successivement les prises de position du bachelier sentenciaire concernant les problèmes majeurs du timor *dans la théologie de son temps et sa première élaboration du thème* lex timoris *(première partie) ; la « découverte » par Thomas de l'image « loi-pédagogue » dans sa* Lectura super epistolas Pauli *(deuxième partie) ; son traitement du binôme* lex exterior - lex interior *dans le contexte de la loi providentielle dans la* Summa contra Gentiles *et l'*Expositio super Job ad litteram *(troisième partie) ; sa théologie de la pédagogie de crainte dans le cadre de la vie vertueuse dans la* Summa theologiæ *(quatrième partie) ; et finalement les variations sur le thème loi de crainte - loi d'amour dans les derniers commentaires du* Magister in sacra Pagina *(cinquième partie).*

*Il faut pourtant encore indiquer au lecteur certaines limites de notre exposé, avant même qu'il n'en découvre bien d'autres. Puisque notre thème fait souvent appel à l'Écriture, nous devons préciser que la Vulgate médiévale a été acceptée comme un donné. L'*Exemplar vulgatum *qui était, au temps de Thomas, et qui demeurera jusqu'au XVIe siècle, la bible « standard » de l'Université de Paris, est considérablement corrompu[13]. Nous n'avons fait aucune tentative pour corriger les erreurs du texte cité par Thomas. Nous l'avons traité comme les médiévaux le faisaient puisque c'est à partir de lui que Thomas élabore sa théologie. Nous nous devons également de signaler la portée restreinte de certaines sections dans notre étude, à savoir celles qui ne concernent pas directement le thème* lex timoris *ou ce qui lui sert immédiatement de contexte intelligible. Si nous les y avons insérés, c'est qu'il n'existe à peu près aucune étude sérieuse de lexicographie sur les divers aspects de la crainte dans la théologie de Thomas[14]. Aussi nous a-t-il paru utile de livrer un premier dossier de textes, même si, dans le cadre de ce travail, il était impossible de l'exploiter à fond. C'est le cas, notamment, pour les deux appendices que nous avons dégagés du texte principal pour l'alléger.*

La pédagogie de la crainte dans l'histoire du salut n'est pas, dans l'œuvre de Thomas d'Aquin, une thèse bien construite au départ. Elle trouve certains éléments fondamentaux dans le thème augustinien de la lex timoris *et, progressivement, par le fruit d'un long travail d'aménagements successifs, elle prend forme, s'approfondit et trouve sa cohérence interne. L'établir, par une étude de textes, constitue notre propos fondamental.*

Qu'il nous soit permis de remercier ici tous ceux qui, par leurs conseils et leurs encouragements, ont facilité notre travail. Notre gratitude va tout spécialement aux révérends pères M.-M. Labourdette, O.P. et M.-J. Nicolas, O.P., qui voulurent bien diriger notre recherche. Nous exprimons aussi notre vive reconnaissance envers nos supérieurs religieux qui nous ont libéré des charges de l'enseignement pour nous permettre de consacrer quelques années à des études si profitables. Sans l'aide des uns et la libéralité des autres, ce travail ne serait pas.

---

[1] Rom., 8, 15.

[2] Augustin, *Contra adimantum Manichaei discipulum,* c. 17, no 2 (PL 42 159).

[3] Est-il besoin de préciser que nous n'attachons pas à l'expression « histoire du salut » les connotations techniques qu'elle peut avoir dans la théologie moderne, particulièrement depuis l'étude célèbre de O. Cullmann, *Christus und die Zeit, Die urchristliche Zeit- und Geschichtsauffassung,* Zurich, A. G. Zollikon, 1946. Nous l'utilisons pour traduire ce que le latin des Pères occidentaux et des théologiens médiévaux exprimait par *dispensatio* : l'ordre historique de ce que Dieu a opéré pour notre salut. Voir M.-D. Chenu, *La théologie au douzième siècle,* Paris, J. Vrin, 1957, p. 67 ; Y. M.-J. Congar, *Le sens de l'« économie » salutaire dans la « théologie » de s. Thomas d'Aquin (Somme théologique),* dans *Festgabe Joseph Lortz.* herausgegeben von E. Iserlok und P. Manns, Baden-Baden, B. Grimm, 1958, t. II, pp. 73-122 ; Idem, *Le moment « économique » et le moment « ontologique » dans la Sacra doctrina (Révélation, Théologie, Somme théologique),* dans *Mélanges offerts à M.-D. Chenu,* Paris, J. Vrin, 1967, p. 136. — Comme nous aurons l'occasion de le démontrer, on pourrait définir l' « histoire du salut », chez Thomas d'Aquin, comme la voie historique conduisant à l'incarnation et ultérieurement aux fins dernières. Elle passe par trois grandes étapes : *ante legem, sub lege, sub gratia* : elle est consommée dans la gloire.

[4] U. Kühn, *Via Caritatis, Theologie des Gesetzes bei Thomas von Aquin,* Göttingen, Vandenhoeck und Ruprecht, 1965.

[5] I. Hunt, *The Theology of St. Thomas on the Old Law,* Ottawa, St. Paul's Seminary, 1949, dans une thèse de 208 pages, ne consacre que quelques lignes

(cf. p. 22) à la crainte. Cet exemple reflète bien la place faite à la *via timoris* dans les études thomistes sur la loi divine.

[6] Cf. J. BECKER, *Gottesfurcht im Alten Testament*, Rom, Päpstliches Bibelinstitut, 1965 (Voir la bibliographie, pp. XV-XVII) ; L. DeROUSSEAUX, *La crainte de Dieu dans l'Ancien Testament*, Paris, Les Éd. du Cerf, 1970.

[7] Chez les catholiques, l'un des premiers essais systématiques d'une théologie de l'Ancien Testament a été proposé par P. GRELOT, *Sens chrétien de l'Ancien Testament, Esquisse d'un Traité Dogmatique*, Tournai, Desclée et Cie, 1962. Voir également les problèmes qu'une telle « théologie » soulève, chez R. de VAUX, *Peut-on écrire une « théologie de l'Ancien Testament »* ?, dans *Mélanges offerts à M.-D. Chenu*, Paris, J. Vrin, 1967, pp. 439-449.

[8] Thomas lui-même énonce la règle de l'« évolution de la pensée », *in I Ethic.*, lect. 11 (no 133) : « Si enim aliquis tempore procedente det operam investigandae veritati, juvatur ex tempore ad veritatem inveniendam et quantum ad unum et eumdem hominem qui postea videbit quod prius non viderat, et etiam quantum ad diversos, utpote cum aliquis intuetur ea quae sunt a prædecessoribus inventa, et aliquid superaddit ». Mais on voit également en quel sens il la conçoit : il ne s'agit pas d'une succession d'opinions plus ou moins contradictoires, mais bien d'une intelligence toujours plus déliée d'une vue antérieure. La façon dont s'opère le développement du thème *lex timoris — lex amoris* illustre derechef ce processus.

[9] On aura une idée de la complexité des problèmes engagés, à propos des méthodes d'exégèse, chez H. de LUBAC, *Exégèse médiévale, Les quatre sens de l'Écriture*, Paris, Aubier, 1959-1964 ; à propos des problèmes relatifs à la crainte, chez A. M. LANDGRAF, *Die Lehre der Frühscholastik von der knechtischen Furcht*, dans *Dogmengeschichte der Frühscholastik*, Regensburg, F. Pustet, 1955, IV/1, pp. 276-371 ; à propos de la théologie de la loi, chez O. LOTTIN, *Psychologie et Morale aux XIIe et XIIIe siècles*, Gembloux, J. Duculot, 1948, II/1, pp. 11-100. — Lorsque A. M. LANDGRAF, *Die Gnadenökonomie des Alten Bundes, ibid.*, III/1, pp. 19-60, examine l'axiome lombardien, *lex cohibet tantum manum, sed non animum*, thème directement relié à celui de la *lex timoris* chez les scolastiques. il souligne aussi la difficulté d'interprétation que soulève la diversité des significations attribuées à la notion de loi : « Es sei aber darauf verwiesen, dass der Begriff *lex* in den verschiedensten Bedeutungen schillert » (p. 23, note 27).

[10] Les théologiens allemands distinguent entre la pensée *thomanisch*, celle de Thomas lui-même, et la pensée *thomistisch*, celle de l'École dite thomiste. Ce vocabulaire n'a pas encore passé dans la langue française, de sorte que les mots « thomisme » et « thomiste » sont grevés d'une profonde ambiguïté. À moins d'indications contraires, nous les utilisons en référence à Thomas et non à l'École.

[11] Nous n'attachons, dans cet ouvrage, aucun sens technique au mot « commentaire ». Nous l'employons au sens large de remarques interprétatives sur un texte pour en faciliter la compréhension. On ne doit donc pas l'opposer à une *lectura*, à une *expositio*, à une *glosa*, à des *postilla*, etc.

[12] A. GARDEIL, *Crainte*, dans *DTC* 3 (1908) 2010-2022. Le texte cité est au début de l'article.

[13] C. SPICQ, *Esquisse d'une histoire de l'exégèse au moyen âge*, Paris, J. Vrin, 1944, p. 166.

[14] C'est une lacune que nous nous proposons de combler éventuellement. À date, nous avons publié une étude lexicographique sur le couple *verecundia-*

erubescentia, sous le titre : *La « crainte honteuse » selon Thomas d'Aquin*, dans *RT*, 69 (1969) 589-623 ; une autre sur *Le vocabulaire de l'angoisse chez Thomas d'Aquin*, dans *EgTh*, 2 (1971) 55-92 ; une troisième sur le *metus* et le *voluntarium* sous le titre : *L'influence de la crainte sur la qualité humaine de l'action selon Thomas d'Aquin*, dans *RT*, 72 (1972) 33-57. Une quatrième étude sur le binôme *admiratio - stupor* est en voie de préparation. Signalons, à ce propos, que nous avons omis, dans le présent travail, l'étude détaillée de la division damascéno-némésienne de la crainte en six espèces : *segnities, erubescentia, verecundia, admiratio, stupor, agonia.* Cf. NÉMÉSIUS D'ÉMÈSE, *De Natura hominis*, c. 20 (PG 40, 688BC-689A) ; JEAN DAMASCÈNE, *De Fide orthodoxa*, II, c. 15 (PG 94, 932C) ; THOMAS D'AQUIN, *in III Sent.*, d. 26, q. 1, a. 3, sol. ; d. 34, q. 2, a. 1, q1a. 2, obj. 6 ; *de Ver.*, q. 26, a. 4, obj.-ad 7 ; *Ia-IIae*, q. 41, a. 4, sed contra ; *IIa-IIae*, q. 19, a. 2, obj. 1. L'étude lexicographique de ces formes diverses de la crainte chez l'Aquinate représente un long travail que nous ne pouvions entreprendre dans le cadre de notre thèse. Notons pourtant que, contrairement à l'usage actuel, la notion la plus large dans le domaine de la peur est, pour Thomas d'Aquin, celle de *timor* : inquiétude, angoisse, anxiété, effroi, stupeur, etc., n'en sont que des formes particulières.

Première partie

LES QUESTIONS SCOLAIRES:

DE TIMORE — DE LEGE TIMORIS

LE *COMMENTAIRE SUR LES SENTENCES*

Comme tout jeune bachelier professant à l'Université de Paris, Thomas d'Aquin commenta, dès le début de sa carrière théologique, les *Sentences* de Pierre Lombard. Il fut appelé, par le fait même, à enseigner les questions principales qu'agitaient les théologiens médiévaux. Au nombre de celles-ci figurait la *lex timoris*, thème augustinien de la théologie de l'Ancien Testament Respectueux des « autorités », Thomas l'exposa[1] (chapitre premier). Il ne suffit pourtant pas de lire les quelques lignes consacrées explicitement à la loi de crainte pour comprendre le premier enseignement du jeune dominicain sur ce point. Les brèves réflexions qu'il y propose n'ont de sens qu'en fonction du problème théologique plus vaste de la définition et de la division de la crainte. Sur ce point le bachelier sententiaire a pris, dès le départ, des positions méthodologiques et doctrinales précises, parfois originales (chapitre deuxième). C'est à partir de celles-ci et des notions-clés qui s'en dégagent (chapitre troisième) que l'on peut alors donner une interprétation satisfaisante de la *lex timoris*, thème beaucoup plus complexe qu'une lecture même attentive de la *quæstiuncula* qui lui est dédiée ne pouvait le laisser soupçonner (chapitre quatrième). D'où l'explication des quatre chapitres de cette première partie.

L'activité théologique de Thomas n'est cependant pas réduite, au cours de ce premier séjour parisien (1252-1259/60), au *Commentaire sur les Sentences*. Aussi les questions qui nous intéressent réapparaissent-elles dans l'une ou l'autre de ses œuvres que les historiens s'accordent pour assigner à cette période. Parmi celles-ci, nous nous servirons particulièrement de l'*Expositio in*

Isaiam [2] et du premier opuscule que Thomas rédige pour réfuter les thèses de Guillaume de Saint-Amour contre les nouveaux mendiants, le *Contra impugnantes Dei cultum et religionem* [3]. Les autres rares références au *principium*, « *Hic est liber* », donné au début de l'année académique de 1252, à la partie du *de Veritate* (qq. 1-22, a. 10) composée à la fin de son premier séjour à Paris, et à l'une ou l'autre *expositio* sur Boèce ou le Pseudo-Denys, sont d'importance fort secondaire [4].

---

[1] *In III Sent.*, d. 40, a. 4, q1a. 2.

[2] R. Guindon, *L' « Expositio in Isaiam » est-elle une œuvre de Thomas d'Aquin « bachelier biblique » ?*, dans *RTAM*, 21 (1954) 312-321, a établi que ce commentaire biblique appartient bien aux œuvres du premier séjour parisien. Voir aussi, A. Dondaine, *Secrétaires de saint Thomas*, Roma, Commissio Leonina, 1956, pp. 200-201, note 49.

[3] Il fut composé en 1256. Cf. P. Glorieux, *Le « Contra impugnantes » de saint Thomas, ses sources, son plan*, dans *Mélanges Mandonnet*, Paris, J. Vrin, 1930, t. I, pp. 51-81.

[4] Les controverses éventuelles sur la date de composition de l'une ou l'autre de ces dernières œuvres citées — nous pensons en particulier à l'*Expositio in librum Beati Dionysii de Divinis Nominibus* — n'ont guère d'importance pour notre sujet. Nous avons suivi, pour leur chronologie, les indications données par A. Walz et P. Novarina, *Saint Thomas d'Aquin*, Louvain, Publications universitaires ; Paris, Béatrice-Nauwelaerts, 1962, et par M.-D. Chenu, *Toward Understanding Saint Thomas*, Chicago, H. Regnery Company, 1964. Nous suivrons toujours ces auteurs pour la datation des œuvres qui ne soulèvent pas de problèmes spéciaux à cet égard ou, dans le cas contraire, qui n'ont qu'une importance très relative pour notre propos. Notons encore que nous citons généralement la traduction anglaise du livre du père Chenu, car les corrections et les additions bibliographiques introduites par A.-M. Landry et D. Hughes en font un instrument de travail bien supérieur à l'édition française.

CHAPITRE PREMIER

LES ÉLÉMENTS FONDAMENTAUX DU THÈME *LEX TIMORIS*

Les quatre dernières distinctions qui concluent le commentaire du IIIᵉ livre des *Sentences* forment un court traité de la loi. L'avant-dernière *quæstiuncula* du tout dernier article pose la question : « *Videtur quod lex vetus non differat a nova per radicem timoris et amoris* » [1]. Avant le texte scripturaire classique Rom 8, 15 [2], c'est la puissante *auctoritas* [3] d'Augustin [4] que Thomas oppose à cette thèse : « *Brevis differentia legis et Evangelii est timor et amor* » [5]. Est-ce là un *obiter dictum* dans l'œuvre du docteur d'Hippone ou cette autorité correspond-elle à un élément réel de la théologie augustinienne de l'Ancien Testament ? En d'autres mots, Thomas énonce-t-il ici un thème vraiment augustinien ?

1. Pour une théologie de la « lex timoris » chez Augustin

L'absence même d'étude augustinienne à ce propos nous permettrait d'en douter. À notre connaissance, le thème de la loi de crainte n'a jamais été étudié pour lui-même dans la théologie d'Augustin [6]. Nous ne prétendons pas combler cette lacune. Pour être fidèle à la pensée du grand docteur, il faudrait étudier ce thème dans le contexte intégral de sa théologie de la loi, examiner attentivement son enseignement sur la crainte et l'amour, maintenir exactement ses aperçus dans leur climat propre, tenir compte de la chronologie des œuvres, entreprendre, en somme, l'enquête que nous nous proposons de mener dans les œuvres de Thomas d'Aquin. Une telle tentative sortirait évidemment du cadre de notre exposé.

Par contre la théologie de l'Aquinate dépend tellement ici de celle d'Augustin qu'on ne saurait ignorer totalement les textes majeurs de cette dernière. Aussi examinerons-nous brièvement les affirmations importantes d'Augustin pour une théologie de la *lex timoris*[7]. L'Aquinate, nous le verrons par la suite, leur doit beaucoup.

La loi de l'Ancien Testament : une « loi de crainte »

Le texte de l'autorité augustinienne généralement cité par Thomas d'Aquin est tiré du *Contra Adimantum Manichaei discipulum*, au chapitre 17e [8]. Il est utile d'en reproduire un extrait :

> Si ergo tempore Novi Testamenti, quo maxime charitas commendatur, de pœnis visibilibus divinitus injectus est carnalibus timor ; quanto magis tempore Veteris Testamenti hoc congruisse illi populo intelligendum est, quem timor Legis tanquam pædagogi coercebat ? Nam hæc est brevissima et apertissima differentia duorum Testamentorum, timor et amor : illud ad veterem, hoc ad novum hominem pertinent ; utrumque tamen unius Dei misericordissima dispensatione prolatum atque conjunctum [9].

Au cours de sa vie, notamment dans sa prédication et dans ses polémiques, Augustin exprimera souvent les idées contenues dans ce texte. Comparativement à la loi du Nouveau Testament, celle de l'Ancien est une « loi de crainte »[10]. Moïse la reçut, par le ministère des anges, dans une manifestation de terreur, alors que le peuple se tenait à distance avec crainte et tremblement[11]. Cette loi du Sinaï ne portait pas à l'indulgence, à la mansuétude, à la dilection, mais à la sévérité[12]. Elle commandait, menaçait, terrorisait. Elle était pourtant incapable de porter secours[13]. Son nom, *lex timoris*, n'est donc pas uniquement attribuable au mode de promulgation, mais également à la peur qu'elle inculquait[14]. Suscitant la crainte plutôt que la charité[15], elle poussait à l'accomplissement de ses préceptes « *timore pœnæ, non amore justitiæ* »[16]. Donnée par l'Esprit, non pas dans la charité, mais « pour retomber dans la crainte » (Rom 8, 15), ne doit-elle pas être considérée comme la *littera legis*[17] ? Lettre morte, elle ressemblait au bâton de Géhazi qui ne pouvait vivifier le fils de la Shunamite : il fallut attendre la venue d'Élisée, figure du Seigneur, pour ressusciter l'enfant (2 R 4, 8-37) [18]. Elle avait donc l'extériorité d'une lettre qu'on lit, d'un bâton qu'on applique : voilà pourquoi le doigt de Dieu l'avait tracée dans la pierre et non dans les cœurs [19]. Soumis à cette loi de crainte, ses sujets étaient en somme réduits à l'esclavage [20]. Ils vivaient sous la férule du pédagogue [21].

Limites et fonction de la loi de crainte

L'ancienne loi tendait à réprimer la convoitise, sans toutefois parvenir à l'éteindre [22]. Comment l'aurait-elle pu ? Contrairement à la loi du Nouveau Testament, elle manifestait, par sa législation pénale, les péchés, sans donner la charité [23].

Néanmoins cette loi de crainte ancienne n'est pas à blâmer [24] : l'Apôtre ne la condamne pas [25] et la règle de la foi catholique, tout en reconnaissant ses limites, impose sa louange [26]. Elle est bonne et sainte [27]. Comment en irait-il autrement puisque, comme le dit Augustin dans une phrase intraduisible : « *eumdem esse Evangelii misericordissimum largitorem, qui exstitit etiam Legis terribilis lator* » [28] ? Gardons-nous donc de l'identifier à la *lex peccati et mortis* ou à la *lex membrorum* [29]. Elle avait mission, au contraire, de faire obstacle à la loi du péché en la démasquant par sa législation pénale [30] : elle était le *testis peccantium* [31], l'*insinuatrix* [32]. Le péché dévoilé, la loi pouvait ensuite amorcer la conversion des « prévaricateurs » en suscitant la crainte de ses menaces [33]. Conscients de leur faiblesse, les pécheurs intimidés cherchaient un médecin [34]. Sa pédagogie de crainte conduisait ainsi à la grâce du Sauveur [35]. Avant le maître aimé qui devait venir, elle était le pédagogue que l'on craint [36].

Après la loi de crainte, la loi de charité

Alors que la loi de crainte fut promulguée dans une théophanie terrifiante sur le mont Sinaï, celle du Nouveau Testament fut inscrite dans les cœurs à la manifestation d'amour de la Pentecôte [37]. En opposition à la *lex timoris*, cette *lex spiritus vitæ* fait figure — nous l'avons vu dans les textes déjà cités — de *lex caritatis* [38], de *lex filiorum* [39], de *lex libertatis* [40]. Elle libère le chrétien de l'ancienne contrainte de la loi de terreur [41]. La loi du Nouveau Testament l'habilite à observer ses préceptes non plus par crainte de la peine mais par amour de la justice [42].

Et pourtant... ne voit-on pas des chrétiens se conduire encore « comme si » la loi d'amour n'avait pas succédé à la loi de crainte ? Aussi constate-t-on souvent, dans plusieurs textes augustiniens que nous venons d'examiner brièvement, un glissement de sens : on passe, imperceptiblement parfois, du sens historique de *lex timoris* à une application analogique à l'intérieur du régime nouveau. Augustin admoneste souvent les chrétiens qui abandonnent le dialogue d'amour avec Jésus-Christ pour reprendre le dialogue ancien de la crainte servile [43].

Ces annotations ne prétendent pas, bien sûr, traduire intégralement la théologie de la loi de crainte chez Augustin. Elles livrent néanmoins la majorité des grands thèmes qui seront « lus » et transmis par la théologie médiévale. Quelques-uns de ces textes deviendront des *auctoritates* classiques que les docteurs, selon leur génie et dans le contexte de leur synthèse respective, commenteront avec plus ou moins d'à-propos. Thomas d'Aquin a aussi connu, soit directement soit à travers les écrits médiévaux, la plupart des thèmes augustiniens concernant la *lex timoris*. Nous constaterons qu'il les reprend tous à son compte, mais dans une théologie qui, finalement, n'est plus celle d'Augustin mais la sienne. Voilà ce qu'il nous reste à découvrir.

2. Le premier énoncé thomiste du thème augustinien

In III Sent., d. 40, a. 4, qla. 2 fournit le premier énoncé thomiste important du thème augustinien *lex timoris - lex amoris*. Suivant les classiques éléments de base, cette question brève donne une interprétation claire et simple [44].

Conformément à l'usage scolaire, le jeune bachelier allègue les deux autorités d'Augustin et de Paul [45], qu'il citera inlassablement par la suite [46]. C'est par les deux modes de législation divine qu'il explique l'attribution de la crainte à la loi ancienne et celle de l'amour à la loi nouvelle [47] : la loi du Nouveau Testament fut inaugurée par une manifestation de charité divine, l'effusion du sang de Jésus-Christ, signe d'une charité très parfaite, tandis que la loi ancienne débuta par une manifestation spectaculaire de puissance divine [48] qui suscita la crainte et fit dire à ses auditeurs terrifiés : « Que le Seigneur ne nous parle pas de peur que nous mourions » (Exod 20, 19). Thomas ne s'en tient pourtant pas à cette dissemblance des deux promulgations successives. Il remarque que la loi ancienne conduisait les hommes principalement par la menace des peines et la loi nouvelle *per beneficia exhibita et speranda* [49]. Il conclut par des considérations sur l'adaptation de ces moyens législatifs à deux « états » du genre humain : il fallait d'abord contraindre un peuple inculte par la crainte de la peine et le parfaire ensuite dans le bien par l'amour. Thomas ajoute enfin : « *...sicut enim timor est via ad amorem, ita lex vetus ad novam* ».

Deux textes encadrent cette question centrale et parachèvent son enseignement. La dernière réponse de la *quaestiuncula* précédente résout une difficulté soulevée contre la solution selon laquelle la loi ancienne ne promettait que des biens temporels, figures, il est vrai, des biens éternels révélés par la loi nouvelle et dévoilés dans l'Église céleste [50]. S'il en est ainsi, ne doit-on pas penser qu'elle utilisait une méthode contraire à la notion même de vertu ? Thomas réplique par une analogie avec la menace pénale dont se sert cette même loi : « *...sicut facere aliquid timore pœnæ est contra rationem perfectæ virtutis, tamen ducit ad virtutem ; ita...* » [51] Ce passage, caractéristique d'une technique de transition chère à Thomas, anticipe sur l'exposé de la deuxième *quæstiuncula*. La formulation pourtant diffère : la crainte n'est pas dite *via ad amorem*, mais un guide de vie vertueuse. En expliquant pourquoi la loi ancienne était plus onéreuse que la nouvelle [52], Thomas reprend encore, dans la troisième *quæstiuncula*, le thème de la crainte comparée à l'amour. On jauge la pesanteur d'un fardeau à sa propre capacité de le porter : est léger pour l'athlète ce qui écrase l'homme débile. Ainsi en est-il pour ceux qui sont soumis à l'une ou l'autre loi divine. Toutes choses étant égales, la loi ancienne s'avérait pourtant plus onéreuse que la nouvelle : celle-ci accorde en effet le secours de la grâce pour observer les préceptes et elle y incline par l'amour qui rend tout agréable, alors que l'ancienne loi y contraignait par mode de crainte [53]. Les *modi inducendi* des deux lois étaient donc différents [54].

Par « loi de crainte » et « loi d'amour » on veut donc mettre en relief les deux modes successifs dont Dieu s'est servi pour conduire les hommes à la vertu, à l'amour, aux biens célestes. Le premier de ces moyens correspondait à la « rudesse » des mœurs anciennes. L'*Expositio in Isaiam* illustre souvent cette manière forte de l'ancien régime [55]. La crainte qui anime les sujets de la loi mosaïque n'est pourtant pas sans ambiguïté. Lorsque le peuple obéit à Dieu par peur de sa sévérité alors que son cœur reste éloigné de Lui [56], il commet le péché de mépris divin, cause de l'aveuglement spirituel [57]. Lorsqu'il accepte son histoire uniquement comme un dialogue effroyable avec Yahvé, Israël va donc à l'encontre de l'orientation profonde de la loi de crainte. L'œuvre commencée par la *via timoris* doit en effet se consommer dans la révélation de la charité divine en Jésus-Christ [58].

L'opposition globale entre les deux lois divines est encore atténuée dans les réponses de *in III Sent.*, d. 40, a. 4, qla. 2. La rédaction nuancée de la solution laissait d'ailleurs entrevoir ces mises au point. Si, sous la loi ancienne, l'intimidation était employée *præcipue*, et si, conséquemment, elle caractérise le régime même, tous ses membres ne l'observaient pas nécessairement par peur. Certains s'y soumettaient par amour et ils doivent être considérés comme appartenant déjà à l'état de perfection, donc à la loi nouvelle [59]. D'autre part, la méthode de la contrainte n'est pas exclusive de l'économie ancienne. Pour inciter à sa fin, la loi nouvelle, enracinée dans la charité, insiste, sans doute, sur la promesse des récompenses et prodigue les bienfaits divins. Pourtant, elle n'exclut pas la menace dont la loi ancienne faisait son levier principal. L'épître aux Hébreux (10, 29), n'affirme-t-elle pas la majoration du châtiment pour les réprouvés de la nouvelle alliance [60] ?

Voilà les éléments fondamentaux du thème augustinien interprété pour la première fois par l'Aquinate. Si la loi ancienne et la loi nouvelle sont bien caractérisées successivement par deux modes différents de législation, à savoir la terreur et l'amour, il faut bien voir, d'une part, que l'ancienne acheminait, de soi — sa méthode ne produisait pas toujours les fruits escomptés ! —, vers la nouvelle, comme la crainte à la vertu et à l'amour ; et, d'autre part, que la charité est déjà à l'œuvre dans l'ancienne, comme, inversement, la crainte du châtiment joue toujours un rôle dans la nouvelle.

Dans le *Commentaire sur les Sentences* et dans tous les écrits de cette première période d'enseignement, *in III Sent.*, d. 40, a. 4, qla. 2 est, avec les quelques compléments signalés, le seul passage qui aborde explicitement le thème *lex timoris - lex amoris* [61]. Pourtant son étude attentive nous justifie d'en donner, au point de vue qui nous intéresse, une interprétation beaucoup plus étoffée, sans pour autant attribuer au jeune bachelier des rapprochements qu'il n'envisageait pas en l'écrivant. Deux formules, en effet, renvoient manifestement à un enseignement présupposé. La première est l'énigmatique « *sicut enim timor est via ad amorem* ». Remarquons qu'elle se présente en fin de solution, comme l'explication ultime du rapport entre les deux lois. Or, pris en lui-même, cet « éclaircissement » offre beaucoup plus de difficultés à l'intelligence qu'il n'en résout [62]. La deuxième formule se trouve dans la prémisse majeure de la troisième objection : il s'agit d'une distinction inexpliquée dans le texte : « *Timor servilis qui contra amorem dividitur, respicit pœnam* » [63]. D'après le sens de l'objection et de sa réponse, le terme technique *timor servilis* doit être assimilé à l'expression moins précise, *timor pœnæ*, employée dans la solution.

Ces formules appartiennent à une question extrêmement complexe, celle de la notion de crainte, de ses divisions « théologiques » traditionnelles, et des rapports entre ces formes morales de la crainte et la charité. Le jeune bachelier a, dès son premier séjour parisien, pris position — et parfois de façon très personnelle — sur cette grande *quæstio*. Aussi faut-il l'examiner attentivement avant d'interpréter les données initiales relatives à la loi de crainte.

[1] *In III Sent.*, d. 40, a. 4, qla. 2.

[2] Rom., 8, 15 : « Non accepistis spiritum servitutis iterum in timore ». Cf. *in III Sent.*, d. 40, a. 4, qla. 2, sed contra II. Pour l'utilisation et les commentaires de ce verset en fonction de l'économie du salut dans la première scolastique, voir A. M. LANDGRAF, *Die Gnadenökonomie...*, dans *Dogmengeschichte...*, III/1, pp. 22-25.

[3] L'*auctoritas*, dans la théologie médiévale des grands scolastiques, signifie le texte lui-même. Lorsqu'on en appelle à l' « autorité d'Augustin », par exemple, il s'agit du texte de celui-ci dans son expression matérielle, donc de la formule, de l'adage, du *dictum* et non pas, au moins en premier lieu, de la vérité affirmée par le texte, du contenu, du *sensus*. Il ne faut donc pas confondre l'*auctoritas* avec la valeur d'*argumentum* théologique des diverses

catégories d'autorités, à savoir l'Écriture, les Pères, les philosophes. Voir, à ce propos, M.-D. CHENU, *Toward Understanding...*, pp. 126-149. À la bibliographie citée, il faut ajouter, pour l'utilisation des Pères : G. GEENEN, *Saint Thomas et les Pères*, dans *DTC*, 15 (1946) 738-761 (voir en particulier, cc. 738-739, pour le vocabulaire ; cc. 749-751, pour l'usage des autorités) ; pour l'utilisation de la « Tradition » : IDEM, *The Place of Tradition in the Theology of St. Thomas*, dans *Thom*, 15 (1952) 110-135 ; pour l'utilisation de l'Écriture : J. Van der PLOEG, *The Place of Holy Scripture in the Theology of St. Thomas*, dans *Thom*, 10 (1947) 398-422 (Voir cependant les observations de G. GEENEN, *The Place...*, pp .131-132, note 28).

⁴ Il est communément admis par les médiévistes, que les théologiens du moyen âge sont les héritiers d'une théologie de l'histoire du salut mise en forme par AUGUSTIN : cf. E. GILSON, *L'esprit de la philosophie médiévale*, Paris, J. Vrin, 1944², pp. 369, 371, 372 ; M.-D. CHENU, *La théologie au douzième siècle...*, pp. 73-78 ; H. de LUBAC, *Exégèse médiévale...*, I, pp. 467-478.

⁵ *In III Sent.*, d. 40, a. 4, q1a. 2, sed contra I. C'est une citation *ad sensum* du *Contra Adimantum Manichaei discipulum*, c. 17 (PL 43, 158-159).

⁶ On trouve des données élémentaires relatives à la *lex timoris* chez : P. LENICQUE, *La liberté des Enfants de Dieu selon saint Augustin*, dans *ATA*, 13 (1953) 116-121, 126 ; A.-M. La BONNARDIÈRE, *Le verset paulinien Rom. V, 5 dans l'œuvre de saint Augustin*, dans *Augustinus Magister*, Paris, Études Augustiniennes, 1954, II, pp. 659-661, sous les lettres a), f) et g) ; J. PLAGNIEUX, *Le chrétien en face de la loi d'après le « De Spiritu et Littera » de saint Augustin*, dans *Theologie in Geschichte und Gegenwart, Festgabe Michael Schmaus*, München, K. Zink, 1957, pp. 725-754 (Cet ouvrage d'Augustin a, de toute évidence, beaucoup influencé Thomas. Dans *Ia-IIae*, p. 106, aa. 1-2, par exemple, il en cite cinq passages différents. Comparer aussi *in ad Rom* 2, 14, lect. 3 (no 216) de Thomas à *De Spiritu et Littera*, cc. 26-28, nn. 43-49 (PL 44, 226-231).); P. GRELOT, *Sens chrétien...*, pp. 202-203 ; A. LUNEAU, *L'histoire du salut chez les Pères de l'Église, La doctrine des âges du monde*, Paris, Beauchesne et ses fils, 1964, pp. 357-383 ; A. BECKER, *De l'instinct du bonheur à l'extase de la béatitude, Théologie et pédagogie du bonheur dans la prédication de saint Augustin*, Paris, P. Lethielleux, 1967, pp. 236-242.

⁷ Seuls les textes explicites d'AUGUSTIN sur la loi de crainte ont été étudiés, d'où le caractère incomplet de nos annotations. Puisque nous les écrivons en fonction d'une meilleure connaissance de l'*auctoritas* augustinienne invoquée par Thomas d'Aquin, nous laisserons surtout parler les textes mêmes du docteur d'Hippone.

⁸ L'autorité est ici fort bien choisie puisque cette œuvre antimanichéenne d'Augustin (écrite vers 394) s'attache à réfuter les contradictions prétendues entre les deux Testaments.

⁹ AUGUSTIN, *Contra Adimantum Manichœi Discipulum*, c. 17 (PL 43, 158-159). Puisque nous ne prétendons pas instituer une exégèse scientifique de la pensée augustinienne, nous nous sommes cru justifié de nous en tenir, pour des motifs de commodité, à l'édition de J.-P. MIGNE.

¹⁰ Cf. *De Natura et Gratia*, I, c. 57 (PL 44, 280) : « In quantum quisque spiritu ducitur, non est sub lege : quia in quantum condelectatur legi Dei, non est sub legis timore » ; *Sermo 145*, no 3 (PL 38, 791-792) : « Lex timorem habet, gratia spem (...). Lex terret de se ipso praesumentem, gratia adjuvat in Deum sperantem » ; *Enarratio in Psalmum 77*, 5-8, no 7 (PL 36, 986) : « Initium est ergo Vetus Testamentum, finis Novum. Timor enim prævalet in Lege :

et 'initium sapientiæ timor Domini' (Psalm 110, 10). 'Finis' autem 'Legis Christus' est, 'ad justitiam omni credenti' (Rom., 10, 4) : quo donante 'diffunditur charitas in cordibus nostris, per Spiritum sanctum qui datus est nobis' (Rom., 5, 5) ; et 'consummata charitas foras mittit timorem' (1 Joan 4, 18) » ; ibid. 129, 4-6, no 3 (PL 37, 1698) : « Lex data est quæ terreat et constringat in reatum ; (...). Illa timoris fuit, est alia charitatis » ; De Spiritu et Littera, I, c. 18, no 31 (PL 44, 219) : « Proinde quia lex, sicut alibi dicit, 'prævaricationis gratia posita est' (Gal., 3, 19)..., propterea eam et ministrationem mortis et ministrationem damnationis appellat : hanc autem, id est, Novi Testamenti, ministrationem spiritus et ministrationem justitiæ dicit (...). Ideo illud evacuatur, hoc manet : quoniam terrens pædagogus auferetur, cum timori successerit charitas » ; Quæstionum in Heptateuchum liber V, c. 15 (PL 34, 755) : «... ita per hanc differentiam duo Testamenta significata esse diximus, ut in Veteri Testamento Lex commendaretur tanquam opus Dei, ubi homo nihil fecerit, eo quod Lex timore non posset impleri : quoniam cum vere fit opus legis, charitate fit, non timore, quæ charitas gratia est Testamenti Novi. Ideo in secundis tabulis homo legitur scripsisse verba Dei, quia homo potest facere opus Legis per charitatem justitiæ, quod non potest per timorem pœnæ » ; De diversis quæstionibus ad Simplicianum, I, q. 1, no 17 (PL 40, 110) : « Usitatius enim vocatur lex, quando minatur et terret et vindicat. Itaque idem præceptum timentibus lex est, amantibus gratia est. Inde est illud in Evangelio : 'Lex per Moysen data est, gratia et veritas per Jesum Christum facta est' (Joan 1, 17). Eadem quippe lex quæ per Moysen data est, ut formidaretur, gratia et veritas per Jesum Christum facta est, ut impleretur (...). Quoniam lex littera est eis qui non eam implent per spiritum charitatis, quo pertinet ad Testamentum Novum » ; De sermone Domini in Monte, I, c. 1, no 2 (PL 34, 1231) : « Unus tamen Deus per sanctos Prophetas et famulos suos, secundum ordinatissimam distributionem temporum, dedit minora præcepta populo quem adhuc timore alligari oportebat ; et per Filium suum, majora populo quem charitate jam liberari convenerat ».

[11] Cf. Sermo 155, c. 6 (PL 38, 843) : « Ibi plebs longe stabat, timor erat, amor non erat. Nam usque adeo timuerunt, ut dicerent ad Moysen : 'Loquere tu ad nos, et non nobis loquatur Dominus, ne moriamur'. Descendit ergo, sicut scriptum est, Deus in Sina in igne : sed plebem longe stantem territam, et digito suo scribens in lapide, non in corde » ; Sermo 156, c. 13 (PL 38, 857) : « Jam nudiustertius qui adfuistis audistis, quomodo longe positam plebem, voces, ignis, fumus in monte terrebat... » ; De Civitate Dei, X, c. 13 (PL 41, 292) : « Cum igitur oporteret Dei legem in edictis Angelorum terribiliter dari (...), coram eodem populo magna facta sunt in monte, ubi lex per unum dabatur, conspiciente multitudine metuenda ac tremenda quæ fiebant ».

[12] Cf. Epistola 153, c. 6, no 16 (PL 33, 660) : « Nec ob aliud, quantum sapio, in Veteri Testamento, antiquorum temporibus Prophetarum severior Legis vindicta fervebat, nisi ut ostenderetur recte iniquis pœnas constitutas : ut quod eis parcere Novi Testamenti indulgentia commonemus, aut remedium sit salutis, quo peccatis parcatur et nostris ; aut commendatio mansuetudinis, ut per eos qui parcunt, veritas prædicata non tantum timeatur, verum etiam diligatur ».

[13] Cf. Sermo 30, c. 1 (PL 38, 188) : « Ab hujus pessimæ dominæ dominatu, pretioso sanguine redempti sumus. Et quid proderat Legem accepisse jubentem ac minantem, et non adjuvantem, ut sub illa essemus rei ante gratiam Dei ? » ; Sermo 152, no 5 (PL 38, 822) : «... ipsa Lex quæ data est populo per Moysen in monte Sina, ipsa dicitur lex factorum. Ipsa minari novit, non subvenire ; jubere novit, non juvare » ; Voir aussi, De diversis quæstionibus ad Simplicianum, I, q. 1, no 17 (PL 40, 110).

[14] Cf. *Enarratio in Psalmum* 129, 4-6, no 3 (PL 37, 1698) : « Lex data est quæ terreat et constringat in reatum... » ; *Sermo 2*, c. 2 (PL 38, 28) : « Lege enim terruit, Evangelio conversos sanavit, quos ut converterentur Lege terruerat » ; *Sermo 145*, no 3 (PL 38, 791-792) : « Lex timorem habet, gratia spem (...). Lex terret de se ipso præsumentem, gratia adjuvat in Deum sperantem » ; *Sermo 156*, c. 13 (PL 38, 857) : « Forte dicturi eratis : Et Lex sufficit nobis. Lex timorem dedit » ; *Sermo 155*, c. 6 (PL 38, 844) : « Nam ut noveris ipsam esse distantiam evidentissimam veteris et novi Testamenti (...). Si ergo scribatur lex Dei in corde tuo, non foris terreat, sed intus mulceat ; tunc Lex spiritus vitæ in Christo Jesu liberavit te a lege peccati et mortis » ; *Contra duas epistolas Pelagianorum*, IV, c. 5, no 11 (PL 44, 617) : « Non ergo legem evacuamus per fidem, sed legem statuimus (Rom., 3, 31) : quæ terrendo ducit ad fidem. Ideo quippe lex iram operatur (Rom., 4, 15), ut territo atque converso ad justitiam legis implendam, Dei misericordia gratiam largiatur, per Jesum Christum Dominum nostrum (...) : legem, qua terreat ; misericordiam qua subveniat... » ; *De diversis quæstionibus ad Simplicianum*, I, q. 1, no 17 (PL 40, 110) : « Eadem quippe lex quæ per Moysen data est, ut formidaretur, gratia et veritas per Jesum Christum facta est, ut impleretur ».

[15] Cf. *De Natura et Gratia*, I, c. 57 (PL 44, 280) : « ... utique lege quæ timorem incutit, non tribuit charitatem... ».

[16] Cf. *Sermo 154*, c. 1 (PL 38, 833) : la loi ancienne « concupiscentiam terruit, non exstinxit ; terruit, non oppressit ; fecit timorem pœnæ, non amorem justitiæ » ; *De moribus Ecclesiæ Catholicæ*, I, c. 30, no 64 (PL 32, 1337) : « Merito apud te visum est, quam sit sub lege operatio vana, cum libido animum vastat, et cohibetur pœnæ metu, non amore virtutis obruitur » ; *De Spiritu et Littera*, I, c. 32, no 56 (PL 44, 236) : « Sed adhuc aliquid discernendum est : quoniam et illi qui sub lege sunt, in timore pœnæ justitiam suam facere conantur, et ideo non faciunt Dei justitiam, quia charitas eam facit, quam non libet nisi quod licet, non timor, qui cogitur in opere habere quod licet, cum aliud habeat in voluntate, qua mallet, si fieri posset, licere quod non licet : et illi ergo credunt Deo ; nam si omnino non crederent, nec pœnam legis utique formidarent ».

[17] Cf. *De Natura et Gratia*, I, c. 57 (PL 44, 280) : « Ergo 'si spiritu', inquit, 'ducimini, non adhuc estis sub lege' : utique lege quæ timorem incutit, non tribuit charitatem ; quæ charitas Dei diffusa est in cordibus nostris, non per legis litteram, sed per Spiritum sanctum qui datus est nobis » ; *Enarratio in Psalmum 67*, 18, no 24 (PL 36, 829) : « Nam mandatum sine Domini adjutorio littera est occidens. 'Lex enim subintravit, ut abundaret delictum' (Rom.. 5, 20). Sed quoniam 'plenitudo Legis charitas est' (Rom.. 13, 10) ideo per charitatem Lex impletur, non per timorem » ; *Sermo 1*, no 19 (PL 36, 889) : « Incipis agere quasi ex viribus tuis, et cadis ; et manet super te littera puniens, non salvans. Merito 'Lex per Moysen data est...' (Joan 1, 17) » ; *De diversis quæstionibus ad Simplicianum*, I, q. 1, no 17 (PL 40, 110) : « Quoniam lex littera est eis qui non eam implent per spiritum charitatis, quo pertinet Testamentum Novum. Itaque mortui peccato liberantur a littera, quæ detinentur rei qui non implent quod scriptum est. Lex enim quid aliud quam sola littera est eis qui eam legere noverunt, et implere non possunt ? Non enim ignoratur ab eis quibus conscripta est : sed quoniam in tantum nota est, in quantum scripta legitur, non in quantum dilecta perficitur, nihil est aliud talibus nisi littera ; quæ littera non est adjutrix legentium sed testis peccantium. Ab ejus ergo damnatione liberantur qui per spiritum innovantur, ut jam non sint obligati litteræ ad pœnam : sed intellectui per justitiam copulati. Inde est et illud, 'Littera occidit, spiritus autem vivificat' (2 Cor 3, 6). Lex

enim tantummodo lecta et non intellecta vel non impleta, utique occidit : tunc enim appellatur littera ».

¹⁸ Cf. *Enarratio in Psalmum* 70, 15, sermo 1, no 19 (PL 36, 889) : « Namque cum ille infans non resurrexisset, venit ipse Eliseus, jam figuram portans Domini, qui servum suum cum bacula, tanquam cum Lege, præmiserat ; venit ad jacentem mortuum, posuit membra sua super illum. Ille infans erat ; ille juvenis erat ; et contraxit et breviavit quodammodo juventutis suæ magnitudinem, parvulus factus ut mortuo congrueret. Mortuus ergo surrexit, cum se vivus mortuo coaptavit : et fecit Dominus quod non fecit baculus ; fecit gratia quod non fecit littera. Illi ergo qui in baculo remanserunt, in littera gloriantur, et ideo non vivificantur ». Voir encore *Sermo 27*, c. 10 (PL 38, 176) ; *Contra Faustum Manichaeum*, XII, c. 35 (PL 42, 272).

¹⁹ Cf. *Enarratio in Psalmum* 118, 33, sermo 11, no 1 (PL 37, 1528) : « Ecce quomodo vult iste legem se poni a Domino ; non sicut injustis et non subditis, ad vetus testamentum pertinentibus posita est in tabulis lapideis ; (...) in latitudine amoris, non in timoris angustiis. Nam qui timore pœnæ, non amore justitiæ opus legis facit, profecto invitus facit » ; *Sermo 155*, c. 6 (PL 38, 843) : « Descendit ergo, sicut scriptum est, Deus in Sina in igne : sed plebem longe stantem territam, et digito suo scribens in lapide, non in corde » ; *Sermo 156*, c. 13 (PL 38, 857) : « ... Dicit aliquis : Alius est spiritus servitutis alius spiritus libertatis. Si alius esset non diceret Apostolus, 'iterum', Idem ergo spiritus sed in tabulis lapideis in timore, in tabulis cordis in dilectione » ; *De Spiritu et Littera*, I, c. 18, no 31 (PL 44, 219) : « Proinde quia lex, sicut alibi dicit, 'prævaricationis gratia posita est' (Gal., 3, 19), id est, littera ista extra hominem scripta ... ».

²⁰ Cf. *De utilitate credendi*, I, c. 3, no 9 (PL 42, 71) : « Attendunt quod dictum est, in servitute esse eos qui sub Lege sunt (...). Nos hæc omnia vera esse concedimus, nec illam legem necessariam esse dicimus, nisi eis quibus est adhuc utilis servitus : ideoque utiliter esse latam, quod homines qui revocari a peccatis ratione non poterant, tali lege cœrcendi erant, pœnarum scilicet istarum quæ videri ab stultis possunt, minis atque terroribus ; a quibus gratia Christi cum liberat, non legem illam damnat, sed aliquando nos obtemperare suæ charitati, non servire timore Legis, invitat. Ipsa est gratia, id est, beneficum quod non intelligunt sibi venisse divinitus, qui adhuc esse cupiunt sub vinculis Legis. Quos merito Paulus objurgat tanquam infideles, quia a servitute, cui certo tempore justissima Dei dispositione subjecti erant, jam per Dominum nostrum Jesum se liberatos esse non credunt » ; *Sermo 156*, c. 13 (PL 38, 857) : « ... in monte Sion accepistis spiritum servitutis (...). Jam ergo non in timore, sed in dilectione ; ut non servi, sed filii simus. Qui enim adhuc ideo bene agit, quia pœnam timet, Deum non amat, nondum est inter filios : utinam tamen vel pœnam timeat. Timor servus est, charitas libera est ; et ut sic dicamus, timor est servus charitatis. Ne possideat diabolus cor tuum, præcedat servus in corde tuo, et servet dominæ venturæ locum. Fac, fac vel timore pœnæ, si nondum potes amore justitiæ. Veniet domina, et servus abscedit : quia 'consummata charitas foras mittit timorem' (1 Joan 5, 18) ... Novum Testamentum est, non vetus » ; *De Spiritu et Littera*, I, c. 32, no 56 (PL 44, 236) : « (Rom., 8, 15). Timor ergo ille servilis est ; et ideo quamvis in illo Domino credatur, non tamen justitia diligitur, sed damnatio timetur, Filii vero clamant 'Abba, Pater' (...). Huc ergo transeat qui sub lege sunt, ut ex servis filii fiant » ; Voir encore, *De Natura et Gratia*, I, c. 57 (PL 44, 280) ; *Contra duas epistolas Pelagianorum*, IV, c. 5, no 11 (PL 44, 617).

²¹ Cf. *De utilitate credendi*, I, c. 3, no 9 (PL 42, 71) : « Ille igitur pædago-

gum dedit hominibus quem timuerunt . . . » ; *De Spiritu et Littera*, I, c. 18, no 31 (PL 44, 219) : « Ideo illud evacuatur, hoc manet : quoniam terrens pædagogus auferetur, cum timori successerit charitas » ; *Sermo 156*, c. 12 (PL 38, 856) : « Salvator, ad quem nos duxit molestissimus pædagogus » ; *ibid.*, c. 13 (PL 38, 857) : « (Rom., 8, 15). Quid est 'iterum' ? Quomodo terrente molestissimo pædagogo ».

[22] Cf. *Sermo 154*, c. 1 (PL 38, 833) : la loi ancienne « concupiscentiam terruit, non exstinxit ; terruit, non oppressit, fecit timorem pœnæ, non amorem justitiæ » ; *De Sprritu et Littera*, I, c. 19, no 34 (PL 44, 221) : « Ex hac promissione, hoc est, ex Dei beneficio ipsa lex impletur, sine qua promissione prævaricatores facit ; vel usque ad effectum mali operis, si etiam repagula timoris concupiscentiæ flamma transcenderit, vel certe in sola voluntate, si timor pœnæ suavitatem libidinis vicerit » ; *De moribus Ecclesiæ Catholicæ*, I, c. 30, no 64 (PL 32, 1337) : « Merito apud te visum est, quam sit sub lege operatio vana, cum libido animum vastet, ut cohibetur pœnæ metu, non amore virtutis obruitur ».

[23] Cf. *Enarratio in Psalmum* 129, 4-6, no 3 (PL 37, 1698) : « Lex data est quæ terreat et constringat in reatum ; et non solvit lex a peccatis, sed ostendit peccata. (. . .) Illa timoris fuit, est alia lex charitatis. Lex charitatis dat veniam peccatis, delet præterita, admonet de futuris ; in via non deserit comitem, comes fit ei quem ducit in via » ; *De continentia*, I, c. 3, no 7 (PL 40, 353) : « Ita lex gratia non juvante, prohibens peccatum, virtus est insuper facta peccati : unde ait Apostolus, 'Virtus peccati lex' (1 Cor., 15, 56) ». — Contre les attaques de ses adversaires, Augustin s'est expliqué longuement à propos de son interprétation du 'Virtus peccati lex', dans *Operis imperfecti contra Julianum liber VI*, c. 41 (PL 45, 1605-1608).

[24] Cf. *Contra duas epistolas Pelagianorum*, I, c. 8 (PL 44, 557) : « Ne quis enim propter hæc testimonia vituperet legem, et malam esse contendat, vidit Apostolus male intelligentibus quid posset occurrere, etc. ».

[25] Cf. *Expositio quarumdam propositionum ex epistolas ad Romanos* 3, 20, XIII-XVIII (PL 35, 2065) :) Quod autem dicit, (. . .) 'per legem enim cognitio peccati', et cætera similia, quæ quidam putant in contumeliam Legis objicienda, sollicite satis legenda sunt, ut neque lex ab Apostolo improbata videatur . . . ».

[26] Cf. *Contra duas epistolas Pelagianorum*, IV, c. 3 (PL 44, 611) : « Quapropter utrosque damnat atque devitat, quisque secundum regulam catholicæ fidei (. . .) sic legem per Moysen sanctam et justam et bonam a Deo sancto et justo et bono datam esse defendit, quod contra Apostolum negat Manichaeus ; ut eam dicat et peccatum ostendere, non tamen tollere, et justitiam jubere, non tamen dare, quod rursus contra Apostolum negat Pelagius ».

[27] Cf. *ibid.* ; voir aussi, *De diversis quæstionibus ad Simplicianum*, I, q. 1, nn. 11-16, passim (PL 40, 107-109) ; *De Civitate Dei*, XIII, c. 5 (PL 41, 380) ; *Sermo 153*, cc. 4 et 10 (PL 38, 827s ; 831s).

[28] *Sermo 2*, c. 2 (PL 38, 28). Cet argument est développé dans *Contra duas epistolas Pelagianorum*, III, c. 4, no 10 (PL 44, 594) : « Et vetus igitur Testamentum Deus condidit : etc. ».

[29] Cf. *Sermo 155*, c. 4 (PL 38, 842) : « Lex enim mortis non ipsa dicitur, lex peccati et mortis non illa lex dicitur quæ data est in monte Sion. Lex peccati et mortis illa dicitur de qua gemens ait, 'Video aliam legem in membris meis, repugnantem legi mentis meæ'. Sed illa lex, ipsa est quæ dicta est,

'Itaque lex quidem sancta, et mandatum sanctum, et justum, et bonum' ».
Au sujet de la 'lex peccati et mortis', voir *De diversis quæstionibus LXXXIII*,
c. 66 (PL 40, 60s). Concernant la 'lex membrorum', voir *De diversis quæstionibus ad Simplicianum*, I, q. 1, no 13 (PL 40, 107-108) ; *De actis cum Felice Manichæo*, II, c. 8 (PL 42, 541).

[30] Cf. *Epistola 153*, c. 6, no 16 (PL 33, 660) : « Nec ob aliud, quantum sapio, in Veteri Testamento, antiquorum temporibus Prophetarum severior Legis vindicta fervebat, nisi ut ostenderetur recte iniquis pœnas constitutas ... » ; *Enarratio in Psalmum* 129, 4-6, no 3 (PL 37, 1698) : « Lex data est quæ terreat et constringat in reatum ; et non solvit lex a peccatis, sed ostendit peccata » ; *Sermo 155*, c. 4 (PL 38, 842) : « Data est ergo lex illa, ut inveniretur infirmitas ». Ce thème est souvent développé par Augustin. Celui qui, avant la loi ancienne, était un « nescius peccator » devient, avec elle, un « prævaricator » : cf. *Sermo 151*, c. 7 (PL 38, 818) ; *Sermo 153*, c. 5, no 6 (PL 38, 829) ; c. 8 (PL 38, 831) ; *Sermo 170*, c. 2 (PL 38, 928) ; *Epistola 177*, no 13 (PL 33, 770) ; *Epistola 196*, c. 1, no 4 (PL 33, 892). Alors que la loi de grâce enlève le péché, la « lex litteræ » se limite à le manifester : *Sermo 153*, no 11 (PL 38, 825) : « Alia ergo lex, ut dicere cœperam, tibi ostendat peccatum, alia tollat : ostendat peccatum lex litteræ, tollat peccatum lex gratiæ ». Avant sa venue, le péché existait, mais il était caché : *Sermo 27*, c. 9 (PL 38, 175) : « Erat enim peccatum, sed latebat peccatum ».

[31] *De diversis quæstionibus ad Simplicianum*, I, q. 1, no 17 (PL 40, 110).

[32] *Ibid.*, no 2 (PL 40, 103).

[33] Cr. *Sermo 2*, c. 2 (PL 38, 28) : « Lege enim terruit, Evangelio conversos sanavit, quos ut converterentur Lege terruerat » ; *De utilitate credendi*, I, c. 3, no 9 (PL 42, 71) : « Nos hæc omnia vera esse concedimus, nec illam legem necessariam esse dicimus, nisi eis quibus est adhuc utilis servitus : ideoque utiliter esse latam, quod homines qui revocari a peccatis ratione non poterant, tali lege cœrcendi erant, pœnarum scilicet istarum quæ videri ab stultis possunt, minis atque terroribus ; a quibus gratia Christi cum liberat, non legem illam damnat, sed aliquando suæ obtemperare suæ charitati, non servire timore Legis, invitat » ; *Contra duas epistolas Pelagianorum*, IV, c. 5, no 11 (PL 44, 617) : « Non ergo legem evacuamus per fidem, sed legem statuimus : quæ terrendo ducit ad fidem. Ideo quippe lex iram operatur (Rom 4, 15), ut territo atque converso ad justitiam implendam, Dei misericordia gratiam largiatur, per Jesum Christum Dominum nostrum ... ».

[34] Cf. *Sermo 155*, c. 4 (PL 38, 842) : « Data est ergo lex illa, ut inveniretur infirmitas. Parum est hoc, non solum ut inveniretur, sed etiam ut augeretur, et vel sic medicus quæreretur ». Ce texte évoque le thème très riche du *Christus medicus* chez Augustin. La littérature abonde sur le sujet. Voir, en particulier, R. ARBESMANN, *The Concept of « Christus medicus » in St. Augustine*, dans *Trad*, 10 (1954) 1-28.

[35] Cf. *De Natura et Gratia*, I, c. 12 (PL 44, 253) : « ... scripturas utique non advertens Novi Testamenti, ubi dicimus hanc esse intentionem legis arguentis, ut propter illa quæ perperam fiunt, confugiatur ad gratiam Domini miserantis ; velut pædagogo concludente in eadem fide, quæ postea revelata est ; ubi et remittantur quæ male fiunt, ut eadem gratia juvante non fiant ».

[36] Cf. *De utilitate credenti*, I, C. 3, no 9 (PL 42, 71) : « Hinc est illud ejusdem apostoli : 'Lex enim pædagogus noster erat in Christo' (Gal 3, 24). Ex ista similitudine rem de qua loquor, attendite. Pædagogus puerum non ducit ad se ipsum, sed ad magistrum : sed cum puer bene institutus jam creverit, sub pædagogo non erit » ; *Sermo 156*, c. 12 (PL 38, 856) : « Magister enim verus qui

neminem palpat, neminem fallit, verax doctor idemque Salvator, ad quem nos duxit molestissimus pædagogus . . . » ; voir encore, *ibid.*, c. 3 (PL 38, 851).

[37] Cf. *Sermo 155*, c. 6 (PL 38, 843-844) : « Huc autem quando venit Spiritus sanctus, congregati erant fideles in unum : nec in monte tremuit, sed intravit in domum. De cœlo quidem factus est subito sonus, quasi ferretur flatus vehemens ; sonuit, sed nullus expavit. Audisti sonum, vide et ignem ; quia et in monte utrumque erat, et ignis et sonitus : sed illic etiam fumus, hic vero ignis serenus (. . .). Numquid de longinquo territans ? Absit. (. . .). Audi linguam loquentem, et intellige Spiritum, non in lapide, sed in corde scribentem. 'Lex' ergo 'spiritus vitæ', scripta in corde, non in lapide ; 'in Christo Jesu', in qui celebratum est verissimum Pascha ; 'liberavit te a lege peccato et mortis'. Nam ut noveris ipsam esse distantiam evidentissimam veteris et novi Testamenti ; (. . .). Si ergo scribatur lex Dei in corde tuo, non foris terreat, sed intus mulceat . . . » ; *Sermo 156*, c. 13 (PL 38, 857) : « Jam nudiustertius qui adfuistis audistis, quomodo longe positam plebem, voces, ignis, fumus in monte terrebat ; quomodo autem veniens Spiritus sanctus, idem ipse digitus Dei, quinquagesimo die post Paschæ quomodo venerit, et ignis linguis super unumquemque eorum insederit. Jam ergo non in timore, sed in dilectione ; ut non servi, sed filii simus ».

[38] Cf. *De Natura et Gratia*, I, c. 57 (PL 44, 280) ; *Epistola 153*, c. 6, no 16 (PL 33, 660) ; *Enarratio in Psalmum* 67, 18, no 24 (PL 36, 829) ; *ibid.*, 77, 10, no 10 (PL 36, 990-991) ; *ibid.*, 129, 4-6, no 3 (PL 37, 1698) ; *De Spiritu et Littera*, I, c. 18, no 31 (PL 44, 219) ; *Quæstionum in Heptateuchum liber* V, c. 15 (PL 34, 755) ; *De diversis quæstionibus ad Simplicianum*, I, q. 1, no 17 (PL 40, 110) ; *Sermo 156*, c. 13 (PL 38, 857).

[39] Cf. *Enarratio in Psalmum* 77, 10, no 10 (PL 36, 990-991) ; *ibid.*, 118, 33, sermo 11, no 1 (PL 37, 1528) ; *Sermo 156*, c. 13 (P L38, 857) ; *De Spiritu et Littera*, I, c. 32, no 56 (PL 44, 236).

[40] Cf. *De Natura et Gratia*, I, c. 57 (PL 44, 280) ; *Enarratio in Psalmum* 118, 33, sermo 11, no 1 (PL 37, 1528) ; *Sermo 156*, c. 13 (PL 38, 857).

[41] Cf. *Liber de Gratia Christi*, c. 13 (PL 44, 368) : « Quia ex lege justitia dicitur, quæ fit propter legis maledictum ; justitia ex Deo dicitur, quæ datur per gratiæ beneficium ; ut non sit terribile, sed suave mandatum, sicut oratur in Psalmo, 'Suavis es, Domine, et in tua suavitate doce me justitiam tuam' (Psalm 118, 68) : id est, ut non formidine pœnæ serviliter cogar esse sub lege, sed libera charitate delecter esse cum lege. Præceptum quippe liber facit, qui libens facit » ; *De utilitate credendi*, I, c. 3, no 9 (PL 42, 71) : « . . . a quibus gratia Christi cum liberat, non legem illam damnat, sed aliquando nos obtemperare suæ charitati, non servire timore Legis, invitat (. . .). Quos merito Paulus objurgat tanquam infideles, quia a servitute, cui certo tempore justissima Dei dispositione subjecti erant, jam per Dominum nostrum Jesum se liberatos esse non credunt » ; *De Spiritu et Littera*, I, c. 18, no 31 (PL 44, 219) : « . . . hanc autem, id est, Novi Testamenti, ministrationem spiritus et ministrationem justitiæ dicit, quia per donum spiritus operamur justitiam, et a prævaricationis damnatione ilberamur » ; *De diversis questionibus ad Simplicianum*, I, q. 1, no 17 (PL 40, 110) : « Ab ejus ergo damnatione liberantur qui per spiritum innovantur, ut jam non sint obligati litteræ ad pœnam : sed intellectui per justitiam copulati » ; *De sermone Domini in Monte*, I, c. 1, no 2 (PL 34, 1231) : « Unus tamen Deus per sanctos Prophetas et famulos suos, secundum ordinatissimam distributionem temporum dedit minora præcepta populo quem adhuc timore alligari oportebat ; et per Filium suum, majora populo quem charitate jam liberari convenerat ».

⁴² Cf. *De Natura et Gratia*, I, c. 57 (PL 44, 286) ; *Enarratio in Psalmum 77*, 10, no 10 (PL 36, 990-991) ; *ibid.*, 118, 33, sermo 11, no 1 (PL 37, 1528) ; *De utilitate credendi*, I, c. 3, no 9 (PL 42, 71) ; *Quæstionum in Heptateuchum liber V*, c. 15 (PL 34, 755) ; *Sermo 156*, c. 13 (PL 38, 857).

⁴³ On constatera de telles applications dans, *De Fide et operibus*, I, c. 21, no 39 (PL 40, 222) ; *De Natura et Gratia*, I, c. 57 (PL 44, 280) ; *De Civitate Dei*, XIV, c. 10 (PL 41, 417) ; *De utilitate credendi*, I, c. 3, no 9 (PL 42, 71) ; *De Spiritu et Littera*, I, c. 32, no 56 (PL 44, 236) ; *Epistola 153*, c. 6, no 16 (PL 33, 660) ; *Sermo 156*, c. 13 (PL 38, 857) ; *Sermo 251*, c. 7 (PL 38, 1171) ; *Sermo 270*, no 4 (PL 38, 1241) ; *Enarratio in Psalmum 32*, 2, sermo 1, no 6 (PL 36, 281-282) ; *ibid.*, 77, 10, no 10 (PL 36, 990-991) ; *ibid.*, 118, no 33, sermo 11, no 1 (PL 37, 1528).

⁴⁴ Cette question de la *lex timoris*, dans le *Commentaire sur les Sentences*, ne singularise pas Thomas parmi ses contemporains. ALBERT LE GRAND fait des remarques analogues au même endroit, *in III Sent.*, d. 40, a. 3, au second sed contra et à la toute dernière phrase de la solution. BONAVENTURE consacre aussi une question entière, du reste beaucoup plus longue que celle de Thomas, toujours *in III Sent.*, d. 40, a. unicus, q. 1. En elle-même, la *quæstiuncula* thomiste n'a pas d'autre intérêt que celui de poser les éléments fondamentaux d'un lieu commun dans la théologie de l'époque.

⁴⁵ *In III Sent.*, d. 40, a. 4, q1a. 2, sed contra I et II.

⁴⁶ Rom 8, 15 et la *Brevis differentia* alléguée par AUGUSTIN constituent des points de repère fort utiles pour détecter, dans des textes parfois moins élaborés, le thème sous-jacent *lex timoris - lex amoris*.

⁴⁷ *In III Sent.*, d. 40, a. 4, q1a. 2, sol. : «.. ex ipso modo legislationis apparet quod lex vetus est lex timoris, lex autem nova lex amoris ». Il insiste dans l'ad 1 : «... ista differentia non tantum sumitur ex parte observantium legem, sed ex modo editionis legis, ut dictum est ».

⁴⁸ Voir, à ce propos, l'image traditionnelle du *leo rugiens*, employée aussi par Thomas, dans *de Ver.*, q. 12, a. 4, obj. 1 (référence à Amos 1, 2) ; *In Is 5*, 29, no 4 (p. 454b) (référence à Os 11, 10) ; *in Is 29*, 1 (p. 508ab) (référence à Prov 30, 30).

⁴⁹ Selon U. KÜHN, *Via caritatis...*, p. 70, les *beneficia exhibita* correspondent aux sacrements de la loi nouvelle dont il sera question *in IV Sent.*, et les *beneficia speranda*, à la récompense promise à l'accomplissement des préceptes : « Es handelt sich bei den *beneficia exhibita* um die *sacramenta novæ legis*, über die im Kommentar zum IV. Buch gehandelt wird, und bei den *beneficia speranda* um den verheissenen Lohn für die Erfüllung der Gebote ».

⁵⁰ *In III Sent.*, d. 40, a. 4, q1a. 1, sol.

⁵¹ *Ibid.*, ad 3.

⁵² Les « autorités » sont Matth 11, 30 et Act 15, 10.

⁵³ *In III Sent.*, d. 40, a. 4, q1a. 3, sol. : «... tum quia auxilium gratiæ non conferebat ad mandata implenda, sicut nova facit ; tum quia vetus lex per modum timoris cogebat ad hoc, ad quod nova lex ex amore inducit, qui omnia levia facit ».

⁵⁴ Ce thème est également classique dans la théologie médiévale. Voir A. M. LANDGRAF, *Die Gandenökonomie...*, dans *Dogmengesschichte...*, III/1, pp. 32-38. Guillaume d'AUXERRE alléguait aussi le motif de la crainte : « Erat lex vetus gravior tribus de causis. Prima est, quia ex timore implebatur. Qui enim

ex timore servili facit aliquid, cum magno gravamine facit, cum faciat contra voluntatem suam absolutam » (*Summa aurea,* IV, tr. 1, c. 2. cité par LANDGRAF, *op. cit.,* p. 34, note 95). Déjà, cependant, des théologiens avaient insisté sur le fait que l'accomplissement de la loi par amour, comme dans le Nouveau Testament, est plus facile. LANDGRAF cite Robert DE MELUN, Magister MARTINUS, et une question du *Cod. lat. 964* de la bibliothèque de Troyes *(op. cit.,* p. 35, notes 96, 97 et 97a).

[55] Cf., v.g. *In Is* 1, 2-5, no 5 (p. 436a) ; 5, 19, no 2 (p. 452b) ; 5, 24-25, no 3 (p. 453b) ; 5, 26, no 4 (p. 454a) ; 8, 11-13, no 3 (pp. 465b-466a) ; 13, 19 (p. 480b) ; 16, 4 (p. 486a) ; 20, 5-6 (p. 492ab) ; 34, 13 (pp. 518b-519a) ; 43, 5 (p. 542ab) ; 59, 18 (p. 563b).

[56] Cf. Is 29, 13 ; Jer 12, 2 ; Matth 15, 6.

[57] *In Is* 29, 13 (p. 509a).

[58] *In III Sent.,* d. 40, a. 4, q1a .2, ad 2.

[59] *Ibid.* ; voir aussi, *in III Sent.,* d. 37, a. 1, ad 5 ; d. 40, a. 4, q1a. 1, ad 1. Nous reviendrons plus longuement sur cette question. Formulée comme telle, cette position n'est pas originale. Pour AUGUSTIN, voir Y. M.-J. CONGAR, *Ecclesia ab Abel,* dans *Abhandlungen über Theologie und Kirche, Festschrift für Karl Adam,* Düsseldorf, Patmos-Verlag, 1952, pp. 81-86 (voir les textes importants cités dans les notes 52 et 53, p. 102). Pour la première scolastique, voir A. M. LANDGRAF, *op. cit.,* pp. 27-28.

[60] *In III Sent.,* d. 40, a. 4, q1a. 2, ad 3. Voir aussi le texte **important** de Matth 10, 28 : « ...craignez plutôt Celui qui peut perdre dans la géhenne à la fois l'âme et le corps », allégué par Thomas, avec Is 8, 13 et Psalm 111, 1, dans *in Is* 8, 11-13, no 3 (pp. 465b-466a), pour expliquer qu'il faut craindre Dieu, auteur du châtiment.

[61] On pourrait encore citer le *Contra impugnantes,* c. 7 (no 319), qui fait une allusion à ce thème ; nous en reprendrons l'étude plus loin, car il présuppose d'autres analyses.

[62] Voir encore, dans le même sens, *in III Sent.,* d. 40, a. 4, q1a. 1, ad 3, relativement à la crainte de la peine de la loi ancienne qui conduit à la vertu.

[63] *In III Sent.,* d. 40, a. 4, q1a. 2, obj. 3.

CHAPITRE DEUXIÈME

LES PRISES DE POSITION MÉTHODOLOGIQUES DU BACHELIER SENTENTIAIRE SUR LES PROBLÈMES DE LA CRAINTE

Bien avant Thomas d'Aquin on s'était posé, en théologie, de nombreuses questions sur la donnée « crainte » dans la vie chrétienne. Pour toute la scolastique, le maître — parfois lointain — fut encore, incontestablement, Augustin. C'est à vouloir réconcilier deux textes scripturaires apparemment contradictoires, à savoir Psalm 18, 10 : « *Timor Domini sanctus permanens in sæculum sæculi* », et 1 Joan 4, 18 : « *Timor non est in caritate, sed perfecta caritas foras mittit timorem* », que l'évêque d'Hippone légua au moyen âge un enseignement déjà substantiel relatif à la crainte face à Dieu [1]. Nous n'avons pas l'intention d'étudier l'histoire de cette doctrine puisque d'autres l'ont déjà fait. Pour Augustin, les études de R. Rimml [2], de E. Boularand [3] et de F. B. Sullivan [4] couvrent les points majeurs de son enseignement. Les formules augustiniennes, longuement « expliquées » par les médiévaux, ont souvent perdu par la suite leur fraîcheur originelle. Mais il faut aussi reconnaître qu'elles soulevaient des problèmes que les scolastiques ont tenté de résoudre. Le Père Boularand a signalé certaines de ces difficultés, en particulier le rapport entre la crainte servile et la crainte filiale, jamais défini avec précision par Augustin, ainsi que le dédoublement énigmatique de la crainte servile : celle qui achemine vers l'amour et celle qui ne détache pas le cœur du péché [5]. On sent très bien le problème en lisant le résumé des données fait à ce propos par le Père Rimml [6].

A. M. Landgraf a, pour sa part, publié une étude érudite sur les problèmes de la crainte dans la première scolastique[7]. On y trouve un matériel abondant concernant les nombreuses divisions de la crainte proposées par toute la scolastique jusqu'à Bonaventure. L'auteur n'examine pas la doctrine de Thomas d'Aquin. On peut parfois compléter ce dossier par les analyses de G. M. Csertö[8]. Ces travaux nous seront utiles pour situer Thomas dans cette tradition dont il est l'héritier. Reste donc à connaître les positions de Thomas, positions qui, à notre connaissance, n'ont jamais été clairement définies.

Pour comprendre le point de départ du bachelier sententiaire, il faut savoir que depuis l'école d'Anselme de Laon, cette question de la crainte s'est posée à toute la première scolastique dans un contexte de christologie. Le premier problème qui suscite toute la réflexion est celui de savoir, écrit A. M. Landgraf, « *ob auch in Christus Furcht gewesen ist* »[9]. À partir de là on a distingué les formes de crainte qui pouvaient être attribuées au Christ de celles qui ne le pouvaient pas. Ainsi s'est progressivement construite une charpente qui restera classique dans la période postérieure[10].

Toujours dans ce contexte surgira, en référence au « *spiritus timoris Domini* » d'Is 11, 2-3, la question de la crainte, qui est don de l'Esprit Saint[11], et celle de son attribution possible au *timor servilis* augustinien, avec la difficulté que soulève le texte de Rom 8, 15 : « *Non accepistis spiritum servitutis iterum in timore* ». Deux formules se dégageront pour déterminer la nature du « don » qu'est la crainte servile : elle serait un don *a Spiritu Sancto*, mais non *in Spiritu Sancto* ; un don *gratis datum*, mais non *gratum faciens*[12]. Enfin, en liaison avec ce problème, se développera parallèlement la *quæstio* du rapport des diverses formes de crainte à la charité[13].

Ainsi s'explique la place qu'occupe la question majeure sur la crainte dans les *Sentences* de Pierre Lombard[14] et, par conséquent, dans le commentaire de Thomas[15], à savoir dans le traité sur les dons du Saint-Esprit faisant suite à la christologie[16]. Si le procédé scolaire impose à Thomas une certaine structure, et même une structure déjà longuement interprétée par ses prédécesseurs les plus immédiats, Albert le Grand et Bonaventure[17], il introduit pourtant des principes de divisions et donc d'intelligibilité, qui déjà affectent profondément la signification de ce lien entre la christologie et la morale [18]. Dans la question beaucoup plus particulière qui nous intéresse, nous constatons également que si la presque totalité des matériaux utilisés par Thomas existait dans l'enseignement de ses devanciers, il fait preuve d'originalité dans la manière de les traiter. D'abord il choisit certaines lignes de pensée et il en écarte d'autres. Ensuite il introduit des éléments de solution dont on saisit l'importance lorsqu'on constate les impasses auxquelles aboutissaient les spéculations antérieures.

Dans ce chapitre nous tenterons donc de dégager les positions méthodologiques prises par le bachelier sentenciaire relativement à certains problèmes de la crainte en théologie, notamment celui d'une notion compréhensive et, par conséquent, celui d'une division adéquate. Ces discussions scolaires paraissent, dès l'abord, sans grand intérêt théologique. C'est néanmoins pour ne les avoir jamais complètement résolues que toute la scolastique antérieure à Thomas dut se résoudre à certaines incohérences profondes face à des problèmes tels que celui de la crainte révérencielle et celui du rapport entre la crainte servile et la charité. Nous nous demandons même si, mieux comprises, les prises de position méthodologiques de Thomas n'auraient pas évité l'absence d'intérêt pour les problèmes pourtant manifestes que pose la crainte à la théologie actuelle.

1. Autour de la notion de crainte

Les « maîtres » de Thomas

Dès la *divisio primæ partis textus* du Lombard [19], on s'attend à un développement spécial sur la crainte. Thomas explique, en effet, qu'après une première partie sur la détermination des dons en général, le Maître des *Sentences* consacre sa seconde partie à l'étude de la crainte « *quod specialem difficultatem habet propter sui multiplicitatem . . .* » [20].

La « difficulté spéciale » alléguée par Thomas pour justifier son long *excursus* sur la crainte [21] n'est pas chimérique. On la pressent en lisant les chapitres quatre à onze de la 34e distinction du troisième livre des *Sentences* de Pierre Lombard. On est placé, dès le départ, devant une division quadripartite de la crainte [22]. Puis le *Magister* commence immédiatement à définir chacune de ces craintes et à les comparer entre elles.

Il faut attendre le franciscain Eudes Rigaud, disciple d'Alexandre de Halès, et plus tard socius de Bonaventure [23], qui, le premier, à notre connaissance, se pose explicitement la question d'une notion commune à toutes ces craintes énumérées par le Lombard et par toute la première scolastique. Il examine deux définitions : une d'Augustin — « *timor est fuga animi, ne amittat quod amet* » [24] — qu'il trouve insuffisante puisqu'elle ne convient pas à la crainte des bienheureux [25] ; la deuxième, tirée de Jean Damascène — « *expectatum malum* » [26] — , est rejetée pour la même raison [27]. Eudes propose donc sa propre définition, celle qui devra convenir à toute crainte : « *Timor ergo de ratione sua non plus dicit nisi resilitionem ab aliquo arduo vel excellente* » [28].

Bonaventure, dans ses *dubia circa litteram Magistri*, observe à son tour le manque de méthode du Lombard qui divise avant de définir [29]. Après avoir établi une distinction entre la crainte-passion et la crainte-habitus, il reprend les définitions déjà citées d'Augustin et de Jean Damascène et donne ensuite une définition révisée de celle que proposait Eudes Rigaud :

> Unde una communis ratio potest de omni timore assignari, ut dicatur, quod timor est resilitio ab aliquo arduo sive excellente, sive illud arduum sit in genere boni, sive sit in genere mali. Sed cum est in genere boni, est resilitio cum reverentia ; cum vero est in genere mali, est resilitio cum fuga [30].

La notion de crainte est donc analogique [31].

Le maître de Thomas, Albert le Grand, examine également, dans le premier de ses quatre articles consacrés à la crainte [32], la question des définitions. Il n'affiche pourtant pas le même souci qu'avaient les maîtres franciscains de trouver une notion générale. Ses « difficultés » surgissent surtout des définitions qui identifient la crainte à l'amour. Il leur oppose une autre définition de Jean Damascène : « *Timor est desiderium secundum systolem movens* » [33]. Suit la définition d'Augustin déjà citée par l'école franciscaine [34]. Comme Bonaventure, Albert explique les deux genres possibles de la crainte : la *passio* et l'*habitus*. C'est le premier genre que définiraient le Damascène et Augustin. L'acte de la crainte-habitus est « révérer », quoique l'on pourrait interpréter la *fuga animi* augustinienne en référence à ce qui contrarie la révérence [35]. Dans ses réponses aux difficultés, Albert distingue l'amour de la crainte, comme la cause de son effet [36] ; « révérer » de « fuir », comme l'acte principal de la crainte-habitus de son acte accidentel [37] ; la « systole » cardiaque de la « resilitio », comme le mouvement de la crainte-passion de celui de la crainte-habitus [38].

La solutio du jeune bachelier

Parmi les autorités patristiques, c'est celle de Jean Damascène, recueillie par Albert, que Thomas choisit pour ouvrir le débat : « Videtur quod Damascenus inconvenienter timorem definiat, dicens : Timor est desiderium secundum systolem movens » [39]. Mais contrairement à son maître, Thomas commence par répondre que la définition damascénienne convient à toute crainte [40]. Cette affirmation sereine ne manque pas d'audace. Elle présuppose, chez le jeune bachelier, une confiance inébranlable en certains principes méthodologiques, notamment en celui de la validité de l'analogie entre les mouvements les plus spirituels de l'âme et ceux qu'on peut observer au niveau de la sensibilité.

Bonaventure avait longuement qualifié la définition d'Eudes Rigaud car il avait senti le besoin d'introduire une distinction pour l'appliquer aussi bien à la révérence envers Dieu qu'à la fuite devant un mal menaçant. Les nuances qu'il apporte présentent pourtant d'autres difficultés de cohérence. Comment concevoir, en effet, que la resilitio cum reverentia et la resilitio cum fuga soient le même mouvement craintif, lorsque la première a pour objet un arduum in genere boni et la seconde un arduum in genere mali ! Si l'on craint un bien excellent, que signifie alors « craindre » ? Albert le Grand, même s'il ne déclare pas son souci de trouver une définition universellement valable, avait tout de même laborieusement tenté d'établir des liens entre la crainte-passion et la crainte-habitus. On ne voit pourtant pas qu'il ait résolu le dilemme du double objet puisque la crainte-habitus aurait un acte principal, révérer, face au bien excellent, et un acte accidentel, semblable à celui de la crainte-passion, face au mal ardu.

L'analyse thomiste, dans in III Sent., d. 34, q. 2, a. 1, qla. 1, commence par un exposé à caractère biologique sur la « contraction » cardiaque et se termine par une application de cette même structure in spiritualibus de sorte qu'à toute crainte convient la défini-

tion du Damascène. Dès le point de départ Thomas énonce le principe de son analyse : les noms des passions de la partie sensible
sont appliqués aux opérations de la partie supérieure [41]. La crainte,
par laquelle on se retire en soi, où, en quelque sorte, on se renferme,
est donc un « *desiderium* », pour autant qu'on entende ce mot au sens
large de mouvement de l'appétit [42]. Ce désir est différencié des autres
mouvements de l'appétit par sa cause matérielle, cette συστολή
dont parle le Damascène, une *contractio* qui manifeste une débilité,
une faiblesse, une déficience dans le sujet en passe d'agir, de subir
ou d'obtenir quelque chose [43], puisqu'il est mouvement de retrait
en lui-même : « ... *significat motum alicujus ab alio, a quo retrahitur in seipsum, ubi quodammodo congregatur* » [44].

Sur le plan sensible, il provient de la compression de cet organe
rétractile qu'est le cœur et il implique toujours un mouvement
corporel, au moins interne, de même facture [45]. Généralement il est
accompagné d'un ébranlement physique externe, d'une participation
somatique dont Thomas fait souvent état dans ses écrits, soit en
termes généraux [46], soit en entrant dans le détail de ses manifestation [47]. Au niveau des opérations spirituelles, il caractérise, par similitude, ce mouvement par lequel la volonté, devant un objet menaçant, se replie sur elle-même. Dans tous les cas, la crainte est une
poussée de l'appétit de fuite spécifiée par un *malum arduum* [48].

Dans le débat que suscitaient alors les textes de Pierre Lombard
autour de la notion de crainte, le jeune bachelier Thomas d'Aquin
prend donc une position méthodologique originale : il affirme,
sans arrière-pensée, l'unité de cette notion et il formule les principes permettant d'y arriver. Nous ne sommes cependant qu'au début
de la question périlleuse *de timore*. De graves problèmes se présen-
teront lorsqu'il s'agira d'exposer, à partir de ces prémisses, la
crainte de Dieu. Reste donc à savoir si cette prise initiale de position contribuera à clarifier l'épineux problème de la division traditionnelle de la crainte ou si elle sera mise en échec par ses embu-
ches.

2. Autour de la division traditionnelle

Muni de cette notion souple, Thomas allègue, dans *in III Sent.*,
d. 34, q. 2, a 1, qla. 2, la division de Pierre Lombard pour ordonner

les nombreuses données de la tradition. Parce que théologique cette tradition a pensé, et par conséquent divisé, la crainte en fonction des rapports qu'elle établit envers Dieu [49]. Le premier problème à résoudre est encore un problème de méthodologie : quel sera le critère qui permettra de discerner les formes morales de la crainte ?

La primauté de l'objet

Habitués à voir Thomas examiner l'objet des mouvements affectifs qu'il étudie, nous ne sommes guère étonnés de constater qu'il accorde, ici encore, la primauté à l'objet qui, radicalement, provoque et spécifie l'affection craintive. Or nous avons tort de n'en être point surpris. Car ce faisant, Thomas se séparait définitivement de ses prédécesseurs.

Si Eudes Rigaud, Bonaventure et Albert s'étaient orientés vers une analyse plus fondamentale de la crainte en cherchant une définition commune à toutes ses formes, dès qu'ils en viennent à la question délicate de la division, ils abandonnent cette méthode d'analyse pour recourir à des principes de division extérieurs aux causes intrinsèques de la crainte. Eudes Rigaud propose immédiatement soit la « *radix timoris, scilicet natura, libido et gratia* », soit le mérite ou le démérite [50]. Bonaventure reprend ces mêmes critères auxquels il ajoute, il est vrai, la « *comparatio ad objectum* ». Mais ce troisième critère, peu élaboré, demeure énigmatique, car il y a l'*objectum minus principale, quod quidem est malum pœnæ*, l'*objectum magis principale, quod quidem est malum culpæ* et l'*objectum principale, quod quidem est excellentia*. Ces deux « maux » et cette « excellence » (un bien !) spécifient respectivement les craintes servile, initiale et filiale. De plus Bonaventure ne dit pas comment les craintes naturelle, humaine et mondaine cadrent avec cette division qui procède du critère de l'objet [51]. Quant à Albert, il reprend sa division *passio-habitus* et rend ainsi compte des divisions lombardiennes [52]. Dans ses réponses aux objections il ajoute un autre principe de division : leur origine de l'Esprit-Saint ou leur opposition au don [53], donc le critère de la cause efficiente.

Thomas veut établir une base solide pour affronter les problèmes liés à la division de la crainte. Il s'attache donc à l'objet fondamental du mouvement de retrait. La crainte est une fuite du mal : « *Timor in fuga mali consist(i)t* » [54]. Cela il l'a déjà plusieurs fois

énoncé : l'objet de la crainte est un *malum*[55], un mal difficile à
« soutenir » ou à éviter[56]. Le mal « élevé », s'il peut soulever le mouvement de crainte, peut aussi provoquer celui de l'audace ou de la
colère. Quelles sont les particularités du « mal » de la peur ?

Si on peut la repousser, la menace suscite, non la fuite de la
crainte, mais la résistance de l'audace[57]. Dans le genre de l' « irascible » le mouvement craintif est cependant le plus parfait : il répond
pleinement à la nature du mal qui, en tant que tel, doit être évité, et
il réalise parfaitement l'idéal de la tendance de l'irascible qui, en
tant que telle, ne cherche pas à s'accomplir dans la possession de
son objet mais dans la certitude de son inclination envers son objet.
La crainte est donc la passion irascible type du mal qui, de soi, est
« *fugibile ... non autem aggressibile* »[58]. L'intensité de la crainte sera
proportionnelle à la grandeur du mal qui la suscite. Aussi le péril
imminent de mort fait-il figure d'objet type de la peur, d'une manière qui la fait pleinement éclore[59].

Le trait d' « imminence » est, à notre avis, plus précis pour déterminer la nature de l'objet de crainte que celui, tant invoqué, de
« futur ». Thomas le mentionne souvent[60]. Dans les grandes divisions schématiques des passions, il emploie généralement, il est
vrai, la formule lapidaire : *malum futurum*[61]. Certains arguments
se basent même sur l'aspect « futur » du mal redouté[62]. Mais d'autres, et dans des contextes aussi formels que celui de la vertu de
force et celui du don de crainte, parlent également des « *mala
præsentia* » comme objets de crainte[63]. À notre connaissance Thomas n'explique nulle part, ni dans son *Commentaire sur les Sentences*, ni dans les œuvres de la même période, cette apparente contradiction. Il précise bien que l'objet futur est craint lorsqu'il y a
une disposition prochaine dans sa cause[64], mais il s'agit d'une disposition à craindre dans le sujet et non point d'une attribution quelconque de l'objet[65]. Sans doute cette disposition subjective est-elle
immédiatement causée par l'imminence du danger, mais alors
nous rejoignons l'explication que nous proposions.

Nous pensons en effet que le caractère « imminent » de l'objet
de crainte et la nature même du mouvement craintif qu'il fait naître
fournissent les éléments de solution. Celui qui craint peut, en un
certain sens, concevoir et éprouver le danger imminent soit comme
« présent » soit comme « absent », mais jamais comme un mal dont
il est « atteint ». Dans ce cas, la seule passion de l'irascible encore

possible, si le sujet n'est pas complètement vaincu, terrassé, est la colère [66]. Celui qui appréhende un mal comme menaçant, qu'il soit déjà face à lui ou non, ne le possède » cependant pas : il n'en est pas investi au point d'être incapable de fuite, de recul, de retrait, de repliement [67]. Tant qu'un terme d'opération se présente encore « devant » un sujet capable d'échapper, d'une façon ou d'une autre, à son poids de mal, on peut encore parler, avec tous les degrés qu'implique une analogie, de « menace » de la part de l'objet et de « crainte » de la part du sujet.

L'analyse des « cas » les plus significatifs porte d'ailleurs sur ce point. L'examen attentif des exemples qui à première vue, paraissens les plus antinomiques, manifeste que cette conception commande toutes les solutions et permet de mettre en relief soit le caractère « futur » soit le caractère « présent » de l'objet de la peur [68]. Si l'on retient l'expression *malum futurum*, il faut donc la décanter de l'imagerie spatio-temporelle. Le mal redoutable peut être là devant celui qui craint [69].

C'est donc avec cette notion de base, déjà bien affinée, de l'objet, que Thomas engage, dans *in III Sent.*, d. 34, q. 2, a. 1, qla. 2, le débat sur la division classique de la crainte.

Interprétation de la division lombardienne

Les deux dernières *quæstiunculæ* de *in III Sent.*, d. 34, q. 2, a. 1, sont, comme la première, un exposé de méthode. Les problèmes soulevés par la théologie du temps n'y reçoivent en effet aucune solution immédiate. Thomas les reprendra un à un dans les deux articles suivants. Pour le moment il se limite à « organiser » la matière du traité.

En se basant sur des schémas empruntés à ses prédécesseurs [70], le bachelier précise d'abord, dans la ligne de ses réflexions antérieures sur l'objet de crainte, des notions. Puis, à partir de ces notions, premières quant à l'intelligence, Thomas passe à une démarche synthétique : il fait retour sur ce que, avec les médiévaux, il croit être le donné révélé [71], pour en pénétrer la signification : « *Videtur quod timor non debeat inter dona computari* ». En répartissant ainsi les formes morales de la crainte dans la deuxième *quæstiuncula* et en assignant ensuite leur moralité à la troisième, il ordonne des considérations souvent confuses chez ses devanciers [72].

a) La distinction des formes morales de la crainte

Poser le problème du mal visé par la crainte en termes d'activité proprement humaine dans ses effets d'ordre ou de désordre par rapport à Dieu, comme le fait Pierre Lombard et la tradition qu'il représente, c'est l'établir sur le plan de la moralité où il est question de rectitude et de péché, de louange et de culpabilité, de mérite et de démérite. Or, puisque le mal moral, contrairement au bien, est multiforme, la crainte, contrairement à l'espoir, aura aussi de multiples visages [73]. Comme le mal moral est analysé par rapport à la volonté, source de moralité, il se divisera fondamentalement selon qu'il procède d'elle ou selon qu'il lui répugne et la contrarie : ce sont, respectivement, dans la terminologie théologique de l'époque, la « mal de coulpe » et le « mal de peine » [74].

Face au mal de coulpe, par lequel l'homme est séparé d'avec Dieu, la crainte se nommera chaste ou filiale. La fuite du mal de peine revêtira, au contraire, des formes diverses puisque la peine est double. Certaines, comme les peines temporelles, poussent parfois à pécher afin de les éviter. On parlera alors de crainte mondaine ou de crainte humaine [75]. Quoiqu'elles soient toutes deux sources de démérite, on les distingue pourtant selon l'espèce de leur nature : la mondaine, en effet, évite la perte des biens de ce monde tandis que l'humaine redoute la souffrance. Chacune craint à sa façon de perdre ces objets de convoitise que Jean (1 Jn 2, 16) attribue au monde et non au Père [76]. De cette peine qui contrarie la convoitise on peut en distinguer une autre qu'on évite, non en commettant le péché, mais bien plutôt en s'en abstenant. Telle est la peine après cette vie, objet de crainte servile. Une autre crainte, enfin, fuit les deux formes du mal moral. Elle se situe entre la servile et la filiale. On la nomme crainte initiale. Si le corps de l'article peut laisser supposer qu'elle envisage et la peine et le péché, l'ad 2 précise qu'elle s'apparente plutôt à la filiale : puisqu'elle fuit surtout le péché, la peine ne constitue pour elle qu'un objet secondaire. Contrairement à ce qu'il enseignera plus loin, Thomas affirme ici que cette forme de crainte ne saurait être ramenée à un degré inférieur de la crainte filiale car son regard reste posé, *ex consequenti*, sur la peine, objet qui ne saurait entrer dans le champ de vision de la crainte filiale [77].

À ces quatre craintes — filiale, initiale, servile et mondaine/humaine — Pierre Lombard ajoutait pourtant, à la fin de sa distinction 34e, la crainte naturelle. L'Aquinate fait remarquer que la nature est sauve tant dans le mérite que dans le démérite. Par conséquent, cette crainte naturelle n'appartient pas à cette division où il est question d'activité spécifiquement humaine, donc morale [78].

Cette première enquête donne donc le résultat suivant : il faut distinguer entre une forme de crainte qui n'intéresse pas, comme telle, la morale, puisqu'elle ne soutient pas un rapport direct à la volonté, et les formes morales de crainte. Celles-ci se répartissent ensuite selon le mal de coulpe et le mal de peine. On ne trouve nulle part ailleurs, chez les théologiens qui ont précédé Thomas, cette division simple basée sur ce critère. Albert le Grand explique que la définition de Damascène, utilisée également par Thomas, est analogique, de sorte que le *revereri* de la crainte filiale peut être aussi compris comme un *fugere*. Pourtant, il se refuse à nommer l'objet de cette révérence un *malum* [79], d'où ses difficultés pour la division. Même Bonaventure, qui suggère comme troisième critère de distinction, celui du rapport à l'objet, n'ose pas l'appliquer à la crainte filiale puisqu'elle considère, non un *malum*, mais une *excellentia* [80]. La formule de Thomas est donc hardie. Ce qui le distingue de ses contemporains ici, c'est, encore une fois, moins l'originalité de ses formules que celle de sa méthode et une certaine qualité de son esprit.

b) Les qualifications morales de la crainte

Thomas entame la question de la moralité des diverses formes de crainte par le biais de celle du don de l'Esprit [81]. Le cas de la crainte mondaine et de la crainte humaine est vite résolu : on ne saurait attribuer à l'Esprit ces formes désordonnées [82]. Elles sont en effet « une tentation de l'ennemi, à savoir le diable et ceux qui en sont les membres » [83]. Elles peuvent désigner des passions mauvaises [84], des choix semblables à ces passions et même des habitus nommés d'après ceux-ci [85].

Quant à la crainte servile, Thomas ne l'exclut pas complètement d'une certaine notion de don puisqu'elle peut opérer le bien. Elle n'appartient cependant pas à sa perfection, car la fin de son activité ne relève pas de la vertu parfaite, ni donc, a fortiori, de la perfection du don supérieur à celle-ci. La crainte servile accomplit le bien, non pas pour fuir ce qui est laid, mais pour éviter ce qui est affligeant. Or le vertueux n'agit qu'en vue du bien et fuit toute turpitude[86]. Par rapport à la raison même de vertu, la crainte servile ressemble donc à la foi informe[87]. La crainte servile ne saurait donc être proscrite sans nuance.

La crainte initiale n'est considérée que dans le sillon de la filiale. Celle-ci mesure ses actes à une règle plus haute que la norme humaine. Le vertueux fuit ce qui s'oppose à la raison, ce qui dégrade l'homme : aussi peut-on dire qu'une crainte est annexe à toute vertu[88]. Mais la crainte proprement filiale s'abstient du mal pour fuir le préjudice qui résulte de la séparation d'avec Dieu. Puisque la mesure spécifie le mode de l'action, cette crainte opère donc sous un mode supra-humain : c'est le don du Saint-Esprit, un certain habitus infus par Dieu[89].

Si, au terme de cette première analyse, certains éclaircissements sont apportés à la division lombardienne, tous les problèmes impliqués n'en sont pas pour autant résolus. Aussi Thomas rédigera-t-il deux autres articles destinés à approfondir ces aspects divers. Ce chapitre nous a cependant permis de saisir sur le vif les prises de position méthodologiques du bachelier sentenciaire relatives aux problèmes de la notion de crainte et de la division traditionnelle. D'elles dépendra, pour une large part, l'élaboration des notions-clés que nous nous proposons maintenant d'examiner.

[1] Les lieux essentiels de la théologie augustinienne sur le sujet sont : *In epistolam Johannis ad Parthos*, tract. IX (PL 35, 2045 2053) ; *Sermo 161* (PL 38, 877-884) ; *Liber expositionis epistolae ad Galatas* 5, 24, no 53 (PL 35, 2142) ; *Sermo 270*, no 4 (PL 38, 1241-1242) ; *Enarratio in Psalmum* 127, 1-4, nn. 7-9 (PL 37, 1680-1683) ; *De Spiritu et Littera*, c. 32, no 56 (PL 44, 236-237) ; *In Joannis Evangelium*, tract. 85 (PL 35, 1848-1850) ; *De Civitate Dei*, XIV, c. 9, no 5 (PL 41, 416).

[2] *Das Furchtproblem in der Lehre des hl. Augustinus*, dans ZKTh, 45 (1921) 43-65 ; 228-259.

[3] *Crainte*, dans DSp, 2 (1953) 2483-2488.

[4] *Reverence Towards God According to St. Thomas*, (Doctoral thesis sub-

mitted to the Faculty of Theology), Ottawa, University of Ottawa, 1952, pp. 25-29.

[5] E. Boularand, *art. cit.*, col. 2486.

[6] R. Rimml, *art. cit.*, pp. 245-248. Cette étude livre plusieurs textes augustiniens : c'est un avantage. Le lecteur actuel est cependant déconcerté et par la polémique soutenue par l'auteur et par ses efforts pour établir l'orthodoxie d'Augustin à partir de l'enseignement du concile de Trente (p. 259). Nous nous inscrivons également en faux contre l'assertion selon laquelle il n'y aurait aucune différence entre l'enseignement d'Augustin et celui de Thomas d'Aquin : « Wenn wir diese Lehre vergleichen mit jener des hl. Thomas 2, 2, q. 19, so finden wir, dass dem Wesen und der Sache nach kein Unterschied besteht » (p. 249, no 3).

[7] A. M. Landgraf, *Die Lehre der Frühscholastik von der knechtischen Furcht*, dans *Dogmengeschichte . . .*, IV/1, pp. 276-371.

[8] *De timore Dei juxta doctrinam scholasticorum a Petro Lombardo usque ad S. Thomam, Disquisitio historico-theologica*, Romæ, Scuola Tip. Miss. Domenicana, 1940. En ce qui concerne l'analyse de Thomas, nous estimons que cette étude est faible. L'auteur ne connaît que les textes des grandes questions sur la crainte. De plus, ses interprétations sont parfois inexactes. Ainsi, l'auteur cite (p. 185), *in III Sent.*, d. 34, q. 2, a. 1, qla. 2, ad 3, pour montrer que la crainte initiale et la crainte filiale ne se distinguent pas comme l'imparfait et le parfait, parce qu'elles auraient un objet différent. Or, Thomas affirme le contraire dans *in III sent.*, d. 34, q. ?, a. 3, qla. 2, ad 2, et c'est là, incontestablement, sa pensée définitive.

[9] A. M. Landgraf, *op. cit.*, p. 283.

[10] Idem, *ibid.*, p. 284. « Das Gerippe des von der Anselmschule benützten Einteilungsschemas sollte in der Folgezeit klassisch werden ».

[11] Idem, *ibid.*, p. 344.

[12] Idem, *ibid.*, pp. 342-354.

[13] Idem, *ibid.*, pp. 355-370.

[14] Pierre Lombard, *Sententiarum libri quatuor*, III, d. 34, cc. 4-11 (PL 192, 824-827). Pour un résumé de la doctrine du Lombard sur la crainte à l'intérieur de sa doctrine sur les dons du Saint-Esprit, voir aussi, P. Delhaye, *Pierre Lombard, sa vie, ses œuvres, sa morale*, Montréal, Institut d'études médiévales ; Paris, J. Vrin, 1961, pp. 80-83.

[15] Thomas d'Aquin, *in III Sent.*, d. 34, q. 2.

[16] Voir le plan d'ensemble, par P. Philippe, *Plan des Sentences de Pierre Lombard d'après S. Thomas*, dans *BT*, 3 (1932) 131*-154*.

[17] L. Jessberger, *Das Abhängigkeitsverhältnis des hl. Thomas von Aquin von Albertus Magnus und Bonaventura im dritten Buch des Sentenzenkommentars*, Würzburg, 1936. Nous n'avons pu consulter cet ouvrage qui établit l'antériorité des commentaires d'Albert et de Bonaventure sur celui de Thomas. O. Lottin a aussi noté que les commentaires d'Albert, de Eudes Rigaud et de Bonaventure inspirèrent Thomas dans la composition de *in III Sent.*, d. 34, dans *Psychologie et Morale . . .*, III/1, p. 412, note 2, p. 415 et p. 436, note 5.

[18] Cf. U. Kühn, *Via caritatis . . .*, pp. 49-52.

[19] *In III Sent.*, d. 34. Cette distinction est divisée, par Thomas, en trois questions : q. 1, les dons en général ; q. 2, la crainte ; q. 3, la force et la piété.

[20] *Ibid.* À la *divisio secundæ partis textus*, il écrit : « ... propter sui multiplicem acceptionem ».

[21] *In III Sent.*, d. 34, q. 2. Cette question contient 15 quæstiunculæ.

[22] Pierre LOMBARD, *Sententiarum libri quatuor*, III, d. 34, c. 4 (PL 192, 824) : « Et quia de timore tractandi nobis occurrit locus, sciendum est quatuor esse timores, scilicet mundanum sive humanum, servilem, initialem, castum vel filialem sive amicabilem ».

[23] Eudes RIGAUD composa probablement son *Commentaire sur les Sentences* vers 1241-1245. Voir sources, influence et bibliographie au sujet de la datation, dans O. LOTTIN, *Psychologie et Morale...*, III/2, pp. 713-714.

[24] Cette définition ne se trouve que partiellement dans *in Joannis Evangelium*, tract. 46, no 8 (PL 35, 1732) : « timor, animi fuga est ». — Pour la notion augustinienne de la passion de crainte, voir F.-J. THONNARD, *La vie affective de l'âme selon saint Augustin*, dans *ATA*, 13 (1953) 42-43.

[25] Voir le texte dans G. M. CSERTÖ, *De timore Dei...*, p. 78, note 1.

[26] JEAN DAMASCÈNE, *De Fide orthodoxa*, II, c. 12 (PG 94, 929B) : ὁμοίως δὲ πάλιν προσδοκώμενον κακόν, φόβον. Le Damascène suit ici encore NÉMÉSIUS, *De Natura hominis*, c. 18 (PG 40, 676C). — On est d'autant plus convaincu d'un changement de méthode, entre le Lombard et les grands scolastiques, dans la façon d'aborder le problème de la définition et des divisions de la crainte, lorsque l'on sait que le *Magister* eût entre les mains le *De Fide orthodoxa* du Damascène, œuvre fraîchement traduite par Burgundio de Pise, entre la composition des deux premiers livres des *Sentences* et les deux derniers : cf. J. de GHELLINCK, *Pierre Lombard*, dans *DTC*, 12 (1935) 1946-1947 et 1963. Les définitions damascéno-némésiennes lui étaient donc connues, mais il n'a pas su les utiliser.

[27] Voir encore les textes cités, dans G. M. CSERTÖ, *De timore Dei...*, p. 78, note 2.

[28] IDEM, *ibid.*, p. 79, note 2.

[29] BONAVENTURE, *In III Sent.*, d. 34, par. 2, dub. 1 : « Videtur quod inordinate procedat in tractando, quoniam via definitiva præcedit divisivam : ergo prius est timorem definire quam dividere ».

[30] IDEM, *in III Sent.*, d. 34, par. 2, dub. 1.

[31] IDEM, *ibid.*, « Ubi autem est analogia ... ».

[32] Albert LE GRAND, *In III Sent.*, d. 34, aa. 6-9.

[33] JEAN DAMASCÈNE, *De Fide orthodoxa*, III, c. 23 (PG 94, 1088C) : κατὰ φύσιν δειλία ἐστὶ δύναμις κατὰ συστολὴν τοῦ ὄντος ἀνθεκτική. Le recours à cette définition de Jean Damascène — celle que Thomas d'Aquin mettra aussi en évidence — illustre bien l'effort consenti par Albert pour introduire une anthropologie valable de l'activité, au cœur des questions théologiques. L'une des grandes contributions d'Albert à la théologie du moyen âge fut l'introduction, dans la pensée latine, de celle des Orientaux Némésius et Jean Damascène, dont les doctrines, en matière de psychophysiologie, avaient été mises à la disposition de l'Occident par Burgundio de Pise. Cf. P. MICHAUD QUANTIN, *Le traité des passions chez saint Albert le Grand*, dans *RTAM*, 17 (1950) 90-120 (à propos de la « systole » cardiaque de la définition, voir pp. 97-98 ; 117-118).

[34] Albert LE GRAND, *in III Sent.*, d. 34, a. 6, obj. 2.

[35] IDEM, *ibid.*, sol.

[36] IDEM, *ibid.*, ad 1.

[37] IDEM, *ibid.*, ad 2.

[38] IDEM, *ibid.*, ad 3-4.

[39] Thomas d'AQUIN, *in III Sent.*, d. 34, q. 2, a. 1, q1a. 1. Voir une formule semblable dans *in Is* 8, 12, no 3 (p. 466a) : « timor enim facit motum cordis secundum systolem ».

[40] *In III Sent.*, d. 34, q. 2, a. 1, q1a. 1, sol. : «...definitio data secundum Damascenum, convenit omni timori ».

[41] *In III Sent.*, d. 34, q. 2, a. 1, q1a. 1, sol. Voir encore : *in I Sent.*, d. 8, expositio secundæ partis textus ; *in III Sent.*, d. 15, exposito textus ; *in IV Sent.*, d. 15, q. 2, a. 1, q1a. 1, ad 4 ; d. 44, q. 3, a. 3, q1a. 2, ad 5.

[42] *In III Sent.*, d. 34, q. 2, a. 1, q1a. 1, ad 1.

[43] *Ibid.*, sol. Voir aussi : *in III Sent.*, d. 15, q. 2, a. 2, q1a. 3, ad 2 : «...omnis timor ex aliqua imperfectione est, quia ex imperfectione est quod aliquis ab aliquo possit lædi » ; *in III Sent.*, d. 17, q. 4, sol. : «...ex infirmitate ejus quod læsivum imminens evadendi facultatem non videt ».

[44] *In III Sent.*, d. 34, q. 2, a. 1, q1a. 1, sol. Voir encore : *in II Sent.*, d. 7, q. 3, a. 1 : «...ad carendum ex (...) timore casus » ; *in III Sent.*, d. 23, q. 1, a. 5, ad 1 : «...resilit in propriam parvitatem » ; *in Is* 31, 6 (p. 513b) : le mouvement de la crainte est décrit comme un quasi anéantissement : « deletio in fuga ». Par opposition le « ne timeas Maria » de Luc 1, 30, est interprété comme l'ouverture de l'affectivité de la Vierge pour accueillir le privilège de la grâce, dans *in Is* 45, 8 (p. 540b) ; etc.

[45] *In IV Sent.*, d. 44, q. 3, a. 3, q1a. 2, ad 2.

[46] V.g., *in I Sent.*, d. 8, expositio secundæ partis textus ; *in III Sent.*, d. 15, exposito textus ; *in Is* 7, 4, no 1 (p. 460a).

[47] Nous avons réuni tous les textes de Thomas sur ce thème, à la fin de notre article : *L'influence de la crainte...*, dans RT, 72 (1972) 55-56.

[48] *In III Sent.*, d. 34, q. 2, a. 1, q1a. 1, ad 3. La fuite est « indicativa timoris », *in Is* 11, 8 (p. 476b). Au début de sa carrière, Thomas prête à l' « appetitus fugiendi » un sens très large. Il l'applique même, contrairement à ce qu'il fera plus tard, au « contrarium fugere » qui accompagne toute forme au niveau de l'appétit naturel : cf. *in II Sent.*, d. 24, q. 1, a. 2, ad 4. La représentation de ce qui est nuisible par l' « æstimativa » du psychisme animal ou par la « cogitativa » du psychisme humain, déclenche également l'appétit sensible de fuite. Il s'agit déjà d'un appétit élicite, comportant l'actualisation d'une puissance par le donné d'un acte de connaissance sensible : cf. *in II Sent.*, d. 24, q. 2, a. 1, sol. ; *in III Sent.*, d. 15, q. 2, a. 2, q1a. 3, ad 3 ; d. 15, expositio textus ; d. 23, q. 2, a. 3, q1a. 2, obj. 2. Au sommet, cet appétit de fuite qualifie le retrait de la volonté sous la dictée de l'intellect pratique : cf. *in II Sent.*, d. 38, q. 1, a. 3. Il ne nous appartient pas d'entrer dans le détail de cette

doctrine. Les textes cités établissent un lien entre ces divers niveaux de l'appétit de fuite et la crainte.

⁴⁹ *In III Sent.*, d. 34, q. 2, a. 1, qla. 2, sol. : « . . . timor hic distinguitur secundum ordinem timentis ad Deum cui per unum timorem magis appropinquat vel distat quam per alium ».

⁵⁰ Voir les textes cités par G. M. Csertö, *De timore Dei* . . . , p. 81, note 2.

⁵¹ Bonaventure, *In III Sent.*, d. 34,, par. 2, dub. 2.

⁵² Albert Le Grand, *In III Sent.*, d. 34, a. 6, sol.

⁵³ Idem, *ibid.*, ad 1-4.

⁵⁴ Thomas d'Aquin, *in III Sent.*, d. 34, q. 2, a. 1, qla. 2, sol.

⁵⁵ Cf. *in I Sent.*, d. 18, q. 1, a. 3 ; *in II Sent.*, d. 34, q. 1, a. 1, sed contra I ; d. 42, q. 2, a. 1 ; *in III Sent.*, d. 15, q. 2, a. 2, qla. 3 ; d. 23, q. 2, a. 4, qla. 2, ad 2 ; d. 26, q. 2, a. 1, ad 1 ; d. 29, a. 4, ad 5 ; d. 33, q. 3, a. 3, qla. 1, ad 3 ; d.34, expositio primæ partis textus ; d. 35, expositio textus ; etc.

⁵⁶ Cf. *in III Sent.*, d. 26, q. 1, a. 2, sol. ; a. 3, ad 5 ; a. 4, sol. ; d. 26, q. 2, a. 2, ad 2 ; d. 33, q. 2 a. 1, qla. 4, ad 1 ; d. 34, q. 1, a. 2, sol. ; a. 3, sol. ; etc.

⁵⁷ *In III Sent.*, d. 26, q. 1, a. 3, sol. L'ad 5 reprend la distinction en termes de menace « facultatem superans » ou « excedens ».

⁵⁸ *In III Sent.*, d. 26, q. 1, a. 4, sol. et ad 4. Cet article discute la question classique des « passions principales », à partir de l'autorité de Boèce, *De consolatione philosophiæ*, I, metrum VII. 25-28 (PL 63, 657A-658A). Au sujet des sources de cette classification quadripartite, voir P. Michaud Quantin, *Le traité des passions chez saint Albert le Grand*, dans *RTAM*, 17 (1950) 104-105. — Notons que le texte de la solution de Thomas comporte, dans l'édition MOOS, une parenthèse qui fait difficulté : « . . . (Unde timor et spes habent quamdam certam inclinationem ad objectum suum ; *timor ad non posse fugere malum*, spes ad posse consequi bonum ;) . . . ». Dans l'article précédent, Thomas écrit que les passions de l'irascible peuvent être provoquées par le mal « vel possibilis repelli, cui resistendum est, et sic est audacia ; vel non possibilis repelli, quod fugiendum est, et sic est timor ». Si l'on ne peut *repousser* la menace, on la *fuit* : c'est la crainte. Dans l'article 4e, celui que nous étudions, le texte continue, après la parenthèse citée : « Similiter etiam consequitur ex malo inquantum est malum, quia de natura sui habet ut *fugiatur* ; . . . » ; dans l'ad 4. on lit encore : « . . . timor qui *fugam importat*, consequitur ex ratione mali quod *de se fugibile est*, non autem aggressibile quod audacia facit ; . . . ». Il y a donc une distinction importante entre « ne pas pouvoir repousser » un mal, donc le fuir, et «ne pas pouvoir fuir » un mal, donc le subir, ce qui appelle, non plus un mouvement de l'irascible, mais celui du concupiscible, la tristesse. On comprend donc mal le sens de l'expression que nous avons soulignée dans la parenthèse. — Le Père P.-M. Gils, de la section française de la Commission Léonine, a eu l'obligeance de consulter pour nous les manuscrits. Les résultats sont les suivants : cette parenthèse est absente de l'autographe de Thomas et de la *Tradition universitaire*. Elle est cependant insérée dans un manuscrit de la fin du XIIIe siècle ou du début du XIVe siècle. *Nürnberg, Cent.* II, 32, manuscrit qui donne des fragments de textes perdus dans la *Tradition universitaire*. Au point de vue de la critique externe, on ne peut nier ni affirmer avec certitude que ce texte soit de Thomas. Puisque, dans ce cas précis, il semble contredire la doctrine de

tout le contexte immédiat, on est en droit de n'en point tenir compte pour l'interprétation.

[59] *In III Sent.*, d. 33, q. 2, a. 1, q1a. 4, ad 1.

[60] Cf. *In III Sent.*, d. 17, a. 4, ad 5 ; d. 34, q. 1, a. 2 ; *in IV Sent.*, d. 7, q. 2, a. 2, q1a. 2, ad 3 ; d. 29. q. 1, a. 1, sol. et a. 2, sol. ; d. 38, q. 2, a. 4, q1a. 2, ad 2. Les nombreux textes où Thomas emploie le mot « menace » rendent la même idée : v.g., *in III Sent.*, d. 40, a. 4, q1a. 2 : « comminatio pœnarum » ; *ibid.*, ad 3 : « comminatio suppliciorum » ; etc.

[61] Cf. *in IV Sent.*, d. 14, q. 1, a. 3, q1a. 1, obj. 4 ; d. 17, q. 2, a. 1, q1a. 1, obj. 1 ; a. 3, q1a. 1, ad 4 ; *in Is* 7, 4, no 1 (p. 460a) ; 12, 1-2 (p. 478a).

[62] Cf. *in III Sent.*, d. 15, q. 2, a. 2, q1a. 3, ad 3 ; d. 31, q. 2, a. 1, q1a. 2, ad 1 ; *in IV Sent.*, d. 14, q. 1, a. 1, q1a. 2, ad 5.

[63] Cf. *in III Sent.*, d. 33, q. 2, a. 3, ad 6 ; d. 34, q. 1, a. 6 ; q. 3, a. 1, q1a. 2.

[64] *In IV Sent.*, d. 14, q. 1, a. 1, q1a. 2, ad 5 : « ... futurum autem non timetur nisi secundum quod habet propinquam dispositionem in causa sua ».

[65] Voir, *ibid.*, l'explication qui suit au sujet de la « crainte honteuse ».

[66] *In III Sent.*, d. 26, q. 1, a. 3, sol.

[67] Il est important de prendre conscience du rôle des facultés cognitives, sensibles ou intellectuelles, dans les réactions craintives. Si ces facultés directrices se trompent dans l'appréciation exacte de la menace et dans l'élaboration conséquente du projet, l'appétit ébauchera des craintes disproportionnées, parfois même, sans aucun fondement réel. Il pourra donc y avoir des craintes qui résultent de pures créations du psychisme ou de l'esprit. Thomas signale le fait à l'occasion. Voir, au sujet des peines de l'enfer, *in IV Sent.*, d. 44, q. 3, a. 3, q1a. 3, sol. Les démons se servent de ce moyen pour infliger aux hommes des terreurs malsaines : cf. *in IV Sent.*, d. 34, q. 1, a. 3 ; *Quodl.* XI, aa. 10-11.

[68] Comparer *in III Sent.*, d. 31, q. 2, a. 1, q1a. 2, ad 1 (voir aussi *Ia-IIae*, q. 67, a. 4, ad 2 et *IIa-IIae*, q. 13, a. 4, ad 1) à *in III Sent.*, d. 34, q. 2, a. 3, q1a. 4, ad 2.

[69] Ces remarques semblent aller de soi ; pourtant on se rend vite compte, en constatant la façon irréaliste dont on commente souvent le traitement thomiste des affections, que l'on se paie de mots. Comment expliquer autrement l'affirmation courante selon laquelle Thomas n'aurait jamais conçu l'émotion de l'angoisse ?

[70] *In III Sent.*, d. 34, q. 2, a. 1, q1a. 2 : « Videtur quod Magister hic male distinguat timoris partes ». Le texte commenté du *Magister* contient, en fait, toutes les formes morales traditionnelles de la crainte. Pour une vue plus complète de la théologie du Lombard sur la question. voir A. M. LANDGRAF, *Die Lehre der Frühscholastik...*, dans *Dogmengeschichte...*, IV/1, pp. 296-299, 344, 361. Cette théologie lombardienne connaîtra cependant une longue évolution avant de parvenir à Thomas.

[71] Les « autorités » citées sont, en l'occurrence, Is 11, 2-3 et Is 26, 18 : cf. *in III Sent.*, d. 34, q. 2, a. 1, q1a. 3, sed contra.

[72] Ce plan se trouve déjà matériellement chez Albert LE GRAND, *in III Sent.*, d. 34 : Quid sit timor ? (a. 6) ; An divisio in Littera a Magistro sit bene assi-

gnata ? (a. 7) ; An timor sit donum ? (a. 8). L'article 9e rassemble toutes les difficultés relatives à la moralité des diverses craintes et à leurs rapports mutuels.

⁷³ *In III Sent.*, d. 34, q. 2, a. 1, q1a. 2, ad 1.

⁷⁴ *Ibid.*, sol. Voir aussi : *in II Sent.*, d. 34, q. 1, a. 2, sol. ; *In III Sent.*, d. 34, q. 2, a. 3, q1a. 1, sol.

⁷⁵ A. GARDEIL, *Crainte*, dans *DTC*, 3 (1908) 2014, souligne que cette terminologie fut introduite par CASSIODORE. Notons que celui-ci utilise cependant les deux expressions comme des synonymes. Cf. CASSIODORE, *In Psalterium expositio* : in Psalm. 24, 13 (PL 70, 180D) : « humanus timor » ; in Psalm III, 1 (PL 70, 804D) : « timor mundanus » ; in Psalm 127, introd. (PL 70, 931BC) : « Duo timores sunt qui corda nostra compungunt : unus HUMANUS, per quem timemus AUT pericula carnis pati, AUT mundi bona deserere (...). Divinus autem timor per omnes provectus in hac vita nobiscum semper ascendit ».

⁷⁶ *In III Sent.*, d. 34, q. 2, a. 1, q1a. 2. ad 4. La convoitise des yeux est identifiée, dans l'objection, à celle du monde ou de la richesse.

⁷⁷ *Ibid.*, ad. 3. Ce changement de vue de l'article 1er à l'article 3e, q1a. 2, ad 2, est instructif. Il confirme le fait que Thomas ne se préoccupe guère d'approfondir ici toutes les implications de la division. Son propos est méthodologique.

⁷⁸ *Ibid.*, ad. 5.

⁷⁹ ALBERT LE GRAND, *In III Sent.*, d. 34, a. 8, sol. : « Timor semper est in sistole cordis et fuga : sed ea quæ fugit, non sunt ejusdem rationis (...) Fugere majestatem per resilitionem in suam parvitatem et exhibitionem honoris est quidem fuga, sed non est unius rationis cum fuga mali. Similiter, fugere malum culpæ propter malum separationis a Deo quod sequitur culpam, et hos propter reverentiam qua reveretur Deum : iterum est alterius rationis. Similiter fugere actum peccati propter pœnam inferni est quoad generans alterius rationis. Unde solum fugere secundum analogiam respicit statum perfectum secundum reverentiæ actum ».

⁸⁰ BONAVENTURE, *in III Sent.*, d. 34, par. 2, dub. 1. Cette subtilité, par laquelle Bonaventure tente d'éluder la difficulté soulevée par la crainte révérencielle, vient encore de Eudes Rigaud. L'objet de la crainte serait, non point un *malum*, mais un *arduum* : ainsi la crainte révérencielle serait spécifiée par l'*arduum bonum ;* les autres formes de la crainte par l'*arduum malum.* Voir le texte cité par G. M. CSERTÖ, *De timore Dei...,* p. 79, note 2 : « Cum timor sit in irascibili, respectu ardui vel alicujus excellentis est (...) Timor ergo de ratione sua non plus dicit nisi resilitionem ab aliquo arduo vel excellente. Et hæc ratio convenit communiter omni timori ; sed illud arduum potest esse bonum et respectu hujus est timor reverentiæ, et potest esse malum et respectu hujus sunt aliæ differentiæ timoris ».

⁸¹ THOMAS D'AQUIN, *In III Sent.*, d. 34, q. 2, a. 1, q1a. 3.

⁸² Pour Thomas, crainte humaine et crainte mondaine sont des noms de péché ou de vice : ils ne s'appliquent donc pas aux craintes ordonnées des périls de la chair ou des dommages matériels : « Non enim quandocumque timetur periculum carnis, dicitur timor humanus, neque quando timetur amissio boni temporalis, dicitur timor mundanus, sed tantum quando talis timor est inordinatus ; et ideo semper sonat in malum » : *In III Sent.*, d. 34, expositio secundæ partis textus. On trouve plusieurs exemples de ces « bonnes

craintes » des périls de la chair ou des menaces temporelles : v.g., *in IV Sent.*,
d. 32, q. 1, a. 5, q1a. 2, sol. ; d. 34, q. 1, a. 5, sol. ; d. 38, q. 1, a. 3, q1a. 2, ad 4 ;
Contra impugnantes, c. 6 (no 238) ; *Quodl.* X, a. 10 ; XI, a. 12. — Il existe, dans
les écrits de Thomas, une autre formule pour désigner une crainte peccamineuse : « timor male humilians », liée à la « cupiditas male inflammans ». C'est
une expression augustinienne, dans un commentaire du psaume 79, 17 : « in-
censa igni et suffossa » : cf. *Enarratio in Psalmum* 79, 17 (PL 36, 1027) :
« ... quæ sunt peccata succensa igni et effossa ? Quid fecerat amor malus ?
Tanquam ignem succenderat. Quid fecerat timor malus ? Tanquam effoderat.
Amor quippe inflammat ; timor humiliat : ... ». Ce « timor » et cet « amor »
sont des racines du péché, à savoir, des passions ou des penchants mauvais
qui résultent de la corruption du péché originel. Le « timor male humilians »
désigne donc cette propension à fuir tout ce qui fait obstacle à la poursuite du
bien périssable : cf. *in II Sent.*, d. 42, q. 2, a. 1, sol. et ad 2-3. Voir encore la
formule de *in Is* 1, 18, no 4 (p. 435b) : « ... ex amore incendente (...) ex timore
mortificante ». Il s'agit encore de racines peccamineuses : « Et promittat
specialiter mundationem a peccatis : quia cessante causa, cessat effectus ». Le
« timor deprimens » de *in Is* 58, 1 (p. 561a) est peut-être dans la même veine.
— Ces formules sont courantes dans la scolastique. Voir des exemples dans
A. M. Landgraf, *Die Lehre der Frühscholastik...*, dans *Dogmengeschichte...*,
IV/1, pp. 363-364, note 27. — D'autres craintes sont encore dites désordonnées
par Thomas, tout simplement parce que vaines : cf., v.g., *Contra impugnantes*,
c. 7 (nn. 329-330).

[83] *In II Sent.*, d. 21, q. 1, a. 1. De ces craintes toujours peccamineuses,
Thomas fournit divers exemples : cf., *in IV Sent.*, d. 25, q. 3, a. 3, ad 3 ; *Quodl.*
XI, a. 8, ad 1 ; etc.

[84] Thomas explique le reniement de Pierre comme un péché mortel, non
pas de malice cependant, mais de faiblesse « ex passione timoris » : *Quodl.*
IX, a. 14, ad 1.

[85] *In III Sent.*, d. 34, q. 2, a. 1, q1a. 3, sol.

[86] *Ibid.* Voir aussi, *in II Sent.*, d. 37, q. 3, a. 2, ad 4 : « culpa est propter se
vitanda, etiamsi nulla pœna sequeretur ; unde virtuosus plus culpam quam
pœnam fugit ... ». Il n'est pas plus vertueux, en ce sens, d'accomplir
le bien en vue de la seule récompense, que de s'abstenir du péché
par peur du châtiment : cf. *in II Sent.*, d. 43, q. 1, a. 3, sol. Pour bien interpréter *in III Sent.*, d. 29, a. 4, ad 5, qui semble contredire cette affirmation,
il faut lire l'exposé de la solution.

[87] Une objection qualifie même la crainte servile d'« informis » : *in III
Sent.*, d. 27, q. 2, a. 4, q1a. 4, obj. 3.

[88] *In III Sent.*, d. 34, q. 2, a. 1, q1a. 3, sol.

[89] *Ibid.*, ad 1. Voir aussi, *in III Sent.*, d. 34, q. 1, a. 2, sol.

CHAPITRE TROISIÈME

LES NOTIONS-CLÉS DE LA PREMIÈRE ANALYSE THOMISTE DE LA CRAINTE

Il n'est peut-être pas tout à fait exact de parler de « notions-clés » de la première analyse thomiste de la crainte après avoir déjà étudié la notion fondamentale de la crainte. Celle-ci, néanmoins, ne constitue, en quelque sorte, qu'une « photo-robot ». Thomas est encore à la recherche de sa vraie physionomie. Tant que l'analyse serrée de ses diverses applications possibles n'aura pas donné le signalement de tous ses traits, elle demeure un peu l'image encore hypothétique de celle que l'on poursuit.

Or dans les analyses du premier enseignement de Thomas, certaines notions-clés permettent de mener à bien cette investigation. Dans la division classique, d'abord, il n'est pas douteux que, pour l'Aquinate, la crainte servile et la crainte filiale — les seules, du reste, qui proviennent vraiment d'Augustin — sont les deux notions centrales. Intimement reliée à ces deux notions, celle de la causalité de la crainte par l'amour est également de première importance. De là découle aussi le problème des relations entre la crainte et la charité. À la suite de ces analyses, on peut étudier le problème du don de crainte, celui qui, finalement, dévoile le sens ultime de toute crainte. À la fin de ce troisième chapitre, il nous sera possible de présenter une division de la crainte qui réponde aux textes de Thomas et de mettre en lumière un certain nombre de points qui nous semblent importants pour une interprétation nuancée de la pédagogie de la crainte.

1. Deux notions centrales : « crainte servile » et « crainte filiale »

Le commentateur des *Sentences* de Pierre Lombard réduit, en dernière analyse, le problème enchevêtré des formes morales de la crainte à deux notions centrales : la crainte servile et la crainte filiale. Cette « réduction » sera possible grâce à sa première démarche qui a consisté à analyser la crainte dans sa structure interne. Définir une chose par une autre conduit inévitablement à des impasses. Thomas a su, par sa méthode, les éviter.

La crainte servile

La structure même de l'article deuxième de *in III Sent.*, d. 34, q. 2, est révélatrice en ce sens. Les trois titres, ainsi que tout l'échafaudage des objections, des *sed contra* et des réponses aux difficultés, proviennent du *status quæstionis* traditionnel : *Videtur quod timor servilis non sit a Spiritu sancto* (qla. 1) ; *Videtur quod usus timor servilis non sit bonus* (qla. 2) ; *Videtur quod timor servilis non tollatur adveniente caritate* (qla. 3) [1]. Dans les solutions Thomas prend cependant beaucoup de recul par rapport à cette terminologie. Elle procèdent du même esprit d'analyse interne de l'objet et des attitudes qu'il spécifie, que nous avons découvert dans le premier article. C'est pourquoi les rapports que l'on peut souvent établir entre ses formules et celles de tel ou tel de ses devanciers sont souvent fort matériels [2].

Tout l'article deuxième de Thomas est basé sur deux séries de notions : *substantia - accidens* et *habitus - actus*, notions qu'il est amené à exposer à partir des termes mêmes du *timor servilis*. Nous reprendrons donc avec lui l'examen des termes. Nous tenterons ensuite de dégager la signification de cette crainte servile, telle que Thomas la comprend.

a) L'examen des termes

Au-delà du processus scolaire exigeant qu'on précise en quel sens la crainte servile peut être attribuée à l'Esprit-Saint, Thomas scrute, dans *in III Sent.*, d. 34, q. 2, a. 2, qla. 1, la notion même du *timor servilis* afin d'établir un concept adéquat à la réalité des objets et des attitudes en cause. S'il garde toujours une certaine liberté à l'égard des mots, est-il besoin de rappeler qu'il voit un rapport étroit entre les mots par lesquels nous nous exprimons et notre pensée. Ne fallait-il pas légitimer, avant même d'employer les expressions *timor naturalis, timor Dei, timor mundanus*, etc., l'usage du mot *timor* commun à chacune d'entre elles[3] ? Pourquoi alors qualifier une crainte de « servile »[4] ?

La *servilitas* qualifie l'activité du *servus*[5], de l' « esclave »[6], en opposition à la *libertas* du *liber*. Or l'homme libre, maître de ses démarches, est *causa sui*. L'esclave, par opposition, *alterius causa est et non sui*[7]. L' « autorité » est Aristote dans le premier livre des *Métaphysiques*[8]. Le philosophe distingue, en effet, entre le citoyen libre et l'esclave : celui-là n'est au service de personne, il vit en vue de lui-même et pour son propre compte. Le sens original de ce texte n'est jamais devenu obscur pour Thomas, comme il le deviendra par la suite. Il l'interprète bien dans le sens de la cause finale dans son commentaire des *Métaphysiques*[9]. Parfois il utilise ce sens à d'autres fins[10]. Mais il lui arrive d'accommoder le texte à son propos et de l'interpréter dans le sens de la cause efficiente[11]. Dans notre texte il s'agit bien d'une causalité efficiente de l'agir, car le résultat atteint la qualité libre du volontaire et, par conséquent, son caractère vertueux. La volonté, étant le point de référence pour la causalité de ce qui émane de l'intérieur de l'homme, sera libre ce que nous faisons par volonté propre ; servile ce qui procède de nous par la contrainte d'un principe extérieur[12]. Dans ce contexte, le *liber* est donc celui qui a en lui le principe de son agir, celui qui est maître de ses démarches. À l'inverse, le *servus* est celui qui n'a pas en lui-même, mais dans un autre, le principe de son activité[13].

À cette première analyse s'en ajoute une seconde ; elle confirme le fait que Thomas réfléchit en termes de « volontaire » et, en même temps, elle introduit, d'une part, un autre vocable de la crainte — le *metus* — et, d'autre part, rejoint des élaborations antérieures. Selon l'Aquinate la servilité est identifiée ici à la qualité contrainte d'une action posée « *metu pœnæ* » : celui qui agit par crainte servile, contrairement à celui qui le fait par liberté d'esprit[14], le fait en vaincu[15], contraint par peur de la peine et, par conséquent, avec tristesse. Il préférerait en effet s'en abstenir, s'il ne redoutait cette peine[16].

Nous sommes ici à l'un de ces carrefours dans l'œuvre de Thomas, où se croisent des traditions littéraires différentes : celle de la crainte servile de la tradition théologique et celle du *metus*, qu'on retrouve à la fois dans la tradition juridique et dans la tradition philosophique [17]. Pour s'en convaincre — et pour éclaircir cette affirmation selon laquelle on pose une action par crainte servile, « *quod facit coactus metu pœnæ et per consequens cum tristitia : mallet enim non facere, nisi pœna timeretur* » — il faut se reporter à un article sur le mariage au commentaire du IVᵉ livre des *Sentences*, où le bachelier se demande si un consentement peut être contraint [18]. Un simple regard sur les autorités invoquées est déjà significatif : Aristote est cité une fois *ad litteram* [19] et une autre fois *ad sensum* [20] ; Augustin, une fois *ad litteram* [21] ; Pierre Lombard, une fois *ad litteram* [22] ; Cicéron, une fois *ad litteram* [23] ; le *Digeste*, deux fois *ad litteram* [24].

J. M. Aubert a bien montré comment, dans cette question du consentement matrimonial vicié par la crainte, les éléments juridiques invoqués ont une influence réelle sur la doctrine exposée. Thomas est conscient, par ailleurs, de parler en moraliste et non en juriste [25]. L'Aquinate commence, en effet, par distinguer deux sortes de contraintes afin de montrer, à la fin de l'article, pourquoi et dans quel sens il assimile, contrairement aux juristes qui les distinguent, la violence et la crainte. Il y a une contrainte (*coactio vel violentum*) qui entraîne une nécessité absolue : le Philosophe la nomme un *violentum simpliciter* [26] : ainsi lorsqu'on empêche corporellement un autre d'agir. La deuxième sorte de contrainte entraîne une nécessité conditionnée : Aristote la qualifie de *violentum mixtum* [27] : ainsi lorsque quelqu'un jette sa marchandise à la mer pour éviter le naufrage [28]. Dans ce second cas, même si l'action accomplie n'est pas *per se* volontaire, elle l'est cependant dans les circonstances concrètes. On doit donc la juger « *simpliciter voluntarium... sed secundum quid involuntarium* » [29]. Seule cette seconde catégorie de contrainte peut se trouver dans le consentement, acte de la volonté. C'est, en somme l'explication de la formule brève de *in III Sent.*, d. 34, q. 2, a. 2, qla. 1 : « *mallet enim non facere, nisi pœna timeretur* » : on choisit en fait de supporter un moindre mal afin d'en éviter un plus grand.

L'*expositio* de la seconde partie du texte de la même distinction 34ᵉ formule autrement le même principe. À l'objection selon laquelle une volonté de pécher demeurerait dans la crainte servile, Thomas répond :

> ... manet voluntas non absoluta, sed conditionata, quæ velleitas dicitur, ut scilicet peccaret, si impune liceret [30].

Envers le péché qui l'attire, l'homme menacé ne garde plus qu'une velléité, le poids de son volontaire réel portant sur l'impunité qu'il choisit dans ces circonstances. L'action qui en résulte est bonne quant à sa substance, puisqu'elle vise un objet moralement bon, mais elle reste entachée d'imperfection puisqu'elle naît sous l'influence d'une certaine violence exercée sur l'inclination profonde de sa volonté : sans la présence menaçante d'une sanction humaine ou divine, le poids de la volonté aurait joué en sens inverse. L'influence peut, de fait, s'exercer en sens contraire [31] de sorte qu'on commet alors le péché par crainte de la peine corporelle [32]. Au plan des distinctions théologiques, nous avons affaire, dans ce cas, à la crainte mondaine.

Ayant établi cette distinction de base entre une contrainte qui n'atteint pas le consentement et une autre qui peut l'infirmer, l'Aquinate poursuit en disant que cette seconde sorte de contrainte « fit ex hoc quod timetur aliquod periculum imminens ; ideo ista vis idem est quod metus, qui voluntatem cogit quodammodo... [33]. Il y a donc une identification entre cette seconde coactio qui peut affecter la volonté et le metus [34].

À la fin de cette analyse, Thomas explique pourquoi sa terminologie de moraliste diffère de celle des juristes. Le législateur ne considère pas exclusivement les actes intérieurs, mais surtout les actes extérieurs : il comprend donc sous le vocable vis, la coactio simpliciter, et à cause de cela, « vim contra metum dividit » [35]. Au contraire, le moraliste ne s'intéresse qu'au résultat sur le consentement intérieur, consentement que n'atteint pas cette contrainte que l'on distingue du metus. Pour le propos du moraliste, donc, « idem est coactio quod metus ». L'article se termine par la définition spéciale du metus donnée par le droit romain : « instantis vel futuri periculi causa mentis trepidatio » [36].

Le metus est donc un mouvement intérieur qui affecte d'imperfection l'action humaine, le volontaire. On peut distinguer sa contrainte d'un timor dont il résulte :

...hæc coactio (il s'agit de celle du *metus*) fit ex hoc quod timetur aliquod periculum imminens [37].

Si nous rapprochons ces données du commentaire du IVe livre du texte de *in III Sent.*, d. 34, q. 2, a. 2, qla. 1, où Thomas identifie la servilité du *timor servilis* à la contrainte du *metus pœnæ* [38], aucun doute ne peut subsister sur l'identification de ces deux notions. L'activité proprement servile de la crainte et celle de ce *metus* qui affecte la qualité volontaire de l'opération humaine correspondent parfaitement. Dans les deux cas, on peut distinguer entre une crainte spécifiée par une menace à leur origine et le *metus* ou le *timor servilis* en tant qu'inclination conséquente à cet habitus.

Thomas ne s'en tient pas toujours à cette rigueur de langage. Quand il parle de crainte servile, il distingue rarement, à moins que la question ne porte précisément sur ce point, entre sa substance et son inclination conséquente ; il faut alors interpréter d'après le contexte. En ce qui concerne le vocabulaire, il emploie souvent *timor* pour signifier *metus* au sens de contrainte de la volonté, de ce qui provoque un *voluntarium mixtum* [39]. Le contraire se vérifie rarement [40].

Cette étude de vocabulaire permet de porter un jugement moral nuancé sur la crainte servile. Elle est essentiellement définie par sa relation à son objet, la peine qui menace l'existence ou le bien-être du sujet. Elle est substantiellement bonne puisqu'elle épouse le vœu de conservation inscrit dans la nature même de l'être [41]. Mais sur son mouvement de retrait peut se greffer une inclination à faire ou à omettre d'autres choses. Ce penchant n'entre pas dans la structure même de la crainte : il en constitue un effet possible, dû à l'imperfection du sujet [42]. Cette tendance conséquente à la crainte définit strictement sa servilité. Elle est un élément adventice — comme la condition d'esclavage l'est à une personne [43] —, une servitude qui s'attache à elle et, en quelque sorte, la parasite. La crainte s'en nourrit pour combattre la volonté de justice du sujet [44] et réduire celui-ci à la condition d'esclave [45]. L'habitus de crainte susceptible d'opérations déformées n'a cependant rien à voir avec la crainte désordonnée, racine de péché [46]. Elle provient donc, comme tout bien, de l'Esprit, mais on ne saurait la nommer un « *donum Spiritus Sancti* », sinon en un sens très large [47].

Il ne suffit donc pas, pour résoudre tous les problèmes de la crainte servile, de distinguer entre un acte essentiellement bon et un autre entaché de servilité. Il faut aussi distinguer les actes de leur habitus. C'est le propos de *in III Sent.*, d. 34, q. 2, a. 2, qla. 2. Par cette distinction, Thomas tranche finalement la question de la moralité dans l' « usage » de la crainte servile. Si tout ce que recèle la substance de l'habitus brille à nouveau dans son acte, il ne s'ensuit pas nécessairement que tout ce qui lui est adventice passe de la même manière dans l'effet. L'acte de la crainte dite servile n'est donc pas nécessairement atteint de servilité. Il aura alors une bonté proportionnée à celle de la substance de son habitus. Cette bonté n'est pourtant pas de l'ordre du mérite puisque son habitus ne possède pas une bonté infuse [48]. Alors que l'*usus* de la vertu est toujours bon et celui du vice toujours mauvais, l'usage de la crainte servile peut être mauvais ou bon [49]. Le *timor servilis* ne craint pas toujours *serviliter* [50].

Comme le don de crainte [51] et le vice de crainte [52], la crainte servile est aussi, radicalement, un habitus.

b) La signification de la crainte servile

L'analyse thomiste de la crainte servile donne donc le résultat suivant : fondamentalement elle est un habitus spécifié par le mal de peine, principe d'un acte substantiellement bon, mais sujet à une inclination mauvaise due à une servilité contraignante qui s'attache facilement à son usage [53]. La moralité de la crainte servile n'est pas établie en fonction de l'aptitude d'une peine à faire commettre ou éviter le péché [54], mais uniquement en fonction d'une circonstance indue possible : la servilité de l'esprit dans son activité. Le mal de peine de la crainte servile, celui qui éloigne du péché, doit donc être une « peine vraie », c'est-à-dire une peine capable de faire obstacle au bonheur réel de l'homme [55]. S'agit-il uniquement de la « peine éternelle » due au péché, celle que seule la foi indique puisqu'elle est la négation de la béatitude révélée, ou bien de toute peine menaçant l'existence ou le bien-être légitime de l'homme [56] ?

Plusieurs textes semblent indiquer que Thomas ne conçoit la crainte servile qu'en régime de foi. Il lui assigne souvent la « peine éternelle » pour objet [57]. De plus, non seulement évoque-t-il souvent le parallèle entre la foi informe et la crainte servile [58] — la foi informe n'étant pas un habitus acquis mais un « don de

Dieu » [59] — mais plusieurs objections rappellent que la foi est principe de crainte servile [60]. Les réponses n'apportent cependant aucune explication sur la nature de ce lien [61].

Par contre certains textes, moins nombreux, semblent indiquer une notion plus large. Ainsi à une objection qui voulait que la foi informe, principe de crainte servile, existe chez les hérétiques comme chez les démons [62], Thomas rétorque que, par leur seule « considération » humaine, c'est-à-dire sans habitus infus [63], les hérétiques, comme les démons, conçoivent la crainte servile [64]. Deux réponses de *in III Sent.*, d. 34, q. 2, a. 2, semblent indiquer la solution. Dans la première Thomas pose une crainte naturelle à l'origine de la crainte servile :

> ...timor ille ex quo nascitur timor servilis pœnæ, quantum ad actum suum non est timor inordinatus qui est radix peccati, sed est timor naturalis quo quis omne nocivum naturaliter refugit [65].

L'interprétation de ce premier texte quelque peu énigmatique est facilitée par une réponse de la *quæstiuncula* suivante :

> ...actus timoris servilis quando bonus est, non ex amore gratuito, neque ex amore libidinoso, sed ex amore naturali quo quis vult consistentiam et bene esse sui subjecti [66] ; et ideo horret omnem pœnam, sive quam experientia docet, sicut in naturali timore, sive quam fides demonstrat, sicut in servili [67].

L'expression « crainte servile » vient d'une tradition purement théologique : elle fut donc pensée en fonction de la peine par excellence, la peine éternelle. Mais pour l'analyser, Thomas recourt à l'analogie de la crainte naturelle de toute peine qui menace la consistance et le bien-être du sujet et dont, à ce niveau, la mort naturelle est la plus terrible [68]. Cette interprétation est également justifiée par le rapprochement entre la crainte servile et le *metus* qui ne vise pas nécessairement la mort éternelle. Dans tous ces cas nous avons affaire à une crainte spécifiée par une peine et sa moralité sera appréciée à partir de la présence ou de l'absence du défaut concomitant de contrainte ou de servilité qui vicie son acte [69].

Comme l'acte humain posé sous la contrainte diminue sa perfection, ainsi en est-il de la crainte de Dieu-auteur du châtiment [70]. Mais cette absence de liberté requise dans nos relations avec un Dieu qui se veut aimé pour lui-même est une déformation de la crainte servile, car l'acte qu'elle promeut n'a rien en soi de répréhensible [71]. Au contraire il est un obstacle au péché [72], une garantie contre la présomption [73], une incitation à satisfaire pour ses péchés [74], une voie vers la vertu [75], un « don » de l'Esprit [76].

Tel n'est cependant pas le sens premier de la « crainte de Dieu » [77], celle qui ne vient pas seulement de l'Esprit, mais existe aussi avec Lui [78]. Le prototype de la crainte de Dieu, c'est la « crainte filiale ». Voilà la seconde notion centrale du traité thomiste de la crainte, celle que nous devons maintenant examiner.

La crainte filiale

a) La structure de la « crainte de la séparation »

Dans *in III Sent.*, d. 34, q. 2, a. 3, qla. 1, où l'étude plus approfondie de la crainte filiale est reprise, la distinction introduite dès le début entre le mal de peine et le mal de coulpe [79] est à nouveau invoquée. L'intérêt porte maintenant sur le deuxième terme. Le *malum culpæ*, ce mal de la volonté, n'est pas toujours envisagé de de la même façon. On peut l'avoir en horreur soit parce qu'il fait dévier de la droite raison, soit parce qu'il détourne l'homme de Dieu. La première attitude relève d'une crainte inhérente à l'activité vertueuse [80]. La deuxième désigne le don de crainte spécifiée par la séparation d'avec Dieu.

Nous devons d'abord prendre note de l'existence, réaffirmée par Thomas, d'une crainte annexe à toute démarche vertueuse [81]. Elle est une honte devant tout ce qui peut menacer la beauté spirituelle. Nous avons ici une amorce de longs développements sur les parties intégrantes des vertus [82].

Si l'Aquinate ne développe pas ici pour elle-même cette donnée de la psychologie vertueuse, il l'exploite néanmoins pour l'analyse d'un aspect de la crainte filiale. Dans l'analyse théologique de la crainte, Thomas se conforme donc au principe qu'il exprimera plus tard par une formule augustinienne : « *...naturaliter anima est gratiæ capax : eo enim ipso quod facta est ad imaginem Dei, capax est Dei per gratiam* » [83]. Parmi les nombreuses conséquences de cette perspective, il y a cette exigence d'étudier les possibilités natives de la nature humaine, afin de saisir comment elle se prête à une élévation qui lui permettra d'atteindre ce Dieu dont elle est appelée à partager la béatitude. Puisque cette élévation, loin de détruire ou même de modifier sa nature, répond plutôt à son vœu le plus profond, il est indispensable d'en discerner les mécanismes. Ainsi comme la crainte naturelle de tout ce qui contrarie la volonté sert de pierre d'attente à la crainte servile de cette contradiction ultime qu'est la mort éternelle et dont la foi seule nous donne la connaissance, de même la crainte vertueuse de tout ce qui blesse la beauté de l'activité proprement humaine annonce ce don de la crainte de Dieu, par lequel on évite cette blessure mortelle qu'est l'éloignement de Dieu.

Dans le *Commentaire sur les Sentences*, ce rapprochement a des racines profondes, à savoir le principe de division des dons [84]. D'après le bachelier sententiaire, les passions du concupiscible, objets de la vertu de tempérance, relèvent, en régime d'inspiration, du don de crainte. C'est sous la mouvance de ce don qu'on estimera les biens sensibles en référence à la dignité de la majesté divine. D'où le souhait du psalmiste : « *Confige timore tua carnes maes* » [85]. La tempérance, en évitant « instinctivement » tout ce qui dégrade la dignité humaine, modèle une attitude reprise, à un niveau supérieur, par la crainte filiale. Par ce don, en effet, le chrétien évite de souiller sa dignité « nouvelle » dans l'usage des créatures [86]. La dignité divine, comme la dignité humaine, « inspire » une attitude craintive. L'analogie est évidente. La crainte-don est cependant comme sa mesure « supra-humaine » — d'un autre ordre que celle à l'œuvre dans la démarche vertueuse. La *regula divina* qui, justement, mesure le don de l'Esprit, n'a rien de commun avec celles qu'ébauche la raison humaine [87].

Voilà une première approche de cette crainte que l'on nomme « amicale » ou « filiale », évoquant ainsi la paternité divine, ou encore « chaste », insistant plutôt sur l'image de Dieu-« époux de nos âmes » [88].

b) La crainte filiale et la crainte initiale

À propos du commentaire de la division lombardienne institué par Thomas [89], nous avons déjà mentionné la « crainte initiale ». Thomas disait qu'elle participe surtout de la filiale par une même visée première du mal de coulpe [90]. Pour éclairer ce donné transmis par le Maître des *Sentences*, le bachelier fait appel à la double activité de l'habitus de crainte : il distingue explicitement un acte élicite et un acte impéré [91]. Toute crainte-habitus élicite d'abord un acte principal qui consiste à éviter tel ou tel mal. Mais pour fuir ce mal qu'il redoute, il est amené à impérer un acte secondaire destiné à exécuter le choix précédent, à savoir « *facere aut dimittere hoc vel illud* » [92]. En d'autres termes, le mouvement de retrait, spécifié par une menace quelconque, devra se transformer ultérieurement en une exécution correspondante sous peine d'être frustré. Par rapport à l'habitus de crainte, cet acte impéré ne saurait être qu'accidentel. Ayant établi entre l'appétit irascible et tel objet menaçant un rapport de disconvenance, l'habitus a épuisé son intentionnalité propre. Tout ce qui procède ultérieurement en vue d'échapper au mal postule de nouveaux choix dont ce premier acte devient alors lui-même principe [93].

À la lumière de cette distinction Thomas précise le lien entre la crainte filiale et la crainte initiale. L'acte principal leur est commun : les deux redoutent la séparation d'avec Dieu, quoique la crainte initiale le fasse moins parfaitement. Il y a donc ici — et Thomas insiste encore dans l'ad 2 — une contradiction avec l'enseignement de *in III Sent.*, d. 34, q. 2, a. 1, qla. 2, ad 3 : face à leur objet principal, ces craintes diffèrent comme le parfait et l'imparfait [94]. Ce changement de vue — ou, du moins, cette nouvelle précision, car le texte antérieur pouvait viser l'acte impéré ! — est d'autant plus notable qu'il introduit un élément important pour l'éducation de la crainte. Il rend cette forme intermédiaire qu'est la crainte initiale beaucoup plus intelligible. Il faut aussi prendre note du fait que ces deux degrés de la crainte filiale traînent avec elles la crainte des peines éternelles, même si cet acte n'est propre à aucune des deux [95]. Leur acte impéré, accidentel par rapport à l'habitus, diffère néanmoins. Alors que la crainte filiale passe à une quelconque action afin d'éviter la séparation d'avec Dieu, la crainte initiale agit en un second temps sous la double motivation de la séparation et de la peine. Son acte impéré résulte donc d'une coopération avec la crainte servile [96]. Ne divergeant qu'accidentellement, aussi bien dans l'acte élicite que dans l'acte impéré [97], la crainte initiale et la crainte filiale sont donc identiques au plan de l'habitus [98].

Cette façon d'expliquer les relations servile-initiale-filiale est tout à fait originale. On ne la trouvera nulle part chez les devanciers de l'Aquinate. Elle permet surtout d'expliquer, sans attribuer assez contradictoirement à la filiale une activité qui ne lui est pas propre, comment des saints peuvent encore craindre les peines éternelles. Bonaventure lui-même écrivait :

> Aliquando enim viri perfectissimi ex consideratione divinorum judiciorum ex intimis visceribus concutiuntur [99].

2. Amour, crainte et charité

Thomas commente l'autorité augustinienne, « *Timor est amor fugiens quod ei adversatur* » [100], en ces termes : « La crainte est dite amour non pas essentiellement mais de par sa cause, car l'amour est cause de la crainte » [101]. La crainte d'un mal présuppose l'amour du bien menacé [102]. Tout mouvement craintif s'élabore donc nécessairement au sein d'un amour. La méconnaissance de cette relation voue à une incompréhension totale du traitement thomiste de la crainte et, partant, à une obnubilation du rôle capital qu'elle est appelée à jouer dans la vie humaine et chrétienne [103]. Intéressé spécifiquement par celle-ci dans la 34e distinction de *in III Sent.*, Thomas expose explicitement la question sous l'angle de la charité. Deux termes lui sont comparés : la crainte filiale, à laquelle l'initiale est inséparablement liée, et la crainte servile.

La crainte filiale et la charité

Le principe même du rattachement de la crainte filiale à la charité est énoncé dans *in III Sent.*, d. 34, q. 2, a. 3, qla. 1 : l'amour que nous portons à une règle quelconque explique seul l'appréhension véritable que nous éprouvons à l'idée d'en dévier. Or la « règle » divine elle-même mesure, en régime des dons, l'activité humaine [104]. La crainte de s'en écarter est donc causée en nous par l'amour de Dieu. Cet enseignement de base permet déjà d'approfondir la nature de la crainte dite, de par sa cause, « amicale ». Si en effet la crainte filiale est fruit de son amour, la séparation d'avec Dieu sera redoutée, non pas comme « peine », mais bien comme un éloignement de l'aimé. La peine, consécutive à l'absence de l'ami, ne motive pas plus la crainte filiale que le plaisir, résultant de l'union amoureuse, n'explique le désir de sa présence. « On ne s'attache pas un ami pour en jouir, mais pour lui-même auquel on veut être uni autant que faire se peut » [105].

L'émergence de la crainte filiale du milieu même de la charité divine laisse cependant entier le problème de ses relations ultérieures à la charité. Pour le résoudre, Thomas recourt encore une fois à la distinction entre l'acte élicite et l'acte impéré [106]. À la « crainte de séparation », commune à l'initiale et à la filiale, sont requises deux conditions : une première d'imperfection dans le sujet sans laquelle s'avèrent impossibles la séparation et donc sa crainte ; une deuxième de perfection, à savoir l'amour pour l'objet sans lequel toute crainte d'une rupture éventuelle est inexistante [107]. L'accroissement de la charité s'accompagne donc nécessairement d'un développement de l'acte élicite de cette crainte quant à sa condition de perfection et de son affaiblissement quant à sa condition d'imperfection. Et puisque les habitus n'ont de raison d'être qu'en fonction de l'affermissement du sujet, celui de crainte filiale se développera au rythme même de la croissance de la charité [108]. Ces deux conditions de la crainte étant admises, la proposition conséquente et le raisonnement développé à partir d'elle ne présentent aucune difficulté logique. La conclusion, pourtant évidente dans ses prémisses, n'en est pas moins déconcertante. L'habitus de crainte filiale croît avec la charité ; mais, puisqu'il implique une diminution proportionnelle de l'imperfection qui rend la séparation éventuelle possible, en quoi consistera, finalement, son opération ? On a presque l'impression que le jeune commentateur du Lombard donne dans le paradoxe : plus l'habitus de crainte s'enracinera dans le sujet, moins celui-ci craindra ! Au sujet de son acte impéré, Thomas affirme laconiquement que la charité ne le diminue en aucune façon, ce qui ne nous avance guère. Il faut attendre les dernières analyses dans lesquelles l'aspect le plus profond du don de crainte est manifesté pour résoudre l'énigme.

La crainte servile et la charité

La crainte servile soulève des problèmes plus complexes [109]. Cette forme de crainte subsiste-t-elle avec la venue de la charité ? Thomas répond par l'affirmative car, don de l'Esprit [110], elle est substantiellement bonne [111]. La charité, source de liberté [112], la décante de sa servilité, mais ne la détruit pas : de toute évidence l'homme habité par la charité continue à craindre, mais de façon ordonnée, les peines éternelles [113]. On peut donc dire que la charité enlève [114] ou n'enlève pas [115] la crainte servile : il s'agit de s'entendre sur l'expression *timor servilis*.

La présence de la charité affecte la crainte servile autrement que la filiale. L'interprétation du texte qui examine cette question s'avère délicate. La charité fait décroître, pense Thomas, l'acte que pose l'habitus de crainte « *qui prius erat servilis* », quant à la possibilité de la peine. Ce qui était vrai pour l'éventualité d'une séparation l'est, a fortiori, pour celle d'un châtiment [116]. L'incise que nous avons transcrite en latin fait cependant problème. Il s'agit vraisemblablement d'une référence à cette condition peccamineuse de servilité que le régime de la charité ne tolère pas. Thomas suggère-t-il par là un changement de nom ? Ce n'est pas impossible, mais on ne saurait encore l'affirmer [117]. On parlerait évidemment avec moins d'équivoque de *timor pœnæ* que de *timor servilis* chez le sujet justifié [118]. Que Thomas veuille faire allusion à une éventuelle transformation de la crainte servile en une forme supérieure, à savoir la filiale, nous paraît invraisemblable. Tous les textes sur la distinction d'espèce entre la servile et la filiale s'opposent à une telle conception.

Par rapport à l'objet, l'acte de la crainte servile n'acquiert pas, contrairement à celui de la filiale, une nouvelle intensité. La charité en effet n'est pas directement l'amour de ce bien que contrarie la peine redoutée [119]. La crainte servile naît de cet amour par lequel chacun veut sa propre consistance et son bien-être [120]. La charité porte au contraire directement sur Dieu, aimable en lui-même [121]. L'intensité de la charité n'affecte donc pas — au moins par le biais de l'acte craintif — l'amour qui déclenche la crainte servile. De ce point de vue, le progrès de la charité ne contribue pas davantage à sa diminution, sinon en élargissant le fossé qui sépare l'acte de la crainte filiale et celui de la crainte pénale [122]. L'acte impéré de la crainte servile, pour sa part, faiblit proportionnellement au point d'être banni par la charité parfaite [123]. À ce niveau de perfection, la peur du châtiment ne motive plus l'agir du chrétien [124].

Le bilan de la crainte servile est plutôt négatif. La présence de la charité éloigne progressivement l'éventualité d'un châtiment, tout en n'intensifiant pas directement l'amour qui l'engendre. Elle soustrait aussi l'agir à son commandement égoïste. L'habitus demeure cependant, mais son acte principal est réduit à un rôle bien secondaire par rapport à celui de son homonyme.

3. La notion ultime de la crainte

Le « timor reverentiæ »

Tout est maintenant en place pour examiner un dernier aspect de la crainte filiale, celui qui livre la signification profonde de la crainte. Il nous révèle la notion ultime de la crainte puisque c'est finalement dans son état de perfection qu'un être manifeste pleinement ce qu'il est. Voilà bien d'ailleurs le sens de la question dans laquelle le bachelier sententiaire donne les dernières précisions sur la nature du don de crainte ; « *Videtur quod timor evacuetur gloria adveniente* » [125]. Dans la gloire on ne peut plus éviter le problème déjà soulevé par la conclusion paradoxale de *in III Sent.*, d. 34, q. 2, a. 3, qla. 3, en alléguant une possibilité de chute et donc de rupture d'amitié avec Dieu. Ici cette éventualité disparaît [126], et pourtant, objecte Thomas, le Psalmiste dit bien : « *Timor Domini sanctus permanet in sæculum sæculi* » [127]. Cette dernière question du traité ne relève pas, on le voit, du « cas exceptionnel » d'une *Grenzmoral*. Elle est, pour le théologien, le point ultime de référence. Toutes les formes de crainte y tendent d'une façon ou d'une autre et ne se comprennent donc parfaitement qu'en cette crainte décantée de tout ce qui ne lui est pas essentiel. Son analyse révèlera donc ce que chaque crainte porte de plus précieux en elle.

Fidèle à sa méthodologie initiale, Thomas reprend les notions de base. La crainte a pour objet le mal élevé, celui qui met en branle l'appétit irascible. Si la séparation d'avec Dieu représentait le prototype du mal, comment la crainte pourrait-elle subsister lorsque sa menace sera évacuée ? Thomas répond que « Dieu comme difficile à atteindre » restera alors terme d'opération. Aussi l'acte qui consiste à craindre la rupture disparaîtra de l'horizon de l'habitus : celui-ci n'exercera plus que cette activité qu'on nomme « admirer » ou « révérer » [128]. L'acte de la crainte filiale est donc complexe : craindre la séparation n'en constitue qu'un aspect [129] voué, du reste, à l'anéantissement [130]. Ainsi, par exemple, le Christ, jouissant du seul usage excellent des dons tels qu'ils seront exercés dans la béatitude, ne craignait pas de pécher, mais possédait néanmoins la crainte chaste de révérence [131]. L'activité la plus formelle consiste donc en une « *admiratio* » ou une « *reverentia* » [132] : ce sera la seule possible après cette vie [133].

Que signifie révérer ? « Cela se fait quand, par la considération d'autant de grandeur, l'homme régresse en sa propre petitesse » [134]. La grandeur ou la majesté divine constitue donc le motif éminent de la crainte [135]. L'homme craint ultimement devant l'excellence propre et incommunicable de la divinité comme telle [136]. À cause d'elle l'homme se « résorbe » en lui-même, se replie en sa petitesse, ébauche un mouvement de recul : « *in propriam resilit parvitatem* ». Cette expression imagée pour décrire le mouvement ultime de la crainte, celui dont les autres ne sont, à divers niveaux, que des ébauches, est expliquée ultérieurement : contrairement à la nature incréée du Créateur, la nature de la créature trouve sa perfection même dans la soumission au Créateur [137]. La crainte est, avec la louange, le signe même de la soumission de l'homme à Dieu [138]. Avec l'obéissance, elle façonne l'attitude nécessaire à l'accueil du salut [139].

Voilà exprimée, de façons diverses, la vue profondément théologique qui fournit l'intelligibilité du don de crainte, et, partant, de toute autre forme inférieure. Ce thème fait son apparition dès la première question « *de donis* » [140] et revient encore dans le premier article de la question deuxième [141] : l'être inférieur trouve sa perfection dans sa dépendance à l'être supérieur et cela s'accomplit, envers Dieu, par la révérence. Mais la médaille a son revers : craindre plus petit que soi dans l'ordre ontologique, est cause d'imperfection. C'est aspirer, non à la source de sa perfection, mais à ce qui est cause de sa propre déficience. Ces textes mettent bien en évidence, encore une fois, l'unité profonde de la notion même de crainte et, par conséquent, de tous les problèmes qui s'y rapportent. Toutes les craintes désordonnées, à savoir celles qui sont motivées par l'amour excessif d'un bien « inférieur à soi », ne sont que des caricatures de cette crainte supérieure, source de perfection.

Le fondement ontologique de la crainte réside donc dans la nature de la créature en tant que telle, cet être qui n'est pas son existence mais la reçoit, cet être-en-relation continuelle de participation à Celui qui est et qui lui donne d'être [142]. La reconnaissance tant intellectuelle qu'affective [143] de sa petitesse, de sa finitude, de sa « place » dans l'ordre ontologique, de sa « dépendance » par la crainte [144] fait donc partie intégrale de la perfection propre à la créature : elle correspond à son statut ontologique. N'est-ce pas d'ailleurs parce qu'elles sont source d'évaluation réelle de soi que les « terreurs », comme les persécutions, peuvent avoir une vertu purificatrice [145] ?

Voilà donc ce que portent en elles, radicalement, toutes les formes de crainte. La révérence divine représente l'activité la plus valable de la crainte filiale elle-même. Elle en constitue la seule opération permanente, puisque l'acte qui consiste à craindre la séparation d'avec Dieu relève de la condition terrestre de son exercice, condition qui implique toujours la possibilité d'une rupture affective avec son principe [146].

Le seul aspect de cette première analyse thomiste de la notion ultime de la crainte qui laisse encore à désirer est celui d'une détermination précise de la matière en termes de *malum arduum*. Les textes plus tardifs seront très explicites : c'est l' « égalisation à Dieu » que la révérence redoute [147]. Faut-il alors conclure avec F. B. Sullivan : « *When he takes up the very same problem in later life, he gives a much different solution* » [148] ? Nous pensons que cette assertion exagère la nature de l'évolution de Thomas sur ce point.

L'argument de F. B. Sullivan est basé sur un passage de *in III Sent.*, d. 34, q. 2, a. 3, qla. 4, sol. :

> Timor, proprie loquendo, habet malum pro objecto ; non autem quodlibet malum, sed malum in arduo constitutum : alias non esset in irascibili. Malum autem quod facile vinci aut vitari potest, non timemus ; sed odimus tantum. Malum autem separationis a Deo est in arduissimo constitutum. Unde quando possibilitas ad hoc malum tolletur, remanebit adhuc operatio hominis ad Deum ut ad arduum, et ideo tolletur timor quantum ad hunc actum quod est timere separationem, sed manebit quantum ad actum qui est admirari vel revereri illud arduum, quod fit quando ex consideratione tantæ altitudinis homo in propriam resilit parvitatem.

L'auteur propose l'exégèse suivante :

> If we study the passage closely, if we push its principles to their logical conclusion, then the unsatisfactory character of this line of thought is only too evident. If *evil* is the proper object of fear, as St. Thomas says it is in the very beginning of the passage, then *every* kind of fear must have evil for its object — and St. Thomas says the « possibilitas ad hoc malum tolletur » — then he should part company with his contemporaries and classify it under a

different habit than fear. The dilemma is clear : if fear regards evil, then reverence either is concerned with evil or it is not a form of fear [149].

Nous pensons que Thomas a résolu le dilemme dès le début dans le premier sens indiqué par l'auteur : la révérence est une crainte spécifiée par le mal.

La lecture du texte cité qui permet à F. B. Sullivan de conclure que la révérence n'a pas le *malum* pour objet, puisque Thomas écrit « *possibilitas ad hoc malum tolletur* », nous semble erronée. Cet « *hoc malum* » réfère au « *malum separationis* » de la phrase précédente, ce mal dont on ne saurait être menacé dans la gloire. D'où la conclusion : donc la crainte disparaîtra quant à cet acte « craindre la séparation », mais demeurera quant à cet autre acte « *admirari vel revereri illud arduum* ». S'il n'est pas évident que cet « *illud arduum* » est conçu comme un « *malum arduum* » dans ce seul texte, on ne voit aucune raison pour penser le contraire.

D'abord le début du texte dit bien que la crainte a le mal pour objet et la suite ne comporte aucune indication précise selon laquelle l'acte ultime de la crainte échapperait à cette règle. Ensuite toutes les *quæstiunculæ* qui acheminaient à ce dernier texte du traité ont toujours analysé minutieusement l'objet de crainte en termes de « *malum arduum* ». Le seul indice du contraire est l'expression de *in III Sent.*, d. 34, q. 2, a. 2, qla. 1, ad 2 : après avoir expliqué que l'objet de l'amour est le bien et celui de la crainte le mal, Thomas renvoie à plus tard le cas de la crainte révérencielle par cette formule : « *Quomodo autem timore reverentiæ bonum excellens timeatur, infra dicetur* ». Il faut évidemment en tenir compte, mais l'argument est faible car le sens le plus évident du texte n'est-il pas : la façon dont on peut encore parler d'une crainte du mal envers Dieu qui est le bien excellent sera expliquée plus tard ? Enfin le texte de la dernière *quæstiuncula* comporte un autre indice en faveur d'une interprétation du « *illud arduum* » comme d'un mal : l'activité craintive qui s'y rapporte est nommée non seulement « *revereri* » mais également « *admirari* », terme que F. B. Sullivan omet totalement d'examiner. Or c'est là un mot important du vocabulaire de la crainte chez Thomas d'Aquin. L'*admiratio* est une espèce de la crainte [150] et son objet est bel et bien un *malum arduum*, à savoir ce qui menace, par trop de hauteur comparativement à la capacité du sujet, le fonctionnement normal de l'intelligence créée [151].

Thomas n'a donc peut-être pas encore trouvé la formule exacte pour exprimer le *malum arduum* de la crainte révérencielle, mais tout porte à croire qu'il ne concevait pas son objet autrement. Ajoutons qu'il existe un autre texte qui suit de quelques années seulement la fin de la composition du *Commentaire sur les Sentences*, dans lequel la formulation ressemble étrangement à celles des textes tardifs. Il s'agit du *de Veritate*, q. 28, a. 4, ad 4, composé au début du premier séjour italien :

> Timor filialis includit aliquam fugam ; non tamen fugam Dei, sed fugam separationis a Deo, vel *adæquationis ad Deum*, secundum quod timor importat quamdam *reverentiam per quam homo non audet divinæ majestati se comparare*, sed ei se subjicit.

À notre avis, Thomas ne donnera jamais « une solution différente » à ce problème. On peut tout au plus parler de formulations qui gagnent en précision au cours des années. Si sa pensée a progressé sur ce point c'est plutôt par un approfondissement d'une même intuition initiale que par un changement radical de vue.

Dans les textes de la période que nous étudions, la notion de « *timor reverentiæ* » peut cependant être précisée davantage. En dehors des passages que nous venons d'examiner, il en existe encore un nombre imposant qui servent à délimiter le domaine de l'activité révérencielle. Nous nous y intéresserons brièvement dans la mesure où ils nous aident à mieux définir la notion même de crainte.

La délimitation de l'activité révérencielle

Il n'est pas facile, à partir des textes du premier séjour parisien, d'organiser sans arbitraire tout le matériel concernant l'activité révérencielle. Certains thèmes, qui prendront de l'ampleur dans des œuvres plus tardives, ne reçoivent ici que des mentions passagères[152]. Pour toute fin pratique nous avons donc réparti les données que nous avons colligées sous trois rubriques : la crainte et la religion ; la crainte et les vertus théologales ; la crainte et la tradition des « concordances ». Dans chacun de ces secteurs la notion de crainte reçoit, par le biais de son activité révérencielle, des déterminations ultérieures.

a) La crainte et la religion

Dans le *Commentaire sur les Sentences*, la *latria* [153] ou la religion [154] est présentée comme cette vertu morale qui manifeste au Créateur la révérence de sa créature. Si le don de crainte opère par la vertu de religion, peut-on encore lui reconnaître une opération distincte dans la béatitude ? Thomas répond indirectement en distinguant entre l'activité de la religion et celle du don de crainte :

> ... revereri, inquantum hujusmodi, est actus timoris ; sed exhibere reverentiam, inquantum est Deo debitum, est proprie latriæ ; unde non sequitur idem esse latriam et timoris donum [155].

La religion offre donc au Créateur, principe et fin de la créature [156], une dette de reconnaissance, un hommage [157]. Elle utilisera l'acte propre du don de crainte, la révérence, mais ce sera pour l'offrir — avec tout ce qui peut être matière de culte, y compris l'activité théologale elle-même [158] — à Dieu auquel elle est due [159]. La vertu de religion se sert de la révérence à ses propres fins. Celleci, par contre, ne se manifeste pas nécessairement sous cette « formalité » de la « justice » [160].

La révérence offerte au Créateur par la religion est-elle nécessairement ce mouvement de l'Esprit dont le mode n'a plus rien de commun avec celui que peut imprimer la seule raison humaine ? Thomas, qui pense ici dans un contexte strictement théologique, ne semble pas avoir explicitement envisagé cet aspect du problème. Nous ne connaissons aucun texte probant à partir duquel on pourrait montrer que Thomas emploie le terme « *divina reverentia* » dans le sens d'une crainte religieuse « naturelle ». F. B. Sullivan s'est déjà posé la question [161]. Il constate la pénurie de textes sur le sujet, mais il pense qu'il faut l'admettre parce que Thomas assigne la révérence comme motif d'un certain nombre de vertus morales qui, comme vertus naturelles », doivent avoir des motifs également naturels. Cette raison ne nous semble pas tout à fait apodictique, car on peut penser que ces vertus ont aussi, pour Thomas, ce motif de crainte révérencielle lorsqu'elles s'exercent à ce seul niveau « surnaturel » [162]. Dans l'hypothèse d'une activité naturelle de révérence divine, F. B. Sullivan se demande alors pourquoi Thomas n'envisage pas une vertu morale de révérence. Il répond :

> The answer is simple. There is no special virtue for revering God in the natural order. A virtue is required only when some special difficulty is involved in performing an act (I–II, q. 56, a. 2). That

is not the case with reverence, and hence he does not find any need for a natural virtue of reverence (just as, for instance, he has no natural virtue for loving God). Once we have arrived at the idea of God's transcendence, His infinite power and majesty, it is only natural that we should spontaneously recoil in awe before such sublimity and greatness. Only on a supernatural level is it necessary to have a special habit for revering God, for all supernatural activity is beyond man's natural capacity [163].

Se fut-il posé la question, Thomas aurait probablement répondu dans ce sens. Mais outre qu'une telle « *quæstio* » n'apparaît jamais dans les écrits de l'Aquinate, sa formulation même nous semble relever d'un a priori fautif. F. B. Sullivan semble prendre pour acquis, en effet, que les termes *reverentia Dei* et *timor filialis* sont identiques de sorte qu'on pourrait se demander s'il y a un habitus naturel vertueux de révérence correspondant, à ce niveau, à l'habitus surnaturel, c'est-à-dire au don de crainte. Or dans tout son troisième chapitre sur la doctrine de Thomas [164], F. B. Sullivan ne se demande jamais si Thomas emploie de fait le terme *reverentia* pour qualifier l'habitus infus de crainte filiale. Pourtant, dans tous les textes qu'il cite, le terme révérence ne désigne jamais autre chose qu'un acte ou un usage spécial du don de crainte. Ce langage est en conformité, du reste, avec la déclaration explicite de *in III Sent.*, d. 9, q. 1, a. 1, qla. 1, ad 3, que F. B. Sullivan a relevée dès le début de sa thèse : « *Revereri, inquantum hujumodi, est actus timoris* » [165]. En fait, les textes de la première période n'identifient jamais la *reverentia* à l'habitus de crainte filiale : elle désigne toujours l'une de ses opérations ou, ce qui revient au même, un *usus* spécial du don de crainte [166]. Il n'y a donc qu'un habitus, le *timor filialis*, qu'on pourra aussi nommer *timor reverentiæ* lorsqu'on se réfère à son activité la plus pure [167].

b) La crainte et les vertus théologales

Plutôt qu'un problème de « révérence divine naturelle », les textes de Thomas soulèvent la question inverse : la *reverentia divina* n'est-elle pas trop « divine » ? Thomas insiste tellement sur sa position d'excellence dans la vie chrétienne qu'on en vient à se demander si le « *maximum donum* » [168], celui qui, d'une certaine façon dirige tous les autres [169], n'exerce pas par lui-même une activité proprement théologale puisqu'il semble atteindre Dieu directement, sans même cette distance que pose envers son objet l'espérance [170].

La réponse est fournie dans le contexte du rôle des dons dans la vie spirituelle [171]. Dans la première synthèse thomiste, l'activité spéciale de l'Esprit — soulignée à maintes reprises par l'Écriture et que les docteurs médiévaux lisaient, comme ramassée, dans le « septénaire » d'Isaïe 11, 2-3 de la bible latine [172] — est expliquée par l'imperfection du mode d'agir nécessairement humain des vertus, fussent-elles théologales [173]. D'où la difficulté : si les dons n'opèrent que par les vertus, ne disparaissent-ils pas dans la gloire ? Thomas admet partiellement cette conclusion pour les dons qui agissent de connivence avec ces vertus dont l'objet est compatible avec la béatitude : ces dons ne seront alors plus distincts de ces vertus. Ainsi le don parfait de l'intelligence sera-t-il identifié à la vision succédant à la foi. Mais l'activité des autres dons, y compris celle de la crainte, est distincte de celle des vertus puisqu'elle porte sur la mesure divine, Le partage, ici-bas, du même domaine moral que certaines vertus n'entraîne pas la disparition des dons avec l'anéantissement de cette matière après cette vie. Mais comment, alors, les situer par rapport à l'activité proprement théologale ?

Ils se situeront, répond Thomas, entre les actes des vertus théologales et ceux des vertus morales encore actives. Alors que les actes de la vie théologale ont Dieu lui-même pour objet, les actes de ces dons porteront sur Dieu, non en son propre mystère, mais en tant qu'il est règle directrice de l'agir en toutes autres choses [174]. Ainsi — et c'est le seul exemple allégué — la crainte continuera-t-elle d'engendrer cette révérence envers Dieu par laquelle, dans cette vie, elle dédaigne tous les succès de ce monde [175]. L'activité révérencielle ne fait point partager, contrairement à l'activité théologale, la vie même de Dieu. Elle atteint Dieu pour trouver en sa majesté la norme des attitudes et des opérations relatives à tout ce qui n'est pas « le divin ». Distincte des vertus théologales, la crainte est cependant appelée à jouer un rôle de premier ordre dans la vie théologale. L'Aquinate aura l'occasion de le préciser, mais on voit déjà en quel sens : elle assure la pureté de l'activité théologale.

c) La crainte et la tradition des « concordances »

Les docteurs médiévaux, on le sait, ont beaucoup pratiqué la technique des « concordances » entre vertus, dons, sacrements, béatitudes, fruits de l'Esprit, demandes du *Pater*, etc.[176]. Si elle a souvent donné cours à des interprétations fantaisistes, cette technique témoigne néanmoins d'une réflexion théologique beaucoup plus nourrie d'Écriture et soucieuse de comprendre certains grands textes capitaux pour la vie chrétienne qu'une partie douloureusement considérable de la réflexion morale postérieure. Dans *in III Sent.*, d. 34, q. 1, aa. 4-6, Thomas envisage la « concordance » des dons de l'Esprit dans ces trois grands passages : les béatitudes du sermon sur la montagne, les fruits de l'Esprit énumérés par Paul aux Galates 5, 22-23 et les demandes de la prière dominicale. Ces rapprochements ne sont pas tous des réussites et leur importance est inégale. Encore jeune bachelier, Thomas prend d'ailleurs conscience du caractère relatif de ce procédé théologique[177]. Sa réserve — J. de Blic l'a déjà noté[178] — croîtra avec les années. Ces textes n'ajoutent rien de substantiel à ce que nous savons déjà sur la nature de la crainte. Ils indiquent pourtant certaines affinités que Thomas exploitera de façon plus cohérente dans la *Somme de théologie*.

Thomas relie — et c'est peut-être la meilleure réussite du groupe — le don de crainte à la béatitude de la pauvreté[179]. D'après toutes les autorités citées à ce sujet, il est évident qu'il connaissait les deux interprétations patristiques sur la nature de la pauvreté évangélique : une plus littérale qui concevait une pauvreté effective pour détacher intérieurement des biens de ce monde[180] ; une autre qui identifiait tout simplement la pauvreté à l'humilité[181]. Comme Thomas rattache le don de crainte à la béatitude de la pauvreté — les béatitudes étant pour lui les opérations les plus parfaites de la vie chrétienne sous la mouvance de l'Esprit —, on retrouve une double série de textes dans ces premières œuvres qui lient l'activité de la crainte, soit au mépris des biens temporels dans la ligne de la première interprétation[182], soit à l'humilité dans la ligne de la seconde interprétation[183].

Il serait assez facile, à partir de ces textes, de montrer la « convenance » de ces rapprochements, quoique la nature du lien entre l'humilité et la crainte soit difficile à déterminer dans les passages cités. On se demande parfois si, à cette période, Thomas distingue les deux notions aussi clairement qu'il le fera plus tard.

Quelle est la nature de cette activité craintive que Thomas rattache à ces deux « aspects » de la pauvreté évangélique, à savoir

l'éloignement des richesses et l'humilité ? L'Aquinate précise clairement, in III Sent., d. 34, q. 1, a. 4, sol., donc dans l'article le plus
explicite de cette période sur le sujet, qu'il s'agit de l'activité du
don de crainte « in via », point celle de la « patria ». Dans l'au-delà,
cette activité de la crainte disparaîtra : il n'y aura plus que la jouissance du royaume des cieux annoncée par le deuxième volet de la
béatitude [184]. L'activité craintive dans le domaine de l'humilité et
de la pauvreté effective relève donc de la crainte filiale du viator.
Insister davantage serait ici forcer les textes. Nous sommes cependant d'avis que cette intuition donnera lieu, dans la Somme de
théologie, à une organisation très intéressante du rôle de l'inspiration craintive dans la vie chrétienne.

La remarque que nous venons de proposer vaut également pour
la concordance entre les trois derniers effets de l'Esprit — modestia, continentia, castitas, d'après la Vulgate, Gal 5, 23 — avec le don
de crainte, puisque ce lien est justifié par l'aptitude de celui-ci à
éloigner les obstacles à la joie spirituelle de la vie active. De même
la modestia évite la recherche des richesses temporelles, alors que
« continence » et « chasteté » s'abstiennent des délectations char-
nelles [185]. Nous ne saurions dire si Thomas a fait un autre rapprochement suggéré par celui-ci : mais, au plan des actes, ces « fructus
Spiritus Sancti » sont l'antithèse parfaite des deux opérations toujours peccamineuses de la crainte : la mondaine et l'humaine.

Un troisième article qui, dans le goût des deux précédents, s'interroge sur le rapport des demandes de la prière dominicale aux
dons, associe la dernière — la délivrance du mal — à la béatitude
de la pauvreté et par conséquent au don de crainte :

> ...reducitur ad beatitudinem primam quæ est paupertas spiritus,
> quia ejus est in tribulatione auxilium petere ; et per consquens ad
> donum timoris[186].

La pauvreté spirituelle débouche, sous la mouvance de l'Esprit, à la
prière d'espérance. Ce sont de nouvelles perspectives par rapport
aux deux premières concordances. Pour en apprécier le contenu, il
faudrait relier cet enseignement à celui de in IV Sent., d. 15, q. 4,
a. 1, qla. 2, sur la prière, acte intérieur de la vertu de religion : par
la prière l'homme offre son esprit à Dieu en le lui soumettant par
révérence [187]. Il serait aussi important d'ouvrir un autre chapitre
sur les relations spéciales entre la crainte et l'espérance. Mais cela

nous entraînerait beaucoup trop loin. Nous nous permettons de renvoyer aux excellentes pages de Ch.-A. Bernard à ce propos [188].

4. En guise de conclusion

Cette longue étude des deux notions centrales de la tradition théologique, de leurs relations à l'amour et à la charité, ainsi que des ultimes perfectionnements de la notion de crainte dans la perspective de l'eschatologie, permet de mieux saisir un certain nombre de points qui n'ont jamais été bien clairement signalés dans les études thomistes sur la crainte.

Le résultat le plus évident est celui de pouvoir fournir une division complète des formes morales de la crainte basée sur les textes de la première période. À la base, on doit distinguer entre les craintes-péchés (mondaine et humaine) et les autres (servile, initiale, filiale) selon la fin que se propose l'agent moral, à savoir fuir avec désordre une menace temporelle ou fuir le péché [189]. La distinction ultérieure des trois autres formes de crainte est beaucoup plus complexe. Fondamentalement une distinction d'espèce, provenant de la diversité des objets (le mal de peine ou le mal de coulpe), permet de les diviser en deux : la crainte servile d'une part, la crainte filiale (et initiale) d'autre part [190]. Ces deux craintes sont des habitus distincts [191], appelés à qualifier simultanément l'homme justifié [192]. On ne saurait donc pousser trop loin le parallèle établi avec la foi, car celle-ci, informe ou formée, vise, contrairement à la crainte servile et à la crainte filiale, le même objet : la *Veritas prima* [193]. À l'intérieur de la crainte servile une distinction accidentelle s'impose au plan des actes à cause d'une circonstance indue de servilité qui peut l'affecter et lui faire impérer des actes égoïstes [194]. La crainte filiale est susceptible de toute une série de distinctions au plan de l'opération. On peut d'abord établir des degrés de perfection, et ceci, semble-t-il, à deux niveaux : à celui de l'acte élicite plus ou moins parfait [195] ; et ultérieurement au niveau de l'acte impéré où la crainte imparfaite, donc l'initiale, peut coopérer avec la crainte servile, parce qu'elle n'en a pas complètement purifié la motivation [196]. En d'autres termes l'expression « crainte initiale » peut signifier simplement un état imparfait de l'acte élicite de la crainte filiale, ou encore l'acte impéré de la crainte filiale d'où la motivation de peine n'est pas absente. Mais l'opération élicite de la crainte filiale parfaite connaît aussi deux actes possibles : une crainte de la séparation d'avec Dieu, qui peut se vérifier uniquement dans son exercice terrestre, et une crainte de s'égaliser à Dieu, un *timor reverentiœ*, possible ici-bas comme dans la gloire.

Ces déterminations précises ne changeront guère dans les œuvres postérieures, sinon dans le sens d'une certaine simplification du langage. Ainsi il ne sera plus question d'actes élicites et d'actes impérés et la distinction entre la crainte initiale et la crainte filiale sera énoncée en termes simples d'imperfection et de perfection. Du reste, la crainte initiale est une notion qui n'intéressera plus beaucoup Thomas après ses études « révérencieuses » de jeunesse. On doit cependant bien noter que, contrairement à ce qu'on pense souvent [197], la crainte initiale n'est pas une forme transitoire entre la servile et la filiale. La servile ne se transforme pas, par une purification de son motif, en une crainte filiale. Avec la venue de la charité, elle lui cède la place sur un certain terrain pour s'en réserver un autre, celui de la peine. Chez l'Aquinate, qui prend ici la contrepartie de l'interprétation de Pierre Lombard [198], la crainte initiale doit être comprise strictement comme une nouvelle naissance — un *initium* — celle de la crainte filiale. Elle est appelée à un perfectionnement dans la ligne même de sa motivation principale, et, par conséquent, en échappant totalement à l'attrait de l'activité de sa rivale, la crainte servile. Celle-ci peut aussi se purifier, mais dans la fidélité à son essence, donc en secouant, pour ainsi dire, cette poussière de servilité qui tend à former sur elle un dépôt onéreux et, à la longue, corrosif de sa substance. Puisque la menace des peines éternelles demeure toujours possible pour le *viator* et puisque cet objet moral n'appartient pas à la crainte filiale, ni à l'initiale, sinon en autant qu'elle coopère avec la servile dans son acte impéré, la présence permanente de cette dernière est donc postulée. La crainte filiale, si elle s'en est complètement détachée dans son activité, ne l'a pas détruite par le fait même, ni définitivement éliminée de la vie morale. La servile peut être encore appelée à jouer un certain rôle pédagogique, dont l'importance décroît dans la mesure même où la charité s'épanouit.

L'examen des notions-clés de la première analyse thomiste de la crainte donne toutefois un second résultat global qui, moins apparent, n'en est pas moins précieux. On discerne un esprit nouveau dans l'effort énorme fourni par le jeune bachelier pour étudier les problèmes traditionnels soulevés par les formes morales de la crainte. Il consiste à rechercher méthodiquement un *intellectum* cohérent des notions et divisions théologiques traditionnelles par une analyse des structures naturelles de la crainte. Ce procédé est particulièrement sensible au plan des deux notions centrales, le *timor servilis* et le *timor filialis*. Pour en arriver à établir la nature de la crainte servile et la qualité de son activité face à la menace des peines éternelles, Thomas recourt à une analyse serrée du *timor naturalis* d'une menace temporelle, issu de l'amour radical de soi et du *metus*, obstacle possible à la perfection du volontaire. En définitive ce sont ces analyses qui permettront de comprendre comment l'habitus de crainte servile est substantiellement bon et en quel sens une part de son activité peut être accidentellement mauvaise.

L'analyse de l'habitus de crainte filiale est plus délicate. Cette crainte est un don de l'Esprit-Saint et la tradition théologique avait déjà discerné son double *usus*. Pourtant l'Aquinate n'hésite pas à recourir à l'analogie. Le *timor separationis* est explicitement comparé au « *timor inhonesti contrarii, inditus cuilibet virtuti* ». On voit également se dessiner les contours du secteur de son influence : humilité, pauvreté effective, tempérance ... vertus contre lesquelles œuvrent en même temps les craintes mondaine et humaine. Le *timor reverentiæ* soulève, à notre avis, un problème plus complexe. Pour l'analyser, il apparaît clairement que Thomas a réfléchi sur le statut ontologique de la créature rationnelle. Ce faisant, il a d'ailleurs dégagé l'élément le plus caractéristique de la crainte, à savoir la « *parvitas* » de la créature comme telle face à son Créateur. Par contre, l'élévation de l'activité éminente du don de crainte semble bien avoir empêché Thomas de s'exprimer sur la *reverentia divina* en des termes autres que ceux d'une opération infuse. A-t-il pensé qu'il y avait une crainte naturelle du sacré de même type ? Il nous semble tout à fait impossible de répondre à cette question. La zone d'influence de l'activité révérencielle contribue également, malgré le caractère assez occasionnel des données, à la mieux définir : la religion, notamment la prière ; la vie théologale, notamment l'espérance.

Avec ces éclaircissements, nous pouvons maintenant relire le thème *lex timoris - lex amoris* dans la théologie de Thomas d'Aquin.

On y trouvera tout autre chose que de vagues allusions à un thème augustinien imposé par la tradition.

[1] Cf. A. M. LANDGRAF, *Die Lehre der Frühscholastik...*, dans *Dogmengeschichte...*, IV/1. pp. 342-354, pour l'origine « a Spiritu sancto » ; pp. 302ss, pour la fameuse question de l'« usus » de la crainte servile (il semble que ce soit surtout dans l'entourage de PIERRE de POITIERS que la distinction entre l'« usus » — le « serviliter timere » — et le « timor servilis » ait pris forme) ; pp. 355-369, pour la relation de la crainte servile à la charité. Signalons aussi que l'ordre des trois *quæstiunculæ*, adopté par Thomas, correspond exactement à celui de BONAVENTURE, *in III Sent.*, d. 34, par. II, a. 1. Pourtant l'élaboration, voire certaines conclusions, diffèrent.

[2] Nous devons nous contenter de signaler le fait, sans nous arrêter davantage à le prouver par une étude comparative des textes : ce serait là un travail qui dépasse de beaucoup les limites de notre étude. On peut cependant facilement le vérifier en se référant à l'ouvrage cité de A. M. LANDGRAF.

[3] C'était le sens de la première *quæstiuncula* de *in III Sent.*, d. 34, q. 2.

[4] Comme curiosité voir aussi *in III Sent.*, d. 37, a. 5, q1a. 2, ad 2 : pourquoi les œuvres « serviles » ? « ... opera servilia dicuntur ad quorum exercitium servos deputatos habemus, in quibus debent artes mechanicæ dirigere, quæ contra liberales dividuntur ».

[5] L'évocation de l'image du « servus » n'est évidemment pas une invention de Thomas. C'est elle qui, chez AUGUSTIN, a donné naissance à l'expression « timor servilis ». La première scolastique y recourt souvent : on la retrouve déjà dans des textes de l'école d'ANSELME DE LAON : v.g., dans les *Sentences* du *Cod. Paris. Nat. lat.* 10448, fol. 188 : « Unus enim timor est, quem quidam servi habentes a malo se abstinent, jussa faciunt, ut vitent penam, rettinent tamen malam voluntatem. Unde apostolus : Non accepistis spiritum servitutis in timore » (cf. A. M. LANDGRAF, *op. cit.*, p. 286). Mais aucune analyse de la « servilitas » n'est comparable à celle conduite par l'Aquinate.

[6] Le terme « servus » ne peut, dans la théologie de Thomas. recevoir une traduction uniforme. Seul le contexte indique s'il s'agit, par exemple, de l'esclave ou du serviteur. Même la notion d'esclave n'est pas sans équivoque dans certains contextes : la référence doit-elle être faite à l'institution de l'esclavage de l'Antiquité ou à celle du servage de la féodalité du moyen âge ? Thomas apporte parfois les précisions nécessaires. Par ailleurs, sa propre exégèse du *servus* de la traduction latine d'Aristote ou de la bible ne tient souvent pas compte des nuances de vocabulaire qu'il ignore. Nous n'entrerons pas dans le détail de cette question qui nous mènerait trop loin et dont certains aspects n'intéressent d'ailleurs pas notre travail. On aura une bonne idée des différents contextes de cette question au plan des institutions et des théories dans : P. ALLARD. *Esclavage*, dans *DAFC*, 1 (1914) 1458-1522, en particulier cc. 1495-1499 pour les scolastiques. notamment Thomas d'Aquin. Voir aussi A. J. et R. W. CARLYLE. *A History of Medieval Political Theory in the West*, Edinburgh and London, W. Blackwood and Sons Ltd., 1950, t. I, pp. 45-54 (les

juristes romains) ; pp. 111-124 (les Pères) ; pp. 175-209 (le IXe s.) ; t. II, pp. 34-47 et 117-135 (les juristes et les canonistes des Xe et XIIIe ss.). Pour l'influence de cette législation sur Thomas d'Aquin, voir J.-M. AUBERT, *Le droit romain dans l'œuvre de saint Thomas*, Paris, J. Vrin, 1955, pp. 113-115.

⁷ *In III Sent.*, d. 34, q. 2, a. 2, q1a. 1.

⁸ ARISTOTE, *Métaph.*, I, c. 2 (982 b 26).

⁹ *In I Metaph.*, c. 2, lect. 3 (no 58).

¹⁰ Cf., v.g., *Ia*, q. 96, a. 4, in c.

¹¹ Cf., v.g., *Ia*, q. 83, a. 1, obj. 3. Dans *in III Sent.*, d. 9, q. 1, a. 1, q1a. 1, ad 1, il explique même la double interprétation du « causa alterius agi » d'Aristote pour établir, cette fois, la notion de « latria ». une « servitus » vertueuse, appliquée au Christ : « Sed causa alterius agi dicitur dupliciter : vel sicut finis, sicut servus non lucratur sibi sed domino ; vel sicut moventis, sicut servus non proprio motu, sed motus sicut instrumentum domini operatur. Servitium ergo quantum ad hoc secundum tollit libertatem voluntatis, et per consequens virtutem ; sed quantum ad primum non, quia potest propter alterum operari quod sibi debet, etiam propria voluntate. Et secundum hoc latria dicitur servitus ». Dans la *Lectura super Johannem* 15, 15, lect. 3 (no 2015), il expliquera encore longuement, pour une application et à la crainte servile et à la crainte filiale, les deux sens possibles.

¹² Dans *in de Div. Nom.*, c. 4, lect. 11 (no 449) Thomas explique la quatrième propriété de l'amour, selon le PSEUDO-DENYS, en ces termes : « Quarta conditio ejus est quod est « per se mobilis », quæ competit ei in quantum est primus motus appetitus, quia in quolibet genere prius est quod per se est quam quod per aliud ; et per hoc differt amor a timore, nam timor est sicut motus violentus ab extrinseco proveniens, amor autem est sicut motus naturalis simul ab intime procedens ».

¹³ Dans *RLT*, 1 (1966) 38-39, on note, à propos du « causa sui » chez Thomas d'Aquin, qu' « il n'existe pas de recherches terminologiques à ce propos » en dehors des annotations éparses du *Thomas-Lexikon* de L. SCHÜTZ, à l'article « causa ». Nous verrons qu'en rapport au problème « timor - amor », le dossier est déjà imposant.

¹⁴ *In III Sent.*, d. 34, p. 2, a. 2, q1a. 1. Voir aussi, *Contra impugnantes*, prooem. (no 2) : « . . . hi qui modo premuntur metu, in liberam vocem erumpent ».

¹⁵ *In III Sent.*, d. 19, a. 2, avec référence intéressante à 2 Pe 2, 19.

¹⁶ *In III Sent.*, d. 34, q. 2, a. 2, q1a. 1 : « . . . mallet enim non facere, nisi pœna timeretur ».

¹⁷ La référence à la tristesse qui découle de l'activité contrainte se rattache certainement à l'analyse aristotélicienne du volontaire : voir le premier chapitre du IIIe livre de l'*Éthique à Nicomaque*.

¹⁸ *In IV Sent.*, d. 29, q. 1, a. 1.

¹⁹ *Ibid.*, obj. 2.

²⁰ *Ibid.*, obj. 1.

²¹ *Ibid.*, obj. 3.

²² *Ibid.*, sed contra I.

[23] *Ibid.*, obj. 4.

[24] *Ibid.*, obj. 3 et sed contra II.

[25] J.-M. Aubert, *Le droit romain* ..., pp. 46-48.

[26] Voir tout le premier chapitre du IIIe livre de l'*Éthique à Nicomaque*.

[27] *In IV Sent.*, d. 29, q. 1, a. 1. Voir aussi, in IV Sent., d. 29, q. 1, a. 3, qla. 1, ad 2, avec la casuistique pour le mariage.

[28] *In IV Sent.*, d. 29, q. 1, a. 1, sol. et a. 2, sed contra II. La même distinction est énoncée dans, *in Matth* 5, 32, VIII (no 522). Cependant ce texte fait partie d'une longue interpolation (elle correspond aux nn. 474-583 dans l'édition Marietti) : cf. R. Guindon, *La « Lectura super Matthæum incompleta » de saint Thomas*, dans *RUO*, 25 (1955) 213*-219*. Par ailleurs l'extrait du manuscrit *Basel, Univ. B.V.* 12, ff. 32ra - 33va (correspond à Matth 5, 13-16), publié par H.-V. Shooner, *La « Lectura in Matthæum » de S. Thomas*, dans *Ang*, 33 (1956) 138-142, ne contient pas cette partie de la *lectura*. Le Père Shooner a eu l'amabilité de consulter pour nous le commentaire de Matth 5, 32, dans le manuscrit de Bâle : il ne présente rien de parallèle au texte de Pierre de Scala.

[29] Nous examinons ce vocabulaire dans *L'influence de la crainte* ..., dans *RT*, 72 (1972) 37-47.

[30] Cette distinction relative à la crainte servile était connue des scolastiques antérieurs. Elle apparaîtrait, pour la première fois, selon A. M. Landgraf, *Die Lehre der Frühscholastik* ..., dans *Dogmengeschichte* ... IV/1, p. 317, dans la *Somme* anonyme du *Cod. Vat. lat.* 10754, fol. 58, apparentée à l'école porrétaine : « Ad hoc dicunt, quod, qui abstinet tantum timore pene, habet voluntatem faciendi illud, sed non propositum. Alii, quod melius est, dicunt, quod est duplex voluntas : absoluta et conditionalis. Timor servilis cohibet bona voluntate absoluta, set non conditionali ; nam vellet hoc facere, si impune posset ». On verra la reprise et la discussion de cette distinction chez de nombreux auteurs cités par A. M. Landgraf, *op. cit.*, pp. 320-323. — Nous avons cependant relevé la dernière formule — ou des formules analogues — dans des textes d'Augustin dont les explications de la scolastique semblent bien être des commentaires, Cf., v.g., *Contra duas epistolas Pelagianorum*, II, c. 9, no 21 (PL 44, 586) : « Quando autem timore pœnæ, non amore justitiæ fit bonum, nondum bene fit bonum ; nec fit in corde, quod fieri videtur in opere quando mallet homo non facere, si posset impune » ; *De Natura et Gratia*, I, c. 57 (PL 44, 280) : « In ipsa enim voluntate reus est, qua mallet, si fieri posset, non esse quod timeat, ut libere faciat quod occulte desiderat » ; *Enarratio in Psalmum* 32, 2, sermo 1, no 6 (PL 36, 281) : «Qui enim timendo non facit mala, mallet facere, si liceret » ; *ibid.*, 118, 33, sermo 11, no 1 (PL 37, 1528) : « Nam qui timore pœnæ, non amore justitiæ opus legis facit, profecto invitus facit. Quod autem invitus facit, si posset fieri, mallet utique non juberi ». Voir encore, *ibid.*, 77, 10, no 10 (PL 36, 990) ; *De Spiritu et Littera*, 1, c. 32, no 56 (PL 44, 236) ; *Epistola 145*, no 4 (PL 83, 593-594).

[31] Cf. *in IV Sent.*, d. 29, q. 1, a. 2.

[32] C'est le cas de ceux qui abandonnent la foi par crainte des tourments : cf. *Contra impugnantes*, c. 24 (nn 528 et 538).

[33] *In IV Sent.*, d. 29, q. 1, a. 1.

[34] Voir encore les expressions : « aliquem metu cogi », dans *In IV Sent.*, d. 29, q. 1, a. 2 ; « ut metu cœrceantur », dans *Contra impugnantes*, c. 16 (no 473), etc.

[35] Cette affirmation s'appuie sur le texte cité dans le deuxième sed contra de In IV Sent., d. 29, q. 1, a. 1 : « Legislator in integrum restitutionem adjudicat, ratum non habens quod vi metusve causa factum est », qui vient du Digeste, IV, tit. 2, leg. 9, par. 7. J.-M. AUBERT, Le droit romain..., p. 47, fait cependant remarquer que Thomas n'avait probablement pas sous les yeux le texte du Digeste, qui indique un changement de législation pour la même raison, d'ailleurs, qu'allègue Thomas : «sed postea detracta est vis mentio ; quia quodcumque vi atroci fit, id metu quoque fieri videbatur » (Digeste, IV, 2, 1).

[36] Le texte romain est : « metus, instantis, vel futuri periculi causa mentis trepidatio » (Digeste, IV, 2, 1). Cette définition influence aussi le texte de in IV Sent., d. 29, q. 1, a. 2, obj. 1.

[37] In IV Sent., d. 29, q. 1, a. 1.

[38] In IV Sent., d. 34, q. 2, a. 2, q1a. 1, sol. : « ... timore autem servili, quod facit coactus metu pœnæ, et per consequens cum tristitia : malet enim non facere, nisi pœna timeretur. Patet igitur quod servilitas ex illa parte consequitur timorem qua ad aliquid faciendum vel dimittendum inclinat. Hæc autem inclinatio non intrat essentiam timoris, sed est effectus ejus ... ».

[39] Cf. in III Sent., d. 40, a. 4, q1a. 1, ad 3 ; In IV Sent., d. 9, a. 5, q1a. 3 ; d. 32, q. 1, a. 2, q1a. 2, obj.-ad 3 ; q1a. 3, sol. et ad 3 ; d. 38, q. 2, a. 4, q1a. 1, ad 1-2 ; q. 2, a. 4, q1a. 2, ad 2 ; q1a. 3, sol. (l'ad 6 contient « metuere ») ; d. 39, q. 1, a. 1, ad 1 ; a. 6, ad 3 ; etc.

[40] En dehors des quelques passages déjà analysés, nous n'avons relevé que trois autres textes, dans le Commentaire sur les Sentences, où Thomas utilise metus dans un autre contexte que celui du volontaire ; chaque fois, l'influence de la Vulgate est manifeste : cf. in IV Sent., d. 7, q. 3, a. 1, q1a. 2, ad 3 ; d. 15, q. 1, a. 3, q1a. 2, ad 2 ; d. 17, q. 2, a. 4, q1a. 1, sed contra II ; et une fois dans in Is 38, 13 (p. 525a).

[41] In III Sent., d. 34, q. 2, a. 2, q1a. 1, ad 3.

[42] In III Sent., d. 34, q. 2, a. 2, q1a. 2, sol.

[43] In IV Sent., d. 30, q. 1, a. 2, obj. 4.

[44] Cette « privatio voluntatis justitiæ », incluse dans la « conditio servilitatis », est un autre thème constant de la première scolastique. Il apparaît chez GILBERT de LA PORRÉE, dans son commentaire du psaume 127, 1 : « Divinus timor est, cum timetur gehenna, etsi non amatur justitia » (cf. A. M. LANDGRAF, Die Lehre der Frühscholastik..., dans Dogmengeschichte..., IV/1, p. 295, note 34). PIERRE de CAPOUE s'efforcera de la dégager du « timor servilis » pour l'attribuer au seul « serviliter timere », un « usus » possible de la crainte servile (cf. A. M. LANDGRAF, ibid., p. 308).

[45] In III Sent., d. 34, q. 2, a. 2, q1a. 1, sol. Ici encore Thomas reprend, mais justifiées autrement, des distinctions déjà mises à jour pour expliquer le fameux « fit bonum, sed non bene » augustinien. Voir les textes cités, par A. M. LANDGRAF, op. cit., p. 304 (PIERRE LE CHANTRE), p. 312, note 106 (ODON D'OURSCAMP), p. 314, note 115 (ROBERT DE MELUN), p. 319, note 2, p. 324, notes 18-19, p. 333, note 41 (ETIENNE LANGTON et GAUFRID DE POITIERS), p. 335, note 48 (GUILLAUM D'AUXERRE, JEAN DE TREVISE et HERBERT D'AUXERRE), p. 336, notes 49-50 (HUGUES DE ST-CHER), p. 339 (EUDES RIGAUD). — L'auteur signale que l'irruption du « nouvel Aristote » n'a pas eu d'influence sur les spéculations à ce sujet : « Da unsere Frage mit metaphysischen Prinzipien, die der Frühscholastik

unerreichbar gewesen wären, keinen Zusammenhang besitz, darf es nicht wundernehmen, dass auch der Einbruch des neuen Aristoteles an ihrer Behandlung nichts änderte, sondern dass man sich auch fernerhin mit dem Ausbau der durch die Frühscholastik eroberten Daten begnügen musste, was vor allem durch die besondere Betonung des Brauchbaren z.B. schon von Wilhelm von Auxerre geschehen war. So ist es denn selbst-verständlich, dass auch Odo Rigaldi von dieser bereits vorgezeichneten Linie nicht abwich...» (*op. cit.*, p. 338). Or c'est justement l'influence de l'analyse aristotélicienne du volontaire d'une part (cf. *In III Sent.*, d. 34, q. 2, a. 2, q1a. 1, où il cite *Métaph.*, I, c. 2 (982 b 26) et *Métaph.*, V, c. 5 (1015 a 28)) et de la relation des actes aux habitus, d'autre part, (cf. *in III Sent.*, d. 34, q. 2, a. 2, q1a. 2, où il cite *Eth. à Nic.*, II, c. 2 (1103 b 21)), qui permet à Thomas de préciser la part du volontaire dans l'action posée sous l'influence de la crainte et de conclure — ce qui n'avait jamais été fait de façon satisfaisante — que, ni l'habitus de crainte, ni l'acte qui en procède, ne sont nécessairement affectée de « servilité », c'est-à-dire de cette condition d'imperfection qui procède de la condition pécheresse du sujet.

⁴⁶ *In III Sent.*, d. 34, q. 2, a. 2, q1a. 1, ad 3.

⁴⁷ *Ibid.*, sol. Cette fin de solution reprend donc la terminologie de la *quæstio* traditionnelle.

⁴⁸ C'est évidemment le sens de « bonitas gratuita », dans *in III Sent.*, d. 34, q. 2, a. 2, q1a. 2, sol. : cf. *ibid.*, d. 23, divisio textus, où les vertus théologales sont nommées « habitus gratuiti » ; voir encore *in I Sent.*, d. 3, q. 4, a. 1, ad 7. Le parallèle constant avec la foi informe appelle la même conclusion. D'ailleurs le caractère « non-méritoire » de la crainte servile constitue une des affirmations les plus unanimes de la théologie médiévale : cf. A. M. LANDGRAF, *op. cit.*, pp. 342-354 : « Die Gnadenhaftigkeit der Knechtsfurcht ». Tout le problème consistait à expliquer comment cela était, puisque, selon l'unanimité qui s'établit vers le milieu du XIIe siècle, la crainte servile est, d'une certaine façon, un don de l'Esprit.

⁴⁹ *In III Sent.*, d. 34, q. 2, a. 2, q1a. 2, sol. *In II Sent.*, d. 7, q. 1, a. 2, ad 4, donne un exemple d'usage mauvais basé sur le fameux texte de Jac 2, 19, souvent cité par Thomas : « dæmones credunt et contremiscunt ». Ce texte fonde l'affirmation de la crainte chez les démons, dans *in III Sent.*, d. 23, q. 2, a. 3, q1a. 2, obj. 2 ; q. 3, a. 3, q1a. 1, sed contra ; *in IV Sent.*, d. 10, a. 4, q1a. 4 ; d. 14, q. 1, a. 3, q1a. 4, obj. 1 ; *de Ver.*, q. 14, a. 9, obj. 4. Voilà donc deux actes, foi et crainte, bons en eux-mêmes, mais qui ne sont pas « bien faits » (« non tamen bene fiunt », expression qui rappelle celle de *in III Sent.*, d. 34, q. 2, a. 2, q1a. 2, obj. 1 : « fiat bonum, non tamen bene ») , parce qu'avec contrainte et non par élection.

⁵⁰ *In III Sent.*, d. 34, q. 2, a. 2, q1a. 2, ad 3. Notons que si Thomas parle ici d'un « timere serviliter », en référence à un « usus » possible de l'habitus du « timor servilis », jamais, à notre connaissance, il n'emploie la distinction qu'on n'a cessé de lui attribuer par la suite entre un « timor servilis » et un « timor serviliter servilis ». Voir, v.g., R. RIMML, *Das Furchtproblem...*, dans *ZKTh*, 45 (1921) 48 : devant l'accusation que cette distinction serait une « invention des Jésuites », Rimml affirme qu'elle se trouve chez Thomas et renvoie à IIa-IIae, q. 19, a. 2, ad 4 et a. 4. De même, H.-F. DONDAINE, *L'Attrition suffisante*, Paris, J. Vrin, 1943, p. 9 : il renvoie à IIa-IIae, q. 19, a. 6 et a. 8, ad 2. Encore chez Ch.-A. BERNARD, *Théologie de l'espérance selon saint Thomas d'Aquin*, Paris, J. Vrin, 1961, p. 139 : « La crainte servile comme telle — serviliter servilis — ne peut être qu'une disposition à l'espérance vivante ; elle

éloigne du péché et conduit au désir des vrais biens ». Or cette terminologie ne se trouve, ni dans les passages cités par ces auteurs, ni dans aucun autre texte de Thomas. On comprend pourquoi. Il n'y a pas, selon Thomas, une crainte servile mauvaise, un « timor serviliter servilis », si on entend par là un habitus quelconque. Cette distinction ne correspond donc pas à la terminologie utilisée par Thomas et risque fort de trahir sa pensée sur la nature du « timor servilis ».

[51] *In III Sent.*, d. 34, q. 1, a. 1. Voir aussi, *ibid.*, d. 15, q. 2, a. 2, q1a. 3.

[52] *In III Sent.*, d. 34, q. 2, a. 1, q1a. 3.

[53] Cette distinction d'une double activité possible procédant d'un même habitus correspond à celle entre l'acte élicite et l'acte impéré. Même si Thomas ne le dit pas explicitement dans l'article 2e consacrée à la crainte servile, les q1ae. 2 et 3 de l'article 3e ne permettent pas d'en douter.

[54] Ce critère, nous l'avons vu, sert à distinguer craintes mondaine et humaine, d'une part, et crainte servile, d'autre part : cf. *in III Sent.*, d. 34, q. 2, a. 1, q1a. 2, sol.

[55] Sinon, il faut parler de crainte mondaine et de crainte humaine.

[56] D'après R. RIMML, *Das Furchtproblem...*, AUGUSTIN n'assigne à la crainte servile que la peine éternelle ; les peines d'ordre temporel sont objets d'une crainte naturelle qui sera souvent une incitation au péché : « Der hl. Lehrer unterscheidet zunächst eine Furcht vor irdischen, zeitlichen Übeln und vor den Menschen, welche uns Übel androhen. Diese Furcht ist noch ihm an sich eine naturhafte Erscheinung und nicht Sünde, sie wird aber häufig Anlass und Verleitung zur Sünde ; sie hat z.B. den hl. Petrus zur Verleugnung des Herrn verleitet. Vor dieser Menschenfurcht warnt daher der Herr mit den Worten : « Nolite timere eos, qui corpus occidunt et postea non habent, quid faciant » (Luc 12, 5. De gratia et liber. arbitr. c. 18, n. 39 : M 44, 904). Als zweite von dieser verschiedene Furchtart bezeichnet dann Augustinus jene, deren Objekt nicht der Verlust zeitlicher, sondern ewiger Güter bildet und bei der nicht Menschen, sondern Gott gefürchtet wird (...). Diese Furcht bezeichnet Augustinus häufig mit dem Ausdruck « timor servilis ». » (pp. 245-246. Voir aussi, pp. 53-56). Ce problème a reçu, tout au cours de la scolastique, des réponses diverses selon la façon dont on divisait les craintes et selon le contenu que l'on leur attribuait : cf. A. M. LANDGRAF, *op. cit.*, passim.

[57] *In III Sent.*, d. 34, q. 2, a. 1, q1a. 2 ; a. 2, q1a. 1 : « ...proprium objectum, quod est pœna æterna quam fides indicat ». Dans *In IV Sent.*, d. 17, q. 3, a. 2, q1a. 3, obj.-ad 4 : la crainte servile considère, dans le *Credo*, l'article sur le jugement.

[58] *In III Sent.*, d. 27, q. 2, a. 4, q1a. 4, obj. 3 ; d. 34, q. 2, a. 1, q1a. 3, sol. ; a. 2, q1a. 1, ad 1 ; q1a. 2, sol. ; a. 3, q1a. 1, ad 1. Voir aussi, dans d. 26, q. 2, a. 3, q1a. 2, sed contra, l'affirmation d'une crainte formée et informe des supplices éternels !

[59] *In III Sent.*, d. 23, q. 3, a. 2.

[60] *In III Sent.*, d. 23, q. 2, a. 3, q1a. 2, obj. 2 ; q. 3, a. 3, q1a. 1, sed contra ; a. 4, q1a. 1, obj. 2 ; d. 27, q. 2, a. 4, q1a. 4, obj. 3 ; d. 34, q. 2, a. 2, q1a. 3, obj. 1 ; *In IV Sent.*, d. 14, q. 1, a. 2, q1a. 2, sed contra I ; *de Ver.*, q. 14, a. 7, obj. 2. Il est parfois précisé qu'il s'agit de foi informe.

[61] Ce parallèle entre la crainte servile et la foi informe remonte, semble-t-il,

à l'époque d'ETIENNE LANGTON et sera exploité sous diverses formes par la suite : cf. A. M. LANDGRAF, *op. cit.*, p. 332, note 39.

[62] *In III Sent.*, d. 23, q. 3, a. 3, q1a. 2, obj. 3.

[63] La solution, *ibid.*, précise ce point : «...ex ipsa æstimatione sine habitu infuso : (...) ex ratione humana...».

[64] *Ibid.* : «...ex illa æstimatione humana etiam causatur in eis timor servilis sicut in dæmonibus».

[65] *In III Sent.*, d. 34, q. 2, a. 2, q1a. 1, ad 3.

[66] Ces trois « *radices* » de la crainte, on s'en souvient, avaient été assignées par EUDES RIGAUD comme premier principe de division de la crainte : cf. supra, p. 47.

[67] *In III Sent.*, d. 34, q. 2, a. 2, q1a. 2, ad 2.

[68] Cf. *in III Sent.*, d. 33, q. 2, a. 1, q1a. 4, ad 1 ; a. 2, q1a. 2, sol. ; a. 3, ad 6 ; q. 3, a. 3, q1a. 1, sol. ; etc. C'est pourquoi le Christ, en mourant, assumait la peine à laquelle toutes les autres sont virtuellement ordonnées : il satisfaisait ainsi de façon universelle : cf. *in III Sent.*, d. 20, a. 3.

[69] *In III Sent.*, d. 34, q. 2, a. 2, q1a. 1, ad 1.

[70] Dieu-auteur du châtiment peut être craint de crainte servile : *in III Sent.*, d. 34, q. 2, a. 2, q1a. 1, ad 2 ; on parlera alors de « potestas divina » plutôt que de « majestas divina », comme dans le cas de la crainte révérencielle : *in III Sent.*, d. 40, a. 4, q1a. 2.

[71] *In III Sent.*, d. 34, q. 2, a. 2, q1a. 1, ad 2.

[72] Cf. *in II Sent.*, d. 42, q. 1, a. 5 ; *in III Sent.*, d. 34, q. 2, a. 1, q1a. 2 ; *in IV Sent.*, d. 21, q. 3, a. 3, sol. La crainte du péché (de la tentation, de la chute, du scandale, etc.), mentionnée dans des textes, sans indication précise de motivation, peut souvent être mieux assignée à la servile qu'à la filiale : ainsi, dans *in III Sent.*, d. 4, q. 1, a. 2, ad 3 ; d. 7, q. 3, a. 1, sol. ; d. 24, q. 3, a. 6, obj.-ad 1-2 ; *in III Sent.*, d .34, q. 1, a. 6, sol. : *in IV Sent.*, d. 5, q. 2, a. 2, q1a. 5, sed contra ; d. 15. q. 1, a. 3, q1a. 2, ad 2 ; d. 16, q. 3, a. 2, q1a. 5, ad 4 ; *Contra impugnantes*, c. 7 (no 329) ; c. 15 (no 463) ; c. 22 (no 518) ; *Quodl.* X, a. 9, sol. Trois fois, dans le *Commentaire sur Isaïe*, dans un contexte où il s'agit de ceux qui ont enlevé tout obstacle au péché en éloignant cette crainte le texte biblique qui vient à l'esprit de Thomas est Jér 3, 3 : «Frons meretricis facta est tibi et noluisti erubescere» : *In Is* 3, 9, no 2 (p. 442b) ; 48, 4 (p. 544a) ; 57, 8 p. 560a.

[73] *In II Sent.*, d. 43, q. 1, a. 3, sol.

[74] *In IV Sent.*, d. 15, q. 1, a. 3, q1a. 2, ad 2 ; d. 17, q. 2, a. 4, q1a. 1, sed contra II.

[75] *In III Sent.*, d. 40, a. 4, q1a. 1, ad 3.

[76] *In III Sent.*, d. 34, q. 2, a. 2, q1a. 1. Au sens précis où la crainte servile peut être comparée à la foi informe, c'est un « don gratuit » et non une grâce « gratum faciens » : *in IV Sent.*, d. 15, expositio textus. Elle est encore nommée un don, dans *de Ver.*, q. 14, a. 7, ad 2.

[77] *In III Sent.*, d. 34, q. 2, a. 2, q1a. 1, ad 2.

[78] *Ibid.*, ad 1. On trouve le fameux texte de cet ad 1, presque mot pour mot, dans plusieurs textes des Porrétains, puis chez ETIENNE LANGTON, HUGHES DE ST-CHER et dans l'école franciscaine : cf. A. M. LANDGRAF, *op. cit.*, p. 350, spécialement à la note 45.

[79] *In III Sent.*, d. 34, q. 2, a. 1, q1a. 2.

[80] *In III Sent.*, d. 34, q. 2, a. 3, q1a. 1, sol. : «...timor inhonesti contrarii, inditus cuilibet virtutis». La même idée revient au sujet des façons de procéder dans la correction fraternelle, *in IV Sent.*, d. 19, q. 2, a. 1, ad 5 : «...nullus movetur ex odio vel timore turpis, nisi ille qui jam inest, aliqualiter voluntas pulchri et boni (...) proprie illi competit ut corripiatur qui habet propositum boni». Aussi Job le vertueux disait-il : « Verebar omnia opera mea » : cf. *in IV Sent.*, d. 21, q. 2, a. 3, ad 1.

[81] Voir aussi : *in III Sent.*, d. 26, q. 2, a. 1, ad 1 et d. 34, q. 2, a. 1, q1a. 3. sol.

[82] Nous avons déjà étudié le vocabulaire de cette crainte, dans La « crainte honteuse » *selon Thomas d'Aquin*, dans *RT*, 69 (1969) 589-623. Nous nous contentons donc ici de signaler le parallèle significatif établi dans *in III Sent.*, d. 34, q. 2, a. 3, q1a, 1, sol., entre cette « crainte honteuse » et la « crainte de la séparation » d'avec Dieu. À notre avis, il est capital pour l'analyse de la crainte filiale : si la révérence naturelle fournit la base de l'analyse de l'acte révérenciel de la crainte filiale, nous croyons que la « verecundia » représente le type même de la crainte de la séparation, c'est-à-dire de l'*usus* secondaire de la crainte filiale. Ces analogies n'ont jamais, à notre connaissance, été signalées. Nous pensons qu'elles permettent des discernements instructifs dont nous ferons état plus loin.

[83] Cf. *Ia-IIae*, q. 113, a. 10. C'est une citation ad sensum d'AUGUSTIN, *de Trinitate*, XIV, c. 8 (PL 42, 1044).

[84] Cf. *in III Sent.*, d. 34, q. 1, a. 2.

[85] Psalm 118, 120, Cf. *In III Sent.*, d. 34, q. 1, a. 2, sol. ; a. 3, ad 6 ; a. 4, sol ; q. 2, a. 1, q1a. 3.

[86] *In III Sent.*, d. 34, q. 3, a. 2, q1a. 1 : « In delectationibus ergo virtute dirigimur quasi dignitate humanæ naturæ, cujus deturpationem per temporales delectationes refugimus ; sed dono dirigimur quasi regula ipsa dignitate divina, a qua separari per inquinationem hujusmodi refugimus : quod ad timorem pertinet ».

[87] F. B. SULLIVAN, *Reverence Towards God...*, pp. 196-206, étudie la relation entre la crainte révérencielle et la tempérance. Il note — et cela rejoint nos propres conclusions — que Thomas insiste moins sur cette relation dans les écrits postérieurs que dans les premiers : « In the earlier writings we find a number of very clear statements about how a reverential awe for God's majesty leads one to forego the pleasures of the flesh. In his later work he does not indeed repudiate these ideas, but he just mentions them in passing and only with certain qualifications at that. His interest seems to lie in developing other aspects of reverence » (pp. 196-197). Il cite, pour les œuvres postérieures : *Ia-IIae*, q. 68, a. 4, in c. et ad 1 ; q. 69, a. 3, in c., ad 3, et a. 4 ; *de Carit.*, a. 2, ad 17. On peut encore ajouter le texte important de *IIa-IIae*, q. 141, a. 1, ad 3. La même idée est certainement sous-jacente aussi à *in ad Rom* 8, 8, lect. 2 (no 624). Il était cependant moins grave d'omettre quelques textes — malgré la prétention d'être complet (cf. p. 198, note 30) — que de n'avoir pas saisi la similitude de structure entre la « crainte dans la tempé-

rance » et un aspect de la crainte filiale : c'est dans l'analyse de ces affinités profondes et des convergences qui en résultent que la théologie morale de Thomas est souvent la plus géniale.

[88] On ne peut contester à ces expressions une puissance d'évocation biblique, révélatrice, d'ailleurs, de leur source d'inspiration. L'expression « amicabilis » vient de Bede le Vénérable, *Super Parabolas Salomonis allegorica expositio*, I, c. 1 (PL 91, 939C) : « Duo sunt timores Domini : primus servilis, qui principium scientiæ vel sapientiæ vocatur ; secundus amicabilis, qui perfectionem sapientiæ comitatur ». Celle de « castus » remonte à Augustin. On la trouve dans presque tous les passages importants déjà cités, p. 52, note 1. Comme il oppose le fils à l'esclave, il fait ici jouer l'antithèse de la « mulier casta » et la « mulier adultera » : voir, surtout : *Sermo 270*, no 4 (PL 38, 1241) ; *Liber expositionis epistolæ ad Galatas* 5, 34, no 53 (PL 35, 2142) ; *In epistolam Johannis ad Parthos*, tract. 9, no 6 (PL 35, 2049).

[89] *In III Sent.*, d. 34, q. 2, a. 1, qla. 2.

[90] *Ibid.*, ad 2.

[91] *In III Sent.*, d. 34, q. 2, a. 3, qla. 2.

[92] *Ibid.*

[93] *Ibid.* : « Alius est secundarius quem timor imperat, scilicet facere aut dimittere hoc vel illud propter fugam illius mali cujus est timor ».

[94] *In III Sent.*, d. 34, q. 2, a. 3, qla. 2, ad 2 : « ... dividuntur ex opposito ratione illius accidentis in quo differunt, scilicet perfectionis et imperfectionis in actu elicito ... » ; a. 1, qla. 2, ad 3 : « ... timor initialis distinguitur a casto, non secundum quod imperfecte se habet ad id ad quod perfecta se habet castus timor ; sed quia se habet etiam ad aliud objectum, quamvis ex consequenti, ut dictum est ».

[95] In III Sent., d. 34, q. 2, a. 3, qla. 2, sol. : « ... timere pœnas æternas non est actus timoris initialis, sed compatitur secum istum actum, sicut et timor castus ... ».

[96] *Ibid.*, ad 1.

[97] *Ibid.*, ad. 2.

[98] *Ibid.*, sol.

[99] Bonaventure, *In III Sent.*, d. 34, par. 2, q. 2. Il ajoute que cela était « dispensative et ad tempus ». Mais il n'explique pas comment, durant cette économie, on peut concevoir une telle crainte des peines chez ceux qui sont habités par la charité et donc par la crainte filiale !

[100] Augustin, *De Civitate Dei*, XIV, c. 7, no 2 (PL 41, 410) : « Amor ergo inhians habere quod amatur, cupiditas est ; id autem habens eoque fruens, lætitia est : fugiens quod ei adversatur, timor est ». Voir aussi les définitions des « affections », dans *in Joannis Evangelium*, tract. 46, no 8 (PL 35, 1732) : « Affectiones nostræ motus animorum sunt. Lætitia, animi diffusio ; tristitia, animi contractio ; cupiditas, animi progressio ; timor, animi fuga est ».

[101] *In III Sent.*, d. 34, q. 2, a. 1, qla. 3, ad 3. Eudes Rigaud avait déjà donné cette même interprétation d'Augustin, dans son *Commentaire sur les Sentences* : cf. G. M. Csertö, *De timore Dei...*, pp. 78-79. Elle sera reprise par Bonaventure, au moins implicitement, dans *In III Sent.*, d. 34, par. 2, a. 1, q. 2,

ad 4-5, et q. 3, ad 4, ainsi que par ALBERT LE GRAND, dans *in III Sent.*, d. 34, a. 6, ad 1.

[102] *In II Sent.*, d. 42, q. 2, a. 1, sol. : le mal est privation de bien, « et ideo fuga mali reducitur ad desiderium boni, sicut in causam primam ». Même idée, dans *in III Sent.*, d. 26, q. 1, a. 3 ; *in de Div. Nom.*, c. 4, lect. 9 (no 401) : « Sed tamen contingit quod bonum amatum totaliter sit absens amanti et sic causatur in amante desiderium amati ; quandoque autem est totaliter præsens ei et sic causatur in eo delectatio vel gaudium de amato ; et per contrarium, de ejus absentia causatur timor et tristitia de ipso et per consequens aliæ affectiones quæ ab his derivantur » ; *In III Sent.*, d. 34, q. 2, a. 3, q1a. 2, sol. : « Horror autem declinationis a regula aliqua, est propter amorem regulæ . . . ».

[103] L'ouvrage de J. M. POHIER, *Pyschologie et théologie,*, Paris, Les Éditions du Cerf, 1967, est d'un intérêt certain pour la théologie morale. On peut cependant lui reprocher d'attribuer à la psychologie moderne des « découvertes » qui n'en sont guère. C'est le cas pour les relations de la crainte à l'amour. Après une courte analyse du « schéma des rapports entre la vertu de pénitence et les différentes formes de crainte chez saint Thomas » (pp. 308-309), l'auteur manifeste son indulgence pour « les catégories de pensée du Moyen Âge (qui) marquent d'un caractère particulier et accidentel cette présentation des choses » (p. 309). Puis il écrit : « Ce que nous savons grâce à la psychologie moderne nous montre bien que la crainte du châtiment n'est que le paravent et le substitut le plus extérieur de craintes beaucoup plus profondes et plus angoissantes encore : la crainte de la perte de l'objet d'amour, la crainte de la perte de l'amour de qui nous aime, la crainte de notre propre anéantissement qui résulte de la perte de l'amour, etc. » (p. 310). Peut-on vraiment opposer ces « nouveautés », ainsi formulées, au traitement thomiste de la crainte ?

[104] Cf. *in III Sent.*, d. 34, q. 1, aa. 1-3.

[105] *In III Sent.*, d .34, q. 2, a. 3, q1a. 1, ad 2-3.

[106] *Ibid.*, q1a. 3.

[107] Cette mise en lumière des deux « conditions » de la crainte est aussi une réflexion propre à Thomas, basée sur un approfondissement progressif de la notion. Dans son traité des passions de la *Prima Secundæ*, les deux articles de la question 43e sur les causes de la crainte s'intitulent : « utrum causa timoris sit amor » et « utrum causa timoris sit defectus ».

[108] Cette doctrine ne demeure pas purement théorique. Thomas y recourt, par exemple, pour la question de la fréquentation de l'Eucharistie : cf. *in IV Sent.*, d. 12, q. 3, a. 1, q1a. 2, et a. 2, q1a. 3. Ces mêmes idées seront ramassées plus tard dans le beau texte de *IIIa*, q. 80, a. 10, ad 3.

[109] Une partie de la spéculation antérieure avait trait à ce problème précis. Pour AUGUSTIN, voir R. RIMML, art. cit., pp. 51-63. Pour la scolastique, voir A. M. LANDGRAF, *Die Lehre der Frühscholastik . . .*, dans *Dogmengeschichte. . .*, IV/1, pp. 355-370.

[110] *In III Sent.*, d. 34, q. 2, a. 2, q1a. 1.

[111] *Ibid.*, q1a. 2.

[112] *Ibid.*, q1a. 3, sed contra II.

[113] *Ibid.*, sol. Voir aussi, *In III Sent.*, d. 23, q. 3, a. 4, q1a. 1, ad 2 : avec la venue de la charité, « etiam timor servilis non tollitur quantum ad habitum

sed quantum ad servilitatem » ; *de Ver.*, q. 14, a. 7, ad 2 : avec la venue de la
charité, la crainte servile n'est pas exclue quant à la substance du don, mais
quant à la servilité. Ces textes clairs et postérieurs au commentaire du IIe
livre des *Sentences* ne sauraient trouver un démenti dans *in II Sent.*, d. 28,
q. 1, a. 4, ad 5 : « ... quamvis per timorem servilem caritas inducatur, tamen
non est necessarium ut timor servilis caritatem præcedat ; timor enim servilis cum peccato mortali habetur ». De deux choses l'une : ou bien il s'agit
de la crainte servile peccamineuse, ou bien Thomas a changé d'opinion en
repensant le problème complexe de la crainte. Cette dernière hypothèse ne
nous semble pas impossible, car il est tout à fait certain que, dans *in III Sent.*,
d. 34, q. 2, Thomas n'accepte pas les solutions toutes faites de tel ou tel
auteur. Il reprend pour elle-même une question où l'on trouve un éventail
assez extraordinaire d'opinions dans la théologie médiévale.

[114] *In III Sent.*, d. 34, q. 2, a. 2, q1a. 3, objections.

[115] *Ibid.*, contre-objections.

[116] *In III Sent.*, d. 34, q. 2, a. 3, q1a. 3.

[117] La seule déclaration explicite à ce propos se trouve dans *IIa-IIae*, q. 19,
a. 6, in c. : « Sed iste timor pœnæ non dicitur esse servilis nisi quando pœna
formidatur sicut principale malum ». C'est le seul endroit, dans toute son
œuvre, où l'Aquinate fait explicitement une telle remarque sur le nom du
« timor servilis ».

[118] Thomas emploie l'expression « timor pœnæ » : *in II Sent.*, d. 42, q. 1,
a. 5 et *in IV Sent.*, d. 38, q. 2, a. 4, q1a. 1, ad 2, comme obstacle à l'adhésion
au péché mortel ; « timor suppliciorum » : *in II Sent.*, d. 43, q. 1, a. 3, sol.,
dont prive la présomption, et *in III Sent.*, d. 26, q. 2, a. 3, q1a. 2, sed contra
I, en comparaison à la « spes præmiorum » ; encore « timor pœnæ » : *in III
Sent.*, d. 29, a. 4, ad 5, comme ce qui est banni par la charité parfaite. Il
utilise aussi « timor pœnæ » dans *in III Sent.*, d. 40, a. 4, q1a. 1, ad 3 et q1a. 2,
sol., pour le « rudis populus » de l'Ancien Testament.

[119] *In III Sent.*, d. 34, q. 2, a. 3, q1a. 3 : « ... caritas non est amor directe
illius boni cui contrariatur illa pœna ».

[120] *In III Sent.*, d. 34, q. 2, a. 2, q1a. 2, ad 2.

[121] *Ibid.*, q1a. 1, ad 2.

[122] *Ibid.* : « Neque iterum quantum ad hoc facit decrescere nisi secundum
comparationem secundum quod caritate crescente semper extenditur magis
et magis a timoris casti actu ».

[123] *Ibid.* : « eum foras mittit » : allusion à 1 Joan 4, 18, texte classique souvent cité par Thomas et que l'objection rappelle. Voir aussi : *in III Sent.*,
d. 29, a. 4, obj.-ad 5 ; *in IV Sent.*, d. 17, q. 2, a. 4, q1a .1, obj. 2.

[124] *In III Sent.*, d. 34, q. 2, a. 3, q1a. 3 ; *in IV Sent.*, d. 17, q. 2, a. 4, q1a. 1,
ad 2.

[125] *In III Sent.*, d. 34, q. 2, a. 3, q1a. 4. La question est classique. AUGUSTIN
l'avait déjà posée en fonction du « permanens in sæculum sæculi » du psaume
18, 10 : on pourrait peut-être parler d'un « timor securus » par lequel on évite-
rait alors de pécher, non pas en s'inquiétant de sa faiblesse, mais par la
tranquillité de la charité : « Timoris quippe casti nomine ea voluntas significata est, qua nos necesse erit nolle peccare, et non sollicitiudine infirmitatis,
ne forte peccemus, sed tranquillitate charitatis cavere peccatum » (*De Civi-*

tate Dei, XIV, c. 9, no 5 (PL 41, 416).). Ce texte sera cité par Thomas dans *IIa-IIae*, q. 19, a. 11, in c. Pourtant, Augustin n'est pas certain. Il conclut : le psalmiste veut peut-être signifier que le ciel, auquel nous conduit la crainte chaste, durera éternellement ! La controverse reprendra autour de ce point dans la première scolastique : cf. F. B. SULLIVAN, *The Notion of Reverence*, dans *RUO*, 23 (1953) 8*-9*.

[126] Cf., v.g., *in IV Sent.*, d. 47, q. 1, a. 3, q1a. 2, obj-ad 3.

[127] Psaume 18, 10. Cf., *ibid.*, sed contra I. Thomas affirme souvent la permanence de l'activité craintive dans la béatitude : *in III Sent.*, d. 34, q. 1, aa. 3-6 ; d. 35, q. 2, a. 4, q1a. 3, sed contra I ; *in Is* 33, 18 (p. 516b). Notons que la survie des opérations de l'appréhension et de l'affection intellectives, apparentées analogiquement aux émotions, n'est point mise en cause ici. Thomas en avait déjà exposé le principe dans *in I Sent.*, d. 8, expositio secundæ partis textus : la crainte fait partie des exemples allégués.

[128] *In III Sent.*, d. 34, q. 2, a. 3, q1a. 4. Pour l'histoire de la notion « reverentia » avant Thomas, voir F. B. SULLIVAN, *The Notion of Reverence*, dans *RUO*, 23 (1953) 6*-16*.

[129] Voir aussi *in III Sent.*, d. 34, expositio primæ partis textus.

[130] Voir aussi *in III Sent.*, d. 26, q. 2, a. 4, ad 4.

[131] *In Is* 11, 3 (p. 475a) : « Non enim habuit timorem servilem ut timeret pœnam, vel filialem ut timeret peccare ; sed castum timorem qui est reverentiæ. Hebr 5, 7 : 'Exauditus est pro sua reverentia' ».

[132] Si la « reverentia » exprime généralement cette activité formelle de la crainte filiale — cf. *in III Sent.*, d. 9, q. 1, a. 1, q1a. 1, ad 3 ; d. 23, q. 1, a. 5, ad 1 ; d. 34, q. 1, a. 1 ; a. 2, sol. et a 7 ; a. 3, sol. et ad 6 ; a. 4, sol. ; *in IV Sent.*, d. 49, q. 4, a. 5, q1a. 1, ad 7 ; *in Is* 11, 3 (p. 475a) ; 66, 5 (p. 575a) — l' « admiratio » lui est parfois rattachée, comme dans notre texte, ou substituée : cf. *in III Sent.*, d. 34, q. 1, a. 6, sol. Dans *in III Sent.*, d. 34, q. 2, a. 2, q1a. 1, ad 2, le don de crainte est nommé, sans autre qualificatif, « timor reverentiæ ».

[133] Cette solution avait déjà été proposée, dans *in III Sent.*, d. 34, q. 1, a. 3, à propos des dons en général. On se demandait précisément si la virtuosité de ces dons, qui perfectionnent en vue de la vie active, ne serait pas épuisée avec la disparition de leur matière propre. Tout ce qui peut porter préjudice ou faire dificulté étant exclu de la notion même de béatitude, crainte et force ne semblaient plus avoir ce sur quoi exercer leur opération. La réponse générale met davantage en relief le caractère formel de l'activité céleste en notant qu'elle portera sur Dieu « mesure d'opération » dans les dons. Seul l'exemple de la crainte est allégué, mais Thomas se contente d'écrire qu'elle soumettra l'homme à Dieu par la révérence.

[134] *In III Sent.*, d. 34, q. 2, a. 3, q1a. 4 : « ... quod fit quando ex consideratione tantæ altitudinis homo in propriam resilit parvitatem ».

[135] Au « tantæ altitudinis » de *in III Sent.*, d. 34, q. 2, a. 3, q1a. 4, répond généralement, dans les autres textes, la « majestas divina » : cf. *in III Sent.*, d. 23, q. 1, a. 5, ad 1 ; d. 34, q. 1, a. 2, sol. ; a. 4, sol. ; a. 6, sol.

[136] Voir, à ce point de vue, *in IV Sent.*, d. 12, q. 3, a. 2, q1a. 3, ad 2 : Thomas refuse de relier, comme le fait l'objection, la révérence à la « gloria Dei » opposée au « proprium commodum ». Les termes du débat sont inacceptables, répond Thomas, puisqu'il appartient et à la gloire et à la bonté de Dieu de se

communiquer aux créatures. L'intérêt de cette solution, ici, est de montrer que la gloire communicable de Dieu n'est pas, comme telle, motif de révérence : elle est principe d'amour plus que de crainte (voir *in IV Sent.*, d. 14, q. 1, a. 2, q1a. 1, ad 3). La grandeur divine a néanmoins ses signes et ses témoins. Ainsi les docteurs, par leur « vitæ altitudine », réussiront mieux, que par la seule prédication, à stimuler les cœurs dans la crainte de Dieu : *Princ.* « *Rigans montes* » (no 1213). De cette façon, ils seront au nombre de ceux par lesquels Dieu « se probat timendum et glorificandum » : *in Is* 2, 10, no 3 (p. 439b). Marie fut également, pour Joseph, un signe du divin : aussi voulut-il la renvoyer « parce qu'il craignait, par révérence, de cohabiter avec autant de sainteté ; aussi lui fut-il dit : 'ne crains pas', Matth 1, 20 » : *in IV Sent.*, d. 30, q. 2, a. 2, ad 5 ; d. 35, q. 1, a. 3, ad 2.

[137] *In III Sent.*, d. 34, q. 2, a. 3, q1a. 4, ad. 3.

[138] *In Is* 25, 3 (p. 501a).

[139] *In Is* 50, 10 (p. 548ab).

[140] *In III Sent.*, d. 34, q. 1, a. 2, ad 7 : « timor sonat in quamdam subjectionem hominis per quamdam reverentiam. Quanto autem creatura magis creatori subjicitur, tanto altior est. Sicut materia quanto magis subjicitur formæ, tanto perfectior est. Et ideo timor in excellentiam sonat, secundum quod importat reverentiam ad Deum ; sic enim maxime donum est ».

[141] *Ibid.*, q. 2, a. 1, q1a. 3, ad 2 : « . . . timor eorum quæ sunt sub homine, ad infirmitatem hominis pertinet ; sed timor Dei qui est supra hominem, non est infirmitatis, sed maximæ perfectionis in ipso ; quia in hoc ipso inferius perfectissimum est quod suo superiori maxime subditur ».

[142] *In III Sent.*, d. 34, q. 1, a. 3, sol. : « quasi Deus factus participationis ». Voir les très justes observations de M.-M. LABOURDETTE, *Dons du Saint-Esprit*, dans *DSp*, 3 (1957) 1619ss. : elles sont capitales pour une interprétation exacte de l'enseignement de Thomas sur les dons, particulièrement sur le don de crainte.

[143] L'expression « admirari vel revereri » pourrait peut-être s'interpréter dans ce sens, si l'on tient compte de la connotation plutôt intellectuelle de l' « admiratio » chez Thomas.

[144] Cette idée revient sous plusieurs formes dans divers textes relatifs au don de crainte : v.g., créature, *in III Sent.*, d. 34, q. 1, a. 2, ad 7 ; faiblesse, *in III Sent.*, d. 34, q. 2, a. 1, q1a. 3, ad 2 ; fragilité humaine du prophète, en opposition à la fermeté de la parole divine, *in Is* 40, 6 (p. 527b) ; même idée par l'opposition de la sécurité des méchants à la crainte des justes, *in IV Sent.*, d. 48 ,q. 1, a. 4, q1a. 1, ad 1 ; petitesse, *in III Sent.*, d. 26, q. 2, a. 1, ad 4 ; imperfection, *in III Sent.*, d. 34, expositio primæ partis textus ; etc. On rejoint, par ce biais, la « conditio imperfectionis » du sujet, requise à tout mouvement craintif, de *in III Sent.*, d. 34, q. 2, a. 3, q1a. 3. Mais alors que l' « imperfection » dont il s'agit maintenant réfère clairement à une condition ontologique permanente, la « conditio imperfectionis » du texte analysé précédemment semblait plutôt comprise dans un sens moral.

[145] *In IV Sent.*, d. 47, q. 2, a. 3, q1a. 2, ad 5.

[146] Nous ne pouvons donc souscrire à l'affirmation de J. M. POHIER, *op. cit.*, pp. 310-311, selon laquelle « la crainte spirituelle du péché », procédant de la grâce en nous, exprimerait, dans la « conception classique » dont Thomas serait le représentant, « l'essentiel de ce qu'est la crainte filiale ».

[147] Cf., v.g., *IIa-IIae*, q. 7, a. 1 : « . . . cui (i.e. Deo) velle æquari est malum » ; q. 19, a. 10, ad 3 : « . . . non præsumit se ei adæquare » ; etc.

[148] F. B. SULLIVAN, *The Notion of Reverence*, dans *RUO*, 23 (1953) 20*.

[149] IDEM, *ibid.*

[150] Elle est d'ailleurs mentionnée comme telle à l'intérieur même du traité que nous étudions : cf. *in III Sent.*, d. 34, q. 2, a. 1, q1a. 2, ad 6.

[151] Cf., v.g., *in III Sent.*, d. 26, q. 1, a. 3, sol. : « Similiter et timor distinquitur ; quia MALO DIFFICILI superanti facultatem timentis accidit aliquid dupliciter (. . .) ; TERRIBILE vel excedit facultatem timentis in agendo (. . .), vel in cognoscendo et hoc dupliciter ; vel propter cognoscibilis altitudinem et sic est admiratio quæ est timor ex magna imaginatione . . . ». — Les données sur l'« admiratio » sont beaucoup trop abondantes pour instituer ici une analyse lexicographique adéquate.

[152] Ainsi le thème de la crainte dans l'activité sapientielle : cf. *in III Sent.*, d. 23, q. 2, a. 5, ad 2 ; d. 34, q. 1, a. 2, sol. ; a. 4, sol. ; expositio secundæ partis textus ; d. 35, q. 1, a. 2, q1a. 3, sol. Ces textes commentent brièvement le passage classique de ce thème pour la théologie médiévale : « Initium sapientiæ, timor Domini » (psaume 110, 10). Thomas ne l'exploitera vraiment que dans *ScG* et dans l'*Expositio super Job ad litteram*.

[153] *In III Sent.*, d. 9, q. 1.

[154] *In III Sent.*, d. 9, q. 1, a. 1, q1a. 4, sol. C'est l'appellation qui prévaudra dans la *IIa-IIae*, qq. 81ss.

[155] *In III Sent.*, d. 9, q. 1, a. 1, q1a. 1, ad 3.

[156] *Ibid.*, a. 3, q1a. 1, sol.

[157] *Ibid.*, a. 1, q1a. 2, ad 2 : « . . . exhibere aliquid in recognitionem servitutis » ; q1a. 4, sol. : « . . . in recognitionem dominii quod Deo competit ex jure creationis » ; etc.

[158] Cf., v.g., *in Boet. de Trin.*, q. 3, a. 2, sol.

[159] Cf., v.g., *in III Sent.*, d. 34, q. 2, a. 3, q1a. 4, sed contra II, où cet aspect est mis en lumière dans l'argument d'autorité, pour établir l'existence de la crainte dans la gloire. Voir encore, *in IV Sent.*, d. 12, q. 3, a. 2, q1a. 1, ad 2 : « . . . reverentia DEBITA Deo in hoc EXHIBETUR quod homo non se nimis divinis ingerat supra suum modum . . . ».

[160] Cette première solution est cependant quelque peu facile et ne représente pas le fin mot de l'Aquinate. Plus tard, il approfondira ce problème. Nous y reviendrons. Voir F. B. SULLIVAN, *Reverence Towards God . . .*, pp. 101-134.

[161] F. B. SULLIVAN, *ibid.*, pp. 97-100.

[162] Pour confirmer son interprétation, l'auteur fait appel à *ScG*, II, c. 2 (no 860) : « (Creaturarum) consideratio in admirationem altissimæ Dei virtutis ducit : ut per consequentiam in cordibus hominum reverentiam Dei parit. Oportet enim quod virtus facientis eminentior rebus factis intelligatur (. . .). Ex hac autem admiratione Dei timor procedit et reverentia ». Le texte n'est pas sans importance, puisque Thomas s'adresserait à des non-croyants et leur apprendrait l'utilité de la « consideratio creaturarum » pour mieux connaître Dieu. Il n'est cependant pas dit, ni évident, que l'« admiratio » suscitée

soit le fruit de la seule « nature » ! ... surtout lorsqu'on lit, au paragraphe suivant (no 861) : « Tertio, hæc consideratio animas hominum in amore divinæ bonitatis accendit ». Une seule indication, dans un contexte où il n'est pas du tout certain que Thomas réfléchisse à la « reverentia Dei » en termes de « naturel » et de « surnaturel », ne constitue pas une preuve bien solide, surtout lorsqu'on possède une quantité de textes dans lesquels la révérence envers Dieu est toujours associée à la crainte filiale, don de l'Esprit Saint.

[163] F. B. SULLIVAN, op. cit., pp. 99-100.

[164] IDEM, ibid., pp. 61-100. C'est le chapitre reproduit, sans changement substantiel, dans son article, The Notion of Reverence, dans RUO, 23 (1953) 5*-35*.

[165] IDEM, ibid., p. 5.

[166] Ainsi dans l'expression « timor reverentiæ », in III Sent., d. 34, q. 2, a. 2, q1a. 1, ad 2, ou « castum timorem qui est reverentiæ », in Is 11, 2-3 (p. 475b).

[167] La suite des écrits confirmera ces nuances dans l'emploi des termes. Aussi hésiterions-nous à souscrire aux remarques de Ch.-A. BERNARD, Théologie de l'espérance ..., p. 135, note 28 : « On peut reconnaître, avec le P. MENNESSIER, la Religion, commentaire de la Somme théologique, édition de la Revue des Jeunes, t. I, p. 304, un acte propre à la crainte révérentielle : « se retirer » pour ainsi dire de devant Dieu dans ce sentiment d'effroi respectueux de sa grandeur inaccessible. À la crainte filiale reviendra de craindre la séparation de Dieu ». La pensée est nuancée. Mais un tel langage ne risque-t-il pas de durcir le vocabulaire de Thomas ? De là à concevoir deux habitus distincts, il n'y a qu'un pas.

[168] In III Sent., d. 34, q. 1, a. 2, ad 7.

[169] In Is 11, 2 (p. 475a).

[170] In III Sent., d. 34, q. 2, a. 3, q1a. 4, ad 2.

[171] Cf. in III Sent., d. 34, q. 1, a. 3, obj-ad 6.

[172] Pour Thomas, voir, v.g., in III Sent., d. 26, q. 2, a. 1, obj. 1 ; d. 34, q. 2, a. 1, q1a. 3, sed contra I.

[173] Cf. in III Sent., d. 34, q. 1, aa. 2-3.

[174] In III Sent., d. 34, q. 1, a. 3, ad 6 : « ... actus illorum donorum remanebunt distincti ab actibus virtutum qui erunt in patria, et erunt actus horum donorum medii inter actus virtutum theologicarum et actus moralium virtutum qui in patria remanebunt, quia actus virtutum theologicarum erunt circa Deum secundum se, sicut caritatis in diligendo ipsum. Actus vero doni erunt circa Deum inquantum est regula dirigens ad operandum in omnibus aliis ... ».

[175] Cf. aussi, in III Sent., d. 23, q. 1, a. 5, ad 1 (dans un sens plutôt diminutif). Dans in Boet. de Trin., q. 3, a. 2, sol., Thomas emploie, au sujet des actes utilisés par la vertu de religion, cette formule audacieuse : « ... et his adjunguntur (i.e. aux actes de vertus théologales) actus donorum tendentium in deum, ut sapientiæ et timoris ».

[176] Une longue liste d'exemples a été dressée par J. de BLIC, Pour l'histoire de la théologie des dons, dans RAM, 22 (1946) 153-160.

[177] Cf., v.g., in III Sent., d. 34, q. 1, a. 4, ad 5 ; d. 37, a. 2, q1a. 2, ad 1.

[178] J. de BLIC, art. cit., p. 167.

[179] Pour une présentation générale de la théorie de Thomas, voir M.-D. ROLAND-GOSSELIN, *Le sermon sur la Montagne et la théologie thomiste*, dans RSPT, 17 (1928) 201-234. Il faut pourtant tenir compte des remarques de R. GUINDON, *Béatitude et Théologie morale chez saint Thomas d'Aquin*, Ottawa, Editions de l'Université d'Ottawa, 1956, pp. 297-304.

[180] Ainsi, AMBROISE, *Expositio Evangelii secundum Lucam*, V, no. 50 (PL 15, 1650A), cité par Thomas dans IIa-IIae, q. 19, a. 12, in c.

[181] Ainsi, AUGUSTIN, *De sermone Domini in Monte*, I, c. 4, no. 11 (PL 34, 1234), cité par Thomas dans *IIa-IIae*, q. 161, a. 2, ad 3.

[182] Cf. *in III Sent.*, d. 34, q. 1, a. 3, ad 6 ; a. 4, sol. ; *in Is* 33, 18 (p. 516b); 54, 8-10 (p. 555ab) 57, 11 (p. 560a) ; *Contra impugnantes*, c. 6 ((nn. 227 et 237).

[183] Cf. *in III Sent.*, d. 34, expositio primæ partis textus ; d. 36, a. 3, sed contra III (la lecture de l'éd. Moos : « timor contra superbiæ timorem » doit être corrigée par : «...contra superbiæ tumorem ». Cette partie du texte est perdue dans l'autographe et ne figure pas dans le manuscrit *Pamplona, cabildo* 51. Mais, *Paris, Bibl. Nat.*, 15773, un des meilleurs manuscrits du XIIIe s., excellent représentant de la *Tradition universitaire*, contient « tumorem ». Dans le ms. *Naples, Bibl. Naz.* VII.B.19, « timorem » est corrigé, dans le texte, par « tumorem ». La correction peut être considérée comme certaine) ; *in IV Sent.*, d. 12, q. 3, a. 2, q1a. 3, ad 1 ; d. 17, q. 3, a. 4, q1a. 4, sol. ; d. 21, q. 2, a. 3, ad 2 ; d. 38, q. 1, a. 5, ad 4 ; *in Is* 11, 3 (p. 475a) ; 66, 2 (p. 574b) ; *Contra impugnantes*, c. 7 (nn. 261.9, 301 et 339).

[184] *In III Sent.*, d. 34, q. 1, a. 4, sol : « In patria enim non erit actus timoris circa temporalia bona, sed circa id quod erat ratio contemnendi ista temporalia. Et ideo in hac beatitudine ponitur quantum ad statum patriæ, « dominium regni cælorum », in quo divitiæ et honores cælestes comprehenduntur, ex quorum consideratione temporalia contemnebantur ».

[185] *In III Sent.*, d. 34, q. 1, a. 5.

[186] *In III Sent.*, d. 34, q. 1, a. 6. L'article est d'ailleurs dirigé vers l'explication des deux textes de la Glose citée dans le sed contra, et qui proviennent tous deux de PASCHASE RADBERT, *in Matth*, livre IV, c. 6 (PL 120, 298, 300-301) : cf. C. DOZOIS, *Sources patristiques chez saint Thomas d'Aquin*, dans *RUO*, 33 (1963) 31*. C'est la seule fois où Thomas aborde lui-même le commentaire de l'oraison dominicale dans cette perspective. Elle est tout autre dans *IIa-IIae*, q. 83, a. 9 : au sujet de la concordance avec les dons, il se contente d'une citation *ad litteram* du *De sermone Domini in Monte*, II, c. 11 (PL 34, 1286) d'AUGUSTIN. Dans les *Collationes super Orationem Dominicam*, il n'y a que de brèves allusions: une au sujet de la deuxième demande (no. 1051) et une autre au sujet de la cinquième (no. 1082). Nous n'avons relevé aucune mention de ce lien dans les autres grands commentaires du *Pater*, à savoir la *Lectura in Matthaeum*, c. 6 (nn. 583-602) et la deuxième partie du *Compendium theologicum* (nn. 545-596). En dehors de ces contextes explicites, on relève à peine quelques vagues allusions qu'on ne saurait rattacher sans arbitraire à cette technique des concordances. Il y a donc ici une autre preuve du peu d'importance que Thomas attribue à ce procédé théologique.

[187] « Cum autem petitio (...) reverentiam habeat adjunctam ex qua impetrare nititur quod intendit, constat quod oratio ex hoc efficaciam habet ad impetrandum illud pro quo oratur, quod Deo reverentiam exhibit ; unde

cum Deo reverentiam exhibit ; unde cum Deo reverentiam exhibere sit actus latriæ (...), oratio actus latriæ erit elicitive ».

[188] Ch.-A. BERNARD, *Théologie de l'espérance*..., pp. 79-82 et 133-141. Si le père Bernard se base surtout sur les données de la *Secunda Secundæ* pour son exposé, il s'étonne de la position de J. LE TILLY, dans son commentaire de la Somme des Jeunes, *L'espérance*, Paris, Desclée et Cie, 1929, pp. 239-240, selon lequel, dans le *Commentaire sur les Sentences* et dans la *Prima Secundæ*, la crainte ne serait pas rattachée à l'espérance. Le père BERNARD répond : « C'est oublier que dès cet écrit, la crainte et l'espoir sont bien conçus comme des passions corrélatives et que cette structure naturelle doit se retrouver en l'ordre surnaturel » (p. 80). A cette constatation valable, nous nous permettons d'ajouter une liste de textes de la première période d'enseignement dans lesquels les liens entre la crainte et l'espérance surnaturelle sont explicitement établis. D'abord, plusieurs textes parlent de la crainte qui conduit à l'espérance: *in III Sent.*, d. 34, q. 1, a. 6 ; *in Is* 8, 11-12, no 3 (pp. 465b-466a) ; 8, 21-22, no 4 (p. 467b) ; 10, 24 (p. 473a) ; 12, 1-2 (p. 478a) ; 25, 3 (p. 501a) ; 37, 6 (p. 522a) ; 38, 13-14 (p. 525a) ; 41, 10-14 (pp. 530b-531a) ; 43, 1 (p. 534b ... non 453 ;) 43, 5 (p. 535a) ; 44, 2-8 (p. 537a) 45, 17 (p. 540a) ; 50, 7-8 (p. 548ab) ; 51, 2.7.12 (pp. 549a-550a) ; d'autres passages assignent le rôle de la crainte servile avec celui de l'espérance dans le processus de la conversion: *in IV Sent.*, d. 14, q. 1, a. 2, q1a. 2 ; d. 17, q. 2, a. 1, q1a. 1 ; q1a. 3, ad 4 ; *Contra impugnantes*, c. 4 (no 124). Un texte souligne la relation entre l'angoisse du Christ et son espérance: *in III Sent.*, d. 17, a. 4. Enfin l'importante réponse de *in III Sent.*, d. 26, q. 2, a. 2, ad 2, pose le principe de l'influence de la vertu théologale d'espérance sur le mouvement de la crainte.

[189] *In III Sent.*, d. 34, q. 2, a. 1, q1a. 2.

[190] *Ibid.*

[191] *Ibid.*, a. 3, q1a. 1.

[192] *Ibid.*, q1ae. 2-3.

[193] *Ibid.*, q1a. 1, ad 1. On trouve ici la réponse à l'objection que l'on pouvait déjà formuler à partir de la mineure du premier sed contra de *in III Sent.*, d. 26, q. 2, a. 3, q1a. 2 : « Sed timor potest esse formatus et informis ». Voir encore, *in IV Sent.*, d. 17, q. 1, a. 4, q1a, 3, ad 1 ; *de Ver.*, q. 14, a. 7, sol.

[194] *In III Sent.*, d. 34, q. 2, a. 2, q1a. 2 et q1a. 3 ; a. 3, q1ae. 1 et 3.

[195] *Ibid.*, a. 3, q1a. 2, ad 2.

[196] *In III Sent.*, d. 34, q. 2, a. 3, q1a. 2, ad 1.

[197] Cf., v.g., G. M. CSERTÖ, *De timore Dei*..., p. 185 ; H.-F. DONDAINE, *L'attrition suffisante*..., pp. 9-10, et encore dans RSPT, 36 (1952) 664.

[198] PIERRE LOMBARD, *Sententiarum libri quatuor*, III, d. 34, c. 4 (PL 192, 824-825).

CHAPITRE QUATRIÈME

LA *LEX TIMORIS* : UN THÈME COMPLEXE

La première analyse thomiste de la crainte projette sur le traité de la loi du *Commentaire sur les Sentences*[1] une lumière nouvelle qui fait ressortir la complexité de la *lex timoris*. Nous nous proposons d'en dégager, dans ce chapitre quatrième, les diverses composantes.

1. La loi historique de crainte

Dans la tradition et chez Thomas d'Aquin *lex timoris* est d'abord une notion historique. Elle sert à nommer l'étape ancienne de ce que Augustin appelle la « *temporalis dispensatio* » de la divine providence[2]. Il faut donc commencer par examiner comment Thomas comprend cette loi de crainte au point de vue historique.

On peut d'abord souligner, avec la majorité des commentateurs modernes de Thomas, son aspect « négatif »[3]. La loi ancienne tombe du ciel dans une théophanie de terreur : elle suscite la crainte et non l'amour des temps nouveaux. Une première interprétation de *in III Sent.*, d. 40, a. 4, qla. 2, donne, nous l'avons vu, ce résultat global. Puisque Thomas relie explicitement le *timor* de la loi ancienne au *timor servilis*[4], il est possible d'approfondir cet aspect à la lumière de cette notion présupposée. Certaines indications du traité de la loi — ainsi les textes sur la *coactio legis*[5] — préparent les déclarations de l'avant-dernière *quæstiuncula* sur la loi de crainte opposée à la loi d'amour.

Un premier enseignement important concernant la crainte servile trouve ici une application historique type : c'est celui de la non-gratuité de l'habitus de crainte servile. Cet habitus, on s'en souvient, n'a pas une bonté infuse : son activité n'est donc pas méritoire [6]. Transposée à l'histoire du salut, cette doctrine sert donc à marquer l'opposition entre le régime « gracieux », inauguré en Jésus-Christ, et le régime de la contrainte extérieure, instauré par la loi de Moïse [7], régime qui enseigne la justice mais qui ne justifie pas [8], régime qui fait espérer les biens éternels sous la seule figure des biens temporels [9], régime que la pluralité de ses préceptes et l'absence du secours de la grâce rendaient pesant [10]. Dans le cadre de la doctrine sur la crainte servile, la désignation de l'ancienne disposition par l'expression « loi de crainte » est donc déjà beaucoup plus qu'une pieuse image : elle comporte tout un enseignement sur le contenu de la loi mosaïque.

L'analyse de la crainte servile met en relief un second aspect « négatif » dont nous retrouvons l'application au régime entier de la *lex timoris*. Agir « *alterius causa et non sui* », agir « *metu pœnæ* », indique un manque de liberté intérieure, une servilité : c'est un agir grevé d'imperfection. Les œuvres extérieures qu'il produira pourront être bonnes, mais non « bien faites ». À l'intérieur même du traité de la loi, Thomas signale que l'accomplissement d'une œuvre sous l'effet de la crainte de la peine est contre la notion même de vertu parfaite [11]. Le régime ancien mérite donc encore, par ce biais, d'être désigné comme une « loi de crainte ». Ces membres, en effet, étaient conduits au bien par une « *quamdam coactionem legis obligatoriæ* » [12] ; la loi ancienne, par ses peines, atteignant les seuls péchés manifestés dans les actes extérieurs, ne liait, de soi, que la main, non l'esprit [13] ; on peut même dire que sa lettre tuait en brandissant les interdictions pénales sans accorder la force intérieure qui permet d'y obtempérer [14]. Si donc les deux lois poursuivent le même but, l'ancienne s'avérait pesante car « *per modum timoris cogebat ad hoc, ad quod lex ex amore inducit, qui omnia levia facit* » [15]. Ceux qui se soumettaient à ses exigences par la seule crainte le faisaient avec la tristesse caractéristique de l'agir contraint [16].

S'arrêter à ce seul aspect négatif de la *lex timoris* serait cependant méconnaître, non seulement l'enseignement général de Thomas sur la crainte servile, mais aussi le sens même de *in III Sent.*, d. 40, a. 4, qla. 2, dont la conclusion affirme que le rapport de la loi-ancienne à la nouvelle est semblable à celui de la crainte à l'amour.

La loi de crainte conduit à la loi d'amour en acheminant ses sujets, au moins extérieurement, à l'unique propos du législateur sous tous les régimes, c'est à-dire au bien[17]. La *coactio* de cette loi n'a donc pas une fonction « destructive », mais bien « constructive », comme l'a noté U. Kühn en commentant le deuxième argument du premier article du traité de la loi[18]. Jusqu'où peut conduire cette voie de la contrainte ? Dans son traité de la loi, Thomas donne des éléments de réponse qui vont dans le sens même de son enseignement sur la valeur de la crainte servile. En un premier temps, la loi de crainte oblige les transgresseurs à renoncer au mal[19]. Sans doute peut-on légitimement arguer, à partir des textes mêmes de Thomas, que cet abandon n'atteignait qu'un comportement extérieur[20], et que, par là, la *lex timoris* était même une occasion d'accroître le péché intérieur[21]. Mais, de soi[22], cette manière forte prétendait éduquer la vertu, fût-ce de façon imparfaite[23]. L'observance des préceptes du Décalogue n'incluait-elle pas un acte de la raison choisissant de réprimer la convoitise mauvaise[24] ? De même, la pratique contrainte de la justice n'éduque-t-elle pas progressivement le sens de la justice[25] ? Plus encore : la loi ancienne, par le caractère « signifiant » de ses préceptes, enseignait non seulement la « nouvelle justice » à venir[26], mais disposait aussi la volonté elle-même aux réalités éternelles[27]. Mais ici nous sortons déjà des perspectives de la *lex timoris* comme telle.

Après une situation de péché, la loi ancienne vient donc préparer une transition à la loi nouvelle de charité, en freinant, par la crainte de la peine, les œuvres mauvaises, et en entreprenant, par là même — puisque la pratique développe une certaine aptitude intérieure — une éducation progressive d'Israël au bien en vue de la justice nouvelle.

2. Des « juifs » sous la « loi d'amour » ?

Nous avons déjà vu, dans le premier chapitre, que Thomas apporte de façon explicite une première atténuation importante au thème *lex timoris* en affirmant que les *perfecti viri* de cette époque observaient la loi par amour ; ils prouvaient ainsi qu'ils appartenaient déjà à l'état de perfection, à la loi nouvelle [28]. La « loi de crainte » n'avait pas été promulguée pour ces « *boni* », mais pour les transgresseurs. Ceux-là étaient, en quelque sorte, leur propre loi [29]. La *lex amoris* œuvrait donc dans le régime ancien : elle arrachait certains justes à sa contrainte. Les « saints pères » de l'Ancien Testament étaient, en effet, déjà justifiés par leur foi au Christ à venir. Ils vivaient cependant à une époque moins favorable de l'histoire du salut puisque l' « obstacle » n'était pas encore enlevé ni les sacrements de la grâce manifestés [30]. Il ne nous appartient pas de développer davantage cet aspect qui a été, du reste, souvent étudié [31]. Il suffisait de le rappeler car il permet de comprendre d'autres données sur la crainte dans le traité de la loi ancienne.

Certaines indications, en effet, laissent croire que Thomas a aussi pensé à une éducation spéciale d'une certaine crainte révérencielle chez le peuple de l'ancienne loi, rendue possible par la présence anticipée de la charité de la loi nouvelle. Si l'expression « *potestas divina* » [32] évoque plutôt Dieu-auteur du châtiment — motif de la crainte servile [33] — elle n'est cependant pas sans rapport avec celle de « *majestas divina* » qui, strictement, suscite le « *timor filialis* » dans sa forme la plus pure [34]. Aussi Thomas, parlant du premier terme, sent-il bien son affinité avec celui d' « excellence » divine, motif de la révérence [35].

En tenant compte de ces nuances, il semble bien que, d'après le bachelier sententiaire, la loi ancienne pouvait aussi éveiller chez le peuple juif une crainte révérencielle spéciale. Le premier texte sur ce sujet se trouve au tout début du traité de la loi, où Thomas énumère les quatre raisons qui justifient une « loi écrite » [36]. Après avoir mentionné l'enténèbrement de la raison naturelle et le défaut d'amour du bien dans la volonté, il écrit :

> Tertio ut ad opera virtutis non solum natura inclinaret, sed etiam reverentia divini imperii.

U. Kühn pense que cette troisième raison ouvre un autre ordre de considérations : il ne s'agirait plus de la situation historique, créée par les péchés — situation qui motivait les deux premières raisons — mais d'une considération sur la souveraineté de Dieu : celle-ci devrait maintenant passer au plan d'une motivation explicite de l'agir [37]. Sans doute ! mais cette *reverentia* n'en est pas moins suscitée par le « *divinum imperium* », c'est-à-dire, dans le contexte de la loi écrite de cet article, par la législation divine de l'ancienne alliance. Il ne nous paraît donc pas si évident que Thomas quitte ici le terrain d'une « situation historique déterminée » : premièrement, la législation divine, dont il est question (et dont Thomas dit qu'elle prescrit la révérence), est reliée à la situation historique du péché et est elle-même un fait historique : il s'agit bien de la loi positive de l'Ancien Testament ; deuxièmement, cette loi divine historique pousse à l'agir vertueux d'une façon que la condition humaine considérée en elle-même (« *solum natura* ») — abstraction faite des données historiques — ne saurait faire. La notion de *reverentia divina*, nous l'avons vu, présuppose du reste un contexte d'alliance avec Dieu. C'est sans doute cette notion qui a motivé le commentaire, à notre avis non justifié, de U. Kühn. Dans la littérature « thomiste », la *Ehre* de la *Herrschaft Gottes* évoque tout un contexte qui fait abstraction de l'histoire du salut.

Un second texte du même traité nous semble relié à cette considération initiale. Dans *in III Sent.*, d. 37, a. 5, qla. 1, pour expliquer le bien-fondé du précepte de l'observance sabbatique, Thomas fait sienne une idée de Maïmonide, en ces termes :

> Similiter etiam quia ad errores gentium proni erant, indicta est eis observatio sabbati ut creationem mundi semper præ oculis haberent, et sic Deum recognoscerent et timerent : quam causam tangit Rabbi Moyses [36].

Voilà donc un article de cette législation israélite dont le but était précisément d'éveiller la crainte, mais une crainte qui s'adresse à Dieu au titre de la création du monde, donc du type de la révérence. Et il est bien précisé, dans ce second texte, que ce précepte fut donné pour enrayer la montée des tendances peccamineuses historiquement constatées (« *quia ad errores gentium proni erant* »).

Sous la loi ancienne la « *reverentia divini imperii* » fournit donc un motif autre que la seule inclination naturelle, pour accomplir les œuvres de la vertu ; et certains de ses préceptes, comme celui de l'observance sabbatique, éduquent spécialement la crainte du Créateur de l'univers, donc une crainte révérencielle. Thomas n'en précise pas la nature. Est-elle de l'ordre du don ou n'en préfiguret-elle que le mouvement dans la nature ? « Reconnaître » et « craindre » le Dieu qui légifère pour révéler qui Il est, agir vertueusement, non seulement par inclination naturelle, mais par révérence du commandement divin, dans les deux contextes la crainte de Dieu est au moins autre chose qu'un sentiment naturel. On voit donc mal ce qu'elle peut être, sinon la crainte filiale, don de l'Esprit. Cette interprétation est d'autant plus probable qu'aucun autre texte de cette période, nous l'avons dit, n'emploie le terme *reverentia divina* dans le sens d'un simple mouvement de la nature.

Peut-on signaler d'autres textes du premier enseignement parisien concernant la crainte filiale dans le régime de la loi ancienne ? Thomas interprète en effet de nombreux textes de l'Ancien Testament dans le sens du don de crainte. Il n'en est pourtant aucun, à notre connaissance, qu'il applique avec évidence à une partie ou à un personnage de l'ancienne alliance, car l'on peut toujours arguer qu'il ne s'agit pas du sens littéral, mais du sens tropologique ou allégorique ou encore anagogique [39]. Dans certains textes le sens spirituel est très explicitement proposé [40]. On doit donc s'en tenir, pour le moment, aux quelques textes du traité de la loi.

Par ce biais de la révérence, le thème de la crainte dans la loi ancienne s'élargit. La loi ancienne fut sans doute une loi de crainte servile, mais elle fut aussi donnée — dans sa totalité et même par certaines dispositions particulières — pour susciter une crainte d'un tout autre type que celle dont la charité n'est pas l'alliée nécessaire. Le principe de la présence de la charité œuvrant déjà dans le régime de l'ancienne loi ayant été établi, l'éducation de la crainte révérencielle ne présente d'ailleurs pas de difficulté.

3. Des « chrétiens » sous la « loi de crainte » ?

En revanche nous trouvons des indications claires sur une certaine permanence de l'intimidation propre à la loi ancienne dans le nouvel ordre du salut instauré par l'« événement » du Christ, à savoir la *lex nova*. Cette assertion, nous l'avons vu, est faite dans le cadre même de l'article fondamental sur la *lex timoris - lex amoris* où Thomas répond à l'objection selon laquelle les châtiments de la loi nouvelle sont aggravés. Il l'accepte, mais en rappelant que la « *principalis inductio* » et la « *principalis radix* » de la loi nouvelle est l'amour [41]. Cette réponse sous-entend que le régime de grâce n'en garde pas moins une « *inductio secundaria* », à savoir celle de la crainte dont la loi de Moïse faisait son levier principal. Cette vue n'offre aucune difficulté de principe : elle laisse tout simplement place pour le jeu de la crainte servile dont Thomas admettait la présence même avec la charité ainsi que nous l'avons montré. Le rôle secondaire qu'il lui assigne ici correspond bien au traitement nuancé du rapport de la crainte servile à la charité.

Mais outre son rôle toujours possible chez les « saints » de la nouvelle alliance, la crainte des peines a une autre insertion beaucoup plus importante encore à l'intérieur du nouveau régime. Elle est modelée, d'ailleurs, sur le schéma historique général *lex timoris - lex amoris* dans lequel la crainte achemine vers l'amour. Il s'agit de la crainte servile comme « voie » à la conversion pour ceux qui, vivant dans la disposition nouvelle, ne sont pourtant pas encore justifiés, ou encore pour ceux qui, ayant reçu le don de la foi, ont perdu l'amitié de Dieu. Cette question, extrêmement complexe, ne nous intéresse pas ici pour elle-même. Il nous suffit de montrer comment on y décèle, d'une part, le même rôle éducateur de la crainte par rapport à l'amour, et, d'autre part, les mêmes éléments fondamentaux d'analyse. Deux schémas principaux répondent, pour ainsi dire, à deux niveaux de législation — au sens où, chez Thomas, la législation est considérée comme une « *inductio ad bonum* » : le niveau immédiatement divin et le niveau instrumental de la législation humaine. À l'échelon supérieur nous avons affaire, globalement, à la conversion. À l'échelon inférieur il s'agit surtout, dans ce premier enseignement, de la « correction fraternelle ».

De la conversion

Une première application individuelle du schéma historique de la *via timoris*, à l'intérieur du Nouveau Testament, se situe donc au plan de la conversion, notion qui implique, elle aussi, une « histoire » [42]. L'enseignement de Thomas sur ce point gagne à être replacé dans le contexte général de l'éducation à l'amour par la crainte. Et cela pour deux raisons. La première, et la plus évidente, concerne l'interprétation même du rôle de la crainte dans le processus de la conversion. De ce point de vue, des études contemporaines ont, dans l'ensemble, redécouvert les positions véritables de l'Aquinate [43]. Mais comme l'enseignement de Thomas sur la crainte est généralement exposé en fonction de ce problème très précis, il n'y trouve pas toute son ampleur. Deuxièmement, il est urgent de dissocier le vaste problème de la crainte dans la vie morale de cette question périphérique dans laquelle il s'est embourbé depuis la Réforme. Ce problème de la crainte et de l'attrition suffisante — problème, notons-le, auquel Thomas s'est fort peu intéressé, comparativement aux autres aspects de la crainte — a pris des proportions telles dans la théologie post-tridentine, qu'il a polarisé toute l'attention. On ne s'étonne guère, alors, de ce que la question, ainsi faussée, du rôle de la crainte dans la vie chrétienne a perdu tout intérêt et rencontre même tant d'hostilité.

Le traité de la pénitence, au livre IVe du *Commentaire sur les Sentences*, nous renseigne assez complètement sur le rôle de la crainte servile dans la « conversion »[44]. Un premier principe général avait déjà été énoncé dans le contexte de la préparation à la grâce : la crainte servile ne précède pas toujours la venue de la charité. La raison en est fort simple : plusieurs ont reçu la grâce sans avoir jamais péché mortellement, d'où l'absence, chez eux, d'une crainte des peines éternelles[45]. Le rôle de la crainte servile dans la conversion est donc limité à l'« impie », car seul il doit être disposé, non seulement à recevoir la grâce (« *in Deum* »), mais aussi à repousser le péché (« *in peccatum* »)[46].

Est-ce à dire que tout pécheur se convertit sous l'effet de la crainte ? Une première remarque s'impose : en tout état de cause, il ne peut s'agir que d'une certaine disposition dans l'homme, car la vertu de pénitence, accompagnée par la charité, n'est pas causée par l'effort humain, mais infusée par Dieu. Cela étant dit, Thomas pense que, *ut in pluribus* — puisque les actes humains procèdent du libre arbitre et non de la nécessité — les pécheurs sont conduits à la conversion par une certaine disposition[47]. Comment la concevoir ? Si la pénitence implique, comme le pense Jean Damascène, un détournement du péché[48], la psychologie du pécheur à la veille de sa conversion est donc celle de quelqu'un qui vit dans le péché, c'est-à-dire de quelqu'un qui n'a pas ce « goût assaini » qui pourrait le détourner du mal sous le seul attrait de la bonté divine[49]. Son affection, en effet, est infectée par l'amour désordonné de soi. C'est donc par les peines qui contrarient sa nature et sa volonté qu'il sera amené à délaisser le péché. Ainsi la pénitence est conçue en eux, *ut in pluribus*, avec l'aide de la crainte[50]. Thomas précise enfin que cette crainte favorisant la pénitence n'est ni la mondaine, ni l'initiale ou la filiale, mais bien la servile[51].

Nous n'étudierons pas les textes qui établissent l'ordre des actes par lesquels l'homme se détourne du péché et tend vers Dieu dans le processus de la justification [52]. Du point de vue où nous nous plaçons, ils n'apportent rien de nouveau. Examinons plutôt deux petits textes difficiles à interpréter mais, qui, replacés dans l'ensemble de l'enseignement thomiste sur la crainte, deviennent non seulement intelligibles, mais permettent aussi de prolonger la réflexion sur le rôle de la crainte dans la conversion.

Ces deux textes précisent les limites de ce rôle de la crainte contre des objections qui tendent à faire d'elle la cause de la grâce. Le premier affirme que la crainte n'est qu'une disposition éloignée à la grâce puisqu'elle n'y parvient jamais, « sauf si l'amour lui est joint » [53]. Le second texte nie la conclusion selon laquelle le mouvement du libre arbitre dans la justification porte d'abord sur le péché et non sur Dieu, à partir d'une prémisse attribuée à Augustin : la crainte précède la charité [54] : « Augustin parle ici de la crainte servile dont l'acte n'est pas le mouvement du libre arbitre qui accompagne la justification ; la crainte servile en effet n'existe pas ensemble avec la grâce par laquelle ce mouvement est informé » [55]. Cette crainte précède le mouvement de la justification comme telle, n'en constitue qu'une disposition éloignée, n'existe pas avec la grâce ; c'est donc bien la servile dont Thomas a déjà dit, dans *in III Sent.*, d. 34, q. 2, qu'elle n'a pas de bonté infuse ni donc d'activité méritoire. Nous savons, d'autre part, que l'amour qui la provoque et qui l'accompagne — l'amour de son propre être menacé par un mal de peine [56] — n'est pas directement affecté par la charité [57]. Que signifie donc la restriction du premier texte cité : « ... *numquam enim ad gratiam attingit, nisi amor adjungatur* » ? Cette incise présente une difficulté réelle d'interprétation, d'abord parce qu'elle n'est pas claire. De quel amour s'agit-il ? Quelle est cette crainte qui, ainsi qualifiée, parviendrait à la grâce ?

À moins de renier tous les textes explicites sur le sujet ou alors penser que Thomas contredit ici son enseignement précédent, on doit, semble-t-il, donner l'interprétation suivante. Son rôle de préparation éloignée étant terminé, la crainte servile, contrairement à la foi, n'entre pas dans l'organisme infus comme tel. Dès lors que nous avons affaire à une crainte fuyant le mal de coulpe et liée à l'amour de Dieu, nous sommes en présence d'une forme nouvelle de crainte, l'initiale (ou la filiale). Un texte de la question suivante, relatif à la question de savoir si l'attrition peut devenir contrition, semble confirmer cette interprétation. Thomas se rallie à l'oponion négative puisque l'attrition est un acte informe alors que la contrition est l'acte même de la vertu infuse de pénitence. Or les habitus des vertus infuses qui qualifient la volonté ne peuvent pas avoir un état informe avant la venue de la charité. Le parallèle proposé, dans la première objection, entre la crainte et la foi n'a donc pas de portée[58]. Cette solution éclaire singulièrement l'argument du premier *sed contra* qui, même s'il n'est pas repris dans la solution, est significatif pour notre discussion :

> Quorum principia sunt diversa omnino, eorum non potest fieri unum id quod est alterum. Sed attritionis principium est timor servilis, contritionis autem timor initialis. Ergo attritio non potest fieri contritio[59].

Ainsi la crainte servile ne peut conduire qu'à l'attrition, ce mécontentement des péchés commis[60], ce dégoût qui est du niveau de la nature[61] comme la crainte qui l'engendre. Seule la crainte initiale, appartenant à l'ordre de la grâce, peut être principe immédiat de contrition[62].

Si nous nous sommes attardé sur ce débat, c'est qu'il est instructif pour notre sujet. D'abord il applique, de façon cohérente, l'enseignement plus général sur la nature de la crainte servile, sur sa relation à l'amour et sur son rôle de *via ad amorem*. L'amour désordonné de soi qui tyrannise le pécheur peut aussi engendrer une crainte servile qui, au lieu de l'asservir, le pousse à désirer le bien pour fuir un châtiment qu'il redoute. Née d'un amour peccamineux, cette crainte de la peine peut acheminer à son tour à un amour plus apte à préparer à la pénitence. Aussi est-ce avec raison que les théologiens, qui, à propos de l'attrition et de la contrition, ont soumis la pensée de Thomas à un nouvel examen, insistent sur le fait que, contrairement à la théologie moderne du sacrement de pénitence, héritière sur ce point des idées nominalistes, celle de Thomas n'envisage pas le *timor servilis* et l'*amor vitæ æternæ* comme des MOTIFS de repentir, donnant naissance aux concepts d'attrition et de contrition, mais comme les PRINCIPES du repentir[63] H.-F. Dondaine[64] et P. de Letter[65] ont bien montré comment les anciens, et Thomas en particulier, considéraient surtout la source objective du repentir : l'attrition est imparfaite par ses principes (crainte des peines, amour de soi, etc.), la contrition est parfaite par la charité. Attrition et contrition n'étaient donc pas distinguées en fonction de considérations « psychologiques et subjectives » [66]. Ces remarques sont justes. Thomas ne se pose même pas la question d'une énigmatique métamorphose psychologique de motivations (crainte des peines en amour de Dieu) au moment de la confession d'un sujet qui aurait entrepris la démarche sacramentelle poussé par l'attrition.

Contrairement à ce qu'insinue P. de Letter [67] — avec quelque réticence il est vrai [68] — nous pensons que l'enseignement de l'Aquinate répond pourtant, en dernière analyse, à des exigences beaucoup plus réelles et profondes de la psychologie humaine que celui des « attritionistes » post-tridentins. D'abord — H.-F. Dondaine l'a bien montré [69] — il n'y a pas, pour l'Aquinate, un clivage entre deux plans de la réalité, l'« ontologique » et le « psychologique », de sorte que la difficulté psychologique soulevée par le passage d'une attitude attritioniste à une attitude contritioniste « vi clavium » ne se pose pas dans sa théologie. Mais c'est là, à notre avis, une réponse qui ne fait pas complètement justice à l'objection. Ce qu'il faut bien voir, et cela n'est possible que dans un contexte beaucoup plus large, c'est que l'attention aux aspects psychologiques de la conversion ne porte pas sur l'instant de la rémission sacramentelle des péchés, mais bien sur toute une pédagogie antérieure de la conversion. C'est là que l'entreprise divine est attentive à la psychologie du pécheur et lui fait « don » d'une crainte servile qui, s'appuyant sur l'amour de convoitise, peut seule l'émouvoir. Les problèmes de crainte et d'amour ne sont plus alors réduits à ceux de motifs plus ou moins aptes à déclencher un pardon divin incertain, mais ils se situent dans une grande disposition pédagogique divine de salut. Aussi cette étude relative à la « conversion des pécheurs » nous ramène-t-elle au grand schéma *lex timoris - lex amoris*.

Il y a ainsi, à l'intérieur de la nouvelle alliance, comme sous la loi ancienne, l'intervention possible d'une loi de crainte pour tous ces pécheurs — qu'on se souvienne des *transgressores* sous la loi le Moïse [70] — qui, insensibles aux invitations de l'amour divin par le fait d'une longue habitude du péché, donc par une réelle perversion de la volonté, ne seront plus sensibles, *ut in pluribus*, qu'à la perspective d'une menace pour ce seul bonheur auquel ils accordent une importance : leur propre bien être. Si, pour conduire à Dieu, le ressort principal de la loi nouvelle est la charité, il est des cas où, à cause de la malice des hommes, elle doit préalablement recourir aux procédés de l'ancienne loi pour préparer les voies de la charité, comme naguère fut acheminé vers une loi plus parfaite, le « *rudis populus* » d'Israël [71].

De la correction fraternelle

La question de la correction fraternelle [72] fournit un second exemple de la *via timoris* à l'intérieur du régime de la loi nouvelle [73]. L'intérêt particulier de ce second contexte réside d'abord dans le fait qu'il s'agit d'une « méthode de conversion » chrétienne enseignée par le Christ mais utilisée par les hommes. Ensuite, il dégage peut-être mieux que le contexte précédent une *via timoris* en opposition à une *via amoris*. Nous suivons, pour l'exposer, le texte principal, à savoir *in IV Sent.*, d. 19, q. 2, a. 1 [74].

Se basant sur l'enseignement d'Aristote [75], Thomas distingue deux méthodes de redressement susceptibles de ramener celui qui a quitté le droit chemin. La première se sert de la crainte de ce qui est honteux (« *timor turpis* ») : elle se nomme proprement la « *correptio* ». La seconde emploie la crainte de ce qui est triste (« *timor tristis* ») : elle implique donc une certaine violence et se nomme la « *correctio* » [76]. En d'autres termes, la *correptio* fait appel à la « crainte honteuse » connaturelle à celui qui, par nature ou par vertu, est un « homme de bien », alors que la *correctio* utilise la crainte du châtiment. Cette seconde méthode, dit Thomas, devra être employée pour ceux qui n'évitent le péché que par la violence extérieure qu'ils redoutent. Si, au contraire, le seul fait de démontrer la laideur du péché et d'exhorter au bien suffit pour que le coupable revienne de lui-même sur la bonne voie, on aura recours à la première méthode, celle de la *correptio*. Elle présuppose cependant une « volonté de beau et de bien », un propos vertueux sans lequel elle est inefficace [77]. Les chrétiens pourront donc utiliser deux méthodes pour aider leurs frères coupables à se ressaisir : la *correptio*, celle à laquelle on aura recours de préférence, relève d'une pédagogie essentiellement « bienveillante ». Elle mise sur l'élan du sujet vers le bien. Elle ne fait appel qu'à une forme plus pure de crainte, celle qui est annexe à la démarche vertueuse. Lorsque celle-ci n'a aucune chance de réussir, alors on se servira de la *correctio*, méthode à caractère contraignant, pédagogie de crainte.

Toujours dans le cadre de la correction fraternelle, un petit texte, fort secondaire il est vrai, a pourtant l'intérêt d'évoquer le lien entre la méthode d'intimidation et l'« état primitif » d'un groupe à l'intérieur même de la nouvelle alliance. Parmi les trois raisons alléguées pour expliquer la condamnation d'Ananie et de Saphire par Pierre sans aucune admonition préalable, Thomas écrit :

> ...ou peut-être que, sous le conseil de l'Esprit-Saint, il procéda ainsi pour inciter à la crainte parce que cela convenait à l'état primitif de l'Église, afin que son autorité ne soit pas méprisée [78].

Ces quelques annotations « *de correptione fraterna* » sont tout à fait conséquentes avec les principes énoncés à propos de la métho-de de conversion utilisée par Dieu pour l'*innocens* et pour l'*impius* ainsi qu'avec la distinction antérieure entre la « *principalis inductio* » de la loi d'amour et son « *inductio secundaria* » du type de la loi ancienne.

4. « Servitus timoris » et « servitus amoris »

Avant de clore ce chapitre, il faut encore mentionner une derniè-re variation sur le thème de l'amour et de la crainte, car elle annonce de longs développements postérieurs. À la fin de son pre-mier séjour parisien Thomas écrit, dans l'opuscule *Contra impugnantes Dei cultum et religionem* :

> ...duplex est servitus. Est enim servitus timoris et amoris. Qui ergo accipit munera ex cupiditate, servus est timoris : quia quæ cum cupiditate acquiruntur, cum timore possidentur ; et ab hac servitute liberi debent esse servi Christi, Rom 8, 15 (...). Sed qui accipit munera ex caritate, servus est amoris : et ab hac servitute non sunt liberi servi Christi : unde Apostolus dicit in 2 Cor 4, 5 : 'Non nosmetipsos prædicamus, sed Jesum Christum Dominum nostrum ; nos autem servos vestros per Jesum' [79].

Nous retrouvons ici la conjonction des thèmes *servitus - libertas* et *timor - amor* avec la citation de Rom 8, 15. Mais nous remarquons un développement ultérieur. Rapprochée des analyses de la crainte servile, l'expression *servitus amoris*, dont les chrétiens ne doivent pas être libérés, est non seulement nouvelle mais quelque peu para-doxale. Elle est d'ailleurs l'antithèse d'une autre expression de *in III Sent.*, d. 37, a. 1, ad 5, à propos des transgresseurs sous la loi nouvelle : « ... *melius est ut coacti a malo desistant quam ut mala libere exsequantur* ».

Si donc le thème *lex timoris - lex amoris* s'exprime adéquatement par celui de *servitus timoris - libertas amoris*, il faut bien voir que, dans un cas comme dans l'autre, ces formulations doivent être approfondies et dépassées sous peine de devenir un de ces slogans dont, comme le disait Musset des proverbes, « il n'en est pas un qui n'ait son contraire » ! Comment on peut parler d'une certaine *libertas timoris* et d'une certaine *servitus amoris*, Thomas le dira plus tard, et, ce faisant, marquera un approfondissement du thème complexe de la loi de crainte.

H. Rondet fait remarquer qu'Augustin applique la distinction « *sub lege - sub gratia* » non seulement à l'histoire du salut mais aussi à l'histoire spirituelle des individus [80]. L'intérêt majeur de ce chapitre quatrième est peut-être de nous faire découvrir, dans le binôme *lex timoris - lex amoris* tel qu'il est traité par Thomas d'Aquin, un procédé semblable mais beaucoup plus structuré. Ce qui, dans *in III Sent.*, d. 40, a. 4, qla. 2, est présenté comme un énoncé augustinien du rapport de la loi ancienne à la loi nouvelle devient, dans les œuvres de l'Aquinate, une réelle technique permettant d'analyser, à divers niveaux, la méthode divine de « *provocatio ad salutem* ». La méthode d'intimidation connut une grande réalisation historique sous la loi ancienne et la loi nouvelle met en œuvre la méthode de l'amour. Mais Dieu se servait aussi de la loi d'amour pour les « *boni* » de l'ancienne alliance et il fait encore appel à une loi de crainte pour amorcer la conversion des « impies » toujours esclaves de l'ancien péché. À l'exemple du Maître, les chrétiens auxquels la charité fait un devoir d'aider leurs frères à délaisser des voies perverses, utiliseront de préférence la *correptio* bienveillante, à moins qu'ils ne soient réduits à brandir la *correctio* contraignante. À tous ces plans, la crainte des peines est au service de la méthode forte et les formes plus pures de la crainte sont associées à la méthode de l'amour.

Les nombreux problèmes de cohérence interne que soulève nécessairement le maniement d'un tel procédé sont en grande partie résolus par la doctrine déjà bien structurée relative aux deux termes majeurs de la technique, à savoir *timor* et *amor*. Enracinée dans l'amour que tout être se porte nécessairement, et donc subs-

tantiellement bonne, la crainte servile pousse à accomplir ce qui
est prescrit pour éviter la peine qui menace le transgresseur. Elle
est susceptible d'engendrer une démarche contrainte qui n'a rien
à voir avec la liberté du vertueux. Utilisée à bon escient, elle peut
néanmoins entraîner les pécheurs au bien spirituel et les amener
graduellement à le vouloir, non parce qu'il est commandé, mais
parce qu'il plaît. La crainte de la peine n'est pas typique d'un régime de charité ; compatible, pourtant, avec l'amitié de Dieu, elle peut
en être un instrument. Aussi Dieu y eut-il recours pour conduire le
peuple choisi au seuil du Nouveau Testament et les pécheurs à celui
de la conversion. La crainte est une « *via ad amorem* ».

La crainte est cependant une réalité beaucoup trop profonde
pour que cet aspect, en somme secondaire, en épuise la signification. Elle est destinée à éveiller chez la créature le sentiment de sa
réalité face à la réalité de Dieu dont elle dépend. Avec la charité, la
crainte filiale naîtra et s'approfondira. Aussi est-elle déjà à l'œuvre
chez ces justes de l'ancienne disposition qui, vivant dans l'amitié
de Dieu, appartenaient déjà au Nouveau Testament. Plus qu'une
voie à l'amour, la crainte est animatrice d'un vaste secteur de la vie
chrétienne.

Si nous pouvons déjà admirer la recherche d'approfondissement et de cohérence entreprise par le jeune bachelier, nous sommes aussi en droit de nous interroger sur l'influence réelle de ces
premières élaborations d'un thème emprunté à la tradition théologique sur la pensée de l'Aquinate. L'indication décisive d'un intérêt
réel de la part de Thomas pour cette question sera moins la reprise
successive des divers éléments de cette première synthèse que leur
aménagement progressif. Les sections qui suivent sont consacrées
à l'étude de ce travail d'intégration.

---

[1] *In III Sent.*, dd. 37-40.

[2] AUGUSTIN, *De vera Religione,* c. 7, no. 13 (PL 34, 128) : « Hujus religionis
sectandæ caput est historia et prophetia dispensationis temporalis divinæ
providentiæ, pro salute generis humani in æternam vitam reformandi atque
reparandi ».

[3] Ainsi, U. Kühn, *Via caritatis*..., p. 75. Après avoir exposé *In III Sent.*, d. 40, a. 4, q1a. 2, en relation aux thèmes connexes de toute la distinction 40, l'auteur conclut : « Hier wäre dann also die dispositio auf die Rechtfertigung durch das Gesetz keine positive, die schon ein Stück des Weges bewältigte, sondern gleichsam eine negative, die auf die Unmöglichkeit des gesetzlichen Weges hinwiese ».

[4] *In III Sent.*, d. 40, a. 4, q1a. 2, obj. 3.

[5] *In III Sent.*, d. 37, a. 1, sol. et ad 5 ; d. 40, a. 2, sol.

[6] *In III Sent.*, d. 34, q. 2, a. 2, q1a. 2, sol.

[7] *In III Sent.*, d. 40, a. 2. Cet article s'intitule : « Videtur quod lex Mosaica non solum manum, sed etiam animum cohibere debeat ». Contrairement à ce qu'on affirme souvent, ce thème n'est pas, sauf erreur, directement augustinien. Nous avons lu la majorité des textes d'Augustin relatifs à la crainte et nous ne l'avons jamais trouvé. Nous avons vérifié les références augustiniennes qu'on donne à ce sujet avec le même résultat négatif. On peut lui accorder un certain fondement augustinien, il est vrai, dans la doctrine du docteur d'Hippone concernant le « mallet homo non facere, si posset impune » (voir les textes cités, supra, p. 90, note 30). Quoiqu'il en soit de la paternité de la formule, elle a servi à toute la tradition scolastique, depuis l'école d'Anselme de Laön, pour traiter le problème de la crainte servile : cf. A. M. Landgraf, *Die Lehre der Frühscholastik*..., dans *Dogmengeschichcte*..., IV/1, pp. 299-301. A moins qu'un texte nous ait échappé, Thomas n'y fait pas allusion, comme il le fera plus tard, dans ses textes explicites sur la crainte servile. Dans *in III Sent.*, d. 40, a. 2, il s'en sert comme de l'axiome classique, formulé clairement par le *Magister* (cf. Pierre Lombard, *Sententiarum libri quatuor*, III, d. 40, c. 1 (PL 192, 838) : « ... quare dicitur lex comprimere manum et non animum »), pour evprimer le rapport des deux lois. Pour les nombreuses interprétations de cet axiome en relation aux deux lois chez les prédécesseurs de Thomas d'Aquin, voir A. M. Landgraf, *Die Gnadenökonomie des Alten Bundes*..., dans *Dogmengeschichte*..., III/1, pp. 25-32.

[8] *In III Sent.*, d. 40, a. 3.

[9] *In III Sent.*, d. 40, a. 4, q1a. 1.

[10] *Ibid.*, q1a. 3, La « pesanteur » de la loi ancienne est une référence à Matth 11, 30 et Act 15, 10.

[11] *Ibid.*, q1a. 1, ad 3.

[12] *In III Sent.*, d. 37, a. 1, sol.

[13] *In III Sent.*, d. 40, a. 2.

[14] *Ibid.*, a. 3.

[15] *Ibid.*, a. 4, q1a. 3, sol.

[16] *Ibid.*, ad 3. C'est la doctrine aristotélicienne (ici *Eth. à Nic.*, II, c. 9 (1109 b 4)) déjà évoquée dans *in III Sent.*, d. 34, q. 2, a. 2, q1a. 1, sol., à propos de la crainte servile : « facit autem illud coactus ab alia violentia vel metu : et ideo cum tristitia, quia omne coactum est contra voluntatem et triste, ut dicitur in V Metaph. (c. 5 (1015 a 28)) ».

[17] *In III Sent.*, d. 40, a. 4, q1a. 3, sol. : « ... vetus lex per modum timoris cogebat ad hoc, ad quod nova lex ex amore inducit, qui omnia levia facit ».

[18] *In III Sent.*, d. 37, a. 1, sol. Cf. U. Kühn, *Via caritatis...*, pp. 54-55 : « Das Gesetz dient demnach dazu, die Schwachheit in der Erkenntnis und im Tun des Guten zu beheben — es hat keine destruktive, sondern eine konstruktive Funktion in bezug auf die, die «ad bonum inducendi sunt », freilich eine konstruktive Funktion, die es nur « per quamdam coactionem » ausüben kann : der « Zwang » gehört also wesentlich zu dem hier von Thomas gemeinten Gesetz hinzu ».

[19] *In III Sent.*, d. 37, q. 1, ad 5 ; d. 40, a. 3, ad 1.

[20] V.g., *in III Sent.*, d. 40, a. 2.

[21] *Ibid.*, a. 3. Augustin avait aussi insisté sur ce fait: *Contra adversarium Legis et Prophetarum*, II, c. 7, no. 28 (PL 42, 654) : «...per jubentem litteram timore pœnæ », elle allume la concupiscence ; *Sermo 26*, c. 8 (PL 38, 175) : la loi oblige la concupiscence latente à se manifester; *Enarratio in Psalmum 31*, 6, no. 17 (PL 36, 269) : la loi convainc l'homme de péché. Voir aussi les textes cités par R. Rimml, *Das Furchtproblem...*, p. 230-231, no 3 et p. 237.

[22] *In III Sent.*, d. 40, a. 3, ad 4 : «...ratio sequeretur, si causa mortis esset ex lege, non autem erat ex ea, immo potius ad contrarium ordinata erat ; sed causa mortis erat ex peccato eorum quibus lex dabatur...». De même Augustin : la loi, qui défend le péché, est bonne en elle-même, dans *De Spiritu et Littera*, IV, c. 6 (PL 44, 203-204).

[23] *In III Sent.*, d. 40, a. 4, ad 3.

[24] *In III Sent.*, d. 37, a. 2, ad 1 : «... quamvis in præceptis negativis (i.e. Decalogi) privetur actus exterior potius quam ponatur ; includitur tamen actus rationis eligentis repressionem cupiditatis vel concupiscentiæ quæ ad actus prohibitos inclinabat ; et in hoc meritum consistit ».

[25] *In III Sent.*, d. 40, a. 2, sol. : « Justitia acquisita ex operibus causatur. Et per hunc modum lex civilis homines justos facit, inquantum per exercitium operum, habitum justitiæ in observatoribus causat. Et per hunc modum etiam lex Mosaica justificare poterat, justitiam asquisitam causando ». Dans l'*Expositio in Isaiam* on trouve encore des indications et des illustrations analogues sur l'éducation par la crainte de la loi ancienne : cf., v.g., *in Is* 1, 2-5 (p. 436a) ; 5, 19, no 2 (p. 452b) ; 5, 24-25, no 3 (p. 453b) ; 5, 26, no 4 (p. 454a) ; 8, 11-13, no 3 (pp. 465b-466a) ; 13, 19 (p. 480b) ; 16, 4 (p. 486a) ; 20, 5-6 (p. 492ab) ; 29, 13 (p. 509a) ; 34, 13 (pp. 518b-519a) ; 47, 5 (p. 542ab) ; 59, 18 (p. 563b).

[26] *In III Sent.*, d. 40, a. 3.

[27] *In III Sent.*, d. 40, a. 3, ad 3 : «...lex non occidebat per se loquendo, sed dispositive justificabat » ; *ibid.*, a. 4, q1a. 1, sol. : « Secundo ut non solum cognitio, sed affectus a temporalibus ad æterna manuduceretur ». — Un des premiers grands défenseurs de la loi ancienne dans la première scolastique, Richard de St-Victor, disait que la Loi et l'Évangile fournissent seulement l'enseignement salutaire, mais qu'il appartient à Dieu, dans les deux cas, de donner ou de retirer sa grâce : cf. A. M. Landgraf, *Die Gnadenökonomie des Alten Bundes...*, dans *Dogmengeschichte...*, III/1, pp. 24-25.

[28] *In III Sent.*, d. 40, a. 4, q1a. 1, ad 1 ; q1a. 2, ad 2.

[29] *In III Sent.*, d. 37, a. 1, ad 5.

[30] *In III Sent.*, d. 13, q. 2, a. 2, q1a. 2, ad 4 : «... quamvis Christus nondum fuisset incarnatus tempore patrum veteris Testamenti secundum rem, erat tamen jam incarnatio ipsa in Dei ordinatione et in fide ipsorum, secundum

quam fidem justificabantur ; qui tempora mutata sunt, et non fides, ut
Augustinus dicit (cf. *Enarratio in Psalmum* 50, 14, no 17 (PL 36, 596) : « Tempora variata sunt, non fides »). Sed tamen non fuit tanta influentia ante
Incarnationem quanta est modo ; quia nondum erat remotum obstaculum,
nec sacramenta gratiæ erant exhibita, sicut modo sunt ». Voir, dans le même
sens, *in IV Sent.*, d. 2, q. 2, a. 1, q1a. 2, ad 2 ; d. 8, q. 1, a. 3, q1a. 2, ad 1 ;
d. 27, q. 3, a, 1, q1a. 3.

[31] Voir : pour la tradition en général : G. PHILIPS, *La grâce des Justes de
l'Ancien Testament*, dans *ETL*, 23 (1947), 521-556 ; 24 (1948) 23-58 ; pour Augustin : J. WANG TCH'ANG-TCHE, *Saint Augustin et les vertus des païens*, Paris,
G. Beauchesne et ses fils, 1938, pp. 83-88, 146-151, 164-182 ; Y. M.-J. CONGAR,
Ecclesia ab Abel..., pp. 81-86 (et pp. 87-93 pour son influence jusqu'aux
grands scolastiques) ; pour la scolastique : A. M. LANDGRAF, *Die Gnadenökonomie des Alten Bundes...*, dans *Dogmengeschichte...*, III/1, pp. 19-60 ; pour
Thomas d'Aquin : M.-D. CHENU, *Contribution à l'histoire du traité de la foi,
Commentaire historique de IIa IIae q. 1, a. 2*, dans *Mélanges thomistes*, Kain
Le Saulchoir, 1923, pp. 123-140 ; A. M. LANDGRAF, *Die Wirkungen der Beschneidung*, dans *Dogmengeschichte...*, III/1, pp. 61-108 (l'article rapporté avait été
publié en 1941) ; J. GRIBOMONT, *Le lien des deux Testaments selon la théologie
de s. Thomas*, dans *ETL*, 22 (1946) 70-89 ; I. HUNT, *The Theology of St. Thomas
on the Old Law...*, pp. 140-146, 165-168 ; A. M. HOFMANN, *Die Gnade der
Gerechten des Alten Bundes nach Thomas von Aquin*, dans *DTFr*, 29 (1951)
167-187 ; J. LÉCUYER, *La causalité efficiente des mystères du Christ chez saint
Thomas*, dans *DC*, 6 (1953) 113-114 ; Th. DEMAN, *Der neue Bund und die Gnade*,
Heidelberg, F. H. Kerle ; Graz-Wien-Köhn, Verlag Styria, 1955, p. 245, note 3 ;
pp. 246-247, note 7 ; p. 249, note 15, pp. 296, 301-322 ; Y. M.-J. CONGAR, *Le Mystère
du Temple ou l'Économie de la Présence de Dieu à sa créature de la Genèse à
l'Apocalypse*, Paris, Les éditions du Cerf, 1958, pp. 310-342. On trouve aussi
plusieurs références à la théologie de Thomas chez P. GRELOT, *Sens chrétien
de l'Ancien Testament...*, pp. 141-165.

[32] *In III Sent.*, d. 40, a. 4, q1a. 2.

[33] *In III Sent.*, d. 34, q. 2, a. 2, q1a. 1, ad 2.

[34] *Ibid.*, a. 3, q1a. 4.

[35] *Ibid.*, a. 2, q1a. 1, ad 2.

[36] *In III Sent.*, d. 37, a. 1, sol.

[37] U. KÜHN, *Via caritatis...*, p. 55 : « Nicht die Sünde oder der Bund,
also eine bestimmte geschichtliche Situation zwischen Gott und dem Menschen
bietet jetzt die Begründung, sondern die Herrschaft Gottes, der im Tun des
Guten audrücklich Ehre zu erweisen ist, die also neben der — hier offenbar
als funktionierend vorausgesetzten — natürlichen Hinneigung des Menschen
zum Guten in jedem Falle auch als Motiv für die gute Handlung bestimmend
sein soll ».

[38] Cf. MAIMONIDE, *Guide des égarés, Traité de théologie et de philosophie*,
tr. par S. MUNK, Paris, G.-P. Maisonneuve & Larose, 1963. Maïmonide examine
le précepte du sabbat dans la deuxième partie du chapitre 31e : « Tu sais
déjà, par mes paroles, que les idées ne se conservent pas si elles ne sont
pas accompagnées d'actions qui puissent les fixer, les publier et les perpétuer
parmi le vulgaire. C'est pourquoi il nous a été prescrit d'honorer ce jour, afin
que le principe de la nouveauté du monde fût établi et publié dans l'univers
par le repos auquel tout le monde se livrerait le même jour ; car, si l'on

demandait quelle en est la cause, la réponse serait : 'Car en six jours l'Éternel a fait etc.' (Exode, XX, 11). » (pp. 257-259). Cette raison, la consolidation de la croyance à la « nouveauté du monde », est encore évoquée, sans aucune précision supplémentaire, dans la troisième partie, chapitre 32 (p. 260), chap. 41 (p. 323), chap. 43 (p. 340). L'effet de « crainte de Dieu » semble donc une addition de Thomas, mais elle correspond à une idée fondamentale de Maïmonide sur le but principal de la pratique des prescriptions de la loi mosaïque, à savoir la révérence envers le Créateur du monde : cf., v.g., III, chap. 52 (pp. 451-454). D'après Maïmonide, du reste, la création du monde n'est connue avec certitude que par la Révélation : cf. A. ROHNER, *Das Schöpfungsproblem bei Moses Maimonides, Albertus Magnus und Thomas von Aquin*, Münster, Aschendorffsche Verlagsbuchhandlung, 1913, pp. 36-44. Si l'influence de Maïmonide — le Rabbi Moyses Aegyptius des médiévaux — fut inaugurée dans la scolastique chrétienne par Guillaume d'Auvergne (cf. L.-G. LEVY, *Maïmonide*, Paris, F. Alcan, 1911, p. 262), c'est chez Thomas d'Aquin qu'elle gagnera le plus en valeur (cf. IDEM, *ibid.*, pp. 265ss). Nous y reviendrons au sujet du traité de la loi de la *Ia-IIae*, où Thomas emprunte de longs extraits au philosophe juif natif de Cordoue.

[39] Voir, à ce propos, J. GRIBOMONT, *Le lien des deux Testaments* ..., dans *ETL*, 22 (1946) 70-89 et M.-D. MAILHIOT, *La pensée de saint Thomas sur le sens spirituel*, dans *RT*, 59 (1959) 613-663. Pour la théologie médiévale dans son ensemble, voir H. de LUBAC, *Exégèse médiévale* ..., Paris, Aubier, 1959-1964, 4 vols. Pour la doctrine thomiste du quadruple sens, cf. vol. 4 (1964) pp. 272-285. Sous le titre : « La 'nouveauté' de saint Thomas », pp. 285-302, l'auteur dresse un dossier complet — ou peu s'en faut — des diverses interprétations de cette doctrine de Thomas. Le père de Lubac est bien placé, après son étude fouillée, pour détruire la thèse courante chez les thomistes, selon laquelle Thomas aurait fait figure de révolutionnaire en portant un coup fatal à l'exégèse allégorique et en étant le pionnier de l'exégèse littérale. Malgré certaines nuances que nous croyons devoir apporter à l'étude du distingué Jésuite en ce qui concerne l'interprétation de Thomas (cf. infra, pp. 321-322) nous souscrivons à l'ensemble de ses remarques à ce propos.

[40] Cf., v.g., *in Is* 33, 18 (p. 516b) : « Hic invitat ad considerandum idoneitatem ejus qui habitat cum Deo (...). Quartum quantum ad affectionem sanctam, scilicet contemptum terrenorum (...). Et quantum ad divinam subjectionem : 'Cor tuum meditabitur timorem', filialem. Eccli. 1, 12 : 'Timor Domini delectabit cor'. Et possunt hæc exponi quantum ad eos qui habitant cum Deo in præsenti Ecclesia, vel etiam in triumphante ».

[41] *In III Sent.*, d. 40, a. 4, q1a. 2, ad 3. La même idée est reprise dans la q1a. 3 pour montrer en quel sens la loi nouvelle peut être dite plus onéreuse que l'ancienne.

[42] Cf. A. HAYEN, *Le thomisme et l'histoire*, dans *RT*, 62 (1962) 75-82.

[43] Voir surtout: P. de VOOGHT, *La justification dans le sacrement de Pénitence d'après saint Thomas d'Aquin*, dans *ETL*, 5 (1928) 225-256 ; IDEM, *A propos de la causalité du sacrement de pénitence, Théologie thomiste et théologie tout court*, dans *ETL*, 7 (1930) 663-675; H.-F. DONDAINE, *L'attrition suffisante*, Paris, J. Vrin, 1943; Idem, *Bulletin de théologie, L'attrition suffisante*, dans RSPT, 36 (1952) 660-674; P. de LETTER, *Two Concepts of Attrition and Contrition*, dans *TSt*, (1950) 3-33. L'interprétation généralement concordante de ces trois auteurs nous satisfait dans ses grandes lignes. L'énoncé des positions de Thomas sur la crainte n'est cependant pas toujours rigoureusement exacte. Ainsi nous ne connaissons aucun texte

qui justifie le critère de distinction entre la crainte servile mauvaise et la crainte servile substantiellement bonne tel qu'expliqué par P. de LETTER (art. cit., p. 16), à savoir une crainte de la seule peine dans le premier cas et une crainte de la peine, mais aussi (secondairement) de la coulpe dans le deuxième cas. On cherche en vain un tel critère dans les textes cités à l'appui (IIa-IIae, q. 19, aa. 4 et 6). Les énoncés de H.-F. DONDAINE sur le rapport entre la crainte servile mauvaise et la crainte initiale laissent à penser qu'il conçoit celle-ci comme une purification de la servilité de la crainte des peines par la charité: v.g.: «... une sorte de progression régulière de la crainte servile vers la crainte filiale ...: le motif de charité se subordonne, sans l'interrompre, le regret du péché qui jusque-là procédait d'une crainte encore servile » (cf. op. cit., p. 10).

⁴⁴ Il nous paraît inutile de traiter séparément la première justification et le recouvrement de la grâce par la pénitence. Dans toutes ces « conversions », le rôle de la crainte servile est, lorsqu'elle s'exerce, de même nature.

⁴⁵ In II Sent., d. 28, q. 1, a. 4, ad 5.

⁴⁶ Cf. in IV Sent., d. 17, q. 1. a. 3, q1a. 4, sol.: « Et ideo in justificatione qua innocens justificaretur, oportet esse dispositionem solum ad gratiam inducendam ; sed in justificatione qua justificatur impius, oportet dispositionem esse duplicem : etc ... ». Notons que ce mouvement qui porte sur le péché n'est pas celui de la crainte servile qui vise, non la coulpe, mais la peine. La crainte n'en est qu'une préparation.

⁴⁷ In IV Sent., d. 14, q. 1, a. 2, q1a. 1, sol. et ad 1.

⁴⁸ JEAN DAMASCENE, De Fide orthodoxa, II, c. 30 (PG 94, 976A) : Metanoia estin en tou para phusin eis to kata phusin, kai en tou diabolou pros ton Tèon epanodos ...

⁴⁹ In IV Sent., d. 14, q. 1, a. 2, q1a. 1, sol. et ad 3. Cette image de l'altération du goût qui facilement fait trouver sains les aliments frelatés et, inversement, ne permet plus d'apprécier une bonne saveur, est souvent employée par AUGUSTIN pour illustrer l'infirmité de la concupiscence : cf., v.g., Confessionum liber VII, c. 14 (PL 32, 744) ; Sermo 23, c. 12 (PL 38, 160) ; Soliloquiorum liber I, c. 6, no. 12 (PL 32, 876).

⁵⁰ In III Sent., d. 14, q. 1, a. 2, q1a. 1, sol. et ad 2 ; a. 3, q1a. 4, ad 1. — J. JACOB, Passiones, Ihr Wesen und ihre Anteilnahme an der Vernunft nach dem hl. Thomas von Aquin, Mödling bei Wien, St. Gabriel-Verlag, 1958, pp. 26-27, souligne avec raison que la « passio animæ » est, pour Thomas, connaissance concrète et appréciation d'une valeur. La psychologie de la conversion décrite ici illustre bien cette conception. Elle table sur les grandes émotions — amour et crainte en particulier — et se présente autrement qu'un pur enseignement. Pour engendrer un comportement dont le sujet soit capable, elle doit partir d'une situation affective donnée, de ce que le pécheur « comprend » et « goûte » concrètement. Toute autre méthode serait illusoire puisqu'elle doit entraîner, non seulement une adhésion intellectuelle, mais également celle de l'affectivité. Objecter que la conversion est faite d'« actes surnaturels » qui n'affectent pas la sensibilité, le psychologique, etc., relève, à notre avis, d'une pensée étrangère à celle de l'Aquinate. Nous comprenons mal qu'on ait pu la lui attribuer dans la grande controverse attritionisme versus contritionisme.

⁵¹ In III Sent., d. 14, q. 1, a. 2, q1a. 1, ad 4.

⁵² Les textes qui mentionnent la place de la crainte à ce propos sont :

in IV Sent., d. 14, q. 1, a. 2, q1a. 2 ; q1a. 3 (il faut corriger ici un mot important dans l'éd. Moos. On lit, dans milieu du texte : « timor et pœnitentia in genere eorum quæ ad EFFECTUM pertinent quantum ad fugam mali ». Il faut lire AFFECTUM : cf. l'excellent manuscrit *Linz* 439. D'ailleurs, on retrouve la même distinction entre la foi, fondement de la « justice » quant à la perfection de l'intelligence et la crainte quant à l'« ordinationem affectus », dans *in Is* 33, 6 (p. 516a)) ; d. 17, q. 2, a. 1, q1a. 1, sol. ; q. 3, a. 2, q1a. 1, ad 2 et q1a. 3, ad 4.

[53] *In IV Sent.*, d. 17, q. 1, a. 3, q1a. 3, ad 2 : «... timor est remota dispositio ad gratiam ; numquam enim ad gratiam attingit nisi amor adjungitur ».

[54] AUGUSTIN, *Epistola 104*, c. 3, no. 9 (PL 33, 391-392).

[55] *In IV Sent.*, d. 17, q. 1, a. 4, q1a. 3, ad 1.

[56] *In III Sent.*, d. 34, q. 2, a. 2, q1a. 2, ad 2 ; a. 3, q1a. 1, sol.

[57] *In III Sent.*, d. 34, q. 2, a. 3, q1a. 3, sol.

[58] *In IV Sent.*, d. 17, q. 2, a. 1, q1a. 3, sol.

[59] *Ibid.*, sed contra I.

[60] *Ibid.*, q1a. 2, ad 3.

[61] *Ibid.*, q1a. 3, sed contra II.

[62] Voir encore, *in III Sent.*, d. 23, q. 2, a. 5, ad 2.

[63] Voir surtout l'article cité de P. de LETTER. Il expose avec une clarté remarquable les divergences profondes qui existent entre les idées des *veteres* et celles des *hodierni* sur ce point.

[64] H.-F. DONDAINE, *op. cit.*, pp. 8-9.

[65] P. de LETTER, *art. cit.*, passim.

[66] P. de LETTER insiste beaucoup sur ce point. Cf., v.g., *art. cit.*, q. 11, note 37 : « They (i.e. les anciens) consider the objective source of the sorrow, rather than the subjective consideration of motives. As will be pointed out later, their standpoint is ontological, not psychological (primarily) ».

[67] P. de LETTER, *art. cit.*, pp. 32-33.

[68] IDEM, *ibid.*, p. 33, note 104.

[69] H.-F. DONDAINE, *op. cit.*, pp. 52 et 57 ; et encore dans son article, dans *RSPT*, 36 (1952) 672-674.

[70] *In III Sent.*, d. 37, a. 1, ad 5 : «... unde non propter eos (i.e. bonos qui habent voluntatem bene faciendi) lex est posita, sed propter transgressores, ut dicitur Gal 3, 19, in quibus melius est ut coacti a malo desistant quam ut mala libere exsequantur ».

[71] J. PLAGNIEUX, *Le chrétien en face de la Loi...*, pp. 731-732, écrit, pour résumer la position d'Augustin : « L'abolition de la Loi n'en vise que la fonction pédagogique, moyen d'intimidation dont l'âme parvenue au Christ n'a plus, ne devrait plus avoir que faire. En tant que norme de la vie chrétienne, la Loi n'a rien perdu de sa puissance d'obligation, bien qu'elle ne prenne plus figure terrifiante qu'en s'adressant à des pécheurs (et, je pense, même chrétiens) ». Si telle est la position d'Augustin, celle de Thomas, on le voit, s'y apparente. Nous la résumerions ainsi : la pédagogie d'intimidation est propre à la loi ancienne et non à la nouvelle, mais celle-ci pourra encore y recourir pour certaines catégories de pécheurs.

[72] Voir un exposé plus général de cette *quæstio* par P. DELHAYE, *La « Correptio Fraterna »*, dans *SMR*, 10 (1967) 117-140. L'analyse de l'enseignement de Thomas (pp. 135-139) est cependant sommaire et rien de ce que nous examinerons ici n'a été relevé par l'auteur.

[73] Le contexte de cette question atteste qu'il s'agit, pour Thomas, d'une pratique évangélique. Elle se présente toujours comme un commentaire du précepte de Matth 18, 15-17 (et Luc 17, 3) et des gestes apostoliques de Paul et de Pierre.

[74] On trouve des textes parallèles dans l'opuscule *Contra impugnantes* rédigée à peu près vers la même date, soit vers 1256-1257 : cf. c. 7 (no. 337) ; c. 15 (no 457) ; c. 16 (no. 473 : il est intéressant de noter l'emploi du terme *metus* dans ce texte ; et no. 478).

[75] ARISTOTE, *Eth. à Nic.*, X, c. 10 (1179 b 10-15).

[76] P. DELHAYE, *art. cit.*, p. 117, note 1, écrit, en se référant à A. BLAISE, *Dictionnaire latin-français des auteurs chrétiens* : « Faut-il dire *correctio* ou *correptio* ? Le premier a quelque chose de plus atténué, de moins officiel. Il est fréquemment employé. Le second implique l'idée de blâme et de remontrance par une autorité (. . .). S. Thomas use des deux vocables avec une prédilection pour *correctio* semble-t-il ». Deux remarques s'imposent. Les nuances proposées par P. DELHAYE supposent une lecture sélective des nombreuses annotations de A. BLAISE à propos de ces deux vocables. On lit, par exemple, au verbe *corripio (op. cit.,* Paris, « Le latin chrétien », 1954, p. 226ab) : faire une monition fraternelle, admonester ; et au verbe *corrigo* (*ibid.*, p. 226a) : corriger, ramener à, punir . . . ce qui donnerait une interprétation contraire à celle suggérée par P. Delhaye. Pour donner des précisions, il faut donc voir ce que chaque auteur chrétien met lui-même sous ces vocables. Quant à Thomas d'Aquin — et c'est notre deuxième remarque — nos recherches nous amènent à conclure que, de fait, il emploie plus souvent *correctio* que *correptio*. Mais il fallait souligner que, dans les textes où il explique justement la distinction, les définitions sont contraires à celles proposées par P. Delhaye.

[77] *In IV Sent.*, d. 19, q. 2, a. 1, ad 5 : «. . . nullus movetur ex odio vel timore turpis, nisi ille cui jam inest aliqualiter voluntas pulchri et boni. Et ideo, cum correptio ex hac via procedit, ut dictum est, proprie illi competit ut corripiatur qui habet propositum boni, a quo tamen vel propter ignorantiam vel propter aliquam desidiam avertitur ».

[78] *In IV Sent.*, d. 19, q. 2, a. 3, qla 1.

[79] *Contra impugnantes*, c. 7 (no. 319). Notons que l'explication du titre de l'Apôtre, «servus Dei », en regard de Rom 8, 15, et encore du « Jam non dicam vos servos » de Joan 15, 15, était un lieu commun de la scolastique antérieure à Thomas : cf. A. M. LANDGRAF, *Die Gnadenökonomie des Alten Bundes . . .*, dans *Dogmengeschichte . . .*, III/1, p. 29, notes 65-66. De ce point de vue, ce texte ne fait que reprendre des formules courantes à l'époque.

[80] H. RONDET, *L'anthropologie religieuse de Saint Augustin*, dans *RSR*, 29 (1939) 190-193. Voir, par exemple, le principe limpide énoncé dans le *De Natura et Gratia*, I, c. 37 (PL 44, 280) : « Inquantum quisque spiritu ducitur, non est sub lege » ; et l'application dans *Expositio quarundam propositionum ex epistola ad Romanos* 3, 20, nn. 13-18 (PL 35, 2065). Voir également les textes cités par H. RONDET, *art. cit.*, p. 191, note 1.

Deuxième partie

LA DÉCOUVERTE DE LA "LOI-PÉDAGOGUE"

LES « LECTURÆ » SCRIPTURAIRES DE 1259/60-1268

Avec les œuvres du premier séjour de Thomas en Italie s'ouvre un sérieux débat sur la chronologie. Jusque vers 1965, on trouvait énumérées, parmi les œuvres composées entre 1259/60-1268, la *Summa contra Gentiles*, le *de rationibus fidei contra Saracenos, Grœcos et Armenos*, le *Compendium theologiæ*, la *Prima Pars*, le *de substantiis separatis* et le début du *in duodecim libros Metaphysicorum Aristotelis expositio*[1]. Par contre, l'*Expositio super Job ad litteram* était reportée au second séjour parisien[2]. Depuis, cette datation de toutes ces œuvres a été contestée.

D'abord, A. Dondaine, dans la savante introduction à l'édition Léonine de l'*Expositio super Job ad litteram*, pense qu'il faut abandonner, pour la composition de cette œuvre, les dates 1269-1272, autour desquelles un certain accord s'était établi, pour revenir à celles assignées déjà par Ptolémée de Lucques, à savoir entre le 29 août 1261 et le 3 octobre 1264. Thomas aurait donc composé ce commentaire pendant son séjour à Orvieto en même temps que la *Somme contre les Gentils*[3].

Depuis, les éditions manuelles Marietti des œuvres de Thomas d'Aquin nous ont livré, dans un volume qui se présente comme une introduction à l'édition de la *Somme contre les Gentils*, les travaux érudits du regretté dom P. Marc[4]. Or ces travaux, dont on ne peut contester le sérieux, aboutissent à renvoyer au second séjour parisien (1269-1272) la composition de toutes les œuvres que nous avons mentionnées ci-dessus[5], y compris celle de l'*Exposition super Job ad litteram* au sujet de laquelle dom Marc étudie et rejette les arguments du père Dondaine[6]. Les thèses du savant bénédictin comportent évidemment un certain nombre de difficultés qu'il n'ignore d'ailleurs pas[7]. Il va de soi que la reprise de ce débat par la vérification attentive des arguments de P. Marc dépasse de beaucoup les limites que nous imposent et le cadre de ce travail et notre compétence en la matière [8].

Pour notre propos cette controverse importante ne conduit pourtant pas à une impasse. Parmi les œuvres dont la datation est encore incertaine, deux seulement ont, pour notre thème, une importance majeure : la *Summa contra Gentiles* et l'*Expositio super Job ad litteram*. Or non seulement l'ordre chronologique de ces deux écrits est, de l'avis de tous, intimement lié, mais leur point de vue concernant la loi divine et la crainte est également, à peu de chose près, identique. Ces liens chronologiques et surtout thématiques justifient donc que nous les étudions ensemble, dans une troisième partie, sans préjuger de leur rattachement, soit au premier séjour italien, soit au second séjour parisien ou même à l'enseignement napolitain des dernières années.

Cette seconde partie, d'autre part, est construite à partir de l'enseignement de deux œuvres principales qui, selon l'état actuel de la critique, doivent être assignées au premier séjours italien, et qui, par surcroît, appartiennent au même genre littéraire, celui de la *lectura* scripturaire. Ce sont la *Lectura super Epistolas Pauli* (1 Cor 11 à Hébr inclusivement) [9] et la *Lectura super Matthæum* [10]. Les données majeures de ces deux *lecturæ* seront corroborées et parfois complétées par des textes tirés d'œuvres qui appartiennent à cette même période, notamment le *de Veritate*, qq. 22, aa. 11 ss., le *de Regimine Principum ad regem Cypri*, l'*Expositio in Jeremiam et Threnos*, et de façon très secondaire, le *de articulis fidei et sacramentis Ecclesiæ*, le *de emptione et venditione ad tempus* et le *de Potentia*.

Lorsqu'on a réussi à trouver une solution satisfaisante pour le regroupement des œuvres en fonction du thème particulier qui fait l'objet de cette étude, on se heurte à une seconde difficulté, de sorte qu'on a l'impression de tomber de Charybde en Scylla. Elle tient d'abord au fait que les deux œuvres majeures qui nous intéressent ici n'ont pas la valeur textuelle d'une bonne *exposition* rédigée ou dictée par l'Aquinate : la *Lectura super epistolas Pauli*, la meilleure, est une *reportatio* de Réginald de Piperno et la *Lectura super Mattheum* est composée, dans son état actuel, de *reportationes* diverses dues à trois disciples de Thomas : Pierre d'Andria,

Pierre de Scala et Léger de Besançon[11]. Plus grave encore, ces *lecturæ* ne livrent aucun grand texte bien structuré qui permettrait à l'historien de la pensée de Thomas de regrouper sans arbitraire les matériaux disparates qu'il a colligés.

Une chose est pourtant claire. Si l'on voulait écrire un traité sur la crainte à partir de ces deux seules *lecturæ scripturaires*, c'est dans le contexte de la *lex timoris* qu'il faudrait le construire. Les passages les plus étoffés à ce propos sont presque toujours signés par les grands apophtegmes : « *Non accepistis spiritum servitutis iterum in timore* » de Paul et « *Brevis differentia legis et evangelii, timor et amor* » d'Augustin[12]

Devant ces faits, nous étions en droit de présupposer, jusqu'à preuve du contraire, que Thomas n'a pas modifié substantiellement ses vues antérieures. À partir de cette hypothèse de travail, nous avons donc disposé les principaux matériaux en nous inspirant des grandes lignes du chapitre quatrième. L'expérience s'est avérée fructueuse car nous avons pu déceler ainsi des approfondissements notables du thème. À notre avis ils sont surtout attribuables à une découverte, faite par le *Magister in sacra Pagina*, de l'image paulinienne de la « loi-pédagogue ». Nous étudierons les aménagements qui en résultent pour la conception thomiste de la loi historique de crainte (chapitre cinquième) et pour la technique d'analyse connexe (chapitre sixième). Nous avons renvoyé à l'appendice I le dossier des textes de 1252 à 1268 sur la crainte dans le contexte de la force afin d'alléger certains développements liés à cette question.

---

[1] Voir les indications chronologiques fournies par WALZ-NOVARINA, *Saint Thomas d'Aquin*, et M.-D. CHENU, *Toward Understanding Saint Thomas*.

[2] IDEM.

[3] A. DONDAINE, Introduction à l'*Expositio super Job ad litteram*, dans l'édition Léonine, t. XXVI, 1965, pp. 17*-20*.

[4] S. THOMAS AQUINATIS *Liber de Veritate Catholicæ Fidei contra errores Infidelium qui dicitur Summa contra Gentiles*, vol. 1, *Introductio*, Turin-Rome, Marietti ; Paris, Lethielleux, 1967.

[5] La consultation de cette *Introductio* est difficile. Elle est composée d'annexes, d'excursus, de renvois continuels et d'études complémentaires de

C. Pera et de P. Caramello. Comme point de départ pour les questions chronologiques, voir la section intitulée *Chronologia operum S. Thomæ renovata*, pp. 406-424.

[6] Cf. *ibid.*, Addendum III : De ætate Expositionis super Job, pp. 676-681.

[7] Cf. *ibid.* ; comme point de départ, voir la section intitulée : Solvuntur objectiones, pp. 375-382.

[8] Les « experts » sont, jusqu'à maintenant, plutôt silencieux. Quelques recensions seulement, fort brèves d'ailleurs, sont parues : C. Vansteenkiste, dans *Ang*, 45 (1968) 353-355, se montre plutôt sceptique; F. Van Steenberghen, dans *RPL*, 67 (1969) 477-479, fait des observations analogues, quoique plus prudentes. T. Murphy, *The Date and Purpose of the « Contra Gentiles »*, dans *HJ*, 10 (1969) 405-415, procède à un examen déjà plus sérieux de la thèse de dom Marc et manifeste pour elle beaucoup de sympathie. D'après l'auteur, si la critique interne laisse un peu à désirer, les arguments de critique externe de P. Marc sont beaucoup plus solides que ceux de l'opinion traditionnelle. Il conclut ainsi : «...he (i.e. P. Marc) is in possession of the field and it will be a strong man who will dare to dispossess him » (p. 415) !

[9] Cette *lectura* est une *reportatio* composée entre 1259-1265 : cf. Walz-Novarina, *op. cit.*, p. 96 ; M.-D. Chenu, *Toward Understanding...*, p. 248.

[10] Cette œuvre a aussi donné lieu à des controverses récentes au sujet de sa datation. On était passé de 1271-1272 à 1256-1259 (P. Glorieux) et même à 1254 (R. Guindon). Après les travaux récents de H.-V. Shooner et de I. Th. Eschmann, on s'accorde pour la placer parmi les œuvres de premier séjour italien. Pour toute cette controverse et les indications bibliographiques, voir la recension de B.-G. Guyot, dans *BT*, 11 (1960-1962) 11-14, et les indications de P. Marc, *op. cit.*, no. 293, pp. 319-323, ainsi que Appendix I, B, De duplici Lectura Sancti Thomæ super Matthaeum, pp. 603-605.

[11] Voir les indications bibliographiques chez les auteurs cités plus haut aux notes 9 et 10.

[12] Les deux références sont données ensemble dans : in ad *Eph* 2, 14, lect. 5 (no. 113) ; in ad *Phil* 3, 9, lect. 2 (no. 119) ; in ad *Hebr* 2, 15, lect. 4 (no. 145) ; 8, 9-10, lect. 2 (no. 401) ; 12, 18-21, lect. 4 (no. 696). La seule référence à Rom. 8, 15, dans : in ad *Gal*. 3, 2, lect. 2 (no. 123) ; 3, 25-26, lect. 9 (no. 181) ; 4, 7, lect. 3 (no. 216) ; 4, 24, lect. 8 (no. 260) ; 5, 13, lect. 3 (no. 299) ; in ad *Eph* 1, 5, lect. 1 (no. 9) ; 5, 2, lect. 1 (no. 269) ; in ad *Tit* 1, 1, lect. (no. 4) ; in *Matth* 9, 15, III (no. 769) ; 10, 28, II (no. 869) ; 25, 26, II (no. 2067) ; 28, 5 (no. 2430). La seule référence à l'aphorisme augustinien dans : in ad *Gal* 6, 2, lect. 1 (no. 348) ; in *Matth* 4, 17, II (no. 362).

CHAPITRE CINQUIÈME

DE LA « LOI-PÉDAGOGUE »

1. Bienfaits de la pédagogie sévère pour un peuple-enfant

La quasi totalité des termes qui opposaient globalement la loi de crainte à la loi d'amour dans les œuvres précédentes réapparaissent dans les écrits qui nous intéressent ici. La loi ancienne est une loi de terreur [1], une loi sévère [2], pesante à supporter [3], imparfaite [4], donnée de l'extérieur [5], axée sur les choses terrestres [6]. Bref, c'était une loi d'esclavage [7], de contrainte, et faite pour des gens qui ne sont pas *sui causa* mais *alterius causa* [8] : « *erat lex timoris servilis* » [9].

Par opposition, la loi nouvelle, promulguée dans la charité du Christ, est légère à porter [10], intérieure à l'homme [11], orientée vers les choses célestes [12]. Elle est, en somme, la grande loi de liberté des fils de Dieu [13]. Aussi, lorsqu'après la Transfiguration, l'*umbra legis*, représentée par Moïse et Élie, se retira pour céder la place à la seule *doctrina Christi*, la crainte qui avait envahi les apôtres présents se dissipa car « la charité parfaite expulse la crainte » (1 Joan 4, 18) [14]. Et Thomas insiste sur le fait que la libération de l'esclavage de la loi ancienne s'opère par la foi au Christ [15].

La prépondérance du schéma général esclavage/contrainte - liberté est déjà une variante appréciable, d'ailleurs imposée littérairement par le contexte paulinien. Ce point de vue, qui n'était pas absent de la première synthèse, n'exclut pas toute considération sur le caractère d'acheminement que présente la loi ancienne par rapport à la nouvelle. La contrainte conduisait les juifs au bien en les éloignant des œuvres illicites [16], particulièrement de l'idolâtrie [17], et en les exerçant à la justice légale [18]. Tout cela n'apporte donc rien de bien nouveau, sinon une certaine modification du cadre général du thème attribuable à l'inflence des textes commentés.

En revanche nous assistons à la naissance d'une image nouvelle, nouvelle au moins en ce qu'elle devient explicite, et, comme telle, génératrice de nouveaux développements. C'est l'image de la loi-pédagogue, exploitée déjà par Augustin et, pour lui comme pour l'Aquinate par la suite, d'inspiration paulinienne. Par le truchement de cette nouvelle expression, le thème de la *lex timoris* s'enrichit de précisions intéressantes et surtout d'une nouvelle profondeur de signification qui sera décisive pour la notion de loi ancienne.

Une série de textes se borne à énoncer derechef la distinction et le lien des « deux lois » sous cette catégorie générale : loi ancienne - pédagogue. Comme de faibles enfants, les juifs, détenteurs de la promesse mais point encore de l'héritage, avaient besoin de la loi-pédagogue : elle les préservait jusqu'au temps du « germe futur » ; elle les dirigeait vers le Christ [19]. C'était l'époque de la *disciplina* du Père, car les enfants qui apprennent sont instruits par le fouet [20].

Le commentaire de l'épître aux Hébreux contient ici des remarques d'ordre lexicographique intéressantes à propos de la *disciplina* du texte de la *Vulgate* [21]. Après avoir expliqué que *disciplina* vient du verbe *discere* et que les enfants qui « *addiscunt, flagellis erudiuntur* », Thomas note que le mot *disciplina* peut avoir deux sens : celui de science et celui de correction. En grec, précise-t-il, on emploie le mot παιδεία en ce dernier sens, mais le latin n'a pas de vocable aussi distinct [22]. Cette analyse linguistique manifeste donc assez bien ce que Thomas sous entend lorsqu'il parle de la *lex timoris* comme d'un pédagogue : elle est la *disciplina divina*, une *correctio divina* qui instruit par la manière forte. Nous rejoignons, par ce biais, les analyses sur la distinction, au plan de la correction fraternelle, entre la *correptio* et la *correctio*, ce qui, du reste, confirme la légitimité du rapprochement que nous avons déjà proposé [23]. Ce premier point de vue, encore général, donne un contexte plus riche aux indications relatives à la fonction contraignante de la loi de crainte envers les « trangresseurs » : pour eux, il y a moins condescendance divine que rigueur terrifiante de la pédagogie antique.

Un texte sur la loi-pédagogue apporte une certaine variante sur l'utilité de la loi ancienne en harmonie avec l'analyse des deux « conditions » de perfection (l'amour) et d'imperfection (la faiblesse) de toute crainte :

> Debuit enim post legem veterem dari nova lex, sicut primo datur pædagogus, postea magister, ut prius homo recognoscat infirmitatem suam. In hoc ergo patet congruitas temporis dandi Novum Testamentum [24].

La pédagogie d'intimidation inculquait le sens de la faiblesse humaine — de l'enfance de l'humanité — et ouvrait ainsi les cœurs à l'annonce de la bonne nouvelle du salut en Jésus-Christ. Elle fut en somme, une propédeutique « active » à l'enseignement supérieur.

Néanmoins Thomas n'est pas aussi dupe de l'efficacité de telles méthodes pédagogiques que la littérature influencée par le slogan du « sombre moyen âge », formulé par les historiens de l'époque humaniste, le présuppose généralement. Les dangers et les limites de cette méthode ancienne sont souvent indiqués dans des textes qui présentent le double intérêt de développer un nouvel aspect de l'opposition loi de crainte - loi d'amour et d'introduire, à l'intérieur de ce thème, un autre aspect du vaste problème de la crainte.

2. Les avatars d'une pédagogie d'intimidation : loi de crainte et courage d'être

Par le biais des avatars de la pédagogie d'intimidation, Thomas élabore graduellement, à l'intérieur même du thème *lex timoris*, une autre dimension importante de la crainte, celle de la mort. Ce problème capital est généralement traité sous la rubrique de la vertu de force [25]. Aussi est-il significatif de son effort de cohérence interne, de le voir surgir au cœur même de développements sur les deux lois divines. Il fallait d'ailleurs s'y attendre. La mort étant, comme on dit aujourd'hui, une « catégorie spatio-temporelle », il est normal que Thomas envisage les problèmes qu'elle soulève en réfléchissant sur l'histoire.

Mais revenons à la pédagogie sévère. Si la loi ancienne conduisait à un aveu d'impuissance, elle rendait, par là même pusillanimes ceux qui en avaient été nourris. Les hommes, en effet, retiennent les impressions de leur enfance. C'est pourquoi, selon certains, les fils d'Israël n'ont pas été conduits immédiatement dans la terre promise. Élevés dans l'esclavage, ils n'auraient pas eu l'audace de lutter contre leurs ennemis [26]. On retrouve, dans la partie du *de Regimine Principum*, attribuable avec certitude à Thomas [27] et qui fut probablement composé à Rome tout de suite après la *lectura* sur les épîtres pauliniennes [28], un texte à peu près identique au sujet du régime tyrannique. avec la référence à Col 3, 21 [29]. Quelques chapitres plus loin, Thomas expose, en démontrant la précarité d'une domination tyrannique sans amour ni fidélité, un autre danger du gouvernement par la seule contrainte : le désespoir des citoyens, sentiment qui conduit à l'insurrection. La base de l'analyse est la même : le régime de la terreur engendre une avidité de libération chez les citoyens. Dès qu'ils peuvent espérer l'impunité, ils se révoltent avec d'autant plus de véhémence qu'ils ont été sévèrement réprimés [30].

Ces textes ont beaucoup d'éléments communs : il s'agit toujours d'une pédagogie de la crainte (« *nutriti in servitute* », « *solo timore cohibebantur* », « *servare æquitatem... magis propter timorem* ») caractérisant tout un régime ; l'application à Israël en est explicitement proposée. Il en résulte une corruption de la vertu de force : le manque d'audace et l'audace excessive provoquée par le désespoir du salut sont les deux visages d'une même réalité, à savoir la corruption du courage par excès de crainte. Par ce premier biais, nous abordons le domaine de la crainte et de la force [31]. L'idée générale est la suivante : le régime de la *lex timoris* peut amenuiser et même détruire la vertu de force des sujets, d'où les inévitables conséquences : la pusillanimité, le manque d'audace dans le combat, le désespoir, la violence irrationnelle.

La pédagogie nouvelle est aux antipodes de celle qui maintenait dans la crainte. Non seulement la loi nouvelle est née dans l'amour, mais c'est encore dans l'amour que le Christ nourrit ses apôtres. Il se nomme lui-même l'époux et appelle ses disciples des fils, car c'est là le vocabulaire de l'amour. Il leur épargne les lourdes observances pour qu'ils ne tombent pas dans la crainte et ne rebroussent pas chemin [32]. La loi nouvelle ne se contente pas d'inaugurer une pédagogie de l'amour. Elle remédie également au défaut inhérent à la loi de crainte qui menaçait de corroder les forces vives de ses sujets. Elle le fait dans deux directions mais qui, dans le fond, convergent.

Puisque la loi du Nouveau Testament est celle de l'amour, tous ses préceptes disposent nécessairement à la charité qui les finalise. Or une partie de ces préceptes vise les vertus du « cœur pur », c'est-à-dire celles qui rectifient les passions. Ainsi la loi nouvelle suscite-t-elle la pratique de la force pour maîtriser craintes et audaces, passions qui risquent de troubler la pureté du cœur nécessaire à l'amour. L'autre partie des préceptes concerne les vertus indispensables au commerce avec autrui : par elles, la loi forme la « bonne conscience » qui chasse la crainte de la peine, incompatible avec la charité. De cette façon elle rend apte à s'unir à Dieu et à l'aimer purement [33]. La loi nouvelle résout donc le problème d'une crainte excessive qui mine le courage ou celui d'une crainte vénale qui vicie la justice, non point de l'extérieur, mais précisément par une intériorisation des préceptes ordonnés à l'exercice de vertus qui s'épanouissent dans et pour la charité [34]. Ce premier aspect de la « solution nouvelle » souligne bien le degré auquel la *lex amoris* remplace la *lex timoris*. Non seulement la causalité efficiente de l'amour succède à celle de la peine, mais la causalité formelle de l'habitus de justice suit également celle de l'habitus de péché [35].

Une solution complémentaire est apportée. Elle est particulièrement bien exposée, dans le contexte des deux lois, dans le commentaire de Hébr 2, 15 : « ...*ut liberaret eos qui timore mortis per totam vitam obnoxii erant servituti* » [36]. Par rapport à la ligne de pensée de la solution précédente, celle-ci met plus directement l'accent sur le rôle du Christ dans la nouvelle façon d'être du chrétien face à la crainte et porte aussi plus spécifiquement sur le problème type soulevé par la conséquence ultime de la pédagogie d'intimidation : celui de « la crainte de la mort », expression prioritaire du problème de la combativité humaine et de la résistance de l'être à tout ce qui menace sa persistance dans l'existence, dans le bien, dans le beau, dans la cohérence. Dans ce passage important la réflexion se déploie en trois temps.

Il y a d'abord un exposé, mais par une approche très différente, de cette même idée d'une libération de la crainte corrosive du courage par un changement interne d'habitus, par une justification qui transforme à la fois l'échelle des valeurs et l'aptitude à vivre selon ces nouvelles exigences divines. L'esclave du péché est enchaîné dans le cercle infernal du « péché qui engendre le péché ». *L'amor male inflammans* et le *timor male humilians* sont les principes de cette situation sans issue. Même si ces deux leviers du péché existent l'un par l'autre, il faut pourtant dire que le pécheur est finalement plus lié à son péché par la crainte mauvaise que par l'amour trompeur. Ne voit-on pas les bêtes sauvages s'abstenir des plus grandes voluptés par crainte des peines ? Or parmi toutes les craintes, celle de la mort est la plus terrible. L'homme qui en triomphe sait vaincre toutes les autres et, par là tout amour désordonné du monde. Aussi le Christ voulut-il briser ce lien par sa mort. Il détruisit la crainte de la mort, et, en conséquence, l'amour désordonné de la vie présente. C'est pourquoi la contemplation de la mort du Fils de Dieu, lui le *Dominus mortis,* chasse la crainte de la mort [37].

La seconde étape de la réflexion relie la première au thème des deux lois. L'homme était soumis à un double esclavage, à savoir celui de la loi et celui du péché [38]. Voilà d'ailleurs pourquoi la loi était un joug insupportable (Act 15, 10) et les mains de Moïse pesantes (Exod 17, 12 ; Gal 4, 5). Le Christ nous en a libéré. La différence entre le Nouveau et l'Ancien Testament est, en effet, la crainte (Rom 8, 15) et l'amour (Jn 14, 15). C'est pourquoi le Christ a délivré de la crainte de la mort corporelle ceux qui y étaient soumis par la loi ancienne [39]. En d'autres termes, la loi nouvelle libère non seulement de cet esclavage qu'était la crainte servile inculquée par la pédagogie de la loi mosaïque, mais, plus profondément, de l'esclavage du péché. Ce second esclavage, la loi ancienne ne pouvait l'enlever comme en témoigne la crainte de la mort sévissant jusqu'à la passion du Christ.

Le troisième temps de la réflexion de Thomas met finalement en relief la nature de cette dimension christologique, affirmée précédemment, de cette libération de la crainte panique de la mort [40]. À la question « *cur statim non liberavit a morte, sed a timore mortis* », le texte répond que le Christ nous a délivrés, non de la mort, mais de sa cause, en vue du mérite de la foi et de l'espérance et à cause du caractère sotériologique de la « peine de mort » [41]. Cette délivrance de la terreur suprême s'opère de trois façons : par l'atténuation de l'importance de la mort temporelle dans la révélation de l'immortalité future (cite 1 Cor 15, 20) [42], par l'exemplarité de la mort volontaire du Christ (cite 1 Pe 2, 21) [43], par l'accès à la gloire : aussi le chrétien désire-t-il la mort au lieu de la craindre [44]. Les données de ce texte sont reprises et exploitées plus à fond par des textes voisins. Il est intéressant de noter que, par rapport aux matériaux de la période précédente sur le problème de la crainte en relation avec la force, cette seconde période n'apporte qu'une seule considération nouvelle : celle de l'originalité de la force chrétienne face à la crainte de la mort [45].

La nature des œuvres que nous étudions ici explique le caractère quelque peu étriqué de ces considérations. Les *lecturæ* sur les épîtres pauliniennes et sur l'évangile de Matthieu ne pouvaient fournir un texte bien charpenté dans lequel ces questions auraient été savamment agencées. D'ailleurs Thomas l'eût-il écrit en ces termes ? Certains développements sont de toute évidence commandés par la *littera* scripturaire. Leur intérêt n'en est pas moindre puisqu'ils nous permettront de constater par la suite à quel point ces commentaires exégétiques ont influencé la synthèse théologique de Thomas.

Quelques grandes idées maîtresses ressortent clairement de ces annotations assez décousues. La loi ancienne, en s'efforçant de pallier aux conséquences désastreuses de l'esclavage du péché, courait le risque d'amenuiser, par sa pédagogie même d'intimidation, le courage de ses sujets. Esclaves d'une loi de crainte, ils n'échappaient pas à l'effroi fondamental de l'existence humaine, celui qui est suscité par la perspective imminente de mourir. Ces divers niveaux d'esclavage ne sont mis définitivement en échec que par la loi d'amour. Elle libère à la fois de l'esclavage du péché et de l'esclavage de la loi. Par sa pédagogie nouvelle, elle donne la force nécessaire pour échapper à la crainte fondamentale de la mort et, par conséquent, à celle de toutes les misères qui la préfigurent.

3. Réussites anticipées : les saints d'Israël

Si la pédagogie sévère, nécessaire à l'éducation d'un peuple-enfant, rencontre finalement de tels revers, comment alors pouvait-on être sauvé ? Nous connaissons déjà la réponse de Thomas : la pédagogie nouvelle connaît dans le régime ancien des réussites anticipées. Ceux qui, sous la loi ancienne, « *quæ est lex timoris* », l'observaient « *ex caritate* », appartenaient déjà au Nouveau Testament, « qui est la loi d'amour » [46]. Comment alors concevoir exactement la position des saints d'Israël par rapport à la loi de crainte ? À la fin de sa longue exégèse de Hébr 12, 18-21 [47] — le contexte du commentaire est celui des « deux lois » — Thomas remarque que la frayeur de Moïse, « *qui fuit perfectissimus inter omnes* », est le signe que cette loi était terrible pour les parfaits eux-mêmes, car au lieu de donner la grâce, elle manifestait la coulpe. Au texte classique de Act 15, 10, il compare la suavité de la loi du Christ [48]. L'idée principale avait été énoncée dans *in III Sent.*, d. 40, a. 3 : la loi ancienne ne justifiait pas. Il précise pourtant ici que les « *perfectissimi* » n'échappaient à cette règle qu'en appartenant, de fait, au Nouveau Testament.

Un passage du commentaire de l'épître aux Galates fournit l'explication la plus élaborée sur la situation des saints de l'Ancien Testament par rapport à la loi de crainte. Thomas distingue, dans le peuple juif, entre les « *simpliciter servi* » et les « *quasi servi existentes* ». Les premiers observaient la loi par crainte de la peine et par convoitise des biens temporels. Les autres se comportaient, au contraire, comme de vrais fils et des héritiers. Vivant sous la loi ancienne, ils étaient extérieurement attentifs aux choses temporelles et ils évitaient les peines, mais, au fond, ils ne mettaient pas leur fin en elles : ils les considéraient comme la figure des biens spirituels. Sous les apparences d'esclaves attentifs, extérieurement, aux cérémonies et aux prescriptions de la loi, se cachaient des « *domini* ». Par leur intention, en effet, les justes observaient tous ces préceptes par amour des biens spirituels qu'ils préfiguraient [49]. La *lex amoris* était donc partiellement écrite comme en filigranes dans l'épaisseur de la *lex timoris*. On pouvait, en se pliant aux observances anciennes, l'y découvrir et y adhérer. Ainsi échappait-on intérieurement à la contrainte du régime ancien et vivait-on déjà de la substance du nouveau. Aussi les saints de l'ancienne alliance faisaient-ils déjà partie du Nouveau Testament.

Cette adhésion des anciens à la substance de la loi nouvelle qui justifie était rendue possible par la foi. C'est dans son commentaire de Hébr 11, 7 — la « foi de Noé » — que Thomas le précise encore. Outre l'intérêt de ce texte pour cette question [50], il confirme également la présence agissante d'une crainte proprement filiale sous le régime de la loi ancienne. Noé, par la foi, craignait Dieu saintement [51]. La foi vivante des saints d'Israël porte d'ailleurs toujours en elle la crainte chaste de Dieu [52]. Il ne subsiste donc plus aucun doute sur l'action de la crainte révérencielle « surnaturelle » dans l'ancienne disposition : la loi d'amour, opérant déjà par la foi, impliquait nécessairement sa présence. Par ailleurs, ce n'est pas tout à fait indépendamment de la loi ancienne elle même que cette forme supérieure de crainte atteignait les justes, puisque c'est en elle et par fidélité à son esprit [53] que les saints découvraient le terme de cette foi qui les reliait au peuple des rachetés.

Les écrits de la période italienne — en particulier la *Lectura super epistolas Pauli* — apportent une contribution assez remarquable au thème de la *lex timoris ancienne*. L'acquis principal, à notre avis, est celui de l'image paulinienne loi-pédagogue. Elle donne à la notion plus abstraite *lex timoris* une dimension historique. Pédagogue, la loi est l'instrument de la patience divine pour le temps de l'enfance de son peuple. Cette jeunesse, prompte à se livrer aux plaisirs illicites et à se donner des dieux plus faciles que Yahvé, ne fallait-il pas l'asservir à la loi, non seulement pour qu'elle ne s'abandonne pas à l'esclavage du péché, mais pour lui inculquer en même temps le sens de sa propre faiblesse et la préparer ainsi à accueillir celui qui la délivrerait de tout joug.

C'est encore à partir de la loi-pédagogue, avec sa connotation antique de sévérité, qu'on est amené à mieux découvrir les dangers inhérents à la loi ancienne. Prétendant arracher à l'esclavage du péché par la seule contrainte, non seulement n'en détruisait-elle pas la cause radicale, mais risquait-elle d'engendrer des esclaves de la loi, ceux qui tremblent encore devant la mort et dont le courage est profondément miné. Ces divers esclavages ne sont finalement abolis que par une pédagogie d'un tout autre type, celle de la loi nouvelle qui non seulement éduque par l'amour mais engendre la charité qui libère.

Si, dans l'ensemble, les détenteurs de la promesse vivaient sous la *servitus peccati*, la *servitus legis* et la *servitus mortis*, la loi ancienne faisait partie d'un seul processus pédagogique. Non seulement elle s'efforçait d'écarter Israël de ses voies perverses, mais, par son orientation profonde au Christ, elle rendait possible une participation anticipée, par la foi, à la substance même de la loi nouvelle. Il existait en Israël des saints authentiques qui, par-delà les ombres, vivaient déjà de la loi nouvelle. Dans le pédagogue ils avaient reconnu le maître.

[1] Cf. *in ad Gal* 3, 2, lect. 2 (no. 123) ; 6, 2, lect. 1 (no. 348) ; *in ad Eph* 2, 14, lect. 5 (no. 113) ; *in ad Hebr* 12, 18-21, lect. 4 (nn. 696-704 : voir en particulier, nn. 703-704, où tous les « terribilia » de la loi ancienne sont décrits et expliqués) ; *in Matth* 4, 17, II (no. 362) ; *de Ver.*, q. 24, a. 2, ad 6 : la loi ancienne frappait même les animaux avec lesquels les hommes avaient péché (Lev 20, 16, cité dans l'objection) pour terroriser ceux-ci par la sévérité même de cette peine.

[2] Cf. *de Ver.*, q. 24, a. 2, ad 6 ; *in ad Hebr* 12, 18-21, lect. 4 (no. 703).

[3] Cf. *de Ver.*, q. 24, a. 14, ad 7 ; *in ad Hebr* 2, 15, lect. 4 (no. 145) ; 12, 18-21, lect. 4 (nn. 703-704).

[4] Cf. *de Ver.*, q. 24, a. 14, ad 7.

[5] Cf. *in ad Hebr* 8, 10, lect. 2 (no. 404).

[6] Cf. *in 2 ad Cor* 6, 12-13, lect. 3 (no. 230) ; Ia, q. 61, a. 1, ad 1.

[7] À notre avis, il n'y a aucun lien entre le thème de la *lex servitutis* et les positions de Thomas sur la « question juive » de son temps. Nous n'avons trouvé aucun texte où Thomas, interprétant, de façon modérée du reste, la maxime juridique de son époque « *Judaei sunt servi* », fait la moindre allusion au thème de la loi ancienne, une « servitus timoris », etc. Pour les positions de Thomas sur l'attitude juridique à adopter vis-à-vis des juifs de son époque, voir : A. BERNAREGGI, *S. Tommaso d'Aquino e la repressione dell'errore*, dans *SC*, 52 (1924) 66-72 ; A. CHEREL, *Histoire de l'idée de tolérance*, dans *RHEF*, 28 (1942) 24.

[8] Cf. *in 2 ad Cor* 6, 12-13, lect. 3 (no 230) ; 11, 20, lect. 5 (no 416) ; *in ad Gal* 3, 25-26, lect. 9 (no 181) ; 4, 7, lect. 3 (no 216) ; 4, 24, lect. 8 (no 260) ; *in ad Tit* 1, 1, lect. 1 (no 4) ; *in ad Hebr* 2, 15, lect. 4 (no 145).

[9] Cf. *in ad Hebr* 8, 9-10, lect. 2 (no 401) : il cite à la suite les deux apophtegmes classiques de Paul et d'Augustin.

[10] Cf. *de Ver.*, q. 24, a. 14, ad 7 ; *in ad Hebr* 12, 18-21, lect. 4 (nn. 696-704).

[11] Cf. *in ad Gal* 5, 18, lect. 5 (no 318) ; *in ad Hebr* 8, 10, lect. 2 (no 404).

[12] Cf. *in 2 ad Cor* 6, 12-13, lect. 3 (no 230) ; *in ad Hebr* 12, 18-21, lect. 4 (no 703).

[13] Cf. *in 2 ad Cor* 6, 12-13, lect. 3 (no 230) ; 11, 20, lect. 5 (no 416) ; *in ad Gal* 4, 7, lect. 3 (no 216) ; 4, 24, lect. 8 (no 260) ; 5, 18, lect. 5 (no 318) ; *in 2 ad Tim* 2, 9, lect. 2 (no 51) ; *in ad Tit* 1, 1, lect. 1 (no 4).

[14] Cf. *in Matth* 17, 8, I (no 1443).

[15] Cf. *in 2 ad Cor* 6, 12-13, lect. 3 (no 228) ; *in ad Gal* 3, 2, lect. 2 (no 123) ; 3, 25-26, lect. 9 (no 181) ; 4, 7, lect. 3 (no 216).

[16] Cf. *in ad Gal* 3, 19, lect. 5 (no 165) ; 3, 24, lect. 8 (no 178).

[17] Cf. *in ad Hebr* 12, 18-21, lect. 4 (no 703).

[18] Cf. *in ad Phil* 3, 9, lect. 2 (no 119) : la « justitia legalis » est opposée ici, contrairement à ce qu'on trouve dans la *IIa-IIae*, à la « justitia moralis » qui sert la loi, non par crainte, mais par amour. *In III Sent.*, d. 40, a. 2, sol., allait

plus loin : en pratiquant cette justice de la loi, les juifs acquéraient, par la pratique, l'habitus de justice.

[19] Cf. *in ad Gal* 3, 24, lect. 8 (no 178) ; 3, 25-26, lect. 9 (no 181) : vivre « sub lege », c'est être « sub pædagogo et coactione » ; *in ad Hebr* 12, 18-21, lect. 4 (no 703) : les « parvuli » devaient être conduits par la loi, notre pédagogue jusqu'au Christ.

[20] *In ad Hebr* 12, 11, lect. 2 (no 681).

[21] Hebr 12, 11a : « Omnia autem disciplina in præsenti quidem videtur non esse gaudii, sed mœroris ». Il s'agit toujours du même commentaire de la lectio 2.

[22] Ces remarques s'inspirent peut-être de celles d'AUGUSTIN, *Enarratio in Psalmum* 118, 66, sermo 17, no 2 (PL 37, 1547-1548) : « Addidit autem, 'et eruditionem' ; vel, sicut plures codices habent, 'disciplinæ'. Sed 'disciplinam', quam Græci appellant *paideian*, ibi Scripturæ nostræ ponere consueverunt, ubi intelligenda est per molestias eruditio ; secundum illud : 'Quem enim diligit Dominus, corripit ; flagellat autem omnem filium quem recipit'. Hæc apud ecclesiasticas Litteras dici assolet disciplina, interpretata de græco, ubi legitur, *paideia*. Hoc enim verbum in græco positum est in Epistola ad Hebraeos, ubi latinus interpres ait : 'Omnis disciplina ad præsens non gaudii videtur esse, sed tristitiæ ; postea autem fructum pacificum his qui per eam certarunt, reddit justitiæ' (Hebr 12, 6 et 11) ». E. CHIOCCHETTI, *La pedagogia di San Tommaso*, dans *S. Tommaso d'Aquino*, Milan, 1923, pp. 280-293, propose un certain nombre de réflexions sur les divergences de fond entre les principes pédagogiques d'Augustin et de Thomas. Elles sont néanmoins fort incomplètes (Thomas a écrit autre chose sur la question, que le *de Magistro* du *de Ver.*, q. 11) et, à notre avis, contestables.

[23] Voir aussi une distinction parallèle dans *ScG* III, 122 (no 2954), à l'intérieur d'une démonstration « quod matrimonium sit naturale » à partir de l'éducation des enfants : « Et tunc etiam, propter impetus passionum, quibus corrumpitur æstimatio prudentiæ, indigent non solum instructione, sed etiam repressione. Ad hoc autem mulier sola non sufficit, sed magis in hos requiritur opus maris, in quo est ratio perfectior ad instruendum et virtus potentior ad castigandum ».

[24] *In ad Hebr* 8, 10, lect. 2 (no 404).

[25] Voir notre appendice I : les textes de 1252-1268 relatifs à la force devant la crainte, pp. 163-174.

[26] *In ad Col* 3, 21, lect. 4 (no 175) : ce texte se présente comme une digression au commentaire de l'avertissement de Paul aux pères de famille de ne pas exaspérer leurs enfants, « ut non pusillo animo fiant » : « Et hujus ratio est, quia homines retinent impressionem quam a pueritia habuerunt. Naturale autem est quod qui in servitute nutriuntur, semper sint pusillanimes. Unde ratio est cujusdam, quare filii Israël non statim in terram promissionis sunt perducti : quia fuerant nutriti in servitute, et non habuissent audaciam contra inimicos pugnandi, Is 35, 4 : 'Dicite pusillanimes, etc.' ».

[27] C'est-à-dire, les livres I-II, c. 4. Le nom de cette œuvre attribuable à Thomas est *De regno, ad regem Cypri*. Nos références, suivant l'édition Marietti, gardent le titre tardif, *De Regimine Principum*. Un disciple de Thomas, probablement Barthélémy de Lucques, continua l'opuscule à partir du livre II, c. 5. L'authenticité du texte de Thomas ne fait pas de doute, mais on croit généralement à la présence de certaines interférences dans les éditions

postérieures. Sur toute cette question voir : I. Th. ESCHMANN, d'abord dans son excellente introduction à la traduction anglaise revisée de G. B. PHELAN, St. THOMAS AQUINAS, *On Kingship to the King of Cyprus*, Toronto, the Pontifical Institute of Medieval Studies, 1949, pp. IX à XXXIX (voir aussi la bibliographie, pp. 108-115) ; ensuite dans son *Catalogue of St. Thomas's Works*, publié en appendice au livre d'E. GILSON, *The Christian Philosophy of St. Thomas*, New York, Random House, 1956, pp. 412-415.

[28] Cf. WALZ-NOVARINA, *Saint Thomas*... : 1265-1622 ; P. MARC, *Introduction*... : 1267-1268.

[29] *De Reg. Princ.*, I, c. 4 (no 760) : « Naturale etiam est ut homines, sub timore nutriti, in servilem degenerent animum et pusillanimes fiant ad omne virile opus et strenuum : quod experimento patet in provinciis quæ diu sub tyrannis fuerunt. Unde Apostolus, Col 3, 21, dicit : 'Patres, nolite ad indignationem provocare filios vestros, ne pusillo animo fiant' ». Voir aussi, *ibid.*, II, c. 4 (no 845), sur la pusillanimité, l'horreur des travaux et des périls, la crainte excessive de la mort, chez ceux qui ont trop joui des seuls biens terrestres (les « biens terrestres » constituent l'autre bras du levier de commande de la loi ancienne).

[30] *De Reg. Princ.*, I, c. 11 (no 798) : « Timor autem est debile fundamentum. Nam qui timore subduntur, si occurat occasio qua possint impunitatem sperare, contra præsidentes insurgunt eo ardentius quo magis contra voluntatem ex solo timore cohibebantur. Sicut si aqua per violentiam includatur, cum aditum invenerit impetuosius fluit. Sed nec ipse timor caret periculo, cum ex nimio timore plerique in desperationem inciderint. Salutis autem desperatio audacter ad quælibet attendenda præcipitat. Non potest igitur tyranni dominium esse diuturnum ». Même idée, moins élaborée, dans *in ad Hebr* 1, 9, lect. 4 (no 62) : « Quidam enim servant æquitatem, non tamen propter amorem justitiæ, sed magis propter timorem, vel gloriam, vel metum, et tale regimen non durat ».

[31] Les textes cités sont composés avec le vocabulaire de la vertu de force.

[32] *In Matth* 9, 15, III (no. 769) : « Sponsus Christi enim est : qui habet sponsam Ecclesiæ, et primordium. Aliud habuit primordium lex vetus, et aliud lex nova ; lex enim vetus primordium habuit in timore, lex nova in amore ; unde Rom 8, 15 (...). Et Hebr 12, 22 (...). Quia igitur primordium novæ legis fuit in amore, ideo discipulos suos nutrire debuit in amore quodam : ideo se sponsum nominat, et discipulos filios, quia isti sunt nomina amoris. Unde bonum est quod conservem eos ; et ideo nolo aliquid grave eis imponere ne abhorreant, et sic retrocedant ». Puis il ajoute qu'il ne faut pas trop surcharger les novices !

[33] *In I ad Tim* 1, 5, lect. 2 (nn. 14-16). Voir aussi *in I ad Tim* 1, 6, lect. 3 (no. 18). Nous avons relevé deux autres textes de cette période sur la « mala conscientia » comme signe et aiguillon de la crainte peccamineuse : *in Jer* 41, 16-18, no. 4 (p. 666b) et *in Matth* 28, 4 (no. 2428). Indirectement encore dans *in 2 ad Cor* 5, 11, letc. 3 (no. 175).

[34] L'originalité de Thomas dans l'élaboration d'une éthique des vertus par l'intériorisation de la loi a été mise en relief par R. GUINDON, *Béatitude et Théologie morale*..., p. 165.

[35] Cf. *in ad Tit* 1, 1, lect. 1 (no. 4). Tout le début du texte expose l'opposition entre la « servitus ex timore » (Rom 8, 15) et la « servitus ex amore » (Joan 15, 15). Puis : « Et hoc est ex amore, a quo procedit, quod omnia

operemur propter Deum. Si vero propter causam moventum, quæ est extrinseca, et compellit, sic est servitus timoris, et est malorum. Si propter causam formalem, sic est habitus inclinans, et sic quidam sunt servi peccati, quidam servi justitiæ, qui secundum habitum inclinantur ad malum vel ad bonum ».

[36] *In ad Hebr* 2, 15, lect. 4 (nn. 144-146).

[37] *Ibid.*, (no. 144). Il est intéressant de noter ici la liaison de toute une série de thèmes différents sur la crainte : celui du « timor male humilians », racine du péché ; celui de la crainte, objet de force, avec tout le contexte aristotélicien (l'exemple des bêtes sauvages, la mort « finis terribilium ») ; et celui de la délivrance de la *servitus peccati* — identifiée à la *servitus timoris* — par le Christ.

[38] On notera ici l'introduction d'un nouveau développement : comme la « servitus » peut se comprendre aussi bien d'une « servitus timoris » que d'une « servitus amoris », la « servitus timoris » elle-même peut aussi être interprétée, non seulement comme un esclavage de la loi à cause de la crainte servile suscitée par la loi de crainte, mais aussi comme l'esclavage du péché à cause du « timor male humilians », racine de tout péché. C'est d'ailleurs fondamentalement cet esclavage du péché qui grève la crainte servile de peccaminosité et qui caractérise les transgresseurs sous l'esclavage de la loi. Cette nouvelle distinction est déjà sous-entendue dans la formule de *in ad Tit* 1, 1, lect. 1 (no. 4) : « si propter causam formalem, sic est habitus inclinans, et sic quidam sunt servi peccati, quidam servi justitiæ, qui secundum habitum inclinantur ad malum vel ad bonum ». — L'idée d'un réel esclavage du péché a souvent été exposée par AUGUSTIN : voir l'imposant recueil de textes chez M. HUFTIER, *Le tragique dans la condition chrétienne chez S. Augustin*, Tournai, Ed. Desclée et Cie, 1964, pp. 177-187.

[39] *In ad Hebr* 2, 15, lect. 4 (no. 145).

[40] *Ibid.* (no. 146). L'authenticité de ce dernier paragraphe est incertain. Il faudra attendre une édition critique pour savoir s'il faut l'attribuer à Thomas. Il fut ajouté, dans l'édition de Venise de 1562, par REMIGIO FLORENTINO qui déclare l'avoir trouvé dans un manuscrit plus ancien : cf. la note dans l'édition Marietti, vol II, p. 338. Cette source semble cependant digne de confiance. Quoiqu'il en soit de son authenticité, on peut citer des lieux parallèles de la même période qui reprennent et souvent complètent ces explications.

[41] F. GABORIAU, *Interview sur la mort avec Karl Rahner*, Paris, P. Lethielleux, 1967, a justement souligné comment, pour Thomas d'Aquin, la mort est nécessairement « prise au sérieux », puisque « pour lui, la personne de l'homme est atteinte, dans la mort, aussi profondément qu'il est possible » (p. 21, note 7). La question de notre texte est significative en ce sens.

[42] *In ad Hebr* 2, 15, lect. 4 (no. 146). Cf. aussi, *in Matth* 10, 28, II (no. 868) : « Animam autem non possunt occidere. Hic tangit quod parum possunt, quia animam non possunt occidere ; unde spiritus semper vivit (...). Non sunt ergo timendi, quia parum possunt ». Peut-être aussi, *in Matth* 14, 27, II (no. 1269) : Jésus, marchant sur les eaux, apaise la crainte des disciples : 'Nolite timere', car, comme il dit dans Joan 16, 33 : '...ego vici mundum : in me autem quietem...'.

[43] *In ad Hebr* 2, 15, lect. 4 (no. 146). Cf. aussi, *ibid.*, 2, 10, lect. 3 (no. 128) : « Gustavit (i.e. Christus mortem) etiam, quia cum ipse adduxerit filios in

gloriam, sicut medicus gustat medicinam ne infirmus abhorreat sed ut securius bibat, ita ipse gustavit morte, ut quia sine morte ingrediente necessitate non est salus, nullus mortem refugiat ». — Sur le sens et la place de la doctrine de « l'imitation du Christ » dans la théologie de Thomas, voir L.-B. GILLON, *L'imitation du Christ et la morale de saint Thomas*, dans *Ang*, 36 (1959) 263-286.

⁴⁴ *In ad Hebr* 2, 15, lect. 4 (no. 146). Cf. aussi, *in Matth* 10, 20, II (no. 867) : « . . . quia occisio corporis propter gloriam est optabilis ».

⁴⁵ Cf. appendice I, pp. 168-170. La relation crainte - espérance n'est pas absente du grand texte de *in ad Hebr* 2, 15, lect. 4 (nn. 144-146). Voir également *in 2 ad Cor* 6, 12-13, lect. 3 (nn. 231-232) : l'angoisse sous l'esclavage des observances légales sans l'espérance du salut par la foi au Christ ; *in ad Hebr* 2, 13, lect. (no. 133) et 3, 6, lect. 1 (no. 169) : la qualité spéciale de fermeté de l'espérance du Christ — la « fiducia » — qui détruisait, pour ses membres, la crainte. Voir encore des passages, peu élaborés, du commentaire sur Jérémie, où la promesse du secours divin (l'« auxilium divinum » est objet, pour Thomas, de l'espérance) libère de la crainte, de la timidité, de l'angoisse : *in Jer* 1, 8, no. 3(p. 580b) ; 30, 10, no. 2 (p. 646a) ; 42, 11, no. 2 (p. 667b) ; *in Thren* 3, 6, no. 6 (p. 679ab). Voir encore, *in Matth* 8, 24, III (no. 726) ; 25, 24, II (no. 2061) ; 27, 3, I (no. 2310).

⁴⁶ *In ad Eph* 2, 14, lect. 5 (no. 113). Notons ici l'expression : « Novum Testamentum (. . .) quod est lex amoris ». Nous ne sommes pas certain que, pour Thomas, il y ait, comme l'affirme U. KÜHN, *Via caritatis . . .*, p. 70, une distinction technique aussi claire que le précise, entre Nouveau Testament et loi nouvelle ou loi d'amour. Kühn n'apporte pour preuve que le texte de *in III Sent.*, d. 40, a. 4, q1a. 2 ; il en conclut que la loi nouvelle est fondée sur l'œuvre salutaire du Christ, à savoir le Nouveau Testament. La loi nouvelle serait un concept plus large que celui de Nouveau Testament : «Das neue Gesetz ist alles das, was aus dem Munde Christi an Verfügungen, Geboten und Verheissungen als bestimmend für das Leben der an ihn Glaubenden hervorgegegangen ist, und von daher wird verständlich, dass hier vom «neuen Gesetz » und nicht vom Neuen Testament oder vom Evangelium gesprochen wird ». Ailleurs, pourtant, Thomas identifie purement et simplement les deux expressions. En plus du texte déjà cité, voir encore, *in ad Hebr* 8, 10, lect. 2 (no. 404), où Thomas commente ainsi le verset : « dando leges meas in mentem eorum » : « Modus autem tradendi duplex est : unus per exteriora, sicut proponendo verba ad cognitionem alicujus et hoc potest homo facere et sic traditum fuit Vetus Testamentum ; alio modo interius operando et hoc proprium est Dei (. . .). Et hoc modo datum est Novum Testamentum quia consistit in infusione Spiritus Sancti qui interius instruit, etc. » ; *in 2 ad Cor* 3, 6, lect. 2 (no. 90) : « . . . vetus lex est testamentum litteræ. Sed Novem Testamentum est testamentum Spiritus Sancti, quo caritas Dei diffunditur in cordibus nostris, ut dicitur Rom 5, 5. Et sic dum Spiritus Sanctus facit in nobis caritatem, quæ est plenitudo legis, est testamentum novum, non littera, id est per litteram scribendum, sed spiritu, id est per spiritum qui vivificat ». Thomas identifierait plus clairement « lex nova », comme texte écrit, à « evangelium » : cf. Th. DEMAN, *Der neue Bund und die Gnade . . .*, p. 245, note 2, et p. 290.

⁴⁷ *In ad Hebr* 12, 18-21, lect. 4 (nn. 696-704).

⁴⁸ *Ibid.* (no. 704) : « . . . signum erat quod ipsa lex terribilis erat etiam ipsis perfectis, quia non dabat gratiam, ut dictum est, sed tantum ostendebat culpam ».

⁴⁹ *In ad Gal* 4, 2, lect. 1 (no. 195) : « . . . in populo Judaico aliqui erant simpliciter servi, illi scilicet qui propter timorem pœnæ et cupiditatem temporalium, quæ lex promittebat, legem servabant. Aliqui vera erant, qui non erant servi simpliciter, sed, quasi servi existentes, erant vere filii et hæredes : qui licet attenderent exterius ad temporalia et vitarent pœnas, nihilominus tamen in eis finem non ponebant sed accipiebant ea, ut figuram spiritualium bonorum. Unde licet viderentur nihil exterius differre a servis, inquantum cæremonias et alia legis mandata servabant, tamen erant domini, quia non ea intentione eis utebantur, ut servi, quia illis utebantur amore spiritualium bonorum quæ præfigurabant : servi vero principaliter timore pœnæ et cupiditate terrenæ commoditatis ». Voir aussi : *in ad Gal* 5, 18, lect. 5 (no. 318) : « Et sic justi sunt sub lege obligante tantum, non cogente, sub qua sunt solum injusti. 2 Cor 3, 17 : 'Ubi Spiritus Domini, ibi libertas' ; I Tim 1, 9 : 'Justo non est lex posita', scilicet cogens ». — A.-D. SERTILLANGES, *Vrai caractère de la loi morale chez saint Thomas d'Aquin*, dans RSPT, 31 (1947) 73-76, montre que, pour Thomas, l'obligation ne serait qu'accidentelle à la loi. Parce que l'obligation n'atteindrait que les pécheurs ignorant leur vrai bien, Thomas enseignerait une morale du bien et non du devoir. Si la conclusion répond incontestablement à l'orientation de la morale thomiste, nous doutons que ce soit par ces prémisses. Peut-on identifier obligation et contrainte : « sub lege obligante tantum, non cogente » !

⁵⁰ Voir encore, pour cette période : *de Ver.*, q. 14, a. 12 : « Dicendum quod hoc pro firmo est tenendum, unam esse fidem modernorum et antiquorum : alias non esset una Ecclesia . . . » ; q. 29, a. 4, ad 9 : « . . . Christus, secundum quod homo, dupliciter nos justificare dicitur. Uno modo secundum suam actionem, in quantum nobis meruit et pro nobis satisfecit ; et quantum ad hoc non poterat dici caput Ecclesiæ ante Incarnationem. Alio modo per operationem nostram in ipsum secundum quod dicimur per fidem ejus justificari ; et per hunc modum etiam poterat esse caput Ecclesiæ ante Incarnationem secundum humanitatem. Utroque autem modo est caput Ecclesiæ secundum divinitatem, ante et post ».

⁵¹ *In ad Hebr* 11, 7, lect. 2 (no. 578) : « Secundo ex fide timuit. Fides enim est principium timoris. Eccli 25, 16 : 'Timor Dei initium dilectionis ejus, fidei autem initium agglutinandum est ei', scilicet timoris. Et ideo dicit 'metuens', scilicet diluvium promissum, quod tamen non videbatur. Ergo fides est de invisibilibus ». Thomas pense certainement ici à la crainte filiale : Noé est un des saints qui observaient déjà la loi « ex caritate ». Voir *in ad Eph* 2, 14, lect. 5 (no. 113), où il recourt à la même expression de Eccli 25, 15 : « . . . caritate, quæ est quasi cementum conglutinans singulos sibi invicem, et omnes simul Christo ».

⁵² *In ad Hebr* 3, 14, lect. 3 (no. 190) : « Sed contra videtur quod timor magis sit initium, quia dicit Psalm 110, 10 : 'Initium sapientiæ timor Domini'. Respondeo. Dicendum est, quod fides formatur per caritatem. Caritas autem non est sine timore casto. Et ideo fides formata semper habet timorem istum secum annexum. Unde et fides et timor sunt initium ».

⁵³ Dans l'interprétation de l'axiome lombardien « lex cohibet manum et non animum », GILBERT de la PORREE avait déjà avancé une interprétation qui distingue justement entre la lettre et l'esprit : la « littera » de la loi liait seulement la main, contrairement à son sens spirituel qui attachait le cœur. Elle fut ensuite reprise et exploitée dans l'entourage de ODON D'OURSCAMP : cf. A .M. LANDGRAF, *Die Gnadenökonomie des Alten Bundes . . .*, dans Dogmengeschichte . . ., pp. 30-32.

CHAPITRE SIXIÈME

LES VESTIGES DE L'ANCIENNE PÉDAGOGIE SOUS LA LOI NOUVELLE

Sed potest quæri, quare via caritatis est arcta, quia videtur quod sit lata (...). Via autem peccatorum est via stricta (...). Dicendum quod est via carnis et rationis. Via caritatis in via carnis est stricta via, in via rationis e contra. Et est exemplum de pædagogo : quia quanto plus diligit puerum, magis arctat gressus suos. Unde viæ caritatis in via carnis arctantur, in via rationis e contrario ; Psalm 118, 120 : « Confige timore carnes meas »[1].

Ce beau texte reprend au compte de la loi de charité, le thème, nouveau par rapport aux écrits du premier séjour parisien, de la loi-pédagogue. Dans la *via caritatis*[2], un peu comme dans la *via timoris*, il y a place pour la sévérité d'un pédagogue. Il existe encore des « enfants » qui, au lieu de suivre la « voie de la raison », s'engagent dans la « voie de la chair ». Pour eux, les voies de la charité doivent être resserrées, car plus le pédagogue aime l'enfant, plus il surveille ses pas. Cette dernière nuance est significative car elle n'apparaît jamais dans les contextes de la loi-pédagogue ancienne.

Il n'est pas sans intérêt de reprendre l'exposé de certains thèmes déjà connus concernant la pédagogie divine dans le Nouveau Testament à partir des textes du premier séjour italien. On y discerne beaucoup mieux que dans les textes précédents comment les méthodes d'intimidation sont, dans la nouvelle disposition, des vestiges d'une pédagogie surannée. On n'y recourt qu'en désespoir de cause. Ces thèmes eux-mêmes sont encore enrichis de nouveaux aspects appréciables.

1. Pédagogie de la conversion

L'influence du nouveau contexte de la loi de crainte est très sensible au chapitre de la conversion. C'est la situation du péché à détruire, et non pas celle du péché à fuir, qui postule la présence de la crainte servile dans la justification [3]. Elle est alors requise, non pas comme faisant partie de la substance de la justification, mais comme simple disposition antécédente [4]. L'esclave du péché est poussé à la pénitence par la reconnaissance de son péché et par la crainte du jugement divin [5].

La pédagogie d'intimidation n'est pourtant pas infaillible. Si les pécheurs se convertissent souvent sous l'effet de la crainte [6], parce que, dans cet état, ils sont plus émus par la terreur que par le désir d'une récompense [7], certains, dont la crainte n'est pas conjuguée à l'espérance, sombrent dans le désespoir. C'est alors la « pénitence des impies », celle de Judas [8]. La méthode qui est mise en œuvre dans le monde de ceux qui sont collés à leur péché est donc ambivalente : elle peut les arracher, par une certaine violence, à leurs désirs pervers, mais elle risque aussi de les plonger dans la plus profonde détresse.

Elle n'est pourtant qu'un préambule à une pédagogie de l'amour, celle de la justification comme telle. Ici le mouvement de fuite du péché ne précède pas la justification, mais l'accompagne [9]. Cette fuite du péché n'est pas l'œuvre de la crainte servile, mais bien de la filiale [10]. Aussi est-elle virtuellement incluse dans le mouvement de la charité, puisque désirer s'unir à celui qu'on aime et craindre d'en être séparé ne font qu'une seule et même chose [11]. Cette crainte doit toujours être vigilante dans celui qui vit dans l'amitié de Dieu car dès sa conversion il commence à être tenté [12].

Sans exagérer la conscience qu'avait Thomas d'un parallèle entre le schéma de la pédagogie de la conversion et celui de la pédagogie historique du salut, on doit avouer que la correspondance des aménagements des deux schémas dans ces textes du premier séjour italien est significative : fonction préparatoire d'une méthode contraignante qui vise à éveiller l'attention de celui qui ne comprend que le langage charnel afin de le décrocher de son péché ; avatars possibles de ce dialogue de la terreur ; la supériorité de la pédagogie de l'amour. Comment ne pas penser qu'il y a

bien là une technique de fond que Thomas corrige et perfectionne
de façon cohérente à mesure qu'il la reprend !

2. Pédagogie de la correction fraternelle

Les considérations relatives à la correction fraternelle sont intéressantes, moins pour les remaniements du contexte général,
comme c'était le cas pour celles sur la conversion, que pour l'introduction de certaines idées nouvelles.

Au plan même de l'institution on discerne mieux, indépendamment de l'aspect pédagogique, une double procédure correctionnelle : la « fraternelle », le cas du frère qui reprend son frère, et la
« judiciaire », le cas du « correcteur » mandaté par une société
donnée pour reprendre ou sanctionner ses délinquants. D'où la
recommandation de Paul à Timothée de reprendre publiquement
les coupables afin que les autres en éprouvent de la crainte[13]. Or
même à cette seconde instance correctionnelle on peut aussi distinguer une double méthode, l'une sévère et l'autre bienveillante, à
laquelle répondent deux façons de recevoir cette « éducation », l'une
contrainte et l'autre libre. De longues élaborations dans ce sens
sont suscitées par les attitudes des chrétiens face aux « mandats » de
Paul. Thomas établit d'ailleurs ici un lien avec le thème *lex
timoris - lex amoris*[14]. On ne peut, pour le moment, insister outre
mesure sur ces idées intimement liées aux textes commentés. Elles
sont pourtant des indices d'intuitions qui germeront plus tard.

D'intérêt beaucoup plus immédiat sont les précisions sur une
fonction encore inédite de la crainte dans la correction fraternelle.
Ce n'est pas dans son commentaire très sombre de la péricope
matthéenne à ce sujet que nous les trouvons[15], mais dans un commentaire de la deuxième épître aux Corinthiens. En expliquant les
heureuses conséquences de la « tristesse selon Dieu » provoquée par
la fameuse « lettre sévère » de Paul, Thomas propose, entre autres,
les remarques suivantes :

> Quando enim homo est in lætitia, de facili committit aliquas negli-
> gentias ; sed quando est tristis et in timore sollicitatur[16].

Ce bon effet de la correction — la crainte qui provoque l'empressement et fait éviter les négligences — avait déjà été expliqué, dans

la leçon précédente, en fonction de la charité. Lorsque Paul enseigne qu'il faut se sanctifier dans la crainte, il se réfère à la filiale qui procède de la charité, et il veut nous apprendre à garder envers Dieu une affection de révérence et d'empressement. L'amour, en effet, cause l'absence de soucis, condition qui engendre à son tour la négligence. Celui qui craint, au contraire, est toujours empressé [17].

Ce développement est nouveau. La crainte s'inscrit au cœur de l'amour, non seulement du fait d'une séparation possible, ou même, lorsqu'il s'agit spécifiquement de l'amour de Dieu, pour tenir compte de l'attitude proprement révérencielle exigée de la créature face au Créateur, mais aussi pour garder à l'amour sa qualité attentive [18] et empressée. Par le sentiment de sécurité qu'il comporte de soi, l'amour risque d'entraîner la négligence. La crainte, qui est inquiétude et recherche [19], empêche que la tranquillité paisible et sûre de l'amour ne se dégrade en insouciance et qu'ainsi le dynamisme qui est à la source même de sa croissance ne se perde.

Cette idée revient souvent sous diverses formes. Thomas donne parfois comme signe de la présence ou de l'absence de la crainte et de l'amour de Dieu, la présence ou l'absence de sollicitude : ainsi lorsque l'émulation dans le bien se maintient en l'absence de l'Apôtre, c'est la preuve qu'elle procède de la crainte et de l'amour de Dieu [20]. Il faut aussi craindre, d'une crainte chaste et empressée, que l'abandon de la foi, de l'espérance et de la charité nous interdise l'entrée dans le repos de Dieu [21]. Dans le thème de la « securitas » opposée à la crainte, cette même idée, de temps à autre, affleure. Si, dans certains textes, cette « sécurité » représente un gain par le fait qu'elle exclut une crainte paralysante [22], et si Paul la souhaite à Timothée en vue de son ministère [23], par contre, lorsqu'il commente l' « écharde dans la chair », Thomas fait cette recommandation : « Qu'il craigne, le pécheur, si l'Apôtre, le vase d'élection, *securus non erat* » [24]. La crainte préserve d'une fausse sécurité qui devient insouciance.

Ce développement de la notion de crainte filiale est à retenir. Sans doute ne change-t-il pas la structure de ce mouvement : si la crainte est aussi « inquiétude et recherche » dans l'amour, c'est précisément parce qu'elle est sentiment de créature, conscience affective de pouvoir « manquer » à l'autre. Ces réflexions enrichissent néanmoins cette notion et manifestent un autre lieu étroit entre l'émotion de crainte et celle de l'amour, entre le don correspondant et la charité. Aussi toute pédagogie « amoureuse » peut-elle tirer parti de cette virtualité de la crainte.

Soulignons enfin deux autres textes sur la correction fraternelle qui éclairent encore le rapport entre la crainte et la charité : il s'agit de la correction que Paul adressa à Pierre à Antioche au sujet de sa « crainte des circoncis » (Gal 2, 11-12). Dans son commentaire de l'épître aux Galates, Thomas analyse cette accusation de l'Apôtre. Elle n'était pas, pense-t-il, une crainte humaine ni mondaine, mais un « timor caritatis » relatif au scandale éventuel des juifs. Donc Pierre se fit ici juif avec les juifs, feignant, avec les faibles, de penser comme eux. Cependant, ajoute Thomas, il craignit de façon désordonnée, puisque la vérité ne doit jamais être abandonnée à cause de la peur du scandale [25]. Plus loin, il rapporte deux opinions traditionnelles au sujet de la moralité de cette crainte de Pierre : celle de Jérôme selon laquelle Pierre ne pécha pas car sa dissimulation procédait, non de la crainte mondaine, mais de la charité, et celle d'Augustin selon laquelle Pierre pécha véniellement à cause de son manque de discernement : pour éviter le scandale, il poussa trop loin son adhésion au parti des juifs. L'Aquinate juge plus valide l'argumentation d'Augustin [26].

Un second texte éclaire ces données. Dans le commentaire sur l'épître aux Éphésiens, en effet, le cas est posé de façon plus théorique, en relation à l'omission de la correction fraternelle : péchons-nous toujours si nous ne reprenons pas l'autre ? Thomas en appelle encore à l'autorité d'Augustin et distingue entre un « timor caritatis » qui fait agir pour le plus grand bien du délinquant, et un « timor cupiditatis » qui évite la correction pour sauvegarder ses propres intérêts. L'omission est peccamineuse dans le second cas, non point dans le premier [27].

L'interprétation du « timor cupiditatis », qui correspond au « timor mundanus vel humanus » du premier texte, ne soulève aucune difficulté. C'est une illustration de cette forme toujours peccamineuse de la crainte qui procède du « timor male humilians » et de l' « amor male inflammans ». Le « timor caritatis », en contrepartie, est plus difficile à évaluer. Il est apparemment du type de la crainte filiale. Lorsqu'elle procède d'une vraie charité, comme dans le cas analysé par le second texte, la crainte est source d'opération vertueuse. Mais dans le premier texte cette crainte est jugée désordonnée, manquant de mesure, à cause d'un défaut de discernement.

Au-delà du vocabulaire « révérencieux » qui tente de ménager Pierre, il faut bien constater que nous n'avons pas affaire à une réelle crainte filiale car, l'objet moral de l'opération étant faussement discerné, cette crainte a « objectivement » la structure d'une crainte mondaine. Le cas est intéressant. D'une part il met en garde contre des formes de crainte qui singent la filiale, mais dont l'analyse morale attentive révèle le défaut en démasquant, à son origine, un amour désordonné ou, plus spécifiquement ici, une charité mal éclairée. D'autre part il manifeste, par un autre biais, la liaison étroite entre le contenu de la crainte et le contenu de l'amour qui l'anime.

Les réflexions sur la pédagogie de la correction fraternelle, parsemées dans les commentaires scripturaires du premier séjour italien, n'offrent qu'un intérêt mineur pour l'étude comparative des deux grands aspects de la pédagogie divine et de la technique construite sur le même modèle. Par contre elles donnent lieu à des considérations neuves sur les rapports entre la crainte filiale et la charité qui ont des conséquences très réelles pour la mise en œuvre de la pédagogie de l'amour. Par elles nous sommes déjà introduits à l'examen du rôle de la révérence dans la pédagogie nouvelle.

3. Pédagogie nouvelle et révérence

Si le rôle de la crainte dans la conversion et dans la correction met bien en lumière le nouveau conditionnement de la pédagogie de la loi nouvelle par la charité, l'opposition entre la « *servitus timoris* » et la « *servitus amoris* », dont nous avions reconnu une première ébauche dans un texte du *Contra impugnantes* [28], marque bien, dans les œuvres de 1259/60 à 1268, à la fois la permanence et la transformation du rôle de la crainte dans le régime de la loi d'amour.

Cette opposition revient de façon explicite dans trois passages de la *Lectura super epistolas Pauli* où elle est toujours introduite de la même manière : comment peut-on nommer « *servi* » ceux à qui Jésus dit : « *Jam non dicam vos servos, sed amicos* » (Jn 15, 15) [29] ?

La réponse du commentaire du premier verset de l'épître à Tite reprend les termes du passage cité du *Contra impugnantes* : il y a une double « *servitus* », l'une « *ex timore* » et l'autre « *ex amore* ». La première ne convient pas à la filiation divine mais s'y oppose. Suit l'explication du « *liber, causa sui* » et du « *servus, causa alterius* » [30].

La réponse du commentaire de Gal 4, 7, propose aussi une distinction entre les « *servi ex timore servientes* » et les « *servi ex amore servientes* » avec l'explication parallèle qui oppose contrainte à liberté. Ici, néanmoins, Thomas reconnaît que même pour les nouveaux *servi*, il s'agit d'une « condition » [31], puisqu'il est écrit : « Quand vous aurez fait tout ce qui vous a été prescrit, dites : Nous sommes des serviteurs inutiles » (Luc 17, 10) [32].

La réponse du commentaire du premier verset de l'épître aux Philippiens reprend cette notion de « *conditio servi* », puis distingue la double *servitus*, non plus selon la crainte et l'amour, mais selon une double crainte : le *timor pœnæ*, qui cause le mauvais esclavage, et le *timor castus*, qui cause la « *servitutem reverentiæ* » [33]. Puisque la charité n'existe jamais chez l'homme sans la crainte chaste [34], la dernière réponse citée ne s'oppose pas aux deux précédentes. Elle fait mieux ressortir, par contre, l'effet propre de la condition de serviteur sous la loi nouvelle : la crainte chaste.

L'auteur de l'épître aux Hébreux définit bien, dans le douzième chapitre au verset 28e — donc dans la conclusion principale de l'épître, selon Thomas [35] — en quoi consiste la « *servitus reverentiæ* » propre à la loi nouvelle lorsqu'il écrit :

> Itaque regnum immobile suscipientes, habemus gratiam : per quam serviamus placentes Deo, cum metu et reverentia.

La « *servitus in timore et reverentia* » du Nouveau Testament n'est pas une pure transposition, sur le plan de nos relations envers Dieu, de la déférence humaine due à un bienfaiteur. Elle n'est possible que par la grâce reçue du Christ [36]. L'« *obsequium ut a nobis requisitum* » ne se réduit pas à un service extérieur : il est intérieur et procède de l'amour [37]. Il implique la crainte du Seigneur de la création et la révérence envers le Père de notre génération [38].

Ce beau texte soulève à nouveau les problèmes relatifs à la notion de « révérence divine ». Contrairement aux allégations de

F. B. Sullivan [39], plusieurs passages des œuvres que nous étudions
ici précisent la notion de révérence. Si la fin du commentaire de
Hébr 12, 28, peut laisser croire que le *timor* évoque une relation de
créature à Créateur alors que la *reverentia* doit plutôt être conçue
en termes de sentiments filiaux, les autres textes contemporains
nous obligent à nuancer cette distinction, imposée littérairement
par le verset de l'épître. Dans les textes relatifs à la révérence
humaine — entendez, celle qu'on témoigne à d'autres hommes —
l'idée principale est celle d'un sentiment de dépendance envers
celui qui, sous un certain aspect, peut être considéré comme « principe » : si Judas salua Jésus avant de l'embrasser, c'est par révérence pour le maître — ce qui, du reste, constitue une exégèse littérale fort saine [40] ; si l'épouse doit révérer son mari, c'est qu'elle lui
est soumise [41] ; pour la même raison, les esclaves doivent obéissance à leur maître [42] et les enfants à leurs parents [43]. Si la notion de
révérence se prête à des connotations affectueuses de type filial
ou conjugal, c'est néanmoins l'aspect de la relation de dépendance
d'un inférieur envers un supérieur (« principe ») qui prédomine.
Les mêmes conclusions s'imposent à partir des passages qui expo-
sent la perversion d'un sentiment révérenciel éprouvé pour les
êtres inférieurs à l'homme. En leur attribuant une excellence de
« principe » qu'ils n'ont pas, la révérence pour les « astres » [44], pour
les « mauvais anges » [45] ou pour les « fantômes » [46] dégrade l'homme.

La révérence divine — nous l'avons vu dans les textes de la première période — est conçue semblablement en fonction de l'excellence divine, une excellence cependant singulière [47]. L'examen des
textes dans lesquels la relation entre *reverentia* et *timor* envers
Dieu est étudiée de façon plus serrée oblige à conclure dans le
même sens que précédemment. La révérence divine est reliée à la
notion de la crainte filiale animée par la charité [48]. À l'intérieur de
celle-ci, elle fuit le mal de s'égaliser à Dieu [49]. La crainte filiale est
donc une notion plus large puisqu'elle implique une « *fuga separationis* » qui n'est jamais attribuée à la révérence [50]. Il faut donc
constater que, jusqu'à la fin du premier séjour de Thomas en Italie,
sa notion de *reverentia divina* n'a pas substantiellement changé.
Elle ne semble jamais être conçue en dehors d'une relation au
niveau de la grâce et elle indique toujours l'activité la plus formelle de la crainte filiale.

À la lumière de ces précisions, on saisit mieux la nouveauté de la *servitus reverentiæ* propre à la *conditio servi* sous la loi nouvelle. Elle est le fruit de l'Esprit-Saint qui nous libère de l'esclavage mauvais en criant en nos cœurs « Abba, Père » [51]. Elle fait tellement corps avec l'attitude qu'éduque en nous la pédagogie nouvelle qu'à la question des Pharisiens sur le plus grand commandement de la loi, Jésus ne répliqua pas par la formule de Deut 10, 14, mais par celle de Deut 6, 5, qui ne mentionne que l'amour de Dieu, car la crainte filiale est incluse en lui comme en son principe [52]. Parce que loi de charité, la loi nouvelle est une loi de perfection [53]. Sous sa pédagogie, la crainte filiale s'épanouit dans la charité « en laquelle se noue la perfection » (Col 3, 14). À ce stade, la méthode d'intimidation est en effet périmée.

La crainte n'est donc pas absente de la pédagogie nouvelle. Dans la conversion des pécheurs comme dans la correction des frères qui ont perdu le sens du bien spirituel, la servile pourra encore jouer un rôle préparatoire pour arracher l'esclave à son péché. Une telle crainte ne relève pourtant pas de la nouveauté de la loi d'amour. Celle-ci est moins une pédagogie *par* la crainte qu'une pédagogie *de* la crainte, c'est-à-dire une méthode « gracieuse » qui « forme » chez les hommes nouveaux cette révérence des fils envers le Père qui les a régénérés dans l'Esprit. Cette crainte nouvelle, celle qui découle de la charité, en sauvegarde aussi chez la créature la fraîcheur initiale. En empêchant l'homme de s'installer dans un amour qu'il croit acquis, elle assure à sa charité une certaine qualité extatique sans laquelle elle n'est plus l'amour d'une créature pour Celui-qui-est.

---

[1] *In Matth* 7, 14, 1 (no. 652). Corriger la coquille de l'édition Marietti qui inscrit Psalm 18.

[2] Il est regrettable que, dans son annexe consacrée à l'interprétation de la loi dans la *Lectura super Matthæum*, U. Kühn, *Via caritatis...*, pp. 79-82, ait restreint son enquête au chapitre cinquième de Matthieu. Il aurait trouvé, entre autres, le titre même de son livre pour lequel, sauf erreur, il ne cite pas un seul texte de Thomas. Il aurait aussi fallu expliquer la difficulté que soulève pour son thème, le « sermo regius ... per viam timoris » et le « sermo paternus ... per viam amoris » de *in X Ethic.*, lect. 15 (no. 2159) !

³ *De Ver.*, q. 28, a. 5, in c. Cette distinction correspond à celle de *in IV Sent.*, d. 17, q. 1, a. 3, q1a. 4, entre la justification de l'« impie » et celle de l'« innocent ».

⁴ *De Ver.*, q. 28, a. 4, ad 3 : « ... timor servilis, qui habet oculum ad pœnam tantum, requiritur ad justificationem ut dispositio præcedens, non autem ut intrans substantiam justificationis : quia simul cum caritate esse non potest, sed introeunte caritate, timor discedit ; unde 1 Joan 4, 18 : 'Timor non est in caritate' ». Voir encore, sur ce dernier point, *in Matth* 17, 7-8, I (no. 1442) et 28, 10 (no. 2440).

⁵ *In Matth* 3, 7, I (no. 265).

⁶ *In Matth* 14, 26, I (no. 1267) : « ... frequenter ex timore homines convertuntur ... ».

⁷ *In Matth* 15, 4 (no. 1290) : « Sed quia posuit incitationem ex parte pœnæ, quare non posuit præmium ex obedientia ? Quia homines magis terrentur a pœna, quam desiderant præmium ; nam et brutus a pœna terretur, etc. »

⁸ *In Matth* 27, 3, I (no. 2310) : « Unde 'pœnitentia ductus retulit triginta argenteos'. Et haec pœnitentia non fuit vera pœnitentia ; habuit tamen aliquid pœnitentiæ, quia pœnitentia debet esse media inter spem et timorem ; Judas autem timorem et dolorem quidem habuit, quia de peccato præterito doluit, sed spem non habuit. Et talis est pænitentia impiorum ; Sap 5, 3 : 'Pœnitentiam agentes, et præ angustia spiritus gementes' ». Cf. *ibid.* 8, 24, III (no. 726) ; 28, 8 (no. 2436). Voir aussi le thème parallèle, souligné dans *in Matth* 24, 30, II (no. 1966), de la « crainte honteuse » comme peine du jugement dernier. Voir aussi notre article, *La « crainte honteuse » selon Thomas d'Aquin*, dans *RT*, 69 (1969) 601, note 55.

⁹ *De Ver.*, q. 28, a. 5, ad 6 : « ... nam fuga alicujus est motus ab illo ».

¹⁰ *De Ver.*, q. 28, a. 4, ad 4 : « ... timor filialis includit aliquam fugam ; non tamen fugam Dei, sed fugam separationis a Deo, vel adæquationis ad Deum, secundum quod timor importat quamdam reverentiam per quam homo non audet divinæ majestati se comparare, sed ei se subjicit ».

¹¹ *De Ver.*, q. 28, a. 4, ad 3 : « Timor autem filialis, qui timet separationem, includitur virtute in motu amoris : ejusdem enim rationis est desiderare conjunctionem amati, et timere separationem ». Voir aussi le texte déjà cité de *in ad Hebr* 3, 14, lect. 3 (no. 190). Encore dans le même sens: *in ad Hebr* 11, 7, lect. 2 (no. 578) ; *in 2 ad Cor* 5, 11, lect. 3 (no. 174).

¹² *In Matth* 2, 16, IV (no. 224).

¹³ *In 1 ad Tim*, 5, 20, lect. 3 (no. 221).

¹⁴ Voir surtout, *in 2 ad Cor* 9, 7, lect. 1 (no. 331) en parallèle avec *in 2 ad Cor* 6, 12-13, lect. 3 (nn. 230ss). Voir encore *ibid.* 11, 20, lect. 5 (no. 416).

¹⁵ *In Matth* 18, 15-17, II (nn. 1517ss). On trouve ici des indications d'une autre nature sur la crainte : la crainte qui fait se désister du devoir de correction ; le pouvoir d'auto-correction que recèle la « crainte honteuse » du délinquant.

¹⁶ *In 2 ad Cor* 7, 11, lect. 3 (no. 270).

¹⁷ *In 2 ad Cor* 7, 1, lect. 2 (no. 248) : « ... hic loquitur de timore filiali, qui est caritatis effectus, et non de servili, qui contrariatur caritati. Dicit

autem « in timore », ut doceat nos habere affectum ad Deum cum quadam reverentia et sollicitudine. Amor enim causat securitatem, quæ quandoque negligentiam parit, sed, qui timet, semper est sollicitus ».

[18] Dans *In Matth* 6, 25, V (no. 621), il définit la « sollicitudo » ainsi : « Dicendum quod sollicitudo nominat providentiam cum studio ; studium autem est vehemens applicatio animi ». Il souligne ici comment cette « sollicitudo », encore associée à la crainte dans la suite du texte, peut être aussi peccamineuse lorsqu'elle devient une fin en soi (on ne peut s'empêcher de penser à la complaisance dans « le problème » de certains de nos contemporains ! N'est-elle pas d'ailleurs souvent liée à la peur ?) ou lorsqu'elle s'accompagne de désespoir.

[19] Cf. *in Matth* 2, 4, II (no. 180) : « Herodes sollicitus erat inquirere (...) propter timorem Romanorum ». Mais ici il faudrait ouvrir tout un dossier sur les espèces de la crainte selon Thomas d'Aquin : segnities, erubescentia, verecundia, admiratio, stupor et agonia. Nous avons déjà fait une étude sur le binôme verecundia/erubescentia et une autre sur le vocabulaire de l'angoisse : on y trouvera de nombreuses indications en ce sens. L'« admiration » se présente souvent comme une réelle inquiétude de l'esprit : v.g., *in Matth* 5, 8, II (no. 434) : « Naturale autem desiderium est, quod homo videns effectus inquirat de causa : unde etiam admiratio philosophorum fuit origo philosophiæ, quia videntes effectus admirabantur, et quærebant causam. Istud ergo desiderium NON QUIETABITUR, donec perveniat ad primam causam, quæ Deus est, scilicet ad ipsam divinam essentiam ». La « paresse » est également décrite, assez paradoxalement, comme une inquiétude : cf. *in 1 ad Thes* 4, 11, lect. 1 (nn. 90-91) ; 5, 14, lect. 2 (no. 126) ; *in 2 ad Thes* 3, 11-12, lect. 2 (nn. 79 et 81) ; *de Reg. Princ.*, II, c. 4 (no. 845) : elle est, dans tous ces textes, une mauvaise sollicitude. Dans d'autres textes, elle est décrite comme un empressement qui s'oppose à la sollicitude spirituelle : cf. *in 1 ad Thes* 5, 6, lect. 1 (no. 117) ; *in 2 ad Cor* 8, 17, lect. 1 (no. 282) et lect. 3 (no. 311) ; *in ad Hebr* 6, 12, lect. 3 (no. 309) ; *de Reg. Princ.*, I, c. 5 (no. 761). De façon plus générale, la crainte des ennemis polarise toutes les préoccupations, *in Jer* 31, 5, no. 1 (p. 648a). Etc.

[20] *In ad Gal* 4, 18, lect. 5 (no. 240).

[21] *In ad Hebr* 4, 1, lect. 1 (no. 196) : « timore casto et sollicitudinis ».

[22] V.g., *in Jer* 38, 15, no. 2 (p. 662a) ; 42, 11, no. 2 (p. 667b) ; *in Matth* 10, 31, II (no. 879).

[23] *In 1 ad Cor* 16, 10, lect. 2 (no. 1035).

[24] *In 2 ad Cor* 12, 7, lect. 3 (no. 474).

[25] *In ad Gal* 2, 12, lect. 3 (no. 80).

[26] *Ibid.* (no. 88). Pour JEROME, cf., v.g., *Commentarium in epistolam ad Galatas* 2, 7-9, I, c. 2 (PL 26, 361D) ; pour AGUSTIN, cf., v.g., *Liber expositionis epistolæ ad Galatas* 2, 11-16, no. 15 (PL 35, 2114).

[27] *In ad Eph* 5, 11, lect. 4 (no. 295) : « Sed numquid semper peccamus si non reprehendimus ? Respondet Augustinus : Quod enim non reprehendis ex timore caritatis, ne scilicet pejor efficiatur et scandalizatus affligat bonos, non peccas. Si autem ex timore cupiditatis, ne scilicet indignetur et perdas beneficia tua, sic peccas ».

[28] *Contra impugnantes*, c. 7 (no. 319).

[29] Cf. *in ad Gal* 4, 7, lect. 3 (no. 216) ; *in ad Phil* 1, 1, lect. 1 (no. 5) ; *in ad Tit* 1, 1, lect. 1 (no. 4).

[30] *In ad Tit* 1, 1, lect. 1 (no. 4) : « Duplex enim est servitus. Una est ex timore, quæ non competit filiationi Dei, sed condividitur contra eam. Rom 8, 15 (...). Alia ex amore, quæ consequitur filiationem Dei. Et ratio hujus distinctionis est, quia liber est qui est causa sui, qui operatur quod vult ; servus vero est qui est causa alterius ».

[31] À propos de textes semblables dans les commentaires plus tardifs de l'épître aux Romains et du quatrième évangile, Ch. A. BERNARD, *Théologie de l'espérance*..., p. 136, écrit avec justesse : « L'essentiel ici n'est pas la différence de condition entre le serviteur et l'ami, car les amis peuvent demeurer des serviteurs, mais de comportement : le service dans la liberté ou le service dans la contrainte ». Cette remarque pertinente correspond bien à ce que Thomas dit à propos des saints vivant encore sous la loi ancienne : leur « comportement » était, par la charité, celui de vrais fils ; leur « condition » extérieure d'esclaves n'entraînait pas un service dans la contrainte.

[32] *In ad Gal* 4, 7, lect. 3 (no. 216) : « Licet enim conditione servi simus, quia dicitur Luc 17, 10 (...), tamen non sumus servi malevoli, ex timore, scilicet servientes, quia tali servo debentur tortura et compedes ; sed sumus servi boni et fideles, et amore servientes, et ideo libertatem per fidem consequimur. Joan 8, 36 'Si Filius vos liberaverit, vere liberi eritis' ».

[33] *In ad Phil* 1, 1, lect. 1 (no. 5) :) Deinde cum dicit 'Servi, etc.', ponitur conditio eorum (i.e. personarum salutantium). 2 ad Cor 4, 5 : 'Non enim nosmetipsos prædicamus, sed Jesum Christum Dominum nostrum : nos autem servos vestros per Jesum, etc.'. Sed contra Joan 15, 15 (...). Respondeo. Duplex est servitus secundum duplicem timorem. Timor enim pœnæ causat malam servitutem, et de hac intelligitur dictum præmissum Joan 15, 15 (corr. coquille de Marietti qui imprime Jo 15, 6). Timor vero castus causat servitutem reverentiæ, et de hac loquitur Apostolus hic ».

[34] *In ad Hebr* 3, 14, lect. 3 (no. 190) : « Caritas autem non est sine timore casto ». Nous retrouvons souvent une relation globale entre la crainte de Dieu et les trois vertus théologales. Elle est généralement signalée par la technique du rapprochement d'un texte du livre de l'Ecclésiastique : ainsi par Sir 1, 34s dans *in ad Hebr* 13, 21, lect. 3 (no. 770) ; par Sir 2, 8-10 dans *in 1 ad Cor* 13, 13, lect. 4 (no. 806) ; *in 2 ad Cor* 1, 10, lect. 3 (no. 28) ; *in ad Gal* 3, 6, lect. 3 (no. 130) ; *in ad Eph* 1, 12, lect. 4 (no. 35) ; par Sir 24, 24 dans *in ad Hebr* 4, 1, lect. 1 (no. 196).

[35] Cf. *in ad Hebr* 12, 28, lect. 5 (no. 722).

[36] *Ibid.* (no. 724) : « Dicat enim ratio naturalis, quod ei a quo multa beneficia recipimus, obligamur ad reverentiam et ad honorem exhibendum ; ergo multo fortius Deo, qui nobis maxima donavit, et infinita repromisit. Et ideo dicit quod per istam gratiam, scilicet nobis datam et dandam, serviamus Deo placentes cum metu et reverentia ».

[37] *Ibid.* : « Non enim sufficit tantum servire Deo, quod potest fieri per actionem exteriorem, nisi etiam placeamus ei per intentionem rectam et per amorem. Etc. ».

[38] *Ibid.* : « Deus autem propter creationem dicitur Dominus ; propter regenerationem vera Pater. Domino debetur timor, sed patri amor et reve-

rentia. Mal 1, 6 (...). Ergo Deo serviendum est cum metu et reverentia. Psalm 2, 11 'Servite Domino in timore, et exultate ei cum timore' ».

³⁹ F. B. SULLIVAN, *The Notion of Reverence*, dans *RUO*, 23 (1953) 17* : « The surprising thing about this period of St. Thomas' life (i.e. celle qui précède la composition de la *Somme de théologie)* is the relative poverty of his thought on reverence » ; *ibid.*, p. 22* : « It was only towards the end of his life that St. Thomas again (i.e. après le *Commentaire sur les Sentences)* addressed himself to the problem of Christian reverence ». Il affirme aussi (*ibid.*, p. 24*) que la seule référence explicite à la révérence dans la *Prima Secundæ* est celle de q. 67, a. 4, ad 2 ; il omet au moins les textes importants de *Ia-IIae*, q. 68, a. 4, ad 2 et ad 4 ; q. 102, a. 4, in c. et ad 1. F. B. SULLIVAN aurait sans doute nuancé son jugement a propos de l'évolution de la pensée de Thomas sur ce point s'il avait examiné attentivement toutes les références à son thème en dehors des soi-disants « grands textes ». On s'étonne, par exemple, qu'il ne cite jamais l'*Expositio super Job ad litteram* alors que la révérence divine en constitue, nous le verrons, un des thèmes majeurs.

⁴⁰ *In Matth* 26, 49, VI (no. 2252).

⁴¹ *In ad Eph* 5, 33, lect. 10 (no. 335) : « ...timore reverentiæ et subjectionis, quia debet ei esse subjecta ».

⁴² *In ad Eph* 6, 5, lect. 2 (no. 344) : Thomas explique le « cum timore et tremore » de Paul en termes de « reverentia ».

⁴³ *In ad Eph* 6, 1-2, lect. 1 (nn. 338-339).

⁴⁴ *De art. fidei*, pars I (no. 602).

⁴⁵ *De Pot.*, q. 6, a. 10, ad 2 ; *in 2 ad Cor* 11, 14, lect. 3 (no. 407) ; *in Matth* 1, 20, IV (nn. 128-129) ; 28, 5 (no. 2430). La source de cette fameuse exégèse sur le discernement des anges bons et mauvais est évoquée dans ce dernier texte par la mention B. Antonius. Il s'agit de la *Vita Antonii*, attribuée à ATHANASE : cf. *Vita et conversatio S. P. N. Antonii*, par. 35 (PG 26, 893B-896B).

⁴⁶ *De art. fidei*, pars I (no. 606).

⁴⁷ Voir encore les indications de *in Jer* 10, 6-7, no. 2 (p. 604a) et v. 10, no. 3 (p. 604a) ; *in Matth* 2, 11, III (nn. 196-197) ; 9, 20-22, IV (nn. 782-784) ; 17, 7-8, I (no. 1440) ; *in 2 ad Cor* 11, 31, lect. 6 (no. 437).

⁴⁸ *In 2 ad Cor* 7, 15, lect. 4 (no. 279) ; *in Matth* 5, 3, II (no. 418).

⁴⁹ *De Ver.*, q. 28, a. 4, ad 4 : « ...timor filialis includit aliquam fugam, non tamen fugam Dei, sed fugam separationis a Deo, vel adæquationis ad Deum, secundum quod timor importat quamdam reverentiam per quam homo non audet divinæ majestatis se comparare, sed ei se subjicit ».

⁵⁰ Voir encore *in 2 ad Cor* 12, 20, lect. 6 (nn. 509 et 512) ; *in ad Hebr* 4, 1, lect. 1 (no. 196) ; 4, 12, lect. 2 (no. 224) ; *de emptione* (no. 721). — Notons que si les textes de cette période mentionnent rarement le « don de crainte » (nous n'avons trouvé que trois mentions explicites : *in Matth* 5, 3, II (no. 418) ; 7, 21, II (no. 679) ; in Jer 32, 40, no. 6 (p. 653b), le rattachement des lieux scripturaires classiques à ce sujet chez les médiévaux permet souvent de conclure que Thomas pensait en ces termes. Ainsi, par exemple, la mention de Is 11, 3, dans *in ad Eph* 3, 8, lect. 2 (no. 149) ; d'Is 33, 6, dans *in ad Eph* 3, 8, lect. 2 (no. 149) ; *in 1 ad Tim* 6, 17, lect. 4

(no. 273) ; *in Matth* 12, 35, II (no. 1040) ; 13, 44, IV (no. 1188) ; et de Mal 4, 2, dans *in ad Eph* 4, 26, lect. 8 (no. 251).

[51] *In ad Gal* 4, 7, lect. 3 (no. 316) ; « Consequenter cum dicit : 'Itaque jam non est servus, sed filius', ponit fructum hujus beneficii ; et primo quantum ad remotionem omnis mali, a quo liberemur per adoptionem Spiritus sancti, et hæc est liberatio a servitute, etc. ».

[52] *In Matth* 22, 37, IV (no. 1813) : « Et quare non respondet Dominus de timore, sicut de dilectione ? Dicendum quod quidam timent Deum, qui timent pati ab eo, ut qui timent pœnam gehennæ, vel qui timent amittere aliquid quod habent a Deo ; et hic est timor servilis, quia illud diligit in quo timet puniri. Alius est, qui ipsum Deum timet propter se, qui timet eum offendere ; et talis timor est ex amore, et ex hoc timet, quod amat ; ergo principium est amor ; I Joan 4, 16 ».

[53] *In ad Col* 3, 14, lect. 3 (no. 163).

LA CRAINTE DANS LE CONTEXTE DE LA FORCE
(textes de 1252 à 1268)

Le vaste problème de la vertu et du don de force, et plus spécialement celui de la crainte dans un tel contexte, n'a jamais été
étudié de façon satisfaisante dans la théologie de Thomas d'Aquin [1].
Il nous est impossible, dans le cadre de ce travail, d'entreprendre
une recherche qui nous mènerait beaucoup trop loin. Par contre il
n'est pas indifférent aux problèmes plus immédiats qui nous pré-
occupent ici de connaître les nombreux textes que, de 1252 à 1268,
Thomas a rédigés ou fait rédiger sur le sujet. Ils permettent de se
rendre compte du travail consenti par l'Aquinate à cette question
et de mieux saisir le sens de son intégration à celle de la *lex timoris*.
Ils constituent également un dossier sur tous les textes de la crainte
dans le contexte de la force, dans les ouvrages du premier séjour
parisien et du premier séjour italien.

Nous avons regroupé ces textes sous trois rubriques qui nous
semblent couvrir les problèmes majeurs qu'ils soulèvent : la crainte,
objet de la vertu de force ; l'influence de la vertu de force sur la
crainte ; la force et la crainte en régime chrétien. Ils permettent
de se faire une idée assez exacte de la façon dont Thomas comprend la crainte envisagée par la force et la nature des divers
niveaux d'influence de celle-ci sur cette « matière » prioritaire. Faut-
il ajouter que nous ne prétendons pas résoudre tous les problèmes
soulevés par cette question. Des recherches plus précises sur les
sources permettraient en outre de mieux interpréter certains
textes. Une reprise plus générale de cet aspect particulier à l'inté-

rieur du problème beaucoup plus vaste de la vertu et du don de
force apporterait aussi bien des lumières. Nous souhaitons que ce
dossier facilite la tâche à celui qui entreprendra une telle étude.

1. La crainte, objet de la vertu de force

Si Thomas répète souvent que crainte et audace [2], ou l'objet qui
soulève ces passions [3], constituent la matière de la force, c'est
cependant à la distinction 33e du IIIe livre des *Sentences* qu'il
détermine ce qu'il faut précisément entendre par là [4].

Comme les audaces et les craintes devant les périls de mort
excèdent en intensité toutes les autres passions de l'irascible, elles
offrent la matière type à l'appétit de lutte et de conquête. Elles
appellent donc une vertu qui sera, par conséquent, la cheville
ouvrière de l'entreprise vertueuse dans ce domaine : la vertu cardinale de force [5]. Craintes et audaces devant les maux les plus redou-
tables fournissent ainsi la matière propre de la force [6]. Pour tenter
d'« expliquer » et de réconcilier les différentes séries de « *partes* »
assignées à la force par divers philosophes (Cicéron, Macrobe,
Aristote [7]...), l'Aquinate est amené à préciser [8] que si, à proprement parler, la force concerne les périls de mort [9] — surtout ceux
de la guerre, parce qu'ils présentent la plus grande difficulté —
elle s'étend aussi à tous les autres périls d'une certaine « grandeur » [10]. En tenant compte des degrés possibles dans les périls, on
pourra donc assigner à la force des « parties potentielles », c'est-à-
dire des vertus qui participent du mode d'agir de la vertu type,
mais que suscite une matière qui n'implique pas une « difficulté »
aussi terrible que la mort, prototype de l'objet effroyable [11]. La
« *securitas* » dont parle Macrobe [12], par exemple, n'envisage pas,
comme la vertu cardinale, les seules craintes des « *maxima terribilia* », mais n'importe quelle menace [13].

Notons enfin qu'un texte du *Commentaire sur les Sentences* [14]
énumère, dans le contexte très précis de la crainte comme objet de
la vertu de force [15], une hiérarchie de maux corporels : « *mors,
verbera, dehonestatio per stuprum, et servitus* », que Thomas résume dans le vers suivant emprunté à la tradition juridique : « *stupri
sive status, verberis atque necis* » [16]. Plus encore : ce même texte
commence par affirmer, qu'avant la mort corporelle, les péchés sont
les maux les plus terribles, ceux que l'homme doit craindre par-

dessus tout. Ce texte établit un lien, au moins implicite, entre la question de la crainte-objet de force et celle de la crainte des maux qui détournent de Dieu.

Les textes du séjour italien n'apportent ici rien de neuf, sinon de multiples exemples. Crainte et audace constituent les objets propres de la vertu de force [17] et la mort reste le prototype de la matière éloignée sur laquelle s'exerce avant tout cette vertu [18]. Nous avons également relevé, dans un contexte de la force, un exemple où l'ennemi redoutable par excellence est celui qui conduit, non point à la mort temporelle, mais à la spirituelle : le diable [19].

2. L'influence de la vertu de force sur la crainte

Si l'examen attentif de la crainte comme objet de force présente quelque intérêt — celui de mieux cerner le domaine sur lequel la force est susceptible de s'exercer selon tous ses aspects — l'étude de la nature de l'influence vertueuse sur la passion de crainte présente une plus grande difficulté. Lorsqu'on lit, dans une réponse à propos de l'obéissance, qu'il est propre à la force d'éliciter un acte qui est « *medium* » entre la crainte et l'audace [20], on demeure perplexe, même lorsqu'on décante ce terme technique de toutes les connotations péjoratives dont on l'a souvent affublé — présupposant à tort que le juste milieu d'une vertu s'établit à égale distance des extrêmes calculés en quantité — pour n'en garder que cette signification de parfaite adaptation aux conditions de l'acte moral sous la direction de la prudence [21]. On éprouve une certaine difficulté à formuler la structure d'un tel acte vertueux aussi bien en matière de crainte que d'audace. Déjà plus suggestive l'idée de force « vertu de base » (« *virtus fundamenti* »), à savoir celle qui affermit l'édifice spirituel contre les adversités [22]. En général, l'idée de force exprime celle de fermeté.

Audaces et craintes n'appellent cependant pas un affermissement identique. Thomas reconnaît donc à la force — après Aristote qu'il cite à ce propos — deux actes : l'*aggredi* pour l'audace et le *sustinere* pour la crainte [23]. Avec le Philosophe, il enseigne également que l'excès d'audace ressemble davantage à la vertu que l'excès de crainte, puisqu'il modèle mieux le mouvement d'attaque caractéristique de l'appétit irascible devant ce qui exige un effort exceptionnel [24]. Pourtant le *sustinere* de la force représente sa démarche vertueuse principale, celle à laquelle l'autre est ordonnée, car il est plus difficile de supporter les maux présents que de s'insurger contre les absents [25].

Comment Thomas conçoit-il cette activité principale ? Un des textes les plus instructifs à ce propos se trouve dans une réponse à l'objection selon laquelle « *Perferre molestias non videtur actus fortitudinis esse* » [26]. Contrairement à ce que peut suggérer ce terme « supporter » (« *perferre* ») — plus encore que « soutenir » (« *sustinere* ») — l'activité vertueuse face à la crainte ne s'identifie pas à une immobilité quelconque. Elle est essentiellement un choix, celui de s' « arrêter » face aux forces adverses, de maintenir ses positions dans les contrariétés en vue du bien honnête. De plus, un élément négatif qualifie ce *perferre* : l'exclusion des troubles immodérés de la peur [27]. Les répercussions sensibles, somatiques et psychiques, de la peur, si elles échappent partiellement à la *moderatio* de la raison [28], et si elles n'appartiennent pas à l'essence même de l'objet vertueux, font pourtant partie du matériel que vise l'opération vertueuse, puisque les passions corporelles sont aussi la matière des vertus [29].

Il serait donc erroné de concevoir l'influence de la force sur la crainte comme une évacuation de celle-ci. On assisterait alors à une œuvre de destruction — au moins à un effort systématique d'anéantissement ou de répression — d'une émotion foncièrement bonne, et, partant, à une grave mutilation de l'appétit de combativité. On peut affirmer a priori qu'une telle vue ne cadre guère avec l'idée que se fait l'Aquinate de la maîtrise vertueuse. Le *sustinere* des menaces ne s'accompagne pas d'une disparition ou d'une quelconque résorption de la crainte, ce qui, du reste, lui enlèverait sa raison d'être. Il cherche à assurer le contrôle rationnel de la passion de retrait tout en éliminant les éléments perturbateurs de l'activité volontaire. Sous l'influence de la force, le mouvement de crainte est ordonné à la fin que vise l'agent et, par là, soumis à son bien total. C'est un travail d'humanisation.

Les autres expressions qui définissent le *sustinere* dans le *Commentaire sur les Sentences* n'apportent rien de plus à cette analys [30]. Des illustrations confirment cependant cette interprétation et prouvent que cet enseignement théorique passe dans la réflexion pratique du bachelier sententiaire. Ainsi, dans l'exercice de la vertu de pénitence, la force n'élimine pas la « crainte honteuse » mais l'empêche de paralyser la démarche sacramentaire, tout en lui laissant jouer son rôle salutaire de peine et d'obstacles à la vanité [81]. Nous trouvons aussi une description détaillée du contrôle rationnel de l'homme « résolu » (*constans*) [82] : il diffère et de l'*inconstans* et du *pertinax* en ce qu'il sait, d'une part, hiérarchiser les objets de crainte selon leur degré réel de menace, et, d'autre part, évaluer l'imminence du péril.

> ...Sicut de forti Philosophus dicit, in III Eth., c. 9, intrepidus est, non quod omnino non timeat, sed quia non timet quæ non oportet, vel ubi vel quando non oportet [83].

Aux prises avec une menace qui dépasse la capacité de résistance du sujet, la force commandera donc une fuite [84]. Si cette fuite se révèle disproportionnée à la menace, concrètement évaluée en toutes ses circonstances, il y aura au contraire un défaut du *sustinere*. Il pourra se situer au plan infra-humain, celui de la simple tendance pulsionnelle ; mais si ce défaut dépend du « *voluntarium* », alors on parlera d'acte peccamineux ou d'habitus vicieux : c'est la *timiditas* [85].

Dès le début de son enseignement, Thomas n'a donc pas conçu l'influence de la vertu de force sur la crainte comme un rejet volontaire ou involontaire de son signal d'alarme. Traduire *reprimere* par « réprimer » et l'entendre en termes de « refoulement » n'a rien à voir avec la pensée de Thomas. Le *sustinere* est un acte humain procédant d'une élaboration rationnelle sous l'influence de la prudence. Oeuvre de vertu, il sera une action parfaitement adaptée aux exigences de la menace en cause, compte tenu de toutes les circonstances de l'objet (importance, imminence, lieu, etc.) et du sujet (capacité de résistance, but immédiat, fin ultime, etc.). Pour chaque situation particulière, la force permettra d'élaborer la démarche qui s'impose : elle pourra consister à écarter une crainte indigne d'attention, à maintenir une position acquise malgré les difficultés, à poursuivre l'exécution d'un plan choisi au-delà des contrariétés, ou encore à fuir tout bonnement, mais sans panique, un danger auquel prétendre résister serait déraisonnable.

À ces premières élaborations, les textes du premier séjour italien n'ajoutent rien de substantiel. Ils insistent sur l'idée que la force fera craindre « comme il faut » [86]. Le *de Veritate*, q. 24, a. 12, montre bien comment la force, à l'état de vertu, se manifeste mieux par l'attitude devant les craintes subites que devant celles qui sont pré-méditées. Sont également signalés l'excès de la force que constitue une certaine audace[37] et surtout le défaut de la force qu'est la timidité[38].

3. La force et la crainte en régime chrétien

Qu'il maîtrise la crainte ou qu'il s'attaque au mal, l'homme cou-rageux espère évidemment — étant bien entendu qu'il s'agit d'une démarche vertueuse et donc rationnelle — résister à la menace ou la vaincre. L'espoir, s'il n'est pas la matière de la force, lui est toujours uni[39]. Mais cet espoir de succès dans l'affrontement est basé sur une appréciation humaine des capacités de résistance au danger. Si celui-ci apparaît comme excédant « les forces » du sujet et qu'il se sait par conséquent incapable de lutter, il serait impru-dent de sa part, donc désordonné, de s'y opposer. L'activité qui est soutenue par l'espérance et mesurée par la règle même de la puissance divine peut cependant envisager de telles craintes et audaces. Mais elle relève alors d'un mode supra-humain, celui qu'imprime l'Esprit. C'est le don de force[40].

Voilà l'essentiel de l'enseignement de la première période sur la force face à la crainte en régime chrétien[41]. D'autres données s'inscrivent dans le contexte du sacrement de confirmation : il vivifie la force de celui qui est appelé à confesser sa foi au péril même de sa vie[42]. On ne voit pas très bien, dans les textes, s'il s'agit du don ou d'une vertu infuse de force[43]. À notre connais-sance la distinction entre un don et une vertu infuse de force n'est du reste jamais clairement indiquée dans les textes de cette période, ni, d'ailleurs, dans ceux de la période suivante[44].

Certains textes du premier séjour de Thomas en Italie intro-duisent pourtant une considération nouvelle dans la relation force-crainte. Pour la première fois Thomas compare l'attitude païenne devant les périls mortels à l'attitude chrétienne décrite par Paul aux Corinthiens : « Nous sommes donc plein d'assurance et préfé-rons quitter ce corps pour aller demeurer auprès du Seigneur » (2 Cor 5, 8)[45]. La peur naturelle de la mort affecte aussi les saints. Ils osent cependant l'affronter sans fléchir, pour le Christ, car ils savent que nous voyageons en étrangers sur cette terre, notre patrie

étant Dieu. C'est l'œuvre de la grâce, non de la nature : si de l'appétit naturel naît la crainte de la mort, l'audace naît de la grâce [46].
L'Aquinate montre alors les limites de la vertu de force, telle
qu'analysée par le Philosophe. Aristote dit, en effet, que la joie
n'est pas requise, comme pour les autres vertus, à la perfection de
la vertu de force : l'absence de tristesse suffit [47]. Or la force des
saints est plus parfaite, car non seulement ils ne s'attristent pas
dans les périls de mort, mais ils s'en réjouissent [48]. La force qui
permet de résister joyeusement à la crainte de la mort est donc
l'effet de la grâce du Christ. Elle est plus parfaite que la vertu
naturelle de force [49].

Si le Philosophe doit avouer que l'exercice de la force, contrairement à celui de toutes les autres vertus dignes de ce nom, ne
suscite pas la joie face à ce qui constitue pour cette vertu le test
crucial, c'est que finalement le courage des « païens » ne fait pas
le poids devant la mort : elle ne résout pas le problème ultime de
l'existence humaine. Le vertueux d'Aristote se contentera de subir
l'échec final à contre-cœur, car il est noble d'agir ainsi. Son *sustinere* garde-t-il alors cette qualité de l'*electio* vertueuse par laquelle
elle est tout autre chose qu'une « répression » de la crainte ?

La pédagogie d'intimidation de la loi ancienne n'aidait guère à
dépasser cette perspective. Mais avec le Nouveau Testament, con-
sommé dans l'effusion du sang en Jésus-Christ [50], est inaugurée la
loi nouvelle, celle qui libère du *timor mortis* puisque la mort a été
prise en charge par ce même Jésus-Christ sur la croix [51]. Agir
encore sous l'impulsion d'une telle crainte « ancienne » dans la
nouvelle disposition du salut ne peut relever que du péché [52].
Comme, d'autre part, la mort ne constitue en somme que l'objet
prioritaire de la crainte, le Christ a posé, en assumant notre condition humaine, les fondements d'une force supérieure qui rend
apte à maîtriser toutes les craintes [53].

Plusieurs textes, particulièrement dans la *Lectura super Matthæum*, exploitent ce thème. Lorsqu'il commente le fait de la
présence de femmes pécheresses dans la généalogie de Jésus, Thomas reprend à son compte une idée d'Ambroise : elles sont nommées pour effacer la « crainte honteuse » des Gentils qui se conver-
tiraient éventuellement à l'Église [54]. À Gethsémanie, Jésus a prié
pour vaincre les trois craintes de la douleur, de la pauvreté et de
l'ignominie — opposées aux trois convoitises de la chair, des yeux
et de l'orgueil — qu'il aurait à supporter pendant sa passion » « *Et*

hæc passus est Christus, non quia indigeret, sed pro nobis » [55].
Aussi ne faut-il pas craindre les tribulations présentes car « *magnum
bonum est portare quod Dominus portavit* » [56]. La présence du
Christ libère toujours des craintes excessives : ce fut le cas pour
les disciples tombés la face contre terre pendant la transfiguration
parce que, comme le prouve leur crainte (« *Et timuerunt valde* »
Matth 17, 6), « *fortitudo eorum defecit* » [57]. Pour délivrer ses disciples de la crainte des persécutions, Jésus leur annonça encore que,
ressuscité, il les précèderait en Galilée [58]. Aussi la crainte doit-elle
toujours nous inciter à prier le Seigneur [59].

[1] I. S. CESAITIS, *Fortitudo præcipua characteris virtus*, Mariampoli (Lituaniæ), Sesupe, 1925, ne présente finalement qu'une trentaine de pages
assez décevantes sur le sujet (cf. pp. 82-116). L. O. KENNEDY, *De fortitudine
christiana*, Gembloux, J. Duculot, 1938, ne donne pas, malgré de nombreuses
références à Thomas d'Aquin, une analyse vraiment thomiste de la force.
Les études de Ch. A. BERNARD, *Force*, dans *DSp*, 5 (1963) 290-292, et de J.
PIEPER, *Vom Sinn der Tapferkeit*, München, Kösel-Verlag, 1963, donnent un
aperçu sérieux de la pensée de Thomas. Dans les deux cas, cependant, il
s'agit d'une présentation générale s'appuyant sur les grands textes bien
connus. Quant à la question des sources de la pensée de Thomas sur la
force, on trouve plusieurs annotations chez R.-A. GAUTHIER, *Magnanimité,
L'idéal de la grandeur dans la philosophie païenne et dans la théologie
chrétienne*, Paris, J. Vrin, 1951, pp. 295-371. Voir aussi, pour les sources
augustiniennes, Th. DEMAN, *Le « De moribus Ecclesiæ catholicæ » de S. Augustin
dans l'œuvre de S. Thomas d'Aquin*, dans *RTAM*, 21 (1954) 270-273.

[2] Cf., v.g., *in III Sent.*, d. 15, q. 2, a. 2, qla. 3, ad 1 ; d. 34, q. 1, a. 2, sol. ;
in de Div. Nom., c. 8, lect. 4 (no. 771).

[3] Ainsi les périls, *in III Sent.*, d. 26, q. 2, a. 2, ad 2. Voir aussi, *ibid.*,
d. 33, q .2, a. 2, qla. 2, ad 2.

[4] M.-D. CHENU, *Introduction à l'étude de Saint Thomas . . .*, p. 233, note 1,
souligne comment, dans son commentaire de cette distinction 33e du IIIe
livre des *Sentences*, Thomas a construit, avec l'introduction d'une anthropologie inspirée d'Aristote, le premier traité de théologie morale. Comparativement aux deux pages de texte à commenter, Thomas propose 41
questions et se réfère à Aristote 125 fois, ce qui dépasse de beaucoup le
nombre de questions et de citations aristotéliciennes de ses contemporains
dans leur commentaire de ce même chapitre du Lombard.

[5] *In III Sent.*, d. 33, q. 2, a. 1, qla. 4, ad 1.

[6] *Ibid.*, a. 2, qla. 2, sol. ; q. 1, a. 4, sol.

[7] En fait, la question de ces différentes sources, invoquées explicitement
par Thomas, est beaucoup plus complexe que ces textes peuvent le laisser

soupçonner, car il y avait, à leur sujet, une polémique déjà existante dans la scolastique. Thomas proposera une synthèse. Cf. R.-A. GAUTHIER, *op. cit.*, pp. 302ss.

[8] Cf. *in III Sent.*, d. 33, q. 3, a. 3, qlae. 1-3.

[9] Voir aussi : *in IV Sent.*, d. 3, a. 4, qla. 1 ; d. 6, q. 1, a. 1, qla. 1, ad 3 ; d. 7, q. 2, a. 2, qla. 2, ad 3 ; d. 18, q. 2, a. 4, qla. 3, obj. 1 ; d. 29, q. 1, a. 2, obj.-ad 2 ; *in Is* 38, 10 (p. 524b).

[10] *In III Sent.*, d. 33, q. 2, a. 3, ad 6. Sont toujours « terribles » : une sentence de condamnation : *in IV Sent.*, d. 47, q. 1, a. 3, qla. 3, ad 2 ; un envahisseur : *in II Sent.*, d. 17, q. 3, a. 2, obj. 8 ; *in Is* 7, 2, no. 1 (p. 459b) ; 7, 24-25, no. 2 (p. 462b) ; 12, 1-2 (p. 478a) ; la solitude après une dévastation : *in Is* 13, 19 (p. 480b) ; 34, 13 (pp. 518b-519a) ; etc.

[11] *In III Sent.*, d. 33, q. 3, a. 3, qlae. 1-2.

[12] Pour les sources de cette « partie » de la force, cf. R.-A. GAUTHIER, *op. cit.*, p. 164.

[13] Cf. *in III Sent.*, d. 33, q. 3, a. 3, qla. 2 ; *in IV Sent.*, d. 49, q. 4, a. 5, qla. 1, ad 5 et ad 7. On trouve plusieurs mentions d'une « securitas » dans le commentaire sur Isaïe. Il est impossible de savoir si Thomas a fait le rapprochement avec se sens technique. On serait parfois porté à la croire. Cf. *in Is* 13, 7 (p. 480a) ; 27, 10 (p. 505a) ; 40, 9 (p. 527b) ; 50, 7 (p. 548a) ; 60, 11 (p. 565b).

[14] *In IV Sent.*, d. 29, q. 1, a. 2, ad 2.

[15] Cf. *ibid.*, obj. 2.

[16] J.-M. AUBERT, *Le droit romain...*, p. 43, note 1, écrit, au sujet de cette citation : « ... l'auteur de ce vers est Hostiensis (indication de Jean André dans sa glose sur X.1.40.6). S. Thomas l'a probablement puisé dans S. Raymond de P. qui la donne (*Summa*, I.8.6) ; ces causes (i.e. de la crainte) étaient déjà énumérées par Dig. 4.2. ».

[17] Cf. *in 1 ad Tim* 1, 5, lect. 2 (nn. 14-15).

[18] Cf. *de Ver.*, q. 26, a. 2, ad 1 ; a. 6, ad 8 ; q. 28, a. 3, ad 8. Voir aussi des exemples de maux redoutés qui voisinent avec la mort, dans *in Jer* 4, 29, no. 9 (p. 590a) ; 5, 4, no. 2 (p. 591b) ; 6, 4, no. 2 (p. 594a) ; 6, 24, no. 10 (p. 595b) ; 30, 5-6, no. 2 (p. 645b) ; 31, 5, no. 1 (p. 648) ; etc.

[19] *In ad Eph* 6, 12, lect. 3 (no. 355).

[20] *In II Sent.*, d. 44, q. 2, a. 1, ad 2.

[21] Cf. *in III Sent.*, d. 33, q. 2, a. 2, qla. 1 ; d. 36, a. 1.

[22] *In III Sent.*, d. 23, q. 2, a. 5, ad 2.

[23] Cf. *in III Sent.*, d. 33, q. 2, a. 3, ad 6 ; q. 3, a. 2, qla. 1, sol. ; a. 3, qla. 1, sol. ; d. 34, q. 3 ,a. 1, qla. 2, sol. ; qla. 3, sol.

[24] Cf. *in III Sent.*, d. 33, q. 1, a. 3, qla. 1, obj. 2 ; q. 3, a. 2, qla. 1. Voir l'exemple cocasse d'un « faux audacieux », le pugiliste qui simule une attaque contre un adversaire absent, dans *in de Div. Nom.*, c. 8, lect. 3 (no. 768).

[25] Cf. *in III Sent.*, d. 33, q. 2, a. 3, ad 6 ; d. 34, q. 3, a. 1, qla. 2, sol. ; a. 2, ad 3.

²⁶ *In III Sent.*, d. 33, q. 2, a. 3, obj.-ad 6.

²⁷ *Ibid.* : « ... perferre, secundum quod dicitur actus fortitudinis, non dicit immobilitatem sed electionem immorandi in molestiis propter bonum virtutis sine perturbatione immoderati timoris ».

²⁸ Thomas l'affirme à propos de la crainte du Christ à l'agonie : *In III Sent.*, d. 15, q. 2, a. 2, qla. 3.

²⁹ Cf., v.g., *in IV Sent.*, d. 14, q. 1, a. 1, qla. 6, ad 2 : il s'agit justement de la « crainte honteuse ».

³⁰ Cf. *in III Sent.*, d. 33, q. 2, a. 3, ad 6 ; q. 3, a. 3, qla. 1, sol. et ad 3 ; qla. 2, sol. ; d. 34, q. 3, a. 1, qla. 1, ad 3 ; qla. 2, sol.

³¹ *In IV Sent.*, d. 17, q. 3, a. 4, qla. 4, sol.

³² *In IV Sent.*, d. 29, q. 1, a. 2. Ce vocabulaire du « constans vir » est juridique. Il provient du *Digeste*, IV, tit. 2, leg. 6. Thomas cite encore cette autorité romaine dans *IIa-IIae*, q. 125, a. 4, obj. 2. Ce « constans vir » est identifié au « fort » (*in IV Sent.*, d. 29 ,q. 1, a. 2, ad 1) et au « vir virtuosus » (*ibid.*, a. 3, qla. 1, sol.).

³³ *In IV Sent.*, d. 29, q. 1, a. 2, ad 1. Voir aussi une autre application intéressante dans laquelle Thomas dénonce le prédicateur téméraire comme le timide, dans *Contra impugnantes*, c. 3 (no. 55).

³⁴ *In III Sent.*, d. 34, q. 1, a. 2, sol.

³⁵ Cf. *in II Sent.*, d. 30, q. 2, a. 1, ad 5 (la « timiditas » des animaux !) ; d. 34, q. 1, a. 2 ,ad 2 ; *in III Sent.*, d. 15, q. 2, a. 2, qla. 3, sol. ; d. 26, q. 2, a. 2, ad 2 ; d. 33, q. 1, a. 3, qla. 1, obj. 2 ; q. 3, a. 3, qla. 2, ad 2 ; *in IV Sent.*, d .38, q. 1, a. 3, qla. 1, obj. 2.

³⁶ Cf. *in 2 ad Cor* 5, 6 et 8, lect. 2 (nn. 163 et 165) ; *in 2 ad Thes* 1, 11, lect. 2 (no. 24) ; *in ad Hebr* 11, 1, lect. (no. 552). Ce dernier texte met bien en lumière le rôle et l'importance de la fin dans la maîtrise vertueuse de la force.

³⁷ *In Jer* 5, 5, no. 2 (p. 591b).

³⁸ *In Jer* 1, 8, no. 3 (p. 580b) ; 20, 3, no. 1 (p. 626a). Voir aussi l'utilisation de Sap 9, 14, « Cogitationes mortalium timidæ, et incertæ providentiæ nostræ », pour caractériser une certaine faiblesse de l'intelligence, dans *de Ver.*, q. 24, a. 3, in c. ; *in ad Eph* 3, 3, lect. 1 (no. 137) ; *in ad Phil* 1, 22, lect. 3 (no. 34).

³⁹ *In III Sent.*, d. 33, q. 3, a. 3, qla. 1, ad 2.

⁴⁰ *In III Sent.*, d. 34, q. 1, a. 2, sol. : « Sed quod homo in omnibus his pro mensura accipiat divinam virtutem, ut scilicet ad ardua virtutis opera se extendat, ad quæ scit se suis viribus non sufficere, et pericula quæ vires suas excedant non formidet divino auxilio innixus, et de illatis injuriis non solum vindictam non requirat, sed etiam gloriam habeat in remuneratationem intendens, supra humanum modum est ; et hoc totum efficitur per donum fortitudinis ». Cf. aussi, *in II Sent.*, d. 26, q. 2, a. 3, ad 2 ; q. 3, a. 1, qla. 1, sol. ; qla. 2, sol. ; *in Is* 11, 2 (p. 475a).

⁴¹ Au ciel, selon Thomas, le don de force ne portera plus sur la crainte, mais sur la seule mesure de son activité : la puissance divine : *in III Sent.*, d. 34, q. 1, a. 3, sol. ; q. 3, a. 1, qla. 3, sol. Elle ne sera dons plus qu'une

certaine joie dans la victoire obtenue par la lutte : *in III Sent.*, d. 33, q. 1, a. 4, sol.

[42] Cf. *in IV Sent.*, d. 7, q. 2, a. 1, qla. 2, ad 3 ; a. 2, qla. 2, ad 3 ; q. 3, a. 3, qla. 2 ; *Quodl.* XI, a. 7. K. F. LYNCH, *The Sacramental Grace of Confirmation in Thirteenth-Century Theology*, dans *FSt*, 22 (1962) 32-149 ; 172-300, a colligé les textes de Thomas d'Aquin à ce sujet (pp. 206-219) : il n'y justifie cependant pas son affirmation précédente selon laquelle la confirmation, pour Thomas, donnerait et la vertu et le don de force (cf. pp. 190-191). — Nous pensons, avec J. LATREILLE, *L'adulte chrétien, ou l'effet du sacrement de confirmation chez saint Thomas d'Aquin*, dans *RT*, 57 (1957) 5-28 et 58 (1958) 214-243, que, dans la théologie de l'Aquinate, si la force figure parmi les effets du sacrement de confirmation, elle n'en est pas l'effet premier et principal : elle ne fait que contribuer, pour une large part, il est vrai, à l'« aetas perfecta ».

[43] *In IV Sent.*, d. 7, q. 2, a. 2, qla. 2, ad 3, parle d'une vertu ; *ibid.*, a. 1, qla. 2, ad 3, semble plutôt se référer au don. J. LATREILLE, *art. cit.*, dans *RT*, 5 7(1957) 15, constate aussi la difficulté de déterminer si, dans le contexte de la confirmation, Thomas pense au don, à la vertu, ou aux deux à la fois.

[44] Cf. *de art. fidei*, pars II (no. 618), au sujet de la confirmation où il semble s'agir du don ; puis il y a le « don » prophétique de force : *in Jer* 1 ,8, no. 3 (p. 580b) ; 1, 17, no. 5 (p. 581b). Par contre, un texte de *in ad Phil* 1, 28, lect. 4 (no. 42) évoque une vertu infuse de force ; idem dans *in 1 ad Tim* 1, 5, lect. 2 (nn. 14-15). *In Matth* 5, 3, II (no. 410) : « Si autem in nullo timeret confisus dei auxilio, ista virtus esset supra humanum modum : et istæ virtutes vocantur divinæ. Isti ergo actus sunt perfecti, et virtus etiam, secundum Philosophum, est operatio perfecta. Ergo ista merita vel sunt actus donorum, vel actus virtutum secundum quod perficiuntur a donis ». C'est un texte qui n'arrange guère les choses ! R.-A. GAUTHIER, *Magnanimité...*, p. 354, s'appuie sur *III Sent.*, d. 34, q. 1, a. 2, pour exposer ce qu'est le don de force selon Thomas. Nous l'avons dit, cet aspect ne soulève pas de difficulté. Lorsqu'il en distingue la vertu infuse, cependant — en soulignant, ce qui nous paraît juste, que celle-ci « respecte le mode d'agir humain et se plie à ses conditions » — il ne cite aucun autre texte à l'appui. Ch. A. BERNARD, *Force*, dans *DSp*, 5 (1963) 692, après avoir écrit qu'« il n'est pas tellement facile cependant de préciser comment le don peut compléter la vertu », présente l'interprétation de Jean de Saint-Thomas qui est également développée à partir de *in III Sent.*, d. 34, q. 3, a. 1. On peut, en effet, distinguer la vertu naturelle du don dans ce texte. La nature de la distinction ultérieure entre la vertu infuse de force et le don ne peut cependant se prévaloir d'aucun texte explicite de cette période. Elle est d'ailleurs tout aussi absente dans *IIa-IIae*, q. 139, a. 1 !

[45] *In 2 ad Cor* 5, 6 et 8, lect. 2 (nn. 163 et 165).

[46] *Ibid.* (no. 165) : « Duo dicit, quorum unum importat repugnantiam, quam habet in volendo, quæ fit per timorem mortis. Ubi enim est timor, non est audacia. Nam ex appetitu naturæ surgit timor mortis, ex appetitu gratiæ surgit audacia ».

[47] ARISTOTE, *Ethic. à Nic.*, III, c. 12 (117 b 1-20).

[48] Ceci rejoint ce qu'il expliquait à la leçon précédente *(in 2 ad Cor* 8, 2, lect. 1 (no. 282)) au sujet de la deuxième condition de la patience parfaite : « Alia est quod in ipsis tribulationibus gaudeat, sicut legitur de

beato Laurentio ... ». A la fin de sa vie, Thomas écrira encore, dans une formule lapidaire : « non contristatur justus tristitia sæculi quæ mortem intentat », *In Psalm* 54, 3 (éd. Uccelli, p. 249b).

⁴⁹ *In 2 ad Cor* 5, 8, lect. 2 (no. 165) : « Aliud importat imperfectionem animi in desiderando, quia nisi bene desideraretur, non vinceretur timor mortis, cum sit valde naturalis. Et ideo, non solum oportet audere, sed bonam voluntatem habere, id est cum gaudio velle. Licet enim, secundum Philosophum, in actu fortitudinis non requiratur gaudium ad perfectionem virtutis, sicut in aliis virtutibus, sed solum non tristari, tamen quia fortitudo sanctorum perfectior est, non solum non tristantur in periculis mortis, sed etiam gaudent. Phil 1, 23 : 'Habens desiderium dissolvi, etc.' ».

⁵⁰ *In III Sent.*, d. 40, a. 4, qla. 2, sol.

⁵¹ Voir les textes cités au chapitre cinquième, pp. 134-136.

⁵² Aussi, Thomas, à l'encontre d'un courant opposé, accuse Pierre de péché mortel dans sa triple négation, car elle procédait du *timor mortis* :

⁵³ Alors que l'état de justice originelle et celui des bienheureux excluent la passion de crainte, celui du Christ incarné, par l'assomption de l'infirmité présente, l'admet : *de Ver.*, q. 26, a. 8, in c. et ad 6 : « ... in primo homine fuerunt aliquæ passiones, ut gaudium et amor, quæ sunt respectu boni, non autem dolor vel timor, quæ sunt respectu mali : et hæc ad præsentem infirmitatem pertinent, quam Adam non habuit : Christus autem voluntarie assumpsit ».

⁵⁴ *In Matth* 1, 5, II (no. 48) : « ... ut tolleretur eorum erubescentia, et confusio, nominandæ sunt ».

⁵⁵ *In Matth* 26, 44, V (no. 2242). Voir encore *ibid.*, 8, 10, II (no. 702) et *in III Sent.*, d. 17, a. 4, sol. : Thomas explique la façon dont le Christ pouvait craindre.

⁵⁶ *In Matth* 10, 26, II (no. 863).

⁵⁷ *In Matth* 17, 7-8, I (nn. 1440 et 1442).

⁵⁸ *In Matth* 26, 32, V (no. 2210) ; 28, 7 (no. 2433). Voir aussi le thème annexe : la force qui vient de Jésus opposée à notre faiblesse ; nous ne sommes « forts » que par lui : *in Matth* 9, 11, II (no. 762) ; 14, 30, II (no. 1273) ; 19, 12 (no. 1572).

⁵⁹ *In Matth* 14, 26, II (no. 1267) ; 18, 26, III (no. 1535).

Troisième partie

LA LOI DIVINE DANS LE CONTEXTE DE LA PROVIDENCE

LA *SUMMA CONTRA GENTILES*
ET
L'*EXPOSITIO SUPER JOB AD LITTERAM*

Dans l'introduction à la deuxième partie nous avons déjà exposé les raisons d'ordre chronologique et thématique qui justifient l'étude de notre sujet dans la *Summa contra Gentiles*, l'*Expositio super Job ad litteram* et quelques autres œuvres annexes — surtout le *Compendium theologiæ* — dans une partie spéciale. Inutile d'y revenir. Le point de vue de ces deux œuvres de sagesse, la *Somme contre les Gentils* et le *Commentaire sur Job,* fournit un contexte tellement particulier à notre thème qu'on ne saurait, à partir de cette recherche, apporter du nouveau à la controverse en cours relative à la chronologie. Nous pouvons tout au plus penser que la datation tardive de ces deux œuvres, telle que la préconise dom P. Marc, expliquerait bien que certaines vues remarquables — en particulier celles sur la révérence et le problème de l'angoisse humaine — ne se retrouvent nulle part ailleurs dans l'œuvre de Thomas généralement considérée comme postérieure. Il est pourtant difficile de tirer argument de cette constatation. Le contexte de ces œuvres suffirait à l'expliquer.

Dans cette partie, nous n'avons consacré qu'un seul chapitre à notre thème puisque les matériaux colligés l'exigent. La principale question est celle de savoir si, sous le binôme prioritaire loi extérieure — loi intérieure se dessine encore le thème loi de crainte - loi d'amour. Nous le pensons. Plus encore : nous estimons que ce nouvel éclairage permet à Thomas d'approfondir la technique de façon significative.

Nous avons détaché du texte principal un deuxième appendice qui fait suite, en quelque sorte au premier puisqu'il traite encore du problème de la crainte devant la mort. Il n'était cependant intelligible qu'après l'étude du chapitre septième.

CHAPITRE SEPTIÈME

DE LA *LEX EXTERIOR* À LA *LEX INTERIOR*

1. La technique «lex timoris - lex amoris» au service du binôme « lex exterior - lex interior »

Dans son ouvrage, *Via caritatis, Theologie des Gesetzes bei Thomas von Aquin,* U. Kühn consacre, dans son chapitre deuxième, une section importante au traité de la loi de la *Somme contre les Gentils*[1]. Il y ajoute un court appendice sur l'interprétation de la loi dans le *Compendium theologiæ*[2]. Ces pages mettent bien en lumière l'apport de la *Somme contre les Gentils* et du *Compendium* à la conception thomiste de la « loi divine »[3]. C'est à partir d'une réflexion sur le plan originel et parfait de la création en Dieu que Thomas décrit la loi divine comme la *via caritatis* par laquelle la créature rationnelle retourne à Dieu son créateur. Cette voie se présente donc comme l'enseignement et l'accomplissement de la providence de Dieu dans le retour de sa création à Lui. Elle est envisagée surtout dans son contenu de « conformité-de-création »[4]. La preuve en est établie par le théologien allemand et nous n'avons pas, de ce point de vue, à la reprendre.

U. Kühn compare aussi cette conception de la *Somme contre les Gentils* à celle du *Commentaire sur les Sentences,* déjà analysée dans la première section de ce même chapitre deuxième[5]. Si, d'après l'auteur, les deux traités s'accordent à exiger la grâce pour que la loi conduise l'homme à son plein accomplissement, ils différeraient radicalement dans leur point de départ et donc dans leur argumentation. Dans le *Commentaire,* le motif de la législation divine serait la désobéissance de l'homme, la situation du péché.

Par conséquent, la loi, comme « ancienne », renverrait à la « loi nouvelle » dans laquelle, en raison de l'œuvre salvifique du Christ, le secours de la grâce sera accordé pour qu'elle soit accomplie dans la foi, l'espérance et la charité. Dans la *Somme*, au contraire, le motif de la législation divine serait l'orientation de la créature à sa fin ultime, et il n'y serait donc pas question des étapes de l'histoire du salut : la possibilité que la loi fût ou ait jamais pu être donnée sans la grâce n'y serait pas envisagée[6]. Voilà donc, en un résumé qui, nous l'espérons, ne trahit pas la pensée de l'auteur, les conclusions de U. Kühn relatives aux caractéristiques du traité de la loi dans la *Somme contre les Gentils*. C'est un enseignement qui se placerait sous le point de vue de la *gubernatio* et de la *providentia Dei*, ce qui représenterait une nouveauté, non seulement par rapport au traité antérieur du *Commentaire sur les Sentences*, mais aussi par rapport à la théologie du temps[7].

Ces conclusions de U. Kühn nous paraissent justes pour autant qu'elles mettent en lumière le trait caractéristique du traité de la loi dans la *Somme contre les Gentils*[8]. Elles nous semblent néanmoins exagérer la coupure entre ce traité et celui du *Commentaire sur les Sentences*. Avant d'étudier les textes, remarquons d'abord que l'auteur ignore, dans son interprétation, la présence et la signification de la technique *timor - amor* utilisée par Thomas dans son traité de la loi dans la *Somme*, notamment au chapitre 116e du IIIe livre. De plus, il est très hasardeux, à notre avis, de parler de la conception thomiste de la loi divine dans la *Somme contre les Gentils* à partir d'une analyse de III, cc. 111-146, sans tenir compte des données des autres parties de cette *Somme*, sous prétexte qu'elles répondent à un autre propos. Ce présupposé méthodologique ne nous paraît pas plus justifiable ici qu'il ne l'est dans le *Commentaire sur les Sentences* ou dans la *Somme de théologie*. La structure d'un « traité » dans une œuvre systématique de Thomas dégage, en effet, des orientations précises, mais les références explicites à des thèmes étudiés en dehors dudit « traité » doivent être interprétées, nous semble-t-il, à partir de ces explications complémentaires.

Le point de départ, et, par la suite, le processus de démonstration du traité de la loi dans le *Commentaire sur les Sentences* et dans celui de la *Somme contre les Gentils* n'ont-ils vraiment rien en commun ? Lorsque Thomas conclut son chapitre 116e en écrivant :

> Inde est etiam quod lex nova, tanquam perfectior, dicitur lex amoris : lex autem vetus tanquam imperfectior, lex timoris [9],

est-il bien vrai que ce texte d' « autorité catholique » n'est rien d'autre qu'une confirmation de sa démonstration par la révélation, comme le prétend U. Kühn au sujet de toutes les citations de telles *auctoritates* [10] et de celle-ci en particulier [11] ? Lorsque le théologien allemand analyse ce chapitre 116e [12], il ne semble pas se rendre compte que toute l'argumentation est conditionnée par le thème énoncé dans cette soi-disant « confirmation » et qu'à chacune de ses étapes on pourrait répéter : ... et voilà pourquoi la loi nouvelle est nommée loi d'amour et l'ancienne, loi de crainte. C'est pourquoi nous pensons que Thomas le théologien [13] ne réfléchit pas ici tout à fait indépendamment des réalisations historiques de la loi divine.

Mais examinons la structure de *ScG*, III, c. 116. Après avoir montré, au chapitre 115, que l' « intention » de la loi divine pour l'homme vise premièrement son union à Dieu, Thomas s'appuie sur cette conclusion pour prouver que la loi divine est ordonnée d'abord à l'amour de Dieu puisque « *homo (...) potissime adhæret a Deo per amorem* » [14]. Après l'énoncé de ce propos [15], Thomas présente quatre arguments pour le démontrer. U. Kühn relève surtout, à l'occasion de ces arguments, les discussions autour du primat de la connaissance ou de l'amour dans l'union à Dieu [16]. Si la question peut être légitimement posée et discutée à partir de ce texte [17], telle n'est pourtant pas le sens premier de ce chapitre. La solution du problème est énoncée dès le début :

> ...adhæsio (...) quæ est per intellectum, completionem recipit per eam quæ est voluntatis, quia per voluntatem homo quodammodo quiescit in eo quod intellectus apprehendit [18].

Ce n'est que le point de départ pour montrer que c'est par l'amour et non par la crainte que la volonté adhère à Dieu de façon parfaite : d'où la conclusion de chaque argument et de tout le chapitre : la fin première de la loi divine est l'amour et non la crainte.

Il suffit d'examiner chaque argument pour voir que la technique *crainte - amour* est exploitée, selon ses diverses composantes, pour l'élaboration de chaque raisonnement. Le premier argument montre qu'adhérer à quelque chose par crainte, c'est le faire *propter aliud*, à savoir en vue d'éviter le mal auquel on s'expose dans le cas contraire. Celui qui adhère par amour le fait *propter seipsum*. La seconde façon étant évidemment supérieure à la première, « *hoc igitur est potissime intentum in divine lege* » [19]. Le deuxième argument prend comme majeure le but de toute loi, à savoir rendre les hommes bons : il sera réalisé dans la mesure où ceux-ci désirent le bien proposé par la loi. Or l'homme veut davantage et mieux ce qu'il veut « *propter amorem, quam id quod vult propter timorem tantum* ». Suivent les analyses connues du vouloir mêlé d'involontaire, avec l'exemple classique des marchandises jetées à la mer. Puisque les hommes deviennent meilleurs par l'amour et non par la crainte, c'est donc l'amour qui « *est maxime intentum in divina lege* » [20]. Le troisième argument s'inscrit dans la logique du second : la loi, disait-on, prétend rendre les hommes bons. Or cela se réalise par la vertu. Donc la loi se propose de rendre les hommes vertueux : elle prescrit les actes des vertus. Thomas énumère ensuite deux conditions de l'opération vertueuse : « *firmiter et delectabiliter* ». Or une telle opération est rendue possible par l'amour. L'amour du bien est donc le but ultime de la loi divine [21]. La crainte n'est point mentionnée explicitement dans ce troisième raisonnement, mais elle est sous-entendue puisque, à la démarche vertueuse ainsi décrite, s'oppose l'opération « contrainte et triste » de la crainte. Du reste, ce même argument de l'accomplissement de la loi, « *sponte et delectabiliter per amorem* » en opposition à « *serviliter timore pœnarum* », est repris explicitement douze chapitres plus loin [22]. Le dernier argument insiste sur le fait que celui qui tend vers Dieu par amour le fait de la façon la plus parfaite parce qu'il participe au mode par lequel le divin législateur nous dirige [23]. Le chapitre se termine par deux citations scripturaires sur la primauté de la charité dans la loi (1 Tim 1, 5 et Matth 22, 37-38) et par cette formule :

> Unde est etiam quod lex nova, tanquam perfectior, dicitur lex amoris ; lex autem vetus, tanquam imperfectior, dicitur lex timoris [24].

De ce premier point de vue, celui de l'analyse interne de la structure et du contenu du chapitre 116ᵉ, le texte augustinien de la conclusion est certainement autre chose qu'une « confirmation d'autorité catholique ». Thomas d'Aquin, comme les médiévaux, a-t-il d'ailleurs jamais envisagé une *auctoritas* dans cette perspective XVIᵉ siècle ? Ce serait bien le seul passage dans son œuvre et une exception majeure à la technique théologique du temps, qui aurait échappé à tous les médiévistes [25] ! Du reste, l'apophtegme final ne vient rien prouver « de l'extérieur ». Il formule tout bonnement la conclusion normale de toute l'argumentation. Celle-ci n'est que l'intelligence de celle-là.

Mais il y a plus. Dans le quatrième argument du chapitre 116e, Thomas explique que le législateur divin fait tout à cause de son amour et donc que celui qui tend vers Dieu par amour est mû de la façon la plus parfaite [26]. À moins de penser que Thomas se faisait une certaine idée de la loi divine à la fin du IIIe livre et une différente au début du IVe — ce qui paraît assez invraisemblable — nous ne voyons pas pourquoi on ne devrait pas rapprocher ce dernier argument du chapitre 22e du IVe livre, où Thomas explique que c'est en effet par l'Esprit-Saint que l'homme est ainsi mû à son retour vers Dieu. Or il y développe encore une fois, avec des arguments parallèles à ceux de *ScG*, III, c. 116, toute la question des deux façons de se comporter sous la loi divine, à savoir par crainte et par amour, avec des références très explicites aux deux modalités historiques.

Nous ne conclurons pas, de ces premières approches, que la présentation du traité de la loi divine dans la *Somme contre les Gentils* est identique à celle du *Commentaire sur les Sentences*. Nous sommes également convaincu que l'unité de la loi divine est ici plus fortement soulignée que la diversité de ces réalisations historiques. Cette dernière perspective n'est pourtant pas absente. Nous pensons même que Thomas utilise, fondamentalement, la même technique dont il s'était servi jusqu'ici pour analyser les deux grandes dispositions historiques, mais il le fait différemment.

Expliquons-nous. U. Kühn signale, dans son commentaire de *ScG*, III, c. 128, que la présentation globale de la loi divine comme expression positive de la Providence met ici au premier plan, non plus l'opposition et le rapport de la « loi ancienne » à la « loi nouvelle », mais ceux de la « loi extérieure » à la « loi intérieure » [27]. Nous avons aussi constaté ce renversement de plan. Mais lorsqu'on examine de près le binôme *lex exterior - lex interior* on décèle, comme dans le chapitre 116e, la présence de la technique *lex timoris - lex amoris*. La nouvelle formulation permet d'analyser deux « états » possibles de la loi divine, moins dans le temps de l'histoire entre Moïse et la parousie, que dans celui de l'histoire personnelle de chaque homme. On peut discerner, de tout temps, des « juifs » qui vivent de la loi extérieure et des « chrétiens » qui vivent de la loi intérieure et parfois, dans le même homme, un « juif » et un « chrétien ». Étant donnée la similitude de sens entre l'histoire du monde et celle de chaque personne humaine [28], ce nouvel emploi de la technique n'offre aucune difficulté de principe. Il comporte même des avantages certains. D'abord la technique elle-même ne peut sortir qu'enrichie de ce nouveau rodage. Par la suite, son application ultérieure au plan de l'histoire du salut bénéficiera aussi de ces perfectionnements. Enfin, les perspectives de la pédagogie divine de crainte se trouvent par le fait même élargies.

2. La « lex exterior » et l'histoire du péché

« Peine » et « servilité »

Les premières mises au point qu'exige la technique appliquée au binôme loi externe - loi interne concernent deux notions, du reste complémentaires, relatives au *timor pœnæ*, instrument pédagogique de la loi extérieure. Ce sont les notions de « peine » et de « servilité ».

Dans *ScG*, III, c. 141, Thomas est amené à préciser la notion de peine en la comparant à celle de récompense. Alors que celle-ci est ce que l'on propose à la volonté pour l'inciter à bien agir, la peine, au contraire, lui apparaît comme ce qu'il faut fuir afin d'éviter un « malheur ». La récompense est un bien en harmonie avec la volonté. La peine, au contraire, est un mal, une privation de bien, et, pour la volonté, une contrariété [29]. On décèle donc une ambivalence dans la notion même de peine : elle dit à la fois « privation de bien » et « contradiction de la volonté ». Les hommes ne jugeant pas toujours des biens selon leur vérité, il arrivera que ce qui, en fait, prive du plus grand bien, ne contrarie aucunement la volonté et ne soit donc pas estimé pénal. Ceux qui préfèrent les biens du corps à ceux de l'esprit, redoutent davantage les peines corporelles que les spirituelles [30]. Ils établissent donc une hiérarchie de valeurs contraire à celle qui correspond à la vérité [31]. On s'explique alors que certains en arrivent à juger que Dieu ne punit pas les péchés puisque des scélérats ont santé et richesses alors que des vertueux en sont privés [32]. L'Aquinate conclut son exposé ainsi :

> Quia vero de ratione pœnæ est non solum quod sit malum, sed
> quod sit contrarium voluntati ; amissio corporalium et exteriorum
> bonorum, etiam quando est homini in profectum virtutis et non in
> malum dicitur pœna abusive, ex eo quod est contra voluntatem [33].

Pour qu'une peine soit telle il faut donc, à proprement parler,
qu'elle ne contrarie pas seulement la volonté mais qu'elle s'exerce
au détriment moral de la personne qui en est affligée.

Ces remarques au sujet de la notion de peine affectent directement la notion de « servilité ». Il suffit de comparer *in ad Hebr* 2,
15, lect. 4 (no 145) à ScG, IV, c. 22 (nn. 3588-3589) pour se rendre
compte de l'approfondissement auquel a donné lieu cette différenciation. Dans le premier texte, Thomas distingue entre l'esclavage
du péché et celui de la loi. Nous n'en savons pas davantage sinon
que le Christ nous a délivrés de ces deux fardeaux puisque ce sont
la crainte et l'amour qui différencient l'Ancien Testament du Nouveau [34]. Le deuxième texte s'inscrit dans la même ligne de pensée.
Thomas distingue entre les esclaves et les hommes libres (*alterius
causa - sui causa*, etc.) et explique qu'en nous constituant « *amatores
Dei* », l'Esprit-Saint nous incline à agir de façon à ce que nous le
fassions volontairement. Les fils de Dieu « *libere a Spiritu Sancto
aguntur ex amore, non serviliter ex timore. Unde Apostolus, Rom 8,
15 (etc.)* » [35]. À ce point, il dénonce l'équivoque que recèle la notion
de servilité, comme, du reste, celle de liberté :

> Puisque la volonté est orientée vers ce qui est vraiment le bien, si,
> en raison d'une passion, d'un habitus mauvais ou d'une disposi-
> tion mauvaise, l'homme se détourne de ce qui est réellement le
> bien, alors il agit servilement, pour autant qu'il y est poussé par
> quelque agent extérieur, compte tenu de l'orientation naturelle
> de sa volonté. Si par contre on considère l'acte de la volonté, de
> la volontée inclinée vers un bien apparent, c'est librement que
> l'homme agit en suivant une passion ou un habitus vicieux ; il
> agirait servilement, au contraire, si, dans une telle disposition
> de la volonté, il s'abstenait de faire ce qu'il veut, dans la crainte
> d'une loi qui l'interdit [36].

C'est, on le voit, une application des éclaircissements de *ScG*, III,
c. 141.

D'après ces principes, le péché comme l'obéissance à la loi peuvent être envisagés tour à tour comme une liberté et comme un
esclavage. Ne point contrarier les penchants pervers de la volonté
est une liberté comme ne pas contrecarrer l'inclination naturelle

de la volonté au bien. Par contre, s'opposer à l'orientation mauvaise de la volonté par crainte de la peine légale est un esclavage [37] — celui de la loi — comme contredire l'orientation de la volonté au bien par crainte humaine ou mondaine [38]. C'est, en ce dernier cas, l'esclavage du péché.

L'Esprit-Saint libère de ce double esclavage. Par l'amour, en effet, il incline la volonté vers son vrai bien : il détruit donc l'esclavage par lequel, prisonnier de la passion et des suites du péché, l'homme agit contre l'orientation profonde de sa volonté, et celui par lequel il opère à l'encontre du penchant désordonné de sa volonté par pur assujettissement à la loi [39]. La charité expulse donc, non seulement la servilité de cette crainte de la peine qui n'est qu'accidentellement mauvaise, mais aussi, plus radicalement, l'inclination peccamineuse de la volonté, le *timor male humilians* et l'*amor male inflammans*, sources des craintes humaines et mondaines. C'est, en somme, l'explication intégrale de l'affirmation de *in ad Hebr* 2, 15, lect. 4 (no 145) : « *Ab ista duplici servitute (i.e. legis et peccati) Christus nos liberavit* ».

Le but de la « lex exterior »

Il existe donc des liens profonds entre la *lex exterior* et la *lex peccati*. La première n'est qu'une mesure temporaire pour enrayer la seconde. De ce point de vue encore nous mettons en doute l'opposition, à notre sens trop catégorique, que U. Kühn croit déceler entre la conception du *Commentaire sur les Sentences* et celle de la *Somme contre les Gentils*. Selon l'auteur, l'Aquinate aurait motivé différemment la législation divine dans le traité de la loi de ces deux œuvres : dans le *Commentaire* ce serait la désobéissance ou les péchés des hommes ; dans la *Somme* ce serait au contraire l'orientation de la créature rationnelle à sa fin ultime [40]. Nous pensons aussi que Thomas a travaillé sur ces deux toiles de fond différentes. Mais lorsqu'on examine de plus près les détails du décor, on doit se rendre à l'évidence que les deux pièces ont bien été dessinées par le même auteur. La priorité du binôme loi extérieure - loi intérieure par rapport au binôme loi de crainte - loi d'amour [41] n'exclut pas, à notre avis, le motif de la *Unheilsituation* dans la *Somme contre les Gentils*, comme semble bien le prétendre U. Kühn [42]. Au contraire, nous ne voyons pas comment il serait intelligible sans elle.

Dans l'analyse précédente il ressort clairement, en effet, que c'est pour arrêter la maladie de l'esclavage du péché qu'on applique les contraignantes mesures de prophylaxie prévues par la loi extérieure [43]. À ceux dont la volonté est encline au péché par un appétit désordonné, les *pœnalia* de la loi divine pourront inculquer l'horreur du péché [44] et le leur faire désormais éviter, comme les bêtes sauvages fuient les plus grandes voluptés par crainte du châtiment [45]. Si l'on amène les pécheurs à se désolidariser du mal par la crainte de la peine éternelle [46], c'est que, pervertis par leur péché, ils n'ont plus aucun désir intérieur de la fin ultime. Ce sera donc de l'extérieur, par la crainte des peines, que leur volonté pourra être disposée à entreprendre cette démarche [47]. La divine providence, qui ordonne tout ce qui arrive au bien de l'homme, se servira même des désastres terrestres pour en pousser certains à renoncer au péché par crainte [48]. De toute façon, les impies n'échapperont jamais à la puissance du Juge, Celui qui n'a pas à craindre d'être jugé par les autres [49], Celui qui n'a pas à redouter l'oppression des autres [50], Celui qui ne délaisse pas la justice par peur de plus puissants que Lui [51], Celui chez qui, en tant que Dieu [52], en tant que Créateur [53], aucune crainte ne peut surgir. Aussi lorsque le Christ viendra dans sa gloire, sa vision sera pour les élus cause de joie, mais pour les impies cause de tristesse et de crainte [54].

L'*Exposition super Job ad litteram* fournit des annotations complémentaires fort intéressantes sur la psychologie fondamentalement inquiète des pécheurs, ce qui donne prise au mordant des menaces divines. Si, en effet, la volonté de mal faire vient de l'homme lui-même, la capacité d'agir vient cependant de Dieu, de sorte que le malfaiteur ne sait pas combien de temps lui est accordé pour mettre à exécution ses desseins pervers. De cette incertitude foncière naissent le soupçon et la crainte. N'ayant confiance en personne, il redoute ceux auxquels il a porté préjudice. Il craint même tout le monde car il attribue à tous sa propre perversité. Ainsi perd-il toute tranquillité. Il est rongé par l'inquiétude [55]. Les remords de sa mauvaise conscience le tourmentent de sorte que la crainte accompagne tous ses méfaits [56]. Ainsi en était-il des jeunes gens qui, étant généralement enclins au péché, se cachaient à la vue de Job le juste, comme s'ils redoutaient son jugement [57].

L'esclavage de la loi résultant de la loi divine extérieure est donc un état temporaire nécessité concrètement par l'esclavage du péché

qui enchaîne les « impies » ; seule une crainte pénale peut les disposer à quitter leurs voies de perdition[58]. Sans la « situation de
péché » au départ, le traité de la loi dans la *Somme contre les
Gentils* n'est guère compréhensible. À quoi répondrait, dans le
binôme *lex exterior - lex interior*, la notion de loi extérieure » ?
C'est l'histoire du péché seule qui la justifie puisqu'elle n'a d'autre
but que d'entamer, au moyen de la crainte pénale, la suprématie
despotique de l'ancien péché. Par le biais du thème loi extérieure -
loi intérieure, nous retrouvons donc les analyses auxquelles avait
conduit la technique *lex timoris - lex amoris*. Cette démarche, en
quelque sorte inverse, de la *Somme contre les Gentils* a cependant
été l'occasion d'un approfondissement notable des notions de
« peine » et de « servilité ».

3. Le rôle de la crainte révérencielle sous la « lex interior »

Lex interior - lex amoris

La loi extérieure dont sont accablés les pécheurs n'atteint pas les
« volontaires » de la loi divine, ceux qui accomplissent ce que prescrit la loi de plein gré, de l'intérieur, de leur propre mouvement[59],
ceux qui y adhèrent spontanément et avec joie[60], ceux qui s'y portent d' « eux-mêmes » par l'inclination de justice que met en eux
l'Esprit-Saint[61]. La charité a remplacé en eux l'aiguillon de la loi
extérieure. Paul dit qu' « ils se tiennent à eux-mêmes lieu de loi »
(Rom 2, 14)[62]. La loi, s'étant intériorisée avec la destruction du
péché, la « loi extérieure » de crainte est devenue caduque.

La nouvelle loi intérieure est une loi de liberté puisqu'elle remplace l'agir contraint par cela même qui définit l'agir libre, à savoir
le « *causa sui* »[63]. Qui accomplit la loi de l'intérieur ne le fait pas
servilement mais « *liberaliter* »[64]. Il est libéré, et de l'esclavage du
péché, et de l'esclavage de la loi[65].

Loi de liberté, elle l'est parce que loi d'amour : elle procède de
l'amour même du divin législateur[66] ; par lui, elle est ordonnée principalement à l'amour[67] ; elle crée l'amour en ceux qu'elle constitue
« *amatores Dei* »[68] ; elle fait agir par amour[69] ; son accomplissement même dépend tout entier de l'amour de Dieu et des frères[70].

Il ne nous appartient pas de développer pour elle-même cette théologie de la *via caritatis* dans la *Summa contra Gentiles*[71]. Il fallait néanmoins souligner que le deuxième pôle du binôme *lex exterior - lex interior* correspond aussi à celui du binôme *lex timoris - lex amoris*. On pourrait substituer à presque tous les renvois que nous venons de faire à la *ScG* en fonction de la loi intérieure des citations de passages antérieurs relatifs à la loi d'amour, sans rien modifier — ou peu s'en faut — au contenu de notre texte. C'est assez dire les influences réciproques de ces deux schémas de pensée.

« Lex interior - servitus reverentiæ »

Si l'on a bien étudié la loi intérieure dans la *Somme contre les Gentils* et dans les œuvres annexes comme *via caritatis*, on n'a jamais examiné les développements remarquables du thème *servitus reverentiæ* auxquels ce nouveau cadre a donné lieu. L'exposé en est, à vrai dire, délicat, car il est inséré dans un réseau de thèmes corrélatifs. Pour ne pas rééditer des chapitres entiers de la théologie thomiste, nous nous limiterons donc à indiquer d'abord un certain nombre de pistes convergentes qui manifestent le rôle de la crainte révérencielle sous la loi intérieure, mais selon des perspectives qui nous sont déjà familières. Nous examinerons ensuite plus attentivement le point de vue très original sous lequel l'*Expositio super Job ad litteram*, tout particulièrement, présente cette activité révérencielle dans la vie du juste soumis à la loi intérieure de Dieu.

Le premier fait qui s'impose encore une fois est celui du lien nécessaire de la crainte à l'amour[72]. La qualité de cet amour conditionne celle de la crainte. C'est, d'après Thomas exégète du livre de Job, tout le sens du débat qui s'engage entre Dieu et satan et qui prélude aux malheurs du juste : satan voudrait prouver que Job craint Dieu par amour des biens temporels dont il est gratifié[73] ; Dieu soutient que son serviteur le craint par amour pour lui[74]. D'où le sens de la controverse olympienne : amour de convoitise qui engendre la crainte servile de Dieu, ou amour de charité, qui porte en elle la crainte filiale ? Job est-il soumis à la loi divine extérieurement ou intérieurement ? L'amour engendre l'accomplissement intérieur de la loi : celui qui n'obéit pas spontanément et avec joie à ses commandements démontre qu'il n'a pas la révérence divine[75]. Il y a donc là une première piste : la *servitus reverentiæ* est une exigence de la loi intérieure en tant, précisément, que loi d'amour.

Un deuxième aspect émerge déjà de ce premier contexte : la disparition de la révérence divine entraîne la négligence à pratiquer la vertu et l'empressement à s'adonner aux vices. C'est, dans le prologue de l'*Exposition super Job ad litteram*, la réponse que Thomas adresse à ceux qui prétendent que les événements humains se déroulent fortuitement [76]. La suite de l'*Expositio* fait souvent état de cette relation causale : la révérence envers Dieu prouve que Job n'a pas péché [77], car elle retient de faire le mal [78] et incite à bien agir [79] ; la mauvaise conduite manifeste une absence de révérence envers Dieu [80] ou même envers son serviteur Job [81]. La loi intérieure, maîtresse de vertus par l'amour [82], trouve donc en cette crainte engendrée par la charité une puissante alliée.

Une troisième approche du rôle de la crainte révérencielle consisterait à dégager les implications de la notion même de soumission à Dieu par amour, l'*intentum principale* de la loi providentielle. À la fin du dernier argument relatif à la fin principale de la loi divine dans *ScG*, III, c. 115 [83] — argument qui prépare, selon une technique de transition chère à Thomas, le propos du chapitre suivant — l'Aquinate inscrit l'*auctoritas* de Deut 10, 12 :

> Et nunc, Israel, quid Dominus Deus tuus petit a te, nisi ut timeas Dominum Deum tuum, et ambules in viis ejus, et diligas eum, ac servias Domino Deo tuo in toto corde tuo et in tota anima tua ? [84].

Il y a là plus qu'une « heureuse coïncidence ». Thomas a profondément assimilé l'enseignement de ce texte. La notion même de soumission à Dieu comporte nécessairement, nous l'avons vu, un *revereri* au sein même de l'union amoureuse à Celui qui est, et parce qu'il est, « *in potentia excellens* » [85], à Celui auprès de qui toute créature est imparfaite [86]. Cophar de Naamath reproche à Job, selon Thomas, de se croire libéré de la soumission à la loi divine parce qu'il prétend l'approcher sans crainte et discuter avec lui d'égal à égal [87]. Pourtant Job est un serviteur de Dieu :

> ...hoc autem est servum Dei esse quod mente Deo inhærere, nam servus est qui non sui causa est. Ille autem qui mente Deo inhæret se ipsum in Deum ordinat, quasi servus amoris non timoris [88].

La formule employée par Thomas pour définir le vrai serviteur qui adhère à Dieu est extrêmement forte ici : c'est celle qu'il utilise généralement dans le contexte de la crainte servile : « *servus est qui non sui causa est* ». Il ajoute néanmoins : « *quasi servus amoris non timoris* », excluant ainsi toute interprétation dans le sens d'une servilité. Le « *causa sui* » doit être interprété nécessairement comme un ablatif, donc dans le sens de la cause finale. C'est en somme la vraie définition du « *craignant Dieu* »[89]. L'adhésion à Dieu des serviteurs angéliques — les « colonnes des cieux » de Job 26, 11 — est décrite dans des termes analogues : elle est semblable à celle des esclaves qui, par crainte, obéissent au moindre signe de leur maître :

> Mais il ne faut pas croire qu'il y a une crainte pénale chez les saints anges ; c'est leur révérence envers Dieu qu'on nomme ici crainte[90].

Ce thème, que l'on peut suivre au fil du commentaire scripturaire, rejoint les grandes analyses de la notion ultime de la crainte au cours de la période antérieure.

En adoptant le point de vue de la loi intérieure, guide du juste, on redécouvre donc, par différentes approches, ce rôle important d'une *servitus reverentiæ* qui assure l'authenticité de l'amour d'une créature pour Dieu, la stabilité de son activité vertueuse, la vérité, en somme, de son adhésion à la divine providence.

La révérence comme pédagogie intérieure du propos sapientiel

Dans le beau prologue de l'*Expositio super Job ad litteram*, Thomas annonce un thème principal de son commentaire :

> Divina enim providentia sublata, nulla apud homines Dei reverentia aut timor cum veritate remanebit...[91].

C'est le thème de la révérence comme pédagogie intérieure du propos sapientiel, de la *disputatio cum Deo*. Un des problèmes majeurs du livre de Job, selon l'Aquinate, est, en effet, de concilier la *reverentia divina*, fruit de la reconnaissance de la providence[92], avec l'examen plus ou moins litigieux auquel Job soumet les voies divines.

Même si Job est conscient de sa petitesse et de l'imperfection de sa justice par rapport au *divinum examen*[93], malgré son appréhension de la sévérité du jugement divin par crainte de s'être écarté involontairement des sentiers de la justice[94], il en vient malgré tout à se demander si sa révérence envers Yahvé doit l'empêcher d'examiner soigneusement les raisons pour lesquelles les innocents sont punis en ce monde [95]. À quoi Job répond : « Je parlerai sans le craindre », c'est-à-dire, glose Thomas, comme si je ne le craignais pas [96]. L'Aquinate explique alors que la crainte de Dieu ne saurait empêcher de scruter les desseins de la Providence, pourvu que cette enquête ne prétende pas aboutir à comprendre l'incompréhensible et à soustraire l'intelligence à la régulation divine. Le « craignant Dieu » doit être animé du désir de connaître la vérité divine afin de soumettre son intelligence à sa règle. Il ne s'agit donc pas de combattre la vérité divine — ce qui serait, en effet, contre la révérence de la crainte de Dieu — mais de la connaître pour mieux s'y conformer [97]. Ces mêmes idées sont reprises par la suite. Lorsqu'il accusait Job de détruire ce « *valde necessarium* » qu'est la crainte de Dieu en discutant avec Lui, Eliphaz le jugeait témérairement puisque Job discutait non par orgueil mais « *ex fiducia veritatis* » [98]. Si le jeune Elihu avait écouté respectueusement tous les discours des anciens, il fit bien d'intervenir à la fin, car la révérence ne doit pas être « *in præjudicium veritatis* » [99].

Sans la révérence divine, la *disputatio cum Deo* tendrait donc à instituer une critique rationaliste de la Providence, la jugeant selon des normes qui ne dépassent pas la « compréhension » humaine. Loin d'aboutir à un effort de conformité de la pensée et de l'agir à la *Veritas prima*, elle aurait tendance à se fabriquer un dieu à sa mesure, un dieu qui justifie « la petitesse et l'imperfection de sa justice », ce qui est la définition même d'une idole à laquelle on ne voue point un culte mais qu'on subjugue par une magie. Ici, du reste, resurgissent toujours les formes dégradantes de craintes provoquées par les lois occultes de ces faux dieux [100]. Gardienne de l'authenticité du propos théologique — car c'est bien de lui qu'il s'agit — la révérence fait donc fonction de pédagogue intérieur.

À ce plan la révérence exerce aussi une fonction positive. Dans la recherche des voies providentielles, la crainte de Dieu joue un rôle semblable à celui qu'elle exerce au plan de la charité. Comme elle empêche celle-ci de se dégrader en insouciance, de même elle assure la pureté du propos théologique. L'attitude qu'elle commande est bien différente d'un asservissement de l'intelligence résultant d'un refus apeuré de recherche et de connaissance. Ce serait là réintroduire subrepticement dans la notion de révérence des éléments de « servilité » qui menacent toujours, en effet, de la fausser.

Unie à la robustesse de l'espérance — la « *fiducia veritatis* » [101] — la crainte de Dieu sauvegarde le climat religieux d'un *intellectus fidei* qui doit être toute autre chose qu'un appel en jugement de la « geste » divine. Le propos qu'elle engendre et nourrit est la participation même à la providence divine [102], à la sagesse divine. N'est-ce pas là le sens le plus profond de l' « *initium sapientiæ, timor Domini* » du psaume 110, 10 [103] ? Si la crainte chaste ne saurait être être l'essence même de l'opération profondément unitive de la sagesse [104], elle en constitue cependant la disposition fondamentale [105]. Aussi est-il écrit dans le poème de la sapience, au livre de Job : « *Ecce timor Domini, ipsa est sapientia* » (Job 28, 28). Aux anges Dieu raconte sa sagesse en la leur manifestant ; aux hommes il donne les dons d'intelligence et de crainte pour qu'ils la découvrent dans les créatures qu'Il a produites par elle, et, ce faisant, pour qu'ils adhèrent à sa propre sagesse [106].

La loi intérieure, parce que loi d'amour, maîtresse de vie vertueuse et de soumission à la Providence, éveille nécessairement, par l'opération de l'Esprit-Saint, une *servitus reverentiæ* qui assure la vérité du rapport entre la créature rationnelle et son Créateur. Ce rôle de la crainte filiale sous la loi nouvelle était déjà bien connu dans l'enseignement antérieur de Thomas. Mais dans l'*Expositio super Job ad litteram* et dans les œuvres annexes, la révérence manifeste une autre de ses virtualités. On peut dire qu'elle est la pédagogie intérieure du propos sapientiel de l'homme puisque, outre qu'elle l'éveille et l'alimente, elle en assure la pureté. C'est là, à notre avis, l'apport le plus original des œuvres que nous venons d'étudier au thème général de la pédagogie divine de la crainte dans l'histoire du salut. Cela n'est pas complètement étranger au renversement de plan que nous avons d'abord constaté dans le traitement de la loi divine dans ces œuvres et qui consiste à accorder la priorité au schéma loi extérieure - loi intérieure. Rappelons enfin, pour ne rien omettre, que cette approche originale a également été l'occasion d'un enrichissement de la technique *lex timoris - lex amoris* par un approfondissement des notions de « peine » et de « servilité ».

[1] U. KÜHN, *Via caritatis*..., pp. 82-119 : « Der Gesetzestraktat der Summa contra Gentiles ».

[2] IDEM, *ibid.*, pp. 119-120 : « Anhang : zur Auffassung vom Gesetz in Compendium Theologiæ ».

[3] Dans ce traité de la loi de la *ScG*, il s'agit bien de la loi divine : elle ordonne principalement l'homme à Dieu (c. 115) ; elle a pour fin l'amour de Dieu (c. 116) et l'amour du prochain (c. 117), etc.

[4] U. KÜHN, *Via caritatis*..., p. 118 : « Das Gesetz ist Beschreibung der « via caritatis », des Liebesweges des Geschöpfes zurück zu Gott, seinem Schöpfer (...) Thomas hat in der ScG die « via caritatis » mit ihren göttlichen Hilfen so im Auge, wie sie Gott selbst ursprünglich im vollkommenen Schöpfungsplan vorgesehen hatte (...) so ist sein Ansatz hier (i.e. dans ScG) die Lehre und Wirklichkeit der providentia Gottes in der Rückführung seiner Schöpfung zu sich selbst (...) so ist es hier vor allem in seinem schöpfungsmässigen Inhalt gesehen ... ».

[5] IDEM, *ibid.*, pp. 49-79 : « Der Gesetzestraktat des Sentenzenkommentars ».

[6] IDEM, *ibid.*, pp. 97, 105, 118-119. Ainsi à la page 118 : « Im SK charakterisiert das Gesetz einen bestimmten heilsgeschichtlichen Stand, in dem der Mensch auf die Gnade ausgerichtet wird, in dem die Gnade aber noch nicht gegeben ist — es sei denn im Glauben an das Zukünftige. Auf diese Weise verweist das Gesetz als «altes » auf das « neue Gesetz », in dem auf Grund der Heilstat Christi die Gnadenhilfe zur Verwirklichung von Glaube, Hoffnung und Liebe gewährt wird. In der ScG ist von diesen heilsgeschichtlichen Etappen keine Rede, und infolgedessen ist ausdrücklich auch nicht die Möglichkeit im Auge gefasst, dass es das Gesetz je ohne die Gnade gegeben hätte oder geben könnte ».

[7] IDEM, *ibid.*, p. 89 : « Dieser entschlossene Aufbau der Gesetzeslehre der ScG unter dem Gesichtspunkt der gubernatio und providentia Dei ist aber in der Scholastik neu, also eine schöpferische Tat des Thomas ».

[8] Nous aurions peut-être même insisté davantage sur le fait que, comparativement à la *Secunda Pars* de la *Somme de théologie*, le IIIe livre de la *ScG* est beaucoup plus une étude spéculative sur le gouvernement divin qu'un exposé de « morale ». En d'autres termes, la *ScG* considère davantage la conduite humaine du point de vue de Dieu que n'importe quelle autre œuvre de Thomas. On s'explique d'ailleurs mieux ainsi pourquoi Thomas y propose une considération sur les vertus au traité de la loi : elles sont étudiées comme effet de l'acte par lequel Dieu gouverne les hommes en les orientant vers la béatitude, à savoir comme effet de la loi divine. R. GUINDON, *Le caractère évangélique de la morale de saint Thomas d'Aquin*, dans *RUO*, 25 (1955) 157*, écrit très justement, en parlant de ce point de vue de la *ScG*, que « l'étude des lois divines nous introduit déjà dans les secrets de la vie personnelle de Dieu qui est engagée selon son mystère propre dans sa législation ».

[9] *ScG*, III, c. 116 (no. 2893).

[10] U. KÜHN, *Via caritatis*..., p. 85.

¹¹ IDEM, *ibid.*, p. 103.

¹² IDEM, *ibid.*, pp. 100-103.

¹³ A. C. PEGIS, *Qu'est-ce que la Summa contra Gentiles ?*, dans *L'homme devant Dieu, Mélanges offerts au Père Henri de Lubac*, Paris, Aubier, 1964, t. II, pp. 171-172, réagit contre la conclusion de A. GAUTHIER, *Saint Thomas d'Aquin, Contra Gentiles*, Livre Premier, trad. par R. BERNIER et M. CORVEZ, introd. de A. GAUTHIER, Paris, P. Lethielleux, 1961, p. 121 : «...rarement œuvre ne fut moins historique que la Somme contre les Gentils, rarement oeuvre n'échappe plus complètement à l'histoire pour se situer délibérément sur le plan de l'intemporel». Après avoir dit son étonnement devant « la conception que se fait le P. Gauthier de la théologie thomiste comme d'un corps intemporel de vérités surnageant à travers les siècles », A. C. PEGIS écrit : « En ce qui me concerne, je dois avouer que je ne peux comprendre la *S.C.G.* autrement que comme une œuvre théologique profondément mêlée à une entreprise théologique et non moins visiblement ordonnée par un dessein théologique précis ». C'était aussi l'avis de M.-D. CHENU, dans *Introduction à l'étude...*, p. 247. Nous la partageons également.

¹⁴ *ScG*, III, c. 116 (no. 2888).

¹⁵ L'insistance porte, notons-le, sur la primauté de l'« intentio divinæ legis ». En quelques lignes, il répète deux fois « principaliter » et il écrit une fois « potissime ».

¹⁶ U. KÜHN, *Via caritatis...*, pp. 101-102.

¹⁷ C'est même vraisemblablement à cause de cette question que PIETRO MALDURA DE BERGAMO a cru bon d'inscrire le premier paragraphe de ce chapitre sous le « dubium » 1045 de ses *Etymologiæ*. A propos du sens de ces « dubia », voir P. MARC, *Introductio...*, pp. 574-581, où l'on trouvera aussi une abondante bibliographie sur le sujet. — Notons que, pour éclairer cette délicate question, U. Kühn extrapole de nombreux textes. Nous ne lui en contestons pas le droit, bien sûr, mais alors pourquoi ne pourrions-nous pas le faire pour l'interprétation des autres problèmes soulevés par ce chapitre, et notamment pour l'interprétation du problème principal qu'il soulève, celui de la crainte de la loi imparfaite et l'amour de la loi parfaite ?

¹⁸ *ScG*, III, 116 (no. 2889).

¹⁹ *Ibid.*

²⁰ *Ibid.*, (no. 2890). D'après R. RIMML, Das *Furchtproblem...*, p. 236, Augustin développe un argument semblable dans sa controverse contre les Pélagiens : il est impossible d'accomplir intérieurement la loi, avec, comme seul motif, la crainte de la peine.

²¹ *Ibid.* (no. 2891).

²² *Ibid.*, c. 128 (no. 3007).

²³ *Ibid.*, c. 116 (no. 2892).

²⁴ *Ibid.* (no. 2893).

²⁵ Voir, supra, chapitre premier, pp. 31-32, note 3.

²⁶ *ScG*, III, c. 116 (no. 2892) : « Deus autem, qui est legis divinæ dator, omnia facit propter suum amorem. Qui igitur hoc modo tendit in ipsum, scilicet amando, perfectissime movetur in ipsum ».

[27] U. KÜHN, *Via caritatis...*, pp. 110-111 : il s'agit des nn. 3007-3008 dans l'édition Marietti. En plus de ce texte cité par l'auteur, voir aussi : III, c. 139 (no. 3144) ; c. 162 (no. 3329) ; IV, c. 22 (nn. 3588-3589).

[28] Thomas n'a-t-il pas d'ailleurs, comme l'a montré M. SECKLER, *Das Heil in der Geschichte, Geschichtstheologisches Denken bei Thomas von Aquin*, München, Kösel-Verlag, 1964, surtout pp. 26-32, employé la même « formule » pour comprendre l'histoire du monde et l'histoire de chaque personne, à savoir *exitus — reditus : circulatio ?*

[29] *ScG*, III, c. 141 (no. 3154).

[30] Notons que c'est cette crainte désordonnée, c'est-à-dire celle qui ne respecte pas l'échelle des vraies valeurs, qui est « humaine ou mondaine », et non pas la simple crainte de perdre des biens « humains ou mondains ». Ainsi Job avait de « bonnes craintes » temporelles et corporelles (*in Job* 3, 25 (11. 517ss)), contrairement à celui qui « propter timorem minoris periculi a justitia et misericordia discedit » comme Eliphaz et les frères de Job (*in Job* 6, 16 (11. 210ss)). Voir aussi *in Job* 31, 34 (11. 342ss) : Job « excludit a se INORDINATUM timorem corporalium periculorum, etc ».

[31] *ScG*, III, c. 141 (no. 3157).

[32] *Ibid.* (no. 3158).

[33] *Ibid.* (no. 3159). On trouve des idées semblables, mais beaucoup moins élaborées, dans *Compend. theol.*, I, c. 122.

[34] Notons pourtant l'indication de *in ad Tit* 1, 1, lect. 1 (no. 4), où Thomas distingue entre la « servitus timoris... propter causam moventem, quæ est extrinseca, et compellit » et la « servitus peccati... propter causam formalem (...) secundum habitum inclinantem ad malum ».

[35] *ScG*, IV,, c. 22 (no. 3588).

[36] *Ibid.* (no. 3589). On trouve la même idée d'une fausse liberté et d'une apparente servilité dans le commentaire du reproche de Çophar de Naamat à Job : « Vir vanus in superbiam erigitur, et tamquam pullum onagri natum se liberum putat, dans *in Job* 11, 12 (11. 190ss) : « Onager asinus silvestris est, cujus pullus ab hominis dominio liber nascitur ; pulli autem asinorum qui ab hominibus possidentur in servitute hominum nascuntur : homines igitur qui se divino judicio subjectos esse non putant, reputant se quasi pullos onagri natos, licet videant alios homines ejusdem condicionis divino judicio coerceri. Hoc in suggillationem beati Job dicere videbatur, intelligens ex verbis ejus quod quasi de pari cum Deo vellet contendere quia dixerat 'Auferat a me virgam suam et pavor ejus non me terreat ; loquar et non timebo eum' (9, 34) ».

[37] Cf., v.g., *ScG*, III, c. 144 (no. 3186).

[38] Cf., v.g., *in Job* 36, 19 (11. 200ss).

[39] *ScG*, IV, c. 22 (no. 3589) : « Cum igitur Spiritus Sanctus per amorem voluntatem inclinet in verum bonum, in quod naturaliter ordinatur, tollit et servitutem qua, servus passionis et peccati effectus, contra ordinem voluntatis agit ; et servitutem qua, contra motum suae voluntatis, secundum legem agit, quasi legis servus, non amicus. Propter quod Apostolus dicit, 2 ad Cor 3, 17 : 'Ubi Spiritus Domini, ibi libertas' ; et Gal 5, 18 : 'Si Spiritu ducimini, non estis sub lege' ».

[40] U. KÜHN, *Via caritatis...*, pp. 96, 105, 118.

[41] IDEM, *ibid.*, pp. 110-111.

[42] IDEM, *ibid.*, p. 105.

[43] Voir encore : *ScG*, III, c. 128 (no. 3007) : « Sed quia aliqui interius non sunt sic dispositi ut ex seipsis sponte faciant quod lex jubet, ab exteriori trahendi sunt ad justitiam legis implendam. Quod quidem fit dum timore pœnarum, non liberaliter, sed serviliter legem implent. Unde Is 26, 9 : 'Cum feceris judicia tua in terra' scilicet puniendo malos, 'justitiam discent' omnes 'habitatores orbis' » ; *ibid.* (no. 3008) : « Lex igitur exterior (...) fuit necessarium (...) propter illos qui ex seipsis non inclinantur ad bonum ».

[44] *ScG*, III, c. 158 (no. 3305).

[45] *Ibid.* (no. 3306).

[46] *Ibid.*, c. 144 (no. 3186).

[47] *Ibid.*, c. 139 (no. 3144) : « Intentione autem ultimi finis et dilectione remota, anima fit velut mortua : quia non movetur ex seipsa ad agendum recta, sed vel omnino ab eis agendis desistit, vel ad ea agenda solum ab exteriori inducitur, scilicet metu pœnarum », *ibid.*, c. 145 (no. 3188) : « Nullus autem timet amittere id quod non desiderat adipisci. Qui ergo habent voluntatem aversam ab ultimo fine, non timent excludi ab illo. Non ergo per solam exclusionem ab ultimo fine a peccando recovarentur. Oportet igitur peccantibus etiam aliam pœnam adhiberi, quam timeant peccantes ». Voir encore, *ibid.*, c. 151 (no. 3237).

[48] *In Job* 38, 13 (11. 270ss) : les « terræmotus ... et alia hujusmodi terribilia » rappellent les « fulgura, voces et tonitrua » qui terrorisaient ceux qui étaient soumis à la loi ancienne : cf. *in III Sent.*, d. 40, a. 4, qla. 2 ; *in ad Hebr* 12, 18-21, lect. 4 (nn. 703-704) ; etc.

[49] *In Job* 9, 12 (11. 343ss).

[50] *In Job* 36, 5 (11. 41ss).

[51] *In Job* 36, 19 (11. 200 ss) ; 22, 4-5 (11. 27ss) ; 34, 19 (11. 210ss).

[52] *ScG*, I, c. 89 (no. 744).

[53] *Compend. theol.*, I, c. 205.

[54] *Ibid.*, I, c. 241.

[55] *In Job* 15, 20 (11. 196ss) : « ... sed quia voluntas nocendi est homini a se ipso, potestas autem a Deo, non potest scire quanto tempore ei datur potestas implendi suam impiam voluntatem (...). Et ex ista incertitudine sequitur suspicio et timor, quam consequenter describitur dicens 'Sonitus terroris semper in auribus illius', quia scilicet ad quemlibet rumorem timet aliquid contra se parari, quasi de nullo confidens, propter quod subdit 'et cum pax sit, ille insidias suspicatur', idest cum nullus contra eum aliquid moliatur, ipse tamen de omnibus formidat propter suam impiam voluntatem qua paratus esset omnibus nocere » ; *ibid.* 24, 2 (11. 80ss) : « ... Et hoc quod aliis nocet etiam in suum nocumentum redundat, quia scilicet in se securam vitam agere non potest, timens lædi ab eis quos læserat ... ».

[56] *In Job* 12, 6 (11. 109ss) : « ... cum enim conscientia remordet de malo, non sine timore homo perpetrat malum quia, ut dicitur Sap 17, 10 : 'Cum sit timida nequitia data est in omnium condemnationem' ... ».

[57] *In Job* 29, 8 (11. 78ss) : « ... 'juvenes', qui scilicet solent esse ad peccata proclives, 'et abscondebantur', quasi scilicet meum judicium formidantes ».

[58] *ScG*, III, c. 141 (no. 3154) : « ...pœna voluntati proponitur ut a malo retrahatur, quasi aliquid fugiendum malum ».

[59] Cf. *ScG*, III, c. 116 (no. 2889) : « propter seipsum » ; (no. 2890) : un vouloir qui n'est pas « mixtum involuntario » ; c. 128 (no. 3007) : « Ab interiori quidem, dum homo voluntarius est ad observandum ea quæ præcipit lex divina » ; (no. 3008) : « Lex igitur exterior non fuit necessarium quod propter eos poneretur » ; IV, c. 22 (no. 3588) : ceux qui sont « sui causa », qui agissent « voluntarie ».

[60] Cf. *ScG*, III, c. 116 (no. 2891) ; c. 128 (no. 3007).

[61] Cf. *ScG*, III, c. 128 (no. 3008) ; IV, c. 22 (no. 3589).

[62] *ScG*, III, c. 128 (no. 3008) : « Primi igitur 'sibi ipsi sunt lex', habentes caritatem, quæ eos loco legis inclinat et liberaliter operari facit (...). Unde dicitur 1 ad Tim 1, 9 : 'Justo lex non est posita, sed injustis'. Quod non est sic intelligendum quasi justi non teneantur ad legem implendam, ut quidam male intellexerunt : sed quia isti inclinantur ex seipsis ad justitiam faciendam, etiam sine lege ».

[63] *ScG*, IV, c. 22 (no. 3588).

[64] *ScG*, III, c. 128 (no. 3007).

[65] *ScG*, IV, c. 22 (no. 3589) ; *in Job* 11, 12 (11. 190ss).

[66] *ScG*, III, c. 116 (no. 2892).

[67] *ScG*, III, c. 116 au complet.

[68] *ScG*, IV, c. 22 (no. 3588).

[69] *ScG*, III, c. 128 (no. 3008) ; IV, c. 22 (no. 3589).

[70] *ScG*, III, c. 128 (no. 3007) ; IV, c. 22 (no. 3587).

[71] Voir U. Kühn, *Via caritatis ...*, pp. 82-120.

[72] Cf. *ScG*, I, c. 19 (no. 761) ; III, c. 151 (no. 3237) ; *in I Metaph.*, lect. 5 (no. 102) ; *Ia*, q. 20, a. 1.

[73] *In Job* 1, 9 (11. 491ss) ; 13, 11 (11. 154ss) : dans ce dernier texte, Thomas reprend la même idée au sujet des interlocuteurs de Job.

[74] *In Job* 1, 12 (11. 557ss).

[75] Cf. *ScG*, III, c. 128 (nn. 3007-3008) ; IV, c. 22 (no. 3587) en parallèle avec *in Job* 6, 14 (11. 191ss).

[76] *In Job*, prol. (11. 41ss) : « ... divina enim providentia sublata, nulla apud homines Dei reverentia aut timor cum veritate remanebit, ex quo quanta desidia circa virtutes, quanta pronitas ad vitia subsequatur satis quilibet perpendere potest : nihil enim est quod tantum revocet homines a malis et ad bonum inducat quantum Dei timor et amor ». Un texte semblable revient dans l'opuscule *de sortibus*, composé entre 1269-1272, vraisemblablement en juillet-septembre 1271 (cf. P. Glorieux, *Répertoire des maîtres en théologie à Paris au XIIIe siècle*, Paris, J. Vrin, 1933-1934, t. I, p. 97), non pour Jacques de Burgo, comme l'indique encore l'édition Marietti,

mais pour Jacques de Tonengo (cf. A. DONDAINE et J. PETERS, *Jacques de Tonengo et Giffredus d'Anagni, auditeurs de Saint Thomas*, dans *AFP*, 29 (1959) 53-66) : « Dum enim subtrahit a divina providentia res humanas, in quibus tamen plerumque manifeste indicia divinæ gubernationis apparent, ipsis rebus humanis facit injuriam quæ absque regimine fluctuare affirmat. Subtrahit etiam cujuscumque religionis cultum, et Dei timorem hominibus aufert. Unde penitus est repudianda ».

[77] *In Job* 1, 1 (11. 36ss).

[78] *In Job* 1, 5 (11. 164ss).

[79] *In Job* 6, 14 (11. 191ss).

[80] *In Job* 8, 13 (11. 210ss).

[81] *In Job* 19, 12 (11. 112ss).

[82] *ScG*, III, c. 115 (no. 2885) ; c. 116 (no. 2891).

[83] *ScG*, III, c. 115 (no. 2886) : « Illud præcipuum debet esse in lege ex quo lex efficaciam habet. Sed lex divinitus data ex hoc apud homines efficaciam habet quod homo subditur Deo : non enim aliquis alicujus regis lege artatur qui ei subditus non est. Hoc igitur præcipuum in divina lege esse debet, ut mens humana Deo adhæret ».

[84] *ScG*, III, c. 115 (no. 2887).

[85] Cf. *in Job* 9, 12 (11. 343ss) ; 22, 4-5 (11. 27ss) ; 34, 19 (11. 210ss) ; 36, 5 (11. 41ss) ; 36, 19 (11. 200ss). Voir, au sujet de l'union au Christ, *ScG*, IV, c. 55 (no. 3943). Voir encore les analogies de la révérence due à Job, le juste par excellence : *in Job* 29, 8 (11. 78ss) ; 29, 9 (11. 86ss) ; 32, 6 (11. 59ss). A l'inverse, la destruction de cette révérence chez ceux qui estiment Job déchu de sa condition supérieure de juste : *in Job* 19, 12 (11. 112ss) ; 20, 7 (11. 65ss).

[86] Cf. *in Job* 9, 15 (11. 391ss) ; 23, 15 (11. 229ss) ; 23, 16-17 (11. 235ss) ; 42, 3 (11. 22ss).

[87] *In Job* 11, 12 (11. 190ss).

[88] *In Job* 1, 8 (11. 424ss).

[89] *In Job* 1, 8 (11. 453ss).

[90] *In Job* 26, 11 (11. 156ss).

[91] *In Job*, prol. (11. 41ss).

[92] Cf. *in Job*, prol. (11. 41ss) ; 4, 6 (11. 78ss) ; 28, 27-28 (11. 327ss). Voir aussi *ScG*, II, c. 2 (no. 860) ; III, c. 102 (no. 2774 en relation avec l'« admiratio » des nn. 2768-2769) ; c. 162 (no. 3329).

[93] *In Job* 9, 15 (11. 391ss).

[94] *In Job* 9, 28 (11. 640ss).

[95] *In Job* 9, 34 (11. 735ss).

[96] *In Job* 9, 35 (11. 743ss).

[97] *In Job* 9, 34-35 (11. 735ss) : «Sciendum est autem quod timor Dei aliquando timentes Deum a perscrutatione divinorum non revocat, quando scilicet perscrutantur divina desiderio veritatis cognoscendæ, non ut comprehendant incomprehensibilia sed semper eo moderamine ut intellectum

suum divinæ subjiciant veritati ; revocantur autem per timorem Dei ne sic perscrutentur divina quasi comprehendere volentes et intellectum suum divina veritate non regulantes. Sic igitur per hæc verba Job intendit ostendere quod eo moderamine de his quæ ad divinam providentiam veritatem impugnet, quod esset contra reverentiam divini timoris ».

[98] *In Job* 15, 4 (11. 28ss) : « Et quare non expediat cum eo (i.e. Deo) disputare, ostendit per hoc quod hujusmodi disputatio duo valde necessaria excludere videtur, quorum primum est timor Dei : qui enim timet aliquem non præsumit cum eo contendere (...). Disputaverat autem Job cum Deo non ex superbia sed ex fiducia veritatis, sed Eliphaz temerarie judicavit hoc ex iniquitate procedere...». Il est intéressant de remarquer que les seuls textes parallèles à ceux-ci dans l'œuvre de Thomas sont dans un autre commentaire d'une œuvre scripturaire de la tradition sapientiale, le quatrième évangile : cf. *in Joan* 4, 27, lect. 3 (no. 623) ; 13, 6 et 9, lect. 2 (nn. 1753-1754 et 1761).

[99] *In Job* 32, 5 (11. 45ss).

[100] Cf. *ScG*, II, c. 3 (no. 868) : « Homo, qui per fidem in Deum ducitur sicut in ultimum finem, ex hoc quod ignorat naturas rerum, et per consequens gradum sui ordinis in universo, aliquibus creaturis se putat esse subjectum quibus superior est : ut patet in illis qui voluntates hominum astris supponunt, contra quos dicitur Jer 10, 2 : 'A signis cæli nolite metuere, quæ gentes timent'...» ; *ScG*, III, c. 104 (no. 2785) : « Fuerunt autem quidam dicentes quod hujusmodi opera nobis mirabilia quæ per artes magicas fiunt, non ab aliquibus spiritualibus substantiis fiunt, sed ex virtute cælestium corporum. Etc.» ; *ScG*, III, c. 85 en entier ; III, c. 118 (no. 2904) ; IV, c. 29 (nn. 3653-3654) ; *Compend. theol.*, I, cc. 127-128 et c. 207 ; *Ia*, q. 70, a. 2, ad 1 (à relier avec l'explication de *Ia*, q. 115, a. 4 et *in VI Metaph.*, lect. 3) ; *in Job* 4, 14 (11. 276ss) ; 4, 15 (11. 289ss) ; 4, 16 (11. 348ss).

[101] Voir, pour cette notion chez Thomas, Ch. A. BERNARD, *Théologie de l'espérance...*, pp. 120-124.

[102] *ScG*, III, c. 114 (no. 2877) : « Rationalis creatura (...) sic divinæ providentiæ subditur quod etiam similitudinem quandam divinæ providentiæ participat, inquantum se in suis actibus et alia gubernare potest...».

[103] Lorsqu'on connaît les interprétations admirables que ce verset a suscitées dans la tradition, comment n'être pas affligé qu'on nous fasse actuellement prier sur une traduction aussi plate et inintelligible que : « Adorer Dieu est la base du savoir » !

[104] Voir, déjà, *in III Sent.*, d. 34, q. 1, a. 2, sol.

[105] *Ibid.*, expositio secundæ partis textus.

[106] *In Job* 28, 28 (11. 327ss). Notons seulement que c'est aussi le sens ultime de l'« admiratio » — une espèce de crainte (cf. *in III Sent.*, d. 26, q. 1, a. 3, sol. ; d. 34, q. 2, a. 1, qla. 2, ad 6 ; *de Ver.*, q. 26, a. 4, ad 7 ; *Ia-IIae*, q. 41, a. 4 ; *IIa-IIae*, q. 19, a. 2, ad 1) — à l'origine de la sagesse et de la contemplation : cf., v.g., *in III Sent.*, d. 35, q. 1, a. 2, qla. 3, sol ; d. 34, q. 1, a. 6, sol. ; *in de Div. Nom.*, c. 1, lect. 2 (nn. 68-70) ; *ScG*, I, c. 6 (nn. 36-37 et 40) ; II, c. 2 (nn. 859-560) ; *Ia*, q. 12, a. 1. L'« admiratio simpliciter » est l'appréhension de la geste proprement mystérieuse de Dieu et donc principe — comme l'« admiratio secundum quid » à l'origine de la recherche philosophique (fondamentalement, la structure heuristique de l'intelligence créée) — de sagesse et de contemplation.

JOB LAUDATUR DE PATIENTIA

Dans la *Somme de théologie* Thomas écrit que Job est loué principalement pour sa patience, comme Abraham l'est pour sa foi et Noé pour sa mansuétude [1]. Or il est assez remarquable que, dans tous les matériaux sur le rapport crainte - force que nous avons rassemblés dans la *Somme contre les Gentils*, l'*Expositio super Job ad litteram* et les quelques œuvres annexes, le seul apport original relativement aux données étudiées dans l'appendice I [2] concerne justement la « patience » face aux « angoisses ». C'est par ce biais que, dans le cadre d'une réflexion sur la loi providentielle, le problème type de la « crainte de la mort » trouve un complément de formulation.

Nous pourrions réécrire, à partir des textes qui nous intéressent ici, ce que nous savons déjà au sujet de la crainte comme objet de force [3] et au sujet de l'influence de cette vertu sur cette passion [4] ainsi que des nouvelles dimensions chrétiennes ouvertes par la mort du Christ [5]. Mais d'un certain nombre de passages se dégagent des pensées nouvelles que nous croyons utile de souligner. Elles manifestent, en effet, une certaine orientation de la réflexion de l'Aquinate qui, bien que méconnue, en représente, à notre avis, la part la plus valable. On contestera cette affirmation à partir des grandes analyses systématiques. Mais quelle est la valeur de ces instruments si, quand on les utilise pour comprendre le réel, ils s'y avèrent inaptes ? Or tout l'intérêt des textes que nous examinerons ici vient du fait que, devant une réalité complexe, Thomas se voit obligé de conjuguer des thèmes, qui, dans des œuvres plus systématiques, ne peuvent être analysés que séparément.

Un texte scripturaire impose, à l'exégète médiéval, des exigences littéraires. Ainsi lorsque Eliphaz de Témân demande à Job : « *Ubi est timor tuus, fortitudo tua, patientia tua, et perfectio viarum tuarum ?* » (Job 4, 6), Thomas se voit dans l'obligation d' « expliquer » comment ces différentes façons évitent au juste de succomber sous le poids des tribulations[6]. Il en distingue trois — la deuxième et la troisième expressions étant réunies.

« *Ubi est timor tuus* » : il s'agit de la révérence divine qui prend naissance lorsque les hommes considèrent que les maux qu'ils endurent proviennent de la divine providence[7]. Relativement au problème très précis de l'affrontement aux grandes adversités qui provoquent crainte et tremblement[8], cette considération est tout à fait nouvelle. La crainte de Dieu aide à dépasser les grandes craintes qui menacent le courage. À la lumière de tout le contexte de la révérence dans l'*Expositio super Job ad litteram*, cette interprétation nous paraît certaine : dans la considération sapientielle du dessein providentiel, les tribuations présentes reçoivent un sens religieux ; elles suscitent donc, au-delà des craintes naturelles, une crainte révérencielle qui est précisément celle de la signification ultime.

La fermeté d'esprit est une seconde manière de résister à l'envahissement de ces mêmes adversités : c'est le sens de « *fortitudo tua, patientia tua* ». Le dédoublement ici veut rendre compte des deux degrés possibles de cette attitude vertueuse : un premier consiste, non seulement à supporter la crainte, mais aussi à n'être pas abattu par la tristesse : c'est la force ; un second consiste à résister malgré la présence et de la crainte et d'une tristesse accablante : c'est la patience[9].

En troisième lieu, on peut faire face à la mauvaise fortune avec le secours d'une certaine décence naturelle, qui empêche de se livrer à des manifestations extérieures tapageuses malgré le trouble intérieur[10].

Si l'évocation de cette troisième « crainte » dans ce contexte présente un certain intérêt[11], on doit toutefois éviter, à cause du procédé exégétique qui l'appelle, d'attribuer ici à Thomas des liaisons intrinsèques qu'il n'a peut-être pas voulues. Par contre, le rapprochement des deux premiers thèmes, à savoir la solution vitale qu'apportent aux grandes adversités, avec les craintes et les tristesses qu'elles véhiculent, la crainte de Dieu d'une part et la patience (et la force) d'autre part, n'est pas uniquement le fait d'une juxtaposition accidentelle dans ce texte. On le retrouve souvent dans l'*Expositio super Job ad litteram* et la *Summa contra Gentiles* y fait parfois allusion. La tristesse qui envahit le sage ne réussit pas à engluer sa raison car il est prémuni contre elle par sa très grande « *sollicitudo et timor* » de sorte qu'il préférerait la mort au péché auquel elle incite [12]. Après avoir lié crainte de Dieu, maîtrise de la tristesse et même de l'horreur de la mort, Thomas parle ensuite de l'impatience de la tristesse qui conduit à contredire les jugements divins [13].

Toute une série de textes reprennent ces liens d'une façon ou d'une autre. Ainsi, dans le cadre des développements sur la divine providence et la question du mal, Thomas cite à plusieurs reprises la patience des martyrs sous la persécution des tyrans [14]. L'espérance de la béatitude et la crainte de Dieu aident à supporter les « *difficilia* » au cours du cheminement vers Dieu [15] et enlèvent toute crainte humaine et toute amertume [16]. Au contraire les mécréants qui n'espèrent plus en Dieu ne peuvent résister dans l'infortune [17] ; leur vie entière est tissée d'angoisses [18]. Nous pourrions allonger cette liste. Elle suffit pour notre propos, à savoir la liaison, dans le cadre d'une réflexion sur le gouvernement divin, des thèmes de la patience face aux angoisses du temps présent et de la crainte de Dieu.

La reconnaissance intérieure de la loi providentielle qui régit l'ordre humain donne naissance à la crainte révérencielle conjuguée à l'espérance du salut — autre thème central de la crainte filiale — par lesquelles le juste reçoit la « divine patience » [19] qui rend capable de maîtriser les « angoisses » [20]. La divine providence et l'impact de sa loi intérieure constituent, en un certain sens, l'enjeu suprême de la crainte et de l'angoisse dans une vie d'homme : « *divina enim providentia sublata, nulla apud homines Dei reverentia aut timor cum veritate remanebit* » [21]. L'histoire est-elle ou non salutaire ? Si oui, le mal par excellence est la séparation d'avec Dieu et toute crainte se comprend donc finalement par rapport à la crainte pure de Dieu. Conjuguée à l'espérance, celle-ci favorise l'éclosion de la divine patience qui maîtrise toutes les angoisses selon sa propre norme, puisque toutes les formes inférieures de la crainte tendent nécessairement vers la révérence, la première analoguée et donc le principe dans cet ordre. Si au contraire ce monde ne débouche pas sur la béatitude, le mal par excellence est évidemment la mort et sa crainte le prototype de tout autre. L'homme, irrémédiablement mortel, est sans doute alors capable d'un certain courage ; mais ce courage est réduit à une résignation sans joie, certainement vide de toute « patience », puisqu'au terme de sa vie ses dieux l'abandonnent au néant.

Cette vue n'implique pas que Thomas ne prenne finalement la mort corporelle « au sérieux ». La crainte radicale de la créature devant le test crucial de sa caducité sans remède ne disparaît pas comme par enchantement, « comme si » la mort n'était pas la mort et « comme si » la force chrétienne, au lieu de maîtriser la crainte, l'extirpait. Si la crainte désordonnée de la mort est évacuée par la divine patience, Celui même qui nous l'a méritée par sa mort, ressentit devant elle tristesse, effroi, détresse et angoisse (Matth 26, 37 ; Mc 14, 33-34 ; Luc 22, 44). Aussi la crainte « naturelle » ne saurait-elle être abolie. Le chrétien, à l'imitation de Jésus à l'agonie, sait cependant lui donner une autre signification en la considérant sous l' « ordination de la sagesse divine » et n'en être point troublé dans ses facultés supérieures [22]. Fort du secours divin, l'homme « patient » saura intégrer les « angoisses » dans son « projet providentiel » [23].

Il y a donc, dans ces œuvres, une autre vue, de type plus sapientiel, sur la mort et l'angoisse qu'elle suscite. Dans le cadre plus historique des commentaires scripturaires antérieurs, Thomas trouvait des éléments de solution plus directement dans le régime concret de la loi nouvelle (le Christ ressuscité vainqueur de la crainte de la mort, la force nouvelle de sa loi d'amour, etc.). Dans les perspectives des écrits que nous avons étudiés ici, il livre d'autres éléments qui, sans être moins « chrétiens », relèvent pourtant moins directement du « sacramentum », mais manifestent peut-être mieux la « res ». Toute une série de formules dites chrétiennes — « le Christ vainqueur de la mort », « la puissance du Christ ressuscité », « mort où est ta victoire », etc. — servent souvent, chez ceux qui les utilisent, à masquer la réalité et la gravité d'un problème qu'aucune théologie sérieuse n'a le droit de taire ni de dissoudre par des jeux de mots faciles. Aussi les éléments de solution que nous apportent ces écrits nous semblent-ils de quelque intérêt. Si la loi intérieure de la divine providence libère de l'angoisse suprême — qui est tout à la fois tristesse de quitter cette vie, peur du néant et crainte d'un châtiment — c'est sans doute en octroyant cette patience chrétienne qui permet de « soutenir » sans désordre intérieur le dernier assaut du « mal » sur terre ; mais c'est aussi, et plus profondément, parce qu'elle a façonné une « *servitus reverentiæ* » qui oriente le dynamisme profond de la crainte dans le sens de sa destinée éternelle. Ce sont les perspectives du cadre de la loi providentielle qui peuvent manifester, avec le plus d'acuité, les termes exacts du problème de l'angoisse devant la mort. À notre connaissance, l'Aquinate ne le formule jamais ailleurs de façon aussi satisfaisante.

---

[1] *Ia-IIae*, q. 66, a. 2, obj. et ad 2. Voir aussi AUGUSTIN, *de Patientia*, c. 13 (PL 40, 616) et *de moribus Ecclesiæ Catholicæ*, c. 23, no. 42 (PL 32, 1329). Nous ne voyons pas pourquoi Th. DEMAN, *Le « De moribus Ecclesiæ catholicæ » de S. Augustin dans l'œuvre de S. Thomas d'Aquin*, dans *RTAM*, 21 (1954) 273, écrit que dans le « de moribus », Augustin cite Job comme un exemple de la « force » et non de la « patience » parce qu'il ne distingue pas entre les deux. Dans le texte cité du « de moribus », Augustin écrit bien : « ... de Veteri potius Testamento, in quo illi rabide sæviunt, excitabo exemplum patientiæ ». Puis, il décrit la patience de Job sans jamais mentionner la force !

[2] Cf. *supra*, pp. 163-174.

[3] Cf. *ScG*, I, c. 92 (no. 775) ; II. c. 73 (no. 1513) ; *in Job* 5, 21, (11. 369ss) ; 11, 15 (11. 223ss) ; 11, 19 (11. 268ss) ; 11, 20 (11. 283ss) ; 24, 2 (11. 80ss) ; 33, 22 (11. 211ss) ; *Ia*, q. 21, a. 1, ad 1.

[4] Cf. *ScG*, I, c. 92 (no. 775) ; II, c. 73 (no. 1513) ; *Ia*, q. 95, a. 2, ad 3 et a. 3.

[5] Cf. *ScG*, IV, c. 55 (nn. 3947, 3948 et 3950) ; c. 60 (no. 3982) ; *Contra Sar., Graec. et Armen.*, c. 7 (no. 995) ; *Compend. theol.*, I, c. 227 : voir ici la citation de Hebr 2, 14-15, ainsi qu'un commentaire presque identique à celui que nous avons étudié dans la « lectura » de ces versets, lect. 4 (no. 144).

[6] *In Job* 4, 6 (11. 78ss) : « Multiplici autem virtute aliquis in tribulationibus conservatur ne deficiat ... ». Les rapprochements imposés littérairement par ce verset sont, pour une part, factices. Mais ce qui est vrai de leur genèse ne l'est pas nécessairement de la vérité qu'elles contiennent. Ainsi le procédé médiéval des « concordances » était fantaisiste dans sa genèse, mais certains de ses résultats, tel le rattachement de la pauvreté évangélique au don de crainte chez un Thomas d'Aquin, furent sans contredit des réussites.

[7] *Ibid.* : « ... primo quidem per reverentiam divinam, dum homines con-

siderant mala quæ patiuntur ex divina providentia provenire, sicut et Job supra dixerat 'Sicut Domino placuit ita factum est' (1, 21), et ad hoc excludendum inducit 'Ubi est timor tuus ?', quo scilicet Deum revereri videbaris ».

[8] *In Job* 4, 4 (11. 50ss).

[9] *In Job* 4, 6 (11. 78ss) : «...in quibusdam enim tanta est animi firmitas ut eorum animus adversitatibus non nimium molestetur, et hæc ad fortitudinem pertinere videtur, unde dicit 'Ubi est fortitudo tua ?', nec accipitur hic fortitudo secundum quod conservat hominem ne succumbat timori, sed ut non deiciatur per tristitiam ; quidam vero gravem quidem tristitiæ passionem ex adversitate patiuntur sed ab ea propter rationem bene dispositam non abducuntur, et hoc videtur ad patientiam pertinere, ut talis sit differentia inter patientiam et fortitudinem qualem assignant philosophi inter continentiam et castitatem, et ideo adjungit 'patientia tua' ». Ce texte n'est pas facile à interpréter. Dans *in III Sent.*, d. 34, q. 1, a. 5, sol., la distinction des « philosophes » entre la continence et la chasteté est interprétée de la façon suivante : «... potest distingui castitas a continentia, ut per continentiam sic reprimantur concupiscentiæ ut non dominentur, per castitatem autem ut etiam subjiciantur ». Voir maintenant le texte de *in 2 ad Cor* 8, 2, lect. 1 (no. 282) : « Ubi ponit conditiones patientiæ perfectæ. Una est quod homo sit constans, ita quod nec timore tribulationis dejiciatur, sed nec etiam in ipso tribulationis experimento. (...). Alia est quod in ipsis tribulationibus gaudeat... ». En rapprochant ces textes de ceux déjà cités au sujet de la vertu de force des païens et celle des chrétiens (cf. appendice I, pp. 168-169), il semble bien qu'on puisse identifier, d'une part, la vertu naturelle de force avec le degré inférieur de la patience qui consiste à supporter la crainte sans être abattu par la tristesse mais sans joie ; d'autre part, la vertu infuse de force avec la patience proprement dite qui supporte avec joie les angoisses faites de crainte et de tristesse. Nous reviendrons sur ce dernier point.

[10] *In Job* 4, 6 (11. 78ss) : « Tertio vero conservantur aliqui ex amore honestæ actionis et ex eo quod horrent turpiter agere, qui etsi internis conturbentur in adversitatibus, tamen nec verbo nec facto in aliquid indecens prorumpunt, et propter hoc addit 'et perfectio viarum tuarum ?' ».

[11] A partir des textes mêmes de Thomas, on pourrait établir des liens avec le contexte de la force : voir notre article, *La « crainte honteuse » selon Thomas d'Aquin*, dans *RT*, 69 (1969) 605.

[12] *In Job* 6, 7 (11. 95ss) : « Sed quia sapiens licet tristitiam patiatur ejus tamen ratio a tristitia non absorbetur, ostendit Job consequenter quod licet tristitiam pateretur tamen ei maxima inerat sollicitudo et timor ut se contra tristitiam tueretur, ne per tristitiam deduceretur ad aliquod vitiosum : quod ut vitaret præoptabat mortem, et ad hoc dicit 'Quæ prius tangere nolebat anima mea, nunc præ angustia cibi mei sunt », quasi dicat : ea quæ anima mea prius abhorrebat nunc delectabiliter appetit » ; *ibid.* 6, 10 (11. 117ss) : « Et quia dixerat ea quæ prius tangere nolebat nunc cibos suos esse, ostendit quomodo hoc sit intelligendum, quia scilicet mors quæ sibi fuerat horribilis nunc effecta est dulcis... ».

[13] *In Job* 6, 11 (11. 126ss) : « Timebat enim Job ne per afflictiones multas ad impatientiam deduceretur, ita quod ratio tristitiam reprimere non posset ; impatientiæ autem ratio est cum ratio alicujus adeo a tristitia deducitur quod divinis judiciis contradicit ; si vero aliquis tristitiam quidem patiatur secundum sensualem partem sed ratio divinæ voluntati se conformet, non est impatientiæ defectus ».

[14] *ScG*, III, c. 71 (no. 2473). Voir aussi *Ia*, q. 19, a. 9, ad 1 ; q. 22, a. 2, ad 2 ; q. 48, a. 2, ad 3.

[15] *ScG*, III, c. 153 (no. 3252) ; *in Job* 19, 28 (11. 350ss).

[16] *In Job* 17, 3 (11. 68ss) ; *Compend. theol.*, II, c. 6.

[17] *In Job* 21, 18 (11. 183ss). Même Job, lorsqu'il semble perdre l'espérance, ne trouve plus d'autres solutions aux angoisses que la mort : *in Job* 7, 15 (11. 321ss). Mais l'idée de la mort sans restauration de la vie est si horrible que Job manifeste son désir de la résurrection future : *in Job* 14, 13 (11. 137ss) : « Esset autem valde horrendum et miserabile si homo per mortem sic deficeret quod numquam esset reparandus ad vitam, quia unumquodque naturaliter esse desiderat : unde Job suum desiderium ostendit de resurrectione futura ... ».

[18] *ScG*, III, c. 48 (no. 2261). Ces « angustiæ » de la vie sont décrites dans tout le chapitre : l'instabilité de la vie présente (no. 2248), sa brièveté (no. 2249), les maux du corps et de l'âme (no. 2250), la pensée et le fait de la mort : « Homo naturaliter refugit mortem, et tristatur de ipsa : non solum ut nunc, cum eam sentit, eam refugiens, sed etiam cum eam recogitat » (no. 2251), l'impossibilité d'atteindre sa fin propre (nn. 2247, 2254-2259).

[19] E. GILSON, *La vertu de patience selon S. Thomas et S. Augustin*, dans *AHDLM*, 15 (1946) 93-104, soutient, en se basant uniquement sur *IIa-IIae*, q. 136, a. 3 et sur le *de Patientia* d'Augustin (PL 40, 611-626) qui inspire manifestement cet article, que Thomas n'a jamais parlé, contrairement à ce qu'on a dit, d'une « vertu naturelle de patience sans la grâce » (p. 104). Les textes que nous avons examinés nous conduisent aux mêmes conclusions. Les « angoisses » sont sans solution vertueuse pour les « païens ». Seuls ceux qui ont la « reverentia divina » liée nécessairement à la « spes divina » sont capables de « patience ».

[20] Voir notre étude sur *Le vocabulaire de l'angoisse...*, dans *EgTh*, 2 (1971) 55-92, particulièrement pp. 76-79 où nous suggérons que l'angoisse représente le concept qui répond le plus adéquatement, dans la théologie thomiste, à celui de l'objet de la patience.

[21] *In Job*, prol. (11. 41ss).

[22] Cf., v.g., *Compend. theol.*, I, c. 233 : « In hoc enim quod dixit 'Transeat a me calix iste' (Matth 26, 39), motum inferioris appetitus et naturalis designat, quo naturaliter quilibet mortem refugit, et appetit vitam. In hoc autem quod dicit, 'Verumtamen non sicut ego volo, sed sicut tu vis', exprimit motum superioris rationis omnia considerantis prout sub ordinatione divinæ sapientiæ continentur ». — Cet aspect de la question justifie la remarque de Th. DEMAN, *Le « De moribus Ecclesiæ catholicæ » de S. Augustin dans l'œuvre de S. Thomas d'Aquin*, dans *RTAM*, 21 (1954) 271, sur l'aristotélisme de Thomas sur ce point. Mais nous ne sommes pas certain que son énoncé soit assez nuancé pour éviter de graves erreurs d'interprétation : « Aristote », écrit l'auteur, « a fait des périls de mort l'objet par excellence de la force pour la raison que la mort est à ses yeux de tous les maux le plus redoutable. Saint Thomas n'a point cru que les espérances chrétiennes dussent changer cette manière de voir. L'amour naturel de la vie n'en est point modifié. Il est là-dessus plus aristotélicien qu'augustinien ».

[23] *In Jer* 1, 8, no. 3 (p. 580b) : « Promittit (i.e. Dominus) audaciam contra timiditatem puerorum : 'ne timeas quia tecum sum, ut eruam te', non quod angustiis careas, sed quod omnia patienter feras. Psalm 22, 4 : 'Non timebo mala, quoniam tu mecum es' ».

Quatrième partie

LA PÉDAGOGIE DIVINE
DE CRAINTE ET LA VIE VERTUEUSE

La *SOMME DE THÉOLOGIE*

Lorsqu'on inventorie, du point de vue qui nous occupe, les 96 articles qui composent cette partie de la *Somme de théologie*, que dom Lafont propose, avec raison, de nommer le « Traité de la Liberté chrétienne »¹, on aboutit à un résultat plus que satisfaisant. À notre avis, le traité théologique de la loi dans la *Prima Secundæ* est tout aussi incompréhensible si on supprime la notion fondamentale d'une pédagogie divine de crainte dans l'histoire du salut que si l'on tentait de l'interpréter en laissant de côté la notion de « loi de liberté » ou celle de « loi d'amour ». Par contre, la *Somme de théologie* n'est pas une juxtaposition de monographies. Lorsqu'il entame son exposé *« de principiis exterioribus actuum »* avec la question 90ᵉ ², Thomas présuppose que les « commençants » pour lesquels il écrit ce manuel de la « religion chrétienne »³ ont non seulement médité au préalable la vocation chrétienne à la béatitude⁴, mais qu'ils ont également étudié la structure des actes humains par lesquels l'image de Dieu répond à cet appel ou le refuse, ainsi que les « principes intérieurs » de ces actes⁵. Plus encore : il renvoie souvent ses étudiants à un enseignement ultérieur qu'il réserve pour la *Secunda Secundæ* et pour la *Tertia Pars*. Tout ce qui est exposé dans les dix-neuf questions sur la loi n'a guère de sens que dans le cadre beaucoup plus vaste de la « vie vertueuse » dont Thomas analyse, dans la *Secunda Pars*, les diverses composantes.

Ce serait donc une grave erreur méthodologique d'aborder le traité thomiste de la loi comme celui de la *Summa sic dicti fratris Alexandri* où Jean de La Rochelle exprime de façon quasi exhaustive sa théologie morale⁶. Les questions 90 à 108 sont parmi les plus belles de la *Prima Secundæ*, car elles permettent à l'Aquinate, non seulement de préciser le statut ultime de l'autonomie du chrétien, mais aussi d'inscrire la démarche morale dans le cadre de l'économie dont le Christ est le centre. Elles ne sauraient cependant être lues « comme si » Thomas d'Aquin avait ouvert par elles la « considération morale ». Ce n'est pas sans équivoque qu'on rééditerait sa théologie morale sous le signe de la loi du Christ.

Nous nous sommes donc inspiré du cadre même de la *Prima Secundæ* pour analyser l'abondante matière que les œuvres du dernier séjour parisien et des dernières années de Thomas à Naples fournissent sur notre thème. Les textes qui n'appartiennent pas à la *Somme de théologie* ne serviront guère, du reste, qu'à confirmer et à compléter ce que celle-ci enseigne. Pour le thème très précis *lex timoris - lex amoris*, nous avons néanmoins retiré de ce dossier les textes de la *Lectura super Joannem*, de la *Lectura super Psalmos*, de l'*Expositio super epistolas Pauli* (Rom et 1 ad Cor 1-10) et des sermons *De duobus præceptis caritatis et decem legis præceptis*. Ces quatre œuvres traitent le thème de façon assez originale pour que nous les considérions à part dans une dernière partie. Dans cette quatrième partie, nous leur emprunterons pourtant des données en ce qui a trait à l'enseignement plus général sur la crainte.

En suivant la structure de la *Prima Secundæ*, nous étudierons donc le rôle de la crainte dans la vie affective (chapitre huitième), puis la place qu'elle occupe par rapport aux « principes intérieurs » de l'agir (chapitre neuvième). Il fallait nécessairement se limiter ici à des vues générales concernant tous les problèmes connexes à celui de la crainte. Ces deux premiers chapitres ne sont cependant pas le résumé de travaux antérieurs. Ils ont été construits à partir de tous les textes de Thomas d'Aquin concernant la crainte. Dans ce contexte de la crainte dans la « vie vertueuse », nous pourrons ensuite étudier successivement son insertion dans le traité de la loi (chapitre dixième), l'interprétation de son rôle historique dans le plus grand exposé de théologie de l'Ancien Testament que Thomas ait jamais écrit (chapitre onzième) et enfin les dernières données relatives à sa permanence, sous sa forme pénale, dans le régime de la loi nouvelle (chapitre douzième).

---

[1] *Ia-IIae*, qq. 90-108. Cf. G. LAFONT, *Structures et méthode dans la Somme théologique de saint Thomas d'Aquin*, Paris, Desclée de Br., 1961, p. 480.

[2] *Ia-IIae*, q. 90, prol.

[3] Voir le prologue à toute la *Somme de théologie*.

[4] Cf. *Ia-IIae*, q. 1, prol.

[5] Cf. *Ia-IIae*, q. 6, prol.

[6] Cf. G. LAFONT, *op. cit.*, pp. 210-214.

CHAPITRE HUITIÈME

LE RÔLE DE LA CRAINTE DANS LA VIE AFFECTIVE

Les problèmes soulevés par la crainte dans la vie morale se retrouvent presqu'à toutes les questions de la *Prima Secundæ*. Que nous traitions des actes proprement humains ou de ces actes dits humains par participation que sont les « passions de l'âme », des principes intérieurs bons ou mauvais de l'agir humain, partout nous découvrons cette crainte qui peut affecter la qualité du volontaire [1] mais qui constitue aussi une des grandes émotions de fond [2], qui est matière prochaine de la vertu de force [3] ou encore, à un autre niveau, don de l'Esprit [4], mais qui peut aussi causer le péché [5] ou même porter un nom de vice [6].

Avant même d'arriver à la *Ia-IIae*, q. 90, et de passer ensuite à la *IIa-IIae* où tous ces aspects sont repris et soigneusement élaborés, nous nous rendons compte que la crainte est un donné primordial dont le moraliste ne peut jamais faire abstraction sans irréalisme. Aussi toute considération sur la loi qui prétend situer le volontaire dans l'ordre général du réel et donner à la condition humaine sa dimension historique, doit nécessairement ménager une large part à cet élément de base.

Dans ce chapitre huitième, nous chercherons donc à situer la crainte dans la structure de la vie affective telle qu'elle est analysée par Thomas. On comprendra que nous n'avons pas l'intention de nous engager à fond dans la série des problèmes complexes auxquels se heurte notre propos. Nous nous limiterons, autant que possible, à dégager les grandes lignes de l'influence de la crainte dans l'activité affective dont elle est elle-même un des plus puissants dynamismes.

1. L'influence de la crainte sur le volontaire

La première question qui vient à l'esprit en lisant les nombreux textes de la *Ia-IIae*, qq. 90-108, dans lesquels est opposé l'accomplissement de la loi « *ex caritate* » à celui qui résulte « *ex timore pœnæ* », est celle de la qualité humaine d'un tel agir. L'acte posé sous l'influence de la crainte procède-t-il encore d'une inclination intérieure que l'agent moral s'est donné par la connaissance [7] ?

En suivant l'ordre des questions que Thomas pose au sujet de la crainte dans la *Ia-IIae*, c'est la première qu'il formule : « *Videtur quod metus causet involuntarium simpliciter* » [8]. L'essentiel de sa réponse est connu. La crainte cause un « *voluntarium mixtum* » : ce qu'elle produit doit être généralement considéré plutôt volontaire qu'involuntaire puisqu'il a été choisi, dans les circonstances concrètes, en vue d'un plus grand bien, ou, ce qui revient au même, pour éviter un plus grand mal [9]. Or puisque les actes moraux n'existent qu' « en situation », cette action élaborée de fait sous la crainte procède d'un vouloir réalisateur, d'un principe intrinsèque en vue d'une fin connue : elle est « *simpliciter voluntaria* ». L'autre action inexistante, celle qu'on aurait voulu poser en l'absence hypothétique de cette crainte, n'est au contraire qu'une pure abstraction : le poids du vouloir réel ne porte donc pas sur elle [10].

Mais cet exposé de principe reste lui-même abstrait et a prêté à bien des fausses interprétations. Pour Thomas, en effet, le *metus* dont il est ici question n'est autre chose que le *timor* [11]. Or si cette *passio*, comme toutes les autres émotions, n'est de soi ni bonne ni mauvaise, lorsqu'elle atteint un agent moral concret en passe d'agir réellement, elle le fait soit comme une pure « *passio corporalis* », soit comme une vraie « *passio animalis* », et encore, soit comme une « passion antécédente », soit comme une « passion conséquente » résultant elle-même peut-être d'une crainte qui est un pur mouvement de la volonté. Dans tous ces cas possibles, elle aura de plus telle intensité ou telle autre [12]. C'est assez dire la variété des comportements moraux qu'elle peut influencer. Émotion peccamineuse au départ, elle ne pourra qu'engendrer à son tour le péché.

Vertueuse, elle contribuera au contraire à la perfection morale de l'acte qu'à son tour elle suscitera. Si nous avons affaire à une passion antécédente, elle pourra, dans certaines circonstances d'effroi intense, enlever tout caractère proprement humain à l'agir. En dehors de ces cas d' « affolement », elle suscitera alors une activité imparfaitement volontaire : spécifiée par un mal moral, l'action posée sous l'influence d'une telle crainte ne sera pas aussi pleinement peccamineuse que si elle procédait d'un pur choix « ex malitia » ; visant, au contraire, un bien moral, elle n'aura pas toute la plénitude d'une action vertueuse dont le mode d'agir doit répondre aux exigences de l'objet et non point résulter du hasard d'une impulsion émotionnelle [13]. Par ailleurs, il est préférable d'éviter le mal et d'accomplir le bien par peur que de pécher : la pratique, en effet, engendre des dispositions et ultérieurement des vices ou des vertus [14].

Lorsque Thomas parle de l'agir « *metu legis* » ou « *timore pœnœ legis* », on ne saurait donc conclure trop hâtivement, à partir de la *Ia-IIae*, q. 6, a. 6, qu'en conséquence, toute personne accomplissant les préceptes par crainte de la loi a un comportement qui doit recevoir telle étiquette morale. La réalité est beaucoup plus complexe et Thomas le sait. À une pédagogie législative pénale, les divers citoyens pourront répondre intérieurement de façons bien différentes. Il faudra en tenir compte pour interpréter le traité de la loi.

2. L' « affection » craintive

Lorsque, dans son traité de la loi de la *Ia-IIae*, Thomas compare la crainte à l'amour de la loi, lorsqu'il met en parallèle l'espoir et la crainte suscités par la loi humaine et par la loi divine, lorsqu'il loue une loi qui, par la crainte, préserve de la présomption ou qu'il la réprouve parce qu'elle conduit ainsi à la tristesse et au désespoir, il pose également le problème de l'insertion de la crainte dans le mécanisme de la vie affective. Il l'avait déjà étudié dans son traité sur le « *voluntarium per participationem* », à savoir celui des « passions de l'âme » [15], et particulièrement dans les seize articles qui composent les questions 41 à 44 sur la crainte. Puisqu'une pédagogie qui veut utiliser l'émotion craintive à bon escient doit d'abord en connaître la signification affective, c'est donc à ces questions et aux autres textes de même nature, qu'il faut se reporter.

Un premier examen de la *Ia-IIae*, qq. 41-44, nous amène à constater le fait suivant : Thomas y soulève presque tous les grands problèmes relatifs à la crainte : il traite des espèces damascéno-némésiennes [16], de la division théologique traditionnelle [17], de sa place dans la conversion [18], de son influence sur la qualité du volontaire [19], de sa causalité par le législateur [20], de son rapport à la force [21]. Outre le témoignage porté sur l'unité fondamentale des problèmes de la crainte dans la théologie de Thomas [22], cette constatation suffit déjà à indiquer que l'analyse conduite par Thomas est tout autre chose que la description d'une « émotion ». Elle est avant tout une analyse de la structure de l' « affection craintive ». Le premier analogué est la *timoris passio*, émotion de la puissance dite « irascible ».

La « timoris passio »

Pour pousser à fond notre enquête, il faudrait ouvrir un volumineux dossier sur les « passions de l'âme » à partir des passages principaux [23]. Une telle tentative sortirait du cadre de notre exposé. On peut présupposer connu cet enseignement général qui a été souvent donné [24]. Mis à part les renseignements sur le *timor* contenus dans les études générales sur les « passions », il n'existe aucune étude particulière sur ce sujet, à notre connaissance [25]. Il n'est donc pas inutile de signaler, avant d'examiner l'influence de la crainte dans la vie affective, que le *timor* de la *Ia-IIae*, qq. 41-44, est une notion qu'on ne saurait durcir, encore une fois, sans porter préjudice aux analyses thomistes.

Dans les textes où cette influence est examinée [26], Thomas joue sur toute une gamme de réalisations analogiques de la crainte. À notre avis, c'est une erreur d'écarter a priori telle ou telle de ses réalisations sous prétexte qu'elle ne serait pas LA passion de crainte. L'Aquinate ne l'a pas fait, précisément parce que la vie affective est une réalité complexe soumise à des influences multiples. Aussi trouve-t-on, dans ce contexte, des références nombreuses à un *timor* attribuable, à l'échelon inférieur, aux animaux [27]. Bien sûr, elle n'est, chez eux, qu'une impulsion instinctuelle, mais son mou-

vement trouve, dans la vie affective humaine, des réalisations qui
lui ressemblent étrangement et qu'il n'est pas vain de lui comparer.
Chez l'homme, elle s'élabore toutefois dans un être tout pétri de
raison de sorte que la *timoris passio* ne sera pas exactement de
même facture que la peur des bêtes. Mais à ce niveau, le même
terme ne recouvre pas nécessairement des craintes de même
qualité.

La crainte peut désigner une « sensation » — la *passio corporalis* ou, selon le vocabulaire de la *Somme de théologie*, la *passio
corporis* — c'est-à-dire un mouvement craintif sensible qui s'origine dans le corps et qui n'atteint l'âme que de façon adventice,
à savoir en se terminant dans celle qui est la « forme du corps »[28].
Ou elle sera, à proprement parler, une « émotion » — la *passio
animalis* (« *ab anima* ») — c'est-à-dire ce mouvement craintif qui
procède de l'appréhension et de l'appétit de l'âme pour « descen-
dre » dans le corps dont elle est le moteur[29]. De plus, dans ses
analyses sur la *timoris passio*, Thomas note souvent que la crainte
peut aussi être comprise comme une opération simple de l'appétit
supérieur, opération semblable à celle de l'appétit inférieur en son
activité formelle — donc un mouvement qui a la même structure —, mais non compliquée des perturbations qui ébranlent l'appétit inférieur de par sa liaison nécessaire aux organes corporels[30].
C'est uniquement en ce dernier sens qu'on peut attribuer un *timor*
aux « substances séparées »[31], aux âmes séparées[32], aux démons[33],
aux anges[34]. Si, par contre, on ne saurait dire que Dieu craint, ce
n'est pas que l'on ne puisse lui attribuer des opérations simples
semblables à des passions — ne dit-on pas qu'il aime, qu'il se
réjouit, etc.[35] — mais c'est précisément parce que la raison formelle même de crainte ne saurait convenir à Celui qu'aucun mal
ne peut atteindre[36].

Ces remarques préliminaires sont instructives en ce qui concerne la méthodologie à suivre dans l'analyse de l'influence de la
crainte dans la vie affective. D'abord elles doivent nous mettre en
garde contre des jugements hâtifs au plan de la qualité proprement
humaine — de la « moralité » — des « passions » en cause et des
activités subséquentes qu'elles engendrent. Tous ces divers *timores*
ne sont pas sans s'influencer mutuellement. Ils soutiennent des
rapports extrêmement variés avec le volontaire[37]. Ensuite — et
c'est l'aspect qui nous occupe ici — l'analyse des relations entre « la

crainte » et les autres composantes de la vie affective ne saurait, si elle veut être fidèle à celle de Thomas, se cantonner à l'émotion craintive dans ses rapports aux autres émotions. Bien sûr, l'étude de la vie émotionnelle est au premier plan de la *Ia-IIae*, qq. 22-48. Mais plus profondément, ce traité des « passions de l'âme » est une analyse de la structure des divers mouvements en cause et de leurs relations. C'est ce par quoi, du reste, ces questions ont une portée qui dépasse de beaucoup les limites d'un traité ordinaire des passions. Il fournit à Thomas le théologien un instrument de base pour ses analyses ultérieures de l'amour, de l'espoir, de la crainte, etc., dans toutes leurs manifestations et dans toute la complexité de leurs relations mutuelles. C'est dans cette perspective que nous examinerons brièvement le rôle structural du mouvement craintif dans cette vie affective qui est tissée de « sensations », d' « émotions » et d' « affections spirituelles ». Vouloir, à tout propos, préciser les modes de réalisation du *timor* nous semble une entreprise dérisoire. Quelle est, par exemple, le contenu de la crainte soulevée par la loi ? Thomas ne le précise jamais car, précisément, il n'y a pas de réponse générale.

Une « passio irascibilis »

Mais avant même d'entreprendre le détail de cette analyse, il faut également souligner que la *timoris passio* est une composante de ce que Thomas nomme, avec la scolastique de son temps, l' « irascible »[38]. Elle hérite, par conséquent, des caractéristiques générales de cette puissance[39]. Or en opposition au « concupiscible » qui porte sur des sujets simples — le bien alléchant et comblant, le mal repoussant et attristant — et qui se présente donc comme un appétit de simple tendance, l' « irascible » envisage des objets complexes — le *bonum arduum* et le *malum arduum* ou, plus exactement, le bien et le mal « excellents ». On a souligné que, dans la théorie thomiste de l'affectivité, « *arduum* » signifie ce qui est haut, élevé, grand, et par là « difficile ». Il réclame un effort exceptionnel car sa grandeur relative dépasse le jeu normal de « nos forces »[40]. L'irascible qu'il structure représente donc un appétit de lutte, et au-delà, un appétit de domination, de conquête et de victoire[41]. Ces deux « appétits » représentent les deux attitudes foncières et complémentaires de la vie affective.

Le concupiscible caractérise l'attitude radicale de l'affection : il tend simplement vers ce qui délecte les sens et, puissance de réceptivité, cherche à s'y unir. S. Pfürtner prétend, non sans raison nous semble-t-il, qu'elle représente, pour Thomas, la « disposition féminine » de l'affectivité (« *weibliche Affektanlage* ») [42]. En contrepartie, l'irascible peut être qualifié de « masculinité » sur plus d'un rapport. Appétit de combativité, il s'efforce de vaincre ce qui contrarie l'appétit et de le placer hors de son atteinte. Aussi existe-t-il lui-même en fonction du concupiscible : son propre mouvement suppose la tendance du concupiscible et il ne se termine finalement qu'en lui puisque toute consommation heureuse ou triste est de l'ordre du concupiscible. La lutte ne peut être sa propre fin et la victoire qu'elle assure n'est savourée que par l'appétit *ad hoc*. Ainsi l'irascible est fonction du concupiscible [43]. En ce sens aussi, il exerce encore, par rapport au concupiscible, une causalité accidentelle en écartant les obstacles à son plein épanouissement [44].

Un deuxième trait de sa « masculinité » réside dans son caractère « rationnel » [45]. La condition spéciale de son objet le rend plus « noble » et exige de l'appétit un mode plus raffiné de connaissance. Aussi Thomas estime-t-il que l'irascible est plus proche de la raison et de la volonté que le concupiscible dont les réactions sont souvent « faciles ». Abandonner ce qui plaît afin de poursuivre laborieusement une victoire ne convient à l'appétit inférieur qu'en autant qu'il atteint, d'une certaine façon, le niveau de l'appétit supérieur. En raison du rapport essentiel qui existe, dans la théologie de Thomas, entre le moral et le rationnel [46], il est évident que les démarches de l'irascible seront plus immédiatement sujettes aux qualifications « raisonnable » et « déraisonnable » que celles du concupiscible.

Ces qualités de l'irascible se reportent évidemment sur les passions qui le composent, donc sur la crainte. Il nous reste à en examiner le détail.

3. La relation fondamentale à l'amour

Les grands textes dans lesquels Thomas situe les différentes passions par rapport aux deux puissances de l'appétit sensible et dans leurs rapports mutuels [47] représentent une tentative pour cerner, par des approches successives, une réalité complexe. Comment, en effet, se distinguent les passions du concupiscible de celles de l'irascible ? Comment se distinguent les passions à l'intérieur de chacune de ces puissances ? Quelle est la nature de ces distinctions successives ? Comment s'ordonnent les passions ainsi distinguées ? Les réponses à toutes ces questions sont précieuses en ce qu'elles établissent un certain ordre général intelligible [48]. Mais elles peuvent aussi donner le change sur l'importance réelle que l'Aquinate attribue à telle ou telle des normes et des distinctions évoquées. Elles risquent également d'obnubiler la signification profonde des comparaisons et des relations établies. On se laisse facilement abuser par une méthode qui postulait l' « explication » d'un certain nombre d' « autorités » [49] et par tout l'appareil et le langage scolastique dont est bardée cette partie des traités de Thomas sur les passions. Pour ne pas confondre l'instrument d'intelligibilité avec l'intelligibilité elle-même, il faut se demander quelles sont finalement les distinctions et les rapports qui comptent vraiment pour saisir la physionomie de telle ou telle passion. À notre avis, la seule méthode sûre est celle qui s'attache à suivre le traitement particulier de chaque passion et à évaluer, à partir de ce donné « appliqué », l'impact réel des considérations théoriques générales. Tout ce qui ne trouve pas, à ce niveau de la « science appliquée », ses vérifications, n'a pu avoir aucune signification réelle pour Thomas. Comment sa pensée en aurait-elle été vraiment informée » si l'analyse de la réalité n'en contient plus aucune trace ? Qu'en est-il de la crainte ?

La première grande distinction qui partage toutes les passions est celle qui correspond à la distinction de l'appétit sensible en deux puissances selon la condition simple ou complexe de l'objet. D'où la grande division classique des deux « genres » : les six passions du concupiscible : l'amour et la haine, le désir et la fuite, la joie et la tristesse ; les cinq passions de l'irascible : l'espoir et le désespoir, la crainte et l'audace, la colère [50]. À ce premier niveau de distinction, la crainte épouse les caractéristiques générales de l'irascible signalées ci-dessus. Elles s'avèrent importantes pour comprendre la nature des rapports de la crainte à l'amour.

L'amour, étant source et terme de toute affection, garde la primauté absolue sur toutes les passions [51]. Nous avons déjà vu, à plusieurs reprises et dans divers contextes, comment cette dépendance de la crainte par rapport à l'amour est décisive. Mais dans la *Ia-IIae*, Thomas en fait, pour la première fois dans le cadre de la passion de crainte, la théorie explicite [52]. L'amour, dont Thomas dit encore qu'il n'est pas la crainte essentiellement mais causalement [53], cause « *per se* » [54] la crainte, par mode de disposition matérielle chez le sujet [55]. Toute crainte d'un mal présuppose qu'on aime un bien dont on est menacé d'être privé. On peut même affirmer, en ce sens, que la crainte vise un bien [56]. Par contre l'absence de l'amour du bien menacé est un défaut tel qu'il rend toute crainte impossible [57].

Les conséquences de cette théorie sont nombreuses et Thomas les exploite souvent, en particulier au plan de la moralité. Parce que la crainte naît de l'amour : la corruption de l'amour produit celle de la crainte [58] ; la présence d'un amour désordonné dans tout péché entraîne celle d'une crainte désordonnée [59] ; toute vertu qui modèle l'amour de quelque bien devra, par conséquent, modérer la crainte des maux contraires [60]. C'est aussi, nous l'avons souvent remarqué dans les chapitres précédents et nous le verrons encore plus loin, un des principes fondamentaux pour l'étude des diverses formes morales de la crainte dans leurs rapports avec la charité. Toutes ces considérations sont rattachées au fait structural de la causalité matérielle proprement dite exercée par l'amour sur la crainte. C'est une détermination technique de la façon dont l'amour — passion principale du concupiscible — engendre la crainte.

La crainte, émotion de l'irascible, est-elle, à son tour, au service de l'émotion radicale de l'affectivité ? Peut-elle être dite la « *propugnatrix amoris* » ? Sans aucun doute et par plusieurs biais. Elle écarte d'abord un certain nombre d'obstacles à l'amour. Nous reparlerons de la tristesse. Thomas mentionne souvent, sous cet aspect précis, la présomption [61]. Elle produit aussi un certain empressement qui empêche l'amour de se dégrader [62]. De plus, en raison de la causalité efficiente exercée par le bien sur la production de la crainte, celle-ci, à son tour, produit accidentellement l'amour de cette cause efficiente [63].

Ce dossier suffit, pour le moment, à remettre en valeur la relation crainte-amour. À tous les niveaux, ces deux affections se conditionnent mutuellement.

4. La crainte dans la recherche du bien

On peut aussi considérer le domaine de l'irascible, non plus selon le critère qui l'oppose à celui du concupiscible, mais selon ce qui différencie proprement les passions du concupiscible, et, par voie de conséquence, celles de l'irascible qui en découlent. Ce critère est le bien et le mal. Selon cette opposition commune aux deux champs d'action de l'appétit, la crainte est contraire à l'espoir, la passion du bien excellent [64]. Elles sont même, de ce fait, les deux émotions principales dans leur genre [65]. L'espoir naît directement, dans l'appétit de conquête, du bien qui attire à soi ; la crainte, du mal qui repousse. Elles ne présupposent aucune autre passion de l'irascible [66]. Comme la peur du mal découle du désir du bien, l'espoir précède la crainte [67]. Sans l'espoir d'échapper au mal, la crainte est impossible [68]. Ce thème fondamental de l'insertion d'un espoir dans toute crainte revient sans cesse au niveau de la vie théologale et amènera à diversifier les points de vue qui permettent d'affirmer la coexistence et la complémentarité de diverses formes de craintes et d'espoirs : ainsi, la justice de Dieu qui fait naître la crainte et sa miséricorde qui fait naître l'espérance [69], ou encore, la considération du secours divin qui suscite l'espérance et celle de notre faiblesse qui engendre la crainte filiale [70].

L'opposition et le lien nécessaire entre le bien et le mal — l'un n'étant défini que par rapport à l'autre — rendent compte de l'apparente contradiction qui existe entre certains thèmes du rapport crainte-espoir. Ainsi l'aspect de contrariété apparaît dans le thème courant de la diminution de l'une proportionnellement à l'augmentation de l'autre [71]. Au contraire, de par le lien qu'établit entre ces deux affections le rapport du mal au bien, la crainte d'un mal affligeant peut occasionner les démarches qui éveillent l'espoir et l'espérance [72].

De par ces relations étroites à l'espoir et, sur un autre plan, à l'espérance, la crainte joue donc un rôle capital dans la recherche du bien excellent, surtout du souverain Bien, de qui vient le secours divin qu'on espère et qu'on craint de démériter.

5. La crainte, signe de faiblesse

La formulation satisfaisante des critères de distinctions et de rapports entre les passions de l'irascible semble avoir présenté à Thomas une difficulté en ce qui concerne l'audace et la crainte, ainsi que l'espoir et le désespoir.

Dans *in III Sent.*, d. 26, q. 1, a. 3, et encore dans *de Ver.*, q. 26, a. 4, Thomas oppose la crainte à l'audace en insistant sur le critère propre à l'appétit irascible, l'*arduum* : le mal, lorsqu'il est d'une telle grandeur qu'il est impossible de le repousser, provoque la crainte ; considérable, mais possible à surmonter, il fait appel à la résistance de l'audace [73]. Audace et crainte s'opposent donc selon le caractère excessif ou non excessif du mal par rapport à la capacité de résistance du sujet [74]. La *Secunda Pars* insiste encore, mais de façon différente, sur le fait qu'audace et crainte (comme espoir et désespoir) se distinguent par le critère propre à l'appétit irascible. La simplicité des objets des passions du concupiscible ne rend possible qu'une seule opposition, celle qui provient de la contrariété du bien et du mal. Dans l'irascible l'opposition crainte-espoir se modèle, nous l'avons vu, sur ce schéma. Mais les passions de cet appétit plus raffiné peuvent être opposées selon une seconde « contrariété », celle qui résulte de l' « *accessum et recessum ab eodem objecto* » : le mal élevé est, en tant que mal, à éviter (*recessus*) ; mais, en tant qu'objet possible de victoire, il est à affronter (*accessus*) pour échapper à son emprise [75]. La terminologie « *accessus-recessus* » par rapport à la distinction audace-crainte, prévaut, dans les œuvres tardives, sur celle « *excedens-non excedens* » [76].

Les deux explications ne sont pas opposées : la première, chronologiquement, constitue même la raison de la deuxième : si le mal « excellent » se présente à la crainte comme un mal dont on doit s'éloigner et à l'audace comme un mal au-devant duquel on peut se porter, c'est parce que, dans le premier cas seulement, et non pas dans le second, il est appréhendé comme excédant notre capacité d'affrontement. La dernière formule veut peut-être faire ressortir le caractère de « *contrarietas* », mis en évidence par l'opposition « *accessus-recessus* » à un même terme [77]. Cette opposition caractérise d'ailleurs la structure du mouvement passionnel lui-même, alors que celle d'élévation excessive et non excessive du mal ne manifeste que par déduction la contrariété des passions qu'elle suscite. Il ne nous semble pas impossible que Thomas ait considéré comme une source de malentendu cette expression « *excedens* » ou « *superans facultatem* », pour caractériser l'objet de crainte : elle évoque aussi bien l'envahissement du mal qui suscite non plus la crainte, passion de l'appétit de lutte, mais la tristesse de la défaite.

La crainte opposée à l'audace, comme le désespoir opposé à l'espoir, est une passion de retrait et non d'affrontement. Cette nouvelle opposition, qui sera surtout exploitée dans l'étude de la vertu de force, manifeste bien une autre caractéristique majeure de la crainte, caractéristique que l'on retrouve encore à tous les plans de cette affection, à savoir la faiblesse qu'elle suppose chez le sujet menacé. Cette faiblesse est, avec l'amour, la cause matérielle de la crainte [78]. À cause d'elle, les menaces soudaines effraient davantage, car elles trouvent le sujet plus démuni [79].

Sous cet aspect de faiblesse, la crainte favorise ou défavorise le sujet. Si la crainte, en tant que signe de faiblesse, peut pousser l'homme à s'avilir en s'asservissant à des créatures qui lui sont inférieures [80], elle lui rappelle aussi la réalité de sa condition humaine. C'est donc elle qui le pousse à se soumettre à Dieu par amour [81], qui le garde de la présomption [82], qui lui dicte des règles de prudence dans la conduite de sa vie [83], qui le dispose à faire miséricorde [84], à juger les autres avec mesure et vérité [85], à mettre en question sa propre justice [86]. Elle constitue aussi, sous forme de honte, un signal d'alarme dans le domaine des vertus morales, particulièrement de la tempérance [87]. Cet aspect de faiblesse, à l'origine de la crainte, soulève encore le problème majeur de la crainte du Christ : comment, alors qu'il est Dieu, peut-on lui attribuer la crainte qui présuppose la faiblesse ? Ayant la nature humaine, il en avait aussi la faiblesse caractéristique : il était donc passible de crainte naturelle [88]. Il l'a assumée, avec toutes les autres faiblesses humaines, sauf le péché, dans son propos rédempteur [89].

Comme pour la causalité de l'amour, la causalité de la faiblesse appelle aussi une distinction entre la disposition matérielle et la cause efficiente. On décèle ici le même souci de préparer la solution des problèmes que soulève une réaction affective qui met en jeu, non seulement une personne et un objet, mais deux personnes, et, en particulier, un sujet et un législateur. De ce point de vue, le *defectus* du sujet est relatif à la *virtus et robur* de celui qui peut causer la crainte [90]. Lorsque celui qui cause la crainte est lui-même un homme, sa propre défaillance peut même devenir cause accidentelle de la crainte chez l'autre, car la volonté d'opprimer procède souvent plus de la faiblesse et de la crainte que de la puissance [91]. Cette analyse psychologique, dont la perspicacité étonne chez un médiéval, s'avèrera d'une grande utilité dans le traité de la loi et évitera les solutions simplistes dans l'appréciation des relations « craintives » entre le sujet et le législateur.

La théorie des « divisions » a encore ici, on le voit, des répercussions nombreuses et significatives dans l'analyse appliquée de l'affection craintive.

6. La crainte, rempart contre l'envahissement du mal

Selon la façon dont le mal atteint le sujet, on peut concevoir une dernière distinction. Tant qu'il n'est encore qu'une menace à laquelle on peut échapper, soit en le repoussant, soit en le fuyant, soit en lui faisant face, le mal suscite l'audace ou la crainte. Lorsqu'au contraire, le mal a déjà envahi le sujet, nous avons généralement affaire à la tristesse du concupiscible, ou encore à cette passion assez singulière de l'irascible qui se nomme la colère [92]. Cette distinction, qui n'établit pas de contradiction dans les termes qu'elle oppose [93], aide à préciser la nature exacte de l'objet visé par la crainte, et, par la suite, celle du mouvement craintif.

Nous avons déjà souligné, au chapitre deuxième, le problème que présente la double série de textes qui qualifient l'objet de crainte comme un mal « futur » et comme un mal « présent ». Nous avions dit comment le caractère d'« imminence » du mal oriente vers la solution [94]. Les textes ultérieurs apportent des précisions qui confirment cette interprétation et qui évitent de donner à l'expression « *malum arduum futurum* » un sens qu'elle n'a pas. Déjà dans *de Ver.*, q. 26, a. 4, où la distinction entre la « présence » de l'objet de l'appétit est établie, les expressions utilisées sont significatives : « *ex quo jam possidetur - nondum habitum* » ; « *habitum realiter - non habitum realiter* » ; « *jam habitum, sive conjunctum - nondum habitum* » ; « *præsens* » [95]. La terminologie « présent - futur » n'est employée qu'une seule fois à la fin de l'article. Une réponse indique la raison de cette évidente prédilection pour l'image spatiale sur l'image temporelle : l'objection cite Jean Damascène [96] et le Pseudo Grégoire de Nysse [97] qui distinguent les passions de l'âme « *per præsens et futurum et per bonum et malum* ». Thomas commence sa réponse par une « explication » de ce présent et de ce futur :

> ... accipiuntur ut differentiæ ad distinguendas animæ potentias, secundum quod futurum nondum est conjunctum realiter, præsens vero jam conjunctum : perfectior vero est motus appetitus in id quod est realiter distans ... [98].

Il s'agit donc moins d'un mal éloigné ou proche dans le temps, que d'un mal qui pénètre ou non le sujet.

Lorsque Thomas explique, dans *Ia-IIae*, q. 42, a. 2, comment le « *malum naturæ corruptivum* » peut être craint ou non, selon qu'on l'appréhende ou non comme un mal « futur », c'est encore en termes de distance et non de durée qu'il précise sa pensée. Si on imagine le mal comme « *remotum et distans* », on le craint peu ou prou. Si on l'estime nécessaire, on ne le craint plus, on en est déjà affligé. Pour effrayer, il doit être perçu à la fois comme proche (« *propinquum* ») et comme susceptible d'être évité, donc avec l'espoir d'y échapper [99]. La notion de « futur » est donc directement relative à l'emprise du mal sur la victime. Ce n'est qu'indirectement, et même dans le seul cas où elle lui est assez présente mentalement pour en ressentir le poids [100], qu'elle désigne l'éloignement temporel de l'objet. Les nombreux passages dans lesquels Thomas emploie la formule brève « *malum futurum* » doivent être interprétés à la lumière de ces textes où, précisément, il « s'explique » [101].

Cette mise au point permet de mieux discerner l'originalité du mouvement craintif par rapport aux autres. Parce que la notion temporelle de futur caractérise l'espoir, non la crainte, on pourra affirmer que, dans la béatitude, l'espérance disparaîtra, alors que demeurera la crainte : le défaut radical de la finitude, propre à toute créature, demeurera toujours [102]. C'est encore parce que la notion de futur caractérise beaucoup moins la crainte que l'audace qu'il est plus difficile de faire face à la crainte que d'attaquer : celui qui supporte éprouve déjà l'imminence des périls, alors que celui qui attaque les considère encore comme futurs. Aussi le *sustinere* est-il l'acte principal du courage [103].

Mais c'est dans ses rapports avec la tristesse que ces éclaircissements sont particulièrement utiles. D'abord ils permettent une interprétation finalement beaucoup plus réaliste de la distinction crainte-tristesse. Il ne s'agit justement pas d'une opposition claire et nette — crainte lorsqu'un mal est « absent », tristesse lorsqu'un mal est « présent » — mais d'une différenciation que la réalité rendra souvent à peine perceptible. Le critère fondamental est la victoire du mal sur le sujet : au moment où le mal terrasse sa victime, il ne peut plus susciter que la passion terminale du concupiscible dans cet ordre : la tristesse, passion d'épuisement [104]. Tant qu'il y a encore incertitude sur la perte complète d'un bien ou la victoire

d'un mal [105], tant que les maux sont encore ressentis comme difficiles à repousser et non pas encore comme « *simpliciter mala* » [106],
tant qu'ils demeurent donc encore partiellement extérieurs au
sujet, la crainte persiste. On devine, par là même, que tristesse ou
douleur et crainte cohabiteront souvent dans le même sujet [107]. On
comprend aussi comment, dans certains contextes, l'Aquinate pourra dire, après Aristote [108], que la tristesse est l'effet de la crainte [109],
ou la tristesse le motif de la crainte [110]. Cette causalité réciproque
s'explique fort bien : la crainte des maux peut déjà causer la douleur et la tristesse qui, termes dans l'ordre de l'exécution, sont aussi
principes dans l'ordre de l'intention.

La crainte se présente donc comme un rempart contre l'envahissement de la tristesse sous le poids du mal, de cette tristesse qui
tend à absorber l'âme et qui peut conduire à s'enfoncer dans le vice.
On perçoit également, ici encore, le caractère « rationnel » de la
crainte : elle apparaît comme un mécanisme qui s'acharne à sauver
l'homme d'une désaffection complète pour le « rationnel » lorsque,
dans les moments de *tædium vitæ*, il est tenté de dire : « Bonjour,
tristesse » [111].

La crainte joue, en somme, un rôle de premier plan dans la vie
affective. Elle est, par excellence, le produit et le signe de la créature « rationnelle ». Elle manifeste à l'homme sa vulnérabilité et
l'incite, en quête de consistance, à s'intégrer à un ordre, bon ou
mauvais, selon la qualité de l'amour qui l'engendre et de l'espoir
qui la porte. Conditionnée par la recherche d'un bien qu'elle s'efforce de protéger contre l'assaut du mal opposé, elle devient à son
tour génératrice d'amour et d'espoir en écartant ce qui leur fait
obstacle et en éveillant une inquiétude qui les empêche de s'accoutumer au bien et, par là même, de s'émousser. Provoquée par un
agent extérieur pour arracher l'homme à la complaisance dans le
mal, elle peut l'acheminer vers l'amour du bien et le porter à s'appuyer sur le secours de son auteur.

Envers le mal qui menace tout projet humain et risque toujours, par son envahissement, de le faire déboucher, non pas sur
une « consommation » délectable et joyeuse, mais sur l'accueil désabusé de la tristesse, la crainte défend les droits du « rationnel » tant
qu'on peut encore trouver une issue pour échapper au mal.

On ne saurait donc impunément détruire ou amenuiser le dynamisme craintif dans la vie affective. Il fait partie intégrante d'un mécanisme vital extrêmement délicat et conçu par Thomas de façon tout à fait organique. « Supprimer » la crainte — une notion faussée du courage y invite —, c'est détruire le sentiment fondamental de créature. On est alors poussé à chercher des sécurités vaines et donc asservissantes. Ayant par le fait même éliminé le levier peut-être le plus « humain » de l'appétit de lutte, on prive l'amour d'un correctif majeur et, devant l'absurdité des situations avilissantes que ces faux allègements ont fait naître, on ouvre la porte au désabusement, au dégoût, au règne de la tristesse, où n'intervient même plus le sursaut de la colère, qui présuppose une certaine capacité de crainte.

Aussi faut-il s'attendre à ce qu'en traitant des « principes intérieurs » de l'agir humain, l'Aquinate assigne une place importante — beaucoup plus importante qu'on ne l'a dite — à l'affection craintive.

---

¹ *Ia-IIae*, q. 6, a. 6.

² *Ia-IIae*, qq. 41-44.

³ *Ia-IIae*, q. 60, a. 4 ; a. 5, ad 4 ; q. 61. aa. 2-4 ; q. 66, a. 4.

⁴ *Ia-IIae*, q. 67, a. 4, ad 2 ; q. 68, a. 1, in c. ; a. 2, sed contra ; aa. 4, 6, 7.

⁵ *Ia-IIae*, q. 72. a. 3, in c. et ad 3 ; q. 77, a. 4, ad 3 ; a. 5, ad 4 ; q. 84, a. 4, ad 2.

⁶ *Ia-IIae*, q. 45, a. 1, ad 1.

⁷ Cf. *Ia-IIae*, q. 6, a. 1.

⁸ *Ia-IIae*, q. 6, a. 6.

⁹ Cf., v.g., *de Malo*, q. 3, a. 7, ad 8 : « ... nihil prohibet aliquid esse secundum se naturaliter volitum, quod tamen non volumus propter aliud adjunctum. Sicut aliquis naturaliter vult integritatem sui corporis conservari, et tamen interdum vult sibi abscindi manum vitiatam, si ex ea periculum totius corporis timeat... » ; *ibid.*, q. 13, a. 4, ad 8 ; *in III Ethic.*, lect. 1 (no. 388) : « ... quædam sunt, quæ aliquis operatur, propter timorem majorum malorum, quæ scilicet timet incurrere ; vel propter bonum aliquod, quod scilicet timet amittere » : suivent deux exemples, celui du tyran qui menace de tuer parents et fils du prisonnier qui se refuserait à commettre tel péché, et, au no. 389, l'exemple classique de la cargaison projetée à la mer. Voir encore, *Quodl.*, IV, a. 11 ; *Quodl.*, VI, a. 10, ad 2. Voir la casuistique élaborée à partir de ce principe pour différentes pratiques sacramentaires, dans *IIIa*, q. 74, a. 1, ad 3 ; q. 80, a. 9, in c. ; q. 83, a. 6, ad 2 ; etc.

agir conforme à la raison droite : il signifie donc la bonté de l'acte. « Rationnel » n'exprime, au contraire, que le rapport de l'acte à la raison comme norme de moralité, sans indiquer la nature de ce rapport.

⁴⁰ Cf. R. A. GAUTHIER, *Magnanimité...*, pp. 321-327 ; S. PFÜRTNER, *Triebleben...*, pp. 154-159.

⁴¹ Voir, pour ces quelques indications et celles qui suivent : *de Ver.*, q. 25, a. 2 ; *Ia*, q. 81, a. 2 ; *Ia-IIae*, q. 25, passim. Voir également l'exposé de J. JACOB, *Passiones...*, pp. 6-63. Nous serons plus spécifique au sujet de la crainte.

⁴² S. PFÜRTNER, *Triebleben...*, pp. 162-164.

⁴³ Cf. *Ia*, q. 81, a. 2. in c. : « ... irascibilis est quasi propugnatrix et defensatrix concupiscibilis ... ». Voir encore : *in III Sent.*, d. 26, q. 1, a. 2, ad 5 ; *de Ver.*, q. 25, a. 2, in c. ; *Ia-IIae*, q. 23, a. 1, in c., ad 1 et ad 3 ; q. 41, a. 2, ad 3 ; *IIa-IIae*, q. 138, a. 1, in c. ; *in III de Ani.*, lect. 14 (nn. 804-805) ; *de Carit.*, q. un., a. 6, in c.

⁴⁴ *Ia-IIae*, q. 25, a. 1, ad 2.

⁴⁵ Cet aspect est bien mis en lumière par J. JACOB, *Passiones...*, pp. 87-90 : « Das muthafte Streben steht der Vernunft näher als das verlangende ». On y trouvera les références à Thomas.

⁴⁶ Cf. C. A. J. Van OUWERKERK, *Caritas et ratio, Étude sur le double principe de la vie morale chrétienne d'après s. Thomas d'Aquin*, Nijmegen, G. Janssen. 1956, pp. 18-19.

⁴⁷ Voir surtout, *de Ver.*, q. 26, aa. 4-5 ; *Ia-IIae*, qq. 23 et 25.

⁴⁸ Les divers principes de distinctions ainsi que la division générale qui en résulte sont étudiés par J. JACOB, *Passiones...*, pp. 63-76.

⁴⁹ C'est le cas, par exemple, pour la fameuse autorité de BOÈCE, *De consolatione philosophiæ*, I, metrum 7 (PL 63, 657) : « Gaudium pelle, Pelle timorem, Spemque fugato, Nec dolor adsit ». qui appelle toujours un article spécial sur les quatre passions principales : *in III Sent.*, d. 26, q. 1, a. 4 ; *de Ver.*, q. 26, a. 5 ; *Ia-IIae*, q. 25, a. 4.

⁵⁰ Cf. *de Ver.*, q. 26, a. 4 ; *Ia-IIae*, q. 23, a. 1, in c. ; a. 4, in c.

⁵¹ Cf. *de Ver.*, q. 26, a. 3, ad 10 ; a. 5, in c. et ad 4 ; *ScG*, I, c. 91 (nn. 761-766) ; III, c. 151 (no. 3237) ; *in I Metaph.*, lect. 5 (no. 102) ; *Ia*, q. 20, a. 1 ; *Ia-IIae*, q. 25, a. 2 ; q. 41, a. 2, ad 1 ; *de Malo*, q. 8, a. 1, ad 20 ; *in Psalm* 37, 18, no. 10 (p. 294b).

⁵² *Ia-IIae*, q. 43, a. 1.

⁵³ *Ia-IIae*, q. 26, a. 1, ad 2.

⁵⁴ *Ia-IIae*, q. 43, a. 1, ad 1 ; q. 77, a. 4, ad 3 ; a. 5, ad 4.

⁵⁵ *Ia-IIae*, q. 43, a. 1, in c. : « Illud autem per quod aliquis ita disponitur ut aliquid sit ei tale (i.e. aestimatum malum futurum propinquum cui resisti de facili non potest), est causa timoris, et objecti ejus, per modum dispositionis materialis ». Cf. *ibid.*, ad 3 ; q. 43, a.2, in c.

⁵⁶ *Ia-IIae*, q. 42, a. 1, in c. : « Potest (i.e. timor) autem respicere etiam bonum, secundum quod habet habitudinem ad malum. Quod quidem potest esse dupliciter. Uno quidem modo, inquantum per malum privatur bonum.

Ex hoc autem ipso est aliquid malum, quod est privativum boni. Unde, cum fugiatur malum quia malum est, sequitur ut fugiatur quia privat bonum quod quis amando prosequitur. Et secundum hoc dicit Augustinus (cf. De diversis quæstionibus LXXXIII, q. 333 (PL 40, 22)) quod nulla est causa timendi nisi ne amittatur bonum amatum ». Voir encore : *Ia-IIae*, q. 105, a. 3, ad 5 ; *IIa-IIae*, q. 19, a. 3, in c. ; a. 6, in c. ; a. 9, ad 3 ; q. 22, a. 2, ad 2 ; q. 108, a. 3, in c. ; q. 144, a. 4, ad 1 ; q. 175, a. 2, ad 3 ; *de Carit*. q. un., a. 10, ad 4 ; *de Spe.* q. un., a. 3, in c. ; *in Joan* 12, 27, lect. 5 (no. 1653) ; *in ad Rom* 8, 15, lect. 3 (nn. 638 et 641) ; *in Psalm* 18, 10, no. 10 (p. 210a).

[57] *Ia-IIae*, q. 43, a. 2, in c. : « Sed tamen ad causandum timorem requiritur defectus cum aliqua mensura (...). Et adhuc esset major defectus, si totaliter sensus mali auferretur, vel amor boni cujus contrarium timetur » ; *de duobus præcept.*, prol. (no. 1158) : « Est autem cupiditas amor adipiscendi aut obtinendi temporalia. Hujus imminuendae initium est Deum timere, qui solus timeri sine amore non potest ». L'absence totale de crainte cependant — vice qui n'a pas de nom puisque, selon l'opinion contestable de Thomas, il est rare (cf. *in III Ethic.*, lect. 15 (no. 551) : « ... ille est innominatus qui superabundat in impaviditate, qui scilicet nil timet. Supra enim dictum est, quod multa sunt innominata. Et hoc præcipue contingit in his quæ raro accidunt. Talis autem impaviditas raro accidit ») — ne peut jamais être causée par un défaut complet d'amour : *IIa-IIae*, q. 126, a. 1, in c. : « Numquam tamen a tali amore totaliter aliquis decidit : quia id quod est naturæ totaliter perdi non potest (...). Sed quod nihil horum (i.e. mortis et aliorum temporalium malorum) timeat, non potest ex totali defectu amoris contingere ... ». Une telle « impavidité » vient de ce qu'on croit impossible les maux opposés aux biens aimés. Thomas fournit deux explications possibles : le péché d'orgueil ou la maladie mentale ou physique : *ibid.* : « ... ex superbia animi de se præsumentis et alios contemnentis (...) ex defectu rationis (...) propter stultitiam (...) ex stoliditate » ; *in III Ethic.*, lect. 15 (no. 551) : « Non enim contingit nisi in aliquo insano, vel in aliquo qui non habet sensum doloris, quod scilicet nihil timeat ».

[58] *IIa-IIae*, q. 126, a. 1, in c. : « ... quia timor ex amore nascitur, idem judicium videtur esse de amore et de timore. Agitur autem nunc de timore quo mala temporalia timentur, qui provenit ex temporalium bonorum amore. Etc. » ; q. 19, a. 3, in c. : « Timor autem ex amore nascitur : illud enim homo timet amittere quod amat (...). Et ideo timor mundanus est qui procedit ab amore mundano tanquam a malo radice. Et propter hoc et ipse timor mundanus semper est malus ». Voir aussi, *In Psalm* 52, 6 (éd. Uccelli, p. 245b).

[59] *IIa-IIae*, q. 125, a. 2, in c. : « ... omnis timor ex amore procedit ; nullus enim timet nisi contrarium ejus quod amat (...) amor autem inordinatus includitur in quolibet peccato, ex amore enim inordinato procedit inordinata cupiditas. Unde similiter inordinatus timor includitur in quolibet peccato » ; *Ia-IIae*, q. 77, a. 4, ad 3 : « Omne enim peccatum provenit vel ex inordinato appetitu alicujus boni, vel ex inordinata fuga alicujus mali. Sed utrumque horum reducitur ad amorem sui. Propter hoc enim homo vel appetit bona vel fugit mala, quia amat seipsum ».

[60] *IIa-IIae*, q. 123, a. 4, ad 2 : « ... quia timor ex amore nascitur, quæcumque virtus moderatur amorem aliquorum bonorum consequens est ut moderatur timorem contrariorum malorum. Sicut liberalitas, quæ moderatur amorem pecuniarum, per consequens etiam moderatur timorem amissionis earum. Et idem apparet in temperantia et in aliis virtutibus. Sed amare propriam vitam est naturale. Et ideo oportuit esse specialem virtutem quæ

moderaretur timores mortis ». On voit bien ici comment Thomas passe
facilement, non seulement de la notion crainte-passion à celle de crainte-
affection spirituelle, mais aussi d'une crainte-passion spéciale à une crainte-
passion-générale, selon l'interprétation stoïcienne des quatre passions « principales ». Il mentionne d'ailleurs que c'est là un sens possible des passions
principales : *Ia-IIae*, q. 25, a. 4, in c. : « Unde etiam a quibusdam dicuntur
principales hæ prædictæ passiones, quia sunt generales. Quod quidem
verum est, si spes et timor designant motum appetitus communiter ten-
dentem in aliquid appetendum vel fugiendum ». Tel n'est cependant pas
toujours le cas dans les textes déjà cités. L'objection est justement soulevée
à partir d'un texte d'AUGUSTIN, *De diversis quæstionibus LXXXIII*, q. 33
(PL 40, 23). Thomas a cette réponse qu'on n'a peut-être pas assez soulignée :
« ... omnes passiones animæ derivantur ex uno principio, scilicet ex amore,
in quod habent ad invicem connexionem. Et ratione hujus connexionis,
remoto timore, removentur aliæ passiones animæ : non ideo quia sit passio
generalis ». *I-II*, q. 41, a. 1, ad 1. Il y a donc une certaine solidarité des
passions dans l'amour avec tout ce que cette vue implique de conditionnement
mutuel : détruire ou énerver une seule passion porte immédiatement atteinte
à l'ensemble de l'équilibre émotionnel.

[61] Cf. *Ia-IIae*, q. 98, a. 3, in c. ; *IIa-IIae*, q. 14, aa. 1-2 ; q. 21, a. 3, in c.
et surtout ad 3 ; q. 22, a. 2, ad 3 ; q. 25, a. 6, ad 5 ; q. 81, a. 7 ; q. 130, a. 2,
ad 1 ; *de perf. vitae spir.*, c. 9 (no. 593) ; *de Malo*, q. 2, a. 8, ad 4 ; q. 3, a. 4,
in c. et ad 4 ; *in Joan* 13, 38, lect. 8 (no. 1845) ; *in II de Cælo et Mundo*, lect.
17 (no. 450) ; *in Psalm* 2, 11, no. 9 (n. 155ab) ; 32, 18, no. 16 (p. 264a) ; *Exp.
Orat. dom.*, petitio 5 (no. 1082) ; *Exp. Symb. apost.*, a. 5 (no. 391).

[62] Cf. *IIa-IIae*, q. 54, a. 2, ad 4 ; a. 3, obj.-ad 1 ; *in Psalm* 2, 11, no. 9
(p. 155ab) ; 33, 10, no. 10 (p. 266b) ; *de Malo*, q. 3, a. 13, ad 3 ; *in ad Rom*
12, 10, lect. 2 (nn. 986-987) ; *IIIa*, q. 80, a. 10, ad 3. C'est également l'idée
sous la formule de sa prière « ad vitam sapientis instituendam » : « Nulli
placere appetam, vel displicere timeam, nisi Tibi ... ».

[63] *Ia-IIae*, q. 42, a. 1, et q. 43, a. 1, ad 1. Cette dernière réponse précise
donc le sens de l'« autorité » augustinienne évoquée dans l'objection : « timor
inducit amorem caritatis » (*in epistolam Joannis ad Parthos*, tract. 9, no. 5
(PL 35, 2049)) : « Ipse est timor ille qui introducit caritatem : sed sic
venit ut exat ».

[64] Cf. *de Ver.*, q. 26, a. 4, in c. : « ... secundum differenam objecti concupiscibilis, id est secundum bonum et malum ; per quem modum spes et
timor contrarietatem habere videntur » ; *Ia-IIae*, q. 23, a. 2, in c. : « Invenitur (...) in passionibus irascibilis contrarietas secundum contrarietatem
boni et mali, sicut inter spem et timorem ». Voir encore : *Ia-IIae*, q. 40, a.
1, in c. ; a. 4, ad 1 ; q. 45, a. 1, ad 2 ; q. 67, a. 4, ad 2 ; *IIa-IIae*, q. 123, a.
3, ad 3 ; q. 128, a. un. ad 6 ; *in III de Ani.*, lect. 14 (no. 806) ; *de Malo*,
q. 11, a. 1, ad 6 ; *de Spe*, q. un., a. 1, in c.

[65] Cf. *de Ver.*, q. 26, a. 5, ad 8.

[66] Cf. *de Ver.*, q. 26, a. 5 ; *Ia-IIae*, q. 25, aa. 3-4 ; *IIa-IIae*, q. 123, a. 11,
ad 1 ; *in III Ethic.*, lect. 15 (no. 554). Elles ne sont pas pour autant premières
dans l'appétit puisque, visant la « difficulté » du bien et du mal, elles présupposent la joie et la tristesse du concupiscible. Celles-ci naissent « primo
et per se » du bien et du mal comme tels : elles sont donc à l'origine de
toutes les passions. C'est pourquoi elles font figures de « principalissimæ
passiones » : cf. *de Ver.*, q. 26, a. 5, in c. et ad 4 ; a. 3, ad 10 ; *Ia-IIae*, q. 25,
a. 4, in c. et ad 2 ; q. 84, a. 4, ad 2.

[67] *Ia-IIae*, q. 25, a. 3, in c. et ad 2 ; q. 41, a. 2, ad 3.

[68] *Ia-IIae*, q. 42, a. 2, in c. ; a. 6, ad 1 ; q. 44, a. 2, ad 3 (indirectement » ; q. 67, a. 4, ad 2 ; *IIa-IIae*, q. 13, a. 4, ad 1 ; *IIIa*, q. 15, a. 7, in c.

[69] *IIa-IIae*, q. 7, a. 1, ad 2 ; q. 19, a. 1, ad 2 ; a. 5, ad 3 ; *IIIa*, q. 85, a. 5, ad 2 ; *in Psalm* 27, 5,no. 5 (p. 242b) ; 32, ,18 no. 16 (p. 264a) ; *in ad Rom* 11, 21, lect. 3 (no. 904) ; *Exp. Symb. apost.*, a. 11 (no. 1003). Voir, à ce sujet, les remarques de Ch. A. BERNARD, *Théologie de l'espérance...*, pp. 81, 137-138.

[70] Cf. *IIa-IIae*, q. 19, a. 9, ad 1 : il conclut : « Et ideo timor filialis et spes sibi invicem cohærent et se invicem perficiunt » ; a. 10, ad 2 : « Sed ea (i.e. spes) crescente crescit timor filialis : quia quanto aliquis certius expectat alicujus boni consecutionem per auxilium alterius, tanto magis veretur eum offendere vel ab eo separari » ; q. 141, a. 1, ad 3 ; *IIIa*, q. 80, a. 10, ad 3.

[71] Cf., v.g., *Ia-IIae*, q. 42, a. 5, ad 1 ; q. 45, a. 3, in c. ; *in III Ethic.*, lect. 16 (no. 559). Dans le même sens, au plan de la vie théologale : *Ia-IIae*, q. 68, a. 6, ad 2 ; *IIa-IIae*, q. 19, a. 10, in c. et ad 2 ; q. 129, a. 6, ad 2 ; *in Joan* 6, 19-20, lect. 2 (no. 882) ; 16, 33, lect. 8 (nn. 2175-2176) ; *in III Ethic.*, lect. 18 (no. 590) ; *in Psalm* 26, 1, no. 1 (p. 237a) ; *Exp. Symb. apost.*, a. 11 (no. 1001).

[72] Cf. *Ia-IIae*, q. 43, a. 1, ad 1 ; q. 43, a. 1, ad 2 ; *IIa-IIae*, q. 17, a. 8, in c. ; *IIIa*, q. 85, a. 5, in c. ; *de Spe*, q. un., a. 3, in c. ; *in Psalm* 39, 4, no. 2 (p. 301a) ; 47, 6-7, no. 3 (p. 332b).

[73] *In III Sent.*, d. 26, q. 1, a. 3, sol. : «... respectu mali, et hoc vel possibilis expelli, cui resistendum est, et sic est audacia ; vel non possibilis repelli, quod fugiendum est, et sic est timor ».

[74] *Ibid.*, ad 5. C'est le langage constant de *de Ver.*, q. 26, a. 4 : « excedens » et « non excedens ». On le retrouve aussi une fois dans *in III Ethic.*, lect. 15 (no. 544).

[75] *Ia-IIae*, q. 23, a. 2, in c. : « Similiter malum arduum habet rationem ut vitetur, inquantum est malum, et hoc pertinet ad passionem timoris : habet etiam rationem ut in ipsum tendatur, sicut in quoddam arduum, per quod scilicet aliquid evadit subjectionem mali, et sic tendit in ipsum audacia. Invenitur ergo in passionibus irascibilis contrarietas secundum contrarietatem boni et mali, sicut inter spem et timorem : et iterum secundum accessum et recessum ad eodem termino, sicut inter audaciam et timorem ».

[76] *Ia-IIae*, q. 25, a .3, in c. ; q. 45, a. 1, ad 2 ; *IIa-IIae*, q. 123, a. 3, ad 3.

[77] D'où, sans doute, la longue comparaison avec les mouvements et les changements dans le premier paragraphe de *Ia-IIae*, q. 23, a. 2.

[78] *Ia-IIae*, q. 43, a. 2, in c. : « Quantum ad primum (i.e. causa per modum materialis dispositionis), defectus, per se loquendo, est causa timoris : ex aliquo enim defectu virtutis contingit quod non possit aliquis de facili repellere imminens malum ». Voir encore : *IIIa*, q. 15, a. 7 et *in Psalm* 26, 1, no. 1 (p. 237a) où l'ignorance est aussi mentionnée avec la faiblesse. Notons que la théorie de la contraction cardiaque et l'explication consé-quente des effets somatiques de la crainte est une explication physiologique modelée sur l'explication psychologique de la faiblesse du sujet comme cause par mode de disposition matérielle : *Ia-IIae*, q. 44, a. 1, in c. : « Quod autem aliquid difficile possit repelli, provenit ex debilitate virtutis, ut supra (i.e. q. 43, a. 2) dictum est. Virtus autem, quanto est debilior, tanto ad pauciora se potest extendere. ET IDEO ex ipsa imaginatione quæ causat

timorem, sequitur quædam contractio in appetitu. Sicut etiam videmus in morientibus quod natura retrahitur ad interiora, propter debilitatem virtutis : etc. ».

⁷⁹ *Ia-IIae*, q. 42, a. 5, in c. et ad 1 ; *in III Ethic.*, lect. 14 (no. 540). C'est pourquoi l'habitus de force, qui vient justement affermir l'appétit de lutte, sera mieux manifesté dans les « repentinis » : dans l'impossibilité de prévoir le coup, l'homme est amené à réagir selon « ce qui est en lui » : faiblesse ou force : *IIa-IIae*, q. 123, a. 9 ; *in III Ethic.*, lect. 17 (no. 579).

⁸⁰ *IIa-IIae*, q. 19, a. 11, in c. : « Et cum motus timoris sit quasi fuga, importat timor fugam mali ardui possibilis : parva enim mala timorem non inducunt. Sicut autem bonum uniuscujusque est ut in suo ordine consistat, ita malum uniuscujusque est ut suum ordinem deserat. Ordo autem creaturæ rationalis est ut sit sub Deo et supra ceteras creaturas. Unde sicut malum creaturæ rationalis est ut subdat se creaturæ inferiori per amorem, ita etiam malum ejus est si non Deo se subjiciat, sed in ipsum præsumptuose insiliat vel contemnat. Hoc autem malum creaturæ rationali secundum suam naturam consideratæ possibile est, propter naturalem liberi arbitrii flexibilitatem ; etc. ».

⁸¹ Cf. *IIa-IIae*, q. 19, a. 11, in c. et ad 2-3 ; q. 81, a. 7, in c. ; q. 83, aa. 3-4 ; *de Spe*, q. un., a. 4, ad 2 ; *in Psalm* 34, 10, no. 7 (n. 272ab) ; *IIIa*, q. 45, a. 4, ad 4.

⁸² Cf. *IIa-IIae*, q. 21, a. 3 ; q. 22, a. 2, ad 3 ; q. 82, a. 3, in c. ; q. 130, a. 2, ad 1 ; *de Malo*, q. 3, a. 4, in c. et ad 4 ; *in Joan* 13, 38, lect. 8 (no. 1845) ; *in II de Cœlo et Mundo*, lect. 17 (no. 450) ; *in Psalm* 2, 11, no. 9 (p. 155ab) ; 32, 18, no. 16 (p. 264a) ; *in ad Rom* 11, 20, lect. 3 (nn. 901, 904, 907) ; 15, 15, lect. 2 (no. 1166) ; *Exp. Orat. dom.*, petitio 5 (no. 1082) ; *Exp. Symb. apost.*, a. 5 (no. 931).

⁸³ Cf. *IIa-IIae*, q. 25, a. 6, ad 5 (on trouve un texte parallèle dans *in Matth* 9, 11, II (no. 762)) ; *de perf. vitæ spir.*, c. 9 (no. 593) ; *in ad Rom* 11, 20, lect. 3 (no. 902) ; *in 1 ad Cor* 7, 5, lect. 1 (no. 325). À cela, on pourrait ajouter les textes déjà cités sur la « sollicitudo » — effet de la crainte en tant précisément que révélatrice à l'homme de sa faiblesse et du besoin de s'appuyer sur autrui — puisque la « sollicitudo » relève de la prudence.

⁸⁴ *IIa-IIae*, q. 30, a. 2 : « Et inde est etiam quod senes et sapientes, qui considerant se posse in mala incidere, et debiles et formidolosi magis sunt misericordes. E contrario autem alii, qui reputant se esse felices et intantum potentes quod nihil mali putant se posse pati, non ita miserentur ».

⁸⁵ *IIa-IIae*, q. 60, a. 2, ad 3 : « Si autem non sunt (peccata) publica, sed occulta, et necessitas judicandi immineat propter officium, potest cum humilitate et timore vel arguere vel judicare (...). Nec tamen propter hoc homo sic seipsum condemnat ut novum condemnationis meritum sibi acquirat : sed quia, condemnans alium, ostendit se similiter condemnabilem esse, propter idem peccatum vel simile ».

⁸⁶ *In Joan* 6, 71, lect. 8 (no. 1008) : « ... cum Dominus hæc verba dixit (i.e. « Unus ex vobis diabolus est »), quilibet eorum de sua virtute confidebat, et ideo non timebant de se. Sed quando Petrus audivit (Matth 15, 23) : 'Vade post me Satana', territi sunt, et infirmiora de se senserunt : et ideo vacillantes dicebant : 'Numquid ego sum, Domine ?' ».

⁸⁷ Cf. *IIa-IIae*, q. 144, aa. 1-4 et les textes parallèles.

[88] Cf. *de Ver.*, q. 26, a. 2 ; *ScG*, IV, c. 27 (no. 3638) ; c. 32 (no. 3677) ; *Compend. theol.*, I, cc. 232-233 ; *IIa-IIae*, q. 19, a. 2, obj-ad 2 ; *in Joan* 12, 27, lect. 5 (nn. 1651-1654) ; 13, 21, lect. 4 (no. 1798) ; *IIIa*, q. 7, a. 6 ; q. 15, a. 7 ; q. 18, a. 6, ad 3 ; q. 21, a. 4, ad 1 ; q. 46, a. 5 ; *in Psalm* 21, 1, no. 1 (p. 218b) ; 21, 15, no. 11 (p. 221b).

[89] Cf. *Quodl.*, II, a. 2, in c. ; *in Joan* 12, 27, lect. 5 (nn. 1651-1652) ; *IIIa*, q. 1, a. 2, ad 3 ; q. 41, a. 1, in c. ; q. 46, a. 4, in c. ; *in Psalm* 21, 1, no. 1 (p. 218b) ; 21, 15, no. 11 (p. 221b).

[90] *Ia-IIae*, q. 43, a. 2, in c. : « Quantum vero ad secundum (i.e. causa timoris per modum causæ efficientis), virtus et robur, per se loquendo, est causa timoris : ex hoc enim quod aliquid quod apprehenditur ut nocivum, est virtuosum, contingit quod ejus effectus repelli non potest ». Voir aussi, *Ia-IIae*, q. 42, a. 1.

[91] *Ia-IIae*, q. 43, a. 2, in c. : «Contingit tamen per accidens quod aliquis defectus ex ista parte causat timorem, inquantum ex aliquo defectu contingit quod aliquis velit nocumentum inferre : puta propter injustitiam, vel quia ante læsus fuit, vel quia timet lædi ». Dans le même sens, q. 42, a. 1 : « Per hunc etiam modum timetur potestas alicujus hominis, maxime quando est læsa, vel quando est injusta : quia sic in promptu habet nocumentum inferre. Ita etiam timetur super alium esse, idest inniti alii, ut scilicet in ejus potestate sic constitutum nobis nocumentum inferre : sicut ille qui est conscius criminis, timetur, ne crimen revelet ».

[92] La colère est, du reste, profondément marquée par un certain nombre d'autres passions, surtout la tristesse et l'espoir. Aussi est-elle affectée par une certaine contrariété interne dont Thomas fait état dans *Ia-IIae*, q. 46, a. 1, ad 2.

[93] Cf. *de Ver.*, q. 26, a. 4, ad 3 ; *Ia-IIae*, q. 23, aa. 3-4.

[94] Cf. *supra*, pp. 48-49.

[95] Dans *Ia-IIae*, qq. 23 et 25, on les retrouve toutes, avec, en plus : « injaciens » et « nondum injaciens » : v.g., q. 23, a. 4 et q. 25, a. 3.

[96] JEAN DAMASCENE, *De Fide orthodoxa*, c. 12 (PG 94, 929B).

[97] NEMESIUS, *De Natura hominis*, c. 17 (PG 40, 676BC).

[98] *De Ver.*, q. 26, a. 4, ad 3.

[99] La condition, déjà mentionnée, du « spes evadendi » soulève une difficulté pour la crainte de la mort qu'on ne saurait finalement éviter. Thomas résout le problème en soulignant que, si la mort est un mal nécessaire, la diminution du temps de la vie est un mal que l'on espère éviter : *IIa-IIae*, q. 125, a. 4, ad 2 : « ... licet mors omnibus immineat ex necessitate, tamen ipsa diminutio temporis vitæ est quoddam malum, et per consequens timendum ».

[100] Cf. *Ia-IIae*, q. 41, a. 1, ad 2 : « ... inquantum scilicet malum quod est futurum realiter, est præsens secundum apprehensionem animæ ».

[101] En plus des textes déjà cités, voir : *Ia-IIae*, q. 41, a. 2, in c. et ad 3 ; a. 4, in c. ; q. 42, a. 3, in c. ; a. 4, obj.-ad 2 ; a. 5, in c., q. 43, a. 1, in c. ; q. 45, a. 1, in c. ; q. 67, ae. 4, ad 2 ; *IIa-IIae*, q. 13, a. 4, ad 1 ; *in III Ethic.*, lect. 14 (no. 531). Souvent il emploie la formule « malum imminens » : *Ia-IIae*, q. 42, a. 4, in c. et ad 2 ; a. 5, in c. ; a. 6, ad 2 ; q. 43, a. 2, in c. ; q. 44, a. 1,

in c. ; q. 45, a. 3, in c. ; *IIa-IIae*, q. 19, a. 1 ; q. 29, a. 1, ad 1 ; q. 108, a. 2, ad 2 ; q. 123, a. 5 ; *de secreto*, V (no. 1220). Voir aussi les textes où il recourt à la formule « malum futurum » pour distinguer la crainte de la tristesse : *Ia-IIae*, q. 36, a. 1, sed contra ; q. 41, a. 1, in c. ; q. 43, a. 2, in c. et ad 2 ; q. 59, a. 3, in c. ; *in Joan* 13, 21, lect. 4 (no. 1796) ; *in III Ethic.*, lect. 18 (no. 584) ; *IIIa*, q. 15, a. 7, in c.

[102] *IIa-IIae*, q. 19, a. 11, ad 3 : «...spes importat quendam defectum, scilicet futuritionem beatitudinis, quæ tollitur per ejus præsentiam. Sed timor importat defectum naturalem creaturæ, secundum quod in infinitum distat a Deo : quod etiam in patria remanebit. Et ideo timor non evacuabitur totaliter ».

[103] *IIa-IIae*, q. 123, a. 6, ad 1 : «...ille qui sustinet jam sentit pericula imminentia ; ille autem qui aggreditur habet ea ut futura. Difficilius autem est non moveri a præsentibus quam a futuris». On pourra objecter, avec le texte de l'ad 3, que « ille qui sustinet non timet, præsente jam causa timoris : quam non habet præsentem ille qui aggreditur ». Cette objection, partiellement valable, ne détruit cependant pas la nuance de la réponse précédente : le « sustinere », s'il enlève toute crainte désordonnée, suppose la permanence d'une crainte ordonnée, puisqu'elle est sa matière propre et que son influence ne consiste pas à la détruire mais à l'humaniser.

[104] *IIa-IIae*, q. 30, a. 2, ad 2 : «...illi qui jam sunt in infimis malis non timent Se ulterius pati aliquid...».

[105] Cf., v.g., q. 5, a. 4, in c. : la distinction entre le « timor amittendi boni » et la « dolor de certitudine amissionis ». Voir encore, *IIIa*, q. 15, a. 7, in c.

[106] Cf., v.g., *Ia-IIae*, q. 44, a. 2, in c.

[107] Le sentiment complexe formé par la présence simultanée de la crainte et de la tristesse (et douleur) est rendu par Thomas par les divers vocables de l'angoisse. Voir : *Le Vocabulaire de l'angoisse...*, dans *EgTh* 2 (1971) 60-65.

[108] Aristote, *Réth.*, II, c. 9 (1936 b 22-23).

[109] Dans le contexte de l'envie : *IIa-IIae*, q. 36, aa. 1-2 ; *de Malo*, q. 10, a. 2, ad 1 et ad 7.

[110] Dans le contexte de la force et de la timidité : *in II Ethic.*, lect. 3 (nn. 266-271) ; *in III Ethic.*, lect. 18 (no. 584) ; lect. 21 (nn. 626-627) ; lect. 22 (nn. 635-637 et 640).

[111] Des passages de *in Job*, c. 6, rendent bien ces divers aspects : v. 4 (11. 46ss) : « Causam autem doloris subjungit duplicem : causatur enim dolor interdum ex his quæ aliquis jam perpessus est, interdum vero ex his quæ perpeti timet » ; v. 7 (11. 95ss) : « Sed quia sapiens licet tristitiam patiatur ejus tamen ratio a tristitia non absorbetur, ostendit Job consequenter quod licet tristitiam pateretur tamen ei maxima inerat sollicitudo et timor ut se contra tristitiam tueretur, ne per tristitiam deduceretur ad aliquod vitiosum » ; v. 10 (11. 126ss) : « Timebat enim Job ne per afflictiones multas ad impatientiam deduceretur, ita quod ratio tristitiam reprimere non possit ».

CHAPITRE NEUVIÈME

LA CRAINTE ET LES « PRINCIPES INTÉRIEURS » DE L'AGIR

Si l'influence de la crainte dans la vie affective est telle que nous l'avons reconnue au chapitre précédent, elle sera rarement absente au plan de l'activité. Les « principes intérieurs » où s'origine et s'élabore l'agir humain doivent donc être pensés en tenant compte de sa présence. Avant même de déterminer l'usage que peuvent en faire les *principia exterius moventia* au bien ou au mal, il paraît nécessaire de dégager les grandes zones d'influence qu'exercent, au niveau des causes intérieures, les diverses formes de crainte.

Le plan de ce chapitre est basé sur les divisions proposées par Thomas lui-même, à savoir les habitus vertueux, le régime d'inspiration et les habitus mauvais [1]. Nous avons toutefois dédoublé le domaine des « habitus vertueux » influencés par la crainte puisque une partie d'entre eux sont ordonnés à maîtriser la passion de crainte alors que d'autres sont plutôt animés par l' « inspiration » de crainte. Il s'agit moins, dans ce chapitre, de décrire exhaustivement tout ce qu'est et tout ce qu'opère la crainte à ces divers échelons des principes intérieurs, que de vérifier si la structure interne de l'organisme moral analysé par Thomas répond adéquatement à la réalité intégrale de la crainte. C'est, en somme, un test de cohérence interne. De son succès dépend la pertinence des théories pédagogiques qui tablent sur les dynamismes craintifs.

1. Les vertus morales aux prises avec la passion de crainte

Si les noms de certaines passions sont aussi des noms de vertus, jamais celui de la crainte ne mérite un tel honneur chez Thomas. Dans sa théologie, il n'y a pas une vertu spéciale, acquise ou infuse, de crainte [2]. L'émotion craintive suscite, par contre, l'intervention de toute une série de vertus ordonnées à l'équilibrer, à l'humaniser, à l'éduquer. Au sens très spécial de crainte des périls extrêmes, dont la mort est — « inter mundana » [3] — le spécimen, elle est prise en charge par la vertu cardinale — entendez la vertu type — de force [4].

Puisque la force est « proprie circa pericula mortis quæ est in bello » [5], faut-il penser qu'elle est, pour Thomas d'Aquin, une « vertu guerrière » ? Dans l'article explicite sur le sujet, il commence par affirmer que l'on peut parler d'une « juste guerre », non seulement dans le sens général de bataille rangée, mais aussi dans le sens particulier de « bon combat » pour la justice tel que le livre, par exemple, un juge dans l'exercice de ses fonctions. On peut alors concéder que les périls de mort de la « guerre » sont l'objet de la force [6]. Ayant interprété de façon aussi « démilitarisée » le terme « guerre », Thomas accepte la formule du Philosophe [7], mais encore prend-il soin de préciser qu'en tout état de cause, l'homme courageux peut se manifester face aux périls de n'importe quelle mort dans la mesure où il l'affronte par vertu [8]. Voilà le critère ultime qu'il faut appliquer même à la force du soldat : essuie-t-il l'assaut mortel en vue d'un bien ? Sinon, son exploit n'a rien à voir avec la vertu de force : il peut même être un péché de crainte déguisé [9]. S'exposer inutilement par bravade n'est, pas plus à la guerre qu'ailleurs, démarche vertueuse [10]. C'est par la réalisation d'u bien moral, et non par la résistance aux offensives guerrières, que la force acquiert son statut de vertu.

Nous insistons sur ce point, car la thèse contraire est fort répandue. Elle a encore été récemment propagée par P. Tillich au début de son ouvrage, *The Courage to Be* [11]. Des influences sociologiques expliqueraient cette notion guerrière de la *fortitudo* chez Thomas :

> Selon l'habitude dans ces discussions, il (i.e. Thomas) se réfère au courage du soldat comme à un exemple éminent de courage au sens restreint. Cela correspond à sa tendance générale à réunir la

structure aristocratique de la société médiévale et les éléments universalistes du christianisme et de l'humanisme [12].

Si Thomas est influencé par le « courant aristocratique » [13], il sait pourtant distinguer — ce qui n'est pas très évident dans l'interprétation de P. Tillich — entre une certaine force dans l'idéal soldatesque et la vertu de courage : « *Sed forte illi qui sunt minus fortes sunt milites meliores* » [14] ! Le courage militaire n'est, du reste, qu'un exemple type, parmi bien d'autres [15], d'un affrontement possible du péril de mort pour un bien moral [16].

Toute force, au sens précis de vertu cardinale, se rapporte à la mort car en toute « blessure », même non mortelle, la mort est déjà à l'œuvre. C'est pourquoi tout ce qui menace la « consistance » de l'être humain est, ultimement, image de la mort, objet de crainte et donc de force. La force est, comme le dit très justement J. Pieper, la disposition à mourir ou, plus exactement, la disposition à tomber, c'est-à-dire à mourir dans le combat [17]. C'est aussi la raison pour laquelle le martyre est la plus haute manifestation de la force et la disposition au martyre l'essence même de toute force chrétienne [18].

Mais si la crainte s'élabore de la façon la plus formelle et la plus complète devant les « périls de mort » et ce qui la préfigure [19], elle ne se cantonne cependant pas dans ce secteur principal. Réduire tout le problème de la crainte dans la vie vertueuse à ces termes bien définis de la vertu spéciale de force, c'est négliger une part importante de l'activité craintive dans la vie affective et, partant, dans l'activité vertueuse qu'elle suscite.

À l'intérieur même de ce vaste domaine sur lequel président les attitudes dites fermes, la force au sens strict n'est pas la seule vertu à œuvrer. Ou, pour mieux dire, puisqu'il s'agit surtout des « parties potentielles » de la force [20], cette vertu déploie ici d'autres virtualités qui manifestent d'autres aspects de son dynamisme intérieur, selon que des situations réelles, nécessairement complexes, sollicitent son intervention. Ainsi toutes ces craintes mêlées de tristesse ou ces tristesses mêlées de crainte, appellent une vertu spéciale qui permet de ne pas céder au découragement devant la progression des périls : c'est la patience, annexe à la force à cause d'une certaine communauté de matière (la crainte) et de forme (le *sustinere*) [21]. De même la fatigue provoquée par un effort exténuant et prolongé peut être assimilée au « grand mal »[22]. Ce *malum arduum* donne même naissance à une espèce de crainte : la paresse[23]. Aussi l'objet spécial, constitué par les effets harassants du travail, nécessite-t-il la vertu de persévérance[24].

La vulnérabilité de l'homme ne se fait pas sentir uniquement devant une menace mortelle plus ou moins caractérisée, mais encore devant tout ce qui entrave la recherche ou la jouissance d'un bien aimé. Aussi est-ce bien un mouvement craintif que soulèvent les dangers qui assaillent le bien de la tempérance, la possibilité de perdre ses richesses, sources de libéralité, les obstacles extérieurs ou intérieurs qui empêchent le bien de la prudence, et, de façon plus générale, tout ce qui met en danger le bien de la vertu. C'est pourquoi Thomas pense que chaque vertu qui éduque l'amour d'un bien modère en même temps la crainte de la perte de ce bien[25]. Chaque vertu morale participe donc au mode de la force, soit dans ce sens général de la simple condition de fermeté inhérente au concept même d'habitus moral[26], soit encore, si l'on maintient, avec Thomas, la distinction des vertus cardinales, en concevant une « redondance » de l'influence de la force sur les autres vertus : ainsi celui qui est fort devant le « mal excellent », la mort, sera plus apte à demeurer ferme devant les assauts des convoitises[27]. L'homme vaillant saura mieux éviter l'inconstance dans le « commandement prudentiel » et la négligence qui sape l'efficacité de sa réalisation[28]. De façon analogue l'amour par lequel nous communions à la misère des autres engendre la crainte de cette misère, puisque nous la faisons nôtre. Liée à l'amour, cette crainte suscitera donc les vertus de miséricorde et de clémence pour soulager ces maux : par des dons dans le premier cas ; par l'allègement ou la soustraction des peines dans le second[29].

Nous trouvons donc, dans la théologie de l'Aquinate, tout un éventail de dispositions et d'habitus qui, de façon plus ou moins immédiate, sont suscités par la crainte et s'évertuent à la stabiliser. La vie morale, telle qu'analysée par Thomas, porte cependant en elle une autre forme de crainte qui, outre qu'elle appelle un contrôle vertueux, favorise positivement, par mode de disposition, la démarche vertueuse : c'est la « crainte honteuse » (*verecundia/erubescentia*), issue de l'amour du beau, et protectrice de ce bien contre toutes les entreprises malhonnêtes. Elle occupe une place importante dans la psychologie de toute vertu ordonnée à maîtriser l'amour d'un bien que menace quelque convoitise avilissante. À ce titre, elle sera particulièrement précieuse dans la tempérance où elle trouve un terrain d'élection. Elle constitue, dans l'enseignement de Thomas, un rouage important de l'éducation morale aux valeurs spirituelles. Cet aspect est aussi à retenir puisque les pédagogies humaine et divine devront nécessairement, dans leurs méthodes, compter avec ce mécanisme [30].

La vie vertueuse est donc en grande partie suscitée et même préparée par la présence de formes diverses de la crainte dans l'affectivité. Une éducation morale qui les méconnaîtrait serait irréaliste et une science morale qui ne les analyserait pas resterait dans une abstraction majeure. La théologie de Thomas ne peut encourir ce blâme.

2. L' « inspiration de crainte »

Si la crainte n'est jamais une vertu — tout au plus une passion louable en sa forme « honteuse » [31] — elle peut néanmoins être dite un « don », une « inspiration » de l'Esprit-Saint. Elle est elle-même, à ce titre, « principe intérieur » de l'agir humain. Nous ne sommes pas intéressé ici par le problème de l'interprétation des dons du Saint-Esprit chez Thomas d'Aquin, mais très précisément par la notion de crainte qu'un tel contexte manifeste et par le rapport qui existe entre cette notion et celle de la passion de crainte qui influence la qualité du volontaire, joue un rôle capital dans la vie affective et suscite l'activité d'un certain nombre de vertus morales. Il nous paraît donc nécessaire d'examiner la méthode d'analyse adoptée par Thomas dans ses œuvres postérieures parallèlement à celle du *Commentaire sur les Sentences*. Les résultats de cette étude nous permettront de mieux apprécier le principe d'organisation qui, à notre avis, préside à la répartition des vertus « inspirées » par le don de crainte dans la *Secunda Pars*.

L'étude des principes intérieurs dans la *Ia-IIae* réserve une question [32] à ces habitus que sont, selon l'Aquinate, les dons de l'Esprit [33]. Comme pour les vertus, l'examen plus détaillé de chacun d'entre eux est repris dans la *IIa-IIae*. Celle du don de crainte est annexe à la vertu d'espérance [34]. Si l'on peut constater une certaine évolution de la pensée quant à l'interprétation d'ensemble des dons entre la *Ia-IIae* et la *IIa-IIae* [35], ces nuances dans l'enseignement général n'affectent pas beaucoup la notion de crainte au point de vue qui nous intéresse ici : les quelques textes de *Ia-IIae*, q. 68, qui déterminent la notion même de crainte en régime d'inspiration ne diffèrent guère des textes beaucoup plus élaborés de *IIa-IIae*, q. 19.

Entre le *de timore* du *Commentaire sur les Sentences* et celui de la *Secunda Secundæ*, on constate un certain nombre de remaniements soit dans le choix des questions traitées [36], soit dans la structure du développement [37]. L'enseignement lui-même subit certaines modifications [38]. Les aménagements les plus significatifs pour notre propos sont précisément dus à la méthode de la *Secunda Pars*. Dans la *Ia-IIae*, en effet, Thomas a écrit un traité des passions de l'âme dans lequel, nous l'avons vu, il procède à des analyses de structures. De toute évidence *IIa-IIae*, q. 19, présuppose ces analyses. Plusieurs aspects de cette question sont en effet inintelligibles sans les mises au point de *Ia-IIae*, qq. 41-44.

La comparaison de *IIa-IIae*, q. 19, a. 1, avec *in III Sent.*, d. 34, q. 2, a. 1, fournit le premier indice de ces nouveaux aménagements méthodologiques. Dans le *Commentaire*, Thomas devait commencer son traité par un examen de la définition générale de la crainte avant d'aborder les problèmes de distinctions et de moralité. Cette méthode, nous l'avons vu, était d'ailleurs récente chez les théologiens et permit à Thomas de faire avancer la question. Dans la *Somme*, ce travail de base a été fait dans le traité des passions ; de la sorte le premier article sur le don n'a pas à s'interroger sur la définition générale, mais bien sur la possibilité de parler encore de crainte lorsque Dieu lui-même est impliqué dans l'objet. D'où le premier énoncé : « *Videtur quod Deus timeri non possit* » [39]. La réponse à cette première difficulté ne consiste pas à montrer qu'au plan de la passion la crainte avait un certain sens qu'elle n'aurait plus au niveau du don, mais bien à s'appuyer sur les élaborations de *Ia-IIae*, q. 42, a. 1 et q. 43, pour montrer que Dieu n'est pas craint en tant que « mal », puisqu'il est la bonté même, mais en autant qu'auteur possible d'un châtiment ou encore en tant que « point de référence » pour un certain mal dont nous sommes menacés [40]. On pourrait ainsi poursuivre l'examen de tous les articles de *IIa-IIae*, q. 19, en montrant que leur enseignement se rattache toujours à celui de *Ia-IIae*, qq. 41-44. Ainsi la distinction constante entre les craintes qui visent, soit le mal de coulpe, soit le mal de peine [41], s'appuie sur les explications de *Ia-IIae*, q. 42, a. 3, alors que *in III Sent.*, d. 34, q. 2, a. 3, qla. 1, avait dû préciser ce point à l'intérieur du traité sur le don. De même l'allègement de l'explication sur les rapports des craintes servile et filiale à l'amour de *IIa-IIae*, q. 19, a. 10, comparativement à celle de *in III Sent.*, d. 34, q. 2, a. 3, qla. 3, vient de ce que, dans l'article de la *Somme*, Thomas n'a pas à insérer dans son texte les mises au point sur les causes de la crainte puisqu'elles ont été faites dans *Ia-IIae*, q .43.

L'intérêt de ces quelques observations porte moins sur le fait des divergences dans la présentation de ces deux traités sur le don de crainte que sur celui de la méthode de travail et sur sa signification. L'isolement d'un traité sur la passion de crainte dans la *Somme* a pour but d'analyser les structures fondamentales du mouvement craintif, structures qui se vérifieront analogiquement à chaque fois que des questions sur la crainte devront ensuite être abordées.

Mais il y a plus. Si la réflexion sur le mouvement craintif « observable » parvient à en dégager les lois fondamentales, elle n'en saisit pourtant pas la signification ultime, ni donc ne prononce sur elle le « dernier mot ». Seule la théologie peut connaître le secret ultime, et donc la notion la plus formelle, de la crainte. La séparation d'une étude de la « passion de crainte » de celle du « don de crainte » dans la *Somme de théologie* met beaucoup plus clairement en évidence cet apport d'une réflexion proprement théologique.

C'est à la lumière de la révélation de la « réalité divine » que, de fait, Thomas détermine la caractéristique ultime de la crainte [42]. La « grandeur » qui motive ce mouvement craintif et imite dans la volonté [43], l'émotion correspondante de l'irascible, c'est, face à la réalité créée de l'homme, l'excellence divine [44], son éminence [45], sa majesté [46]. Le « *utrum timor remaneat in patria* » ne doit pas encourir le mépris accordé à tout ce qui relève du « procédé scolaire ». Il formule la question ultime sur la crainte, celle qui oblige à décanter la notion de tout ce qui relève de ses conditionnements temporaires. Dégagée de toutes ses contingences, la crainte élabore, dans son état de perfection, son mouvement le plus formel : la révérence, c'est-à-dire l'acte dans lequel la créature reconnaît sa propre consistance dans sa soumission à Dieu [47] par le refus de s'égaliser à lui [48]. Tout le reste, même cet acte louable qui consiste à redouter non la peine mais la séparation d'avec un Dieu aimé, disparaîtra, car c'est une activité qui ne relève pas essentiellement de la condition de créature, mais de celle de pécheur [49]. C'est d'ailleurs la raison pour laquelle on peut attribuer au Christ, en plus d'une crainte naturelle [50] et d'une crainte admirative [51], la crainte révérencielle. Elle convenait parfaitement à celui qui portait toutes nos misères de créature sauf le péché [52].

Aussi toute formulation qui tend à assimiler la révérence à un certain *timor separationis* ne nous semble pas répondre aux vues de Thomas. Un texte de la *Somme de théologie* a particulièrement suscité des commentaires dans ce sens :

> Fuga igitur hujus mali quod est Deo non subjici, ut possibilis naturæ, impossibilis autem beatitudini, erit in patria [53].

Ch. A. Bernard, par exemple, en conclut :

> L'objet du don de crainte est donc essentiellement l'éminence de l'être de Dieu capable d'infliger une peine due au péché. Non pas, comme le remarque Cajetan, en tant qu'il inflige actuellement une peine, ou se dispose à l'infliger, mais en tant qu'il est radicalement en son pouvoir de l'infliger, en tant qu'il est Seigneur et juge [54].

Si la déficience ontologique — le « *defectus naturalis creaturæ* » de *IIa-IIae*, q. 19, a. 11, ad 3 — entraîne une défectibilité de la volonté, une peccabilité de l'ordre naturel [55], Thomas ne dit-il pas précisément qu'une telle conséquence « *in beatis fit non possibile per gloriæ perfectionem* » [56] ? Le texte précise donc que la fuite de ce mal qu'est l'insoumission à Dieu se présente différemment « *in patria* » qu'ici bas. Si chez les bienheureux le « *Deo non subjici* » est un « *ut impossibilis* », on ne voit plus guère — même avec les subtilités de Cajetan — comment « Dieu capable d'infliger une peine due au péché » peut encore entrer dans la constitution de l'objet de crainte. Jamais, à notre connaissance, Thomas ne met la notion de révérence en relation avec celle de Dieu-juge. À notre avis, il faut donc bien distinguer entre un *defectus culpæ* et un *defectus naturæ*, et, par conséquent, entre une « fuite de la séparation » et une « fuite de l'égalisation » dont la motivation n'est, en aucun sens, le « jugement de Dieu » [57]. La première « fuite » est un sentiment de créature pécheresse, la deuxième — pour reprendre une expression très juste de Ch. A. Bernard — un pur « sentiment de distance infranchissable » [58]. C'est ce sentiment de dépendance radicale, et non celui de notre peccabilité, qui, en dernière instance, répond à la question : pourquoi craignons-nous Dieu [59] ?

La crainte filiale, étant, radicalement, le sentiment par excellence de créature, sera, en régime d'inspiration, le don le moins élevé [60] ; mais, précisément parce que reconnaissance de la seigneurie de Dieu, il sera le don fondamental, car il représente la condition primordiale à l'accueil du divin dans l'agir du chrétien [61]. Son second « *usus* », chez le « *viator* », est intimement lié au premier. Il n'en est qu'une conséquence chez l'homme encore capable de pécher. C'est éminemment par la reconnaissance affective du primat de Dieu que la créature abandonne toute voie perverse et se met à l'écoute de la Sagesse [62]. Au contraire le mépris de Dieu — le contraire même de la révérence — détruit la crainte de Dieu et par là même supprime l'obstacle majeur au péché de malice : aussi est-il une forme du péché contre l'Esprit [63].

La crainte qui provient de l'Esprit procède, comme toute crainte, non seulement de la faiblesse du sujet, mais en manifeste plus clairement, grâce à la révélation de l'excellence divine, la racine, à savoir la condition même de créature. Il en va exactement de même pour la seconde cause universelle de la crainte. Si les différentes formes de crainte naissent toujours d'un amour quelconque, la crainte filiale est l'effet de l'amour révélé, la charité [64]. Ce dernier niveau de profondeur met en lumière, encore une fois, une caractéristique de la crainte issue de l'amour, qu'une considération purement humaine aurait pu laisser dans l'ombre. La charité, qui fait aimer Dieu « *supra se et super omnia* », manifeste bien que l'union de l'amour d'amitié ne détruit pas l'altérité. Aussi sa croissance entraîne-t-elle un approfondissement du respect de l'autre, de cette révérence qui empêche l'amour de se dégrader en un asservissement de l'un « aux volontés » de l'autre [65]. Le principe de base « *omnis timor ex amore nascitur* » produit ici ses plus beaux fruits. La crainte est une exigence de l'amour de charité. La croissance de l'amour entraîne celle de la crainte d'être séparé de la personne aimée, mais aussi l'attention admirative provoquée par la « grandeur » qu'elle prend à nos yeux [66]. On reconnaît ici les idées élaborées pour la première fois dans le cadre de la correction fraternelle dans les écrits du premier séjour italien [67]. Elles acquièrent, dans ces analyses de la crainte et de la charité envers Dieu, leur ultime fondement.

Dans la *Somme de théologie* comme dans le *Commentaire sur les Sentences* ce sont donc encore les questions portant directement sur le don de crainte qui conduisent Thomas à libérer les significations les plus riches engagées dans la notion de crainte, mais toujours dans le sens même des analyses structurelles de l'émotion craintive. La répartition des deux traités dans la *Somme* rend la chose très sensible. Cette théologie tardive du don de crainte formule également de façon définitive et claire les deux « usus » possibles de la crainte filiale et des relations étroites qui les unissent. À notre avis, l'organisation des vertus qu'anime l' « inspiration de crainte » se ressent beaucoup, dans les œuvres postérieures, de ces analyses serrées.

3. Nouvelles zones d'influence dans la vie morale

D'après Thomas d'Aquin, la crainte doit exercer son influence dans la vie morale, non plus seulement en suscitant une large activité qui a pour but de l'équilibrer et de la rendre de plus en plus apte à favoriser et à protéger certaines attitudes vertueuses, mais aussi en devenant elle-même inspiratrice, au plan même des principes intérieurs, des vertus morales étroitement liées à la vie théologale qui la suscite. Présupposant la foi, engendrée par la charité, la crainte filiale compose encore avec l'espérance pour maintenir le chrétien entre le désespoir et la présomption. La crainte filiale s'emploie à éliminer, comme l'écrit Ch. A. Bernard, l' « unique résistance (qui) se fait jour au mouvement de notre espérance : le refus de la créature de reconnaître sa totale dépendance vis-à-vis de Dieu » [68]. Pour attendre parfaitement Dieu de Dieu, l'espérance requiert le don de crainte. Les deux se perfectionnent mutuellement [69]. L'importance de l' « inspiration de crainte » dans le commerce intime avec Dieu est du reste à ce point marquée que Thomas se sent souvent obligé de préciser qu'elle n'est pas, pour autant, une vertu théologale : elle porte directement sur autre chose que Dieu en lui-même, à savoir la séparation d'avec Dieu ou encore, dans son opération parfaite, la petitesse de la créature elle-même [70].

L'étude des nouvelles zones d'influence que la crainte, sous cette forme éminente, exerce dans la vie morale présente cependant un intérêt qui dépasse ce résultat immédiat. On constate en effet que Thomas fait un effort de cohérence en assignant un champ d'activité morale non seulement à l'ensemble de l'inspiration de crainte, mais aussi à chacun des usages auxquels elle se prête. On peut, en d'autres termes, distinguer les influences de la crainte « sentiment de créature » de celles de la crainte-« sentiment de *viator* ».

La crainte comme « sentiment de créature »

Comme dans ses œuvres antérieures, Thomas continue à penser que la révérence est offerte à Dieu par la vertu de religion : par l'activité de celle-ci, l'homme rend témoignage à l'excellence divine et affirme sa soumission au principe premier de la création et du gouvernement du monde. Il se reconnaît, de par sa condition humaine, une dette de révérence envers Dieu[71]. Aussi la prière, activité intérieure de la religion, traduit-elle par des actes de la raison cet hommage révérenciel[72].

Dans la *Somme de théologie* toutefois, l'Aquinate pousse beaucoup plus loin qu'auparavant son analyse des relations entre la religion et la révérence. Celle-ci n'est plus seulement matière de la vertu, elle l'anime tout entière : toute l'activité de la religion est finalement motivée par la révérence divine, acte ultime du don de crainte[73]. Manifestement la religion « s'abreuve » à la crainte révérencielle. Cette source venant à tarir ou à se polluer, la vertu de religion disparaît nécessairement ou se dégrade en superstition[74]. L'étude de cette double relation de la révérence divine avec la vertu de religion, matière (« *exhibere reverentiam* ») et principe (« *facere aliqua propter divinam reverentiam* »), a conduit F. B. Sullivan à établir, avec raison, deux sens distincts, mais analogiques, du mot révérence : le sens premier est celui que nous connaissons, à savoir la forme ultime de la crainte ; c'est ainsi qu'elle est animatrice de la religion. En tant que matière de la vertu, cependant, le terme révérence a un sens secondaire et dérivé, à savoir celui d'hommage offert à Dieu[75].

Puisque la religion est entée sur la crainte révérencielle, celle-ci animera donc toutes les vertus de vénération qui sont dans le sillon de cette grande vertu type et qui, à des degrés divers, en émanent comme autant de participations. Ainsi le culte de la piété filiale s'exprime, envers ceux qui sont principes de génération, d'éducation et de « *disciplina* », par la révérence[76]. La déférence envers ceux qui sont pour nous principes de gouvernement est nourrie du même sentiment [77]. Ceux qui, au titre de leur science ou de leur vertu, sont, par leur autorité morale, principe de conduite, ont aussi un certain droit à un respect semblable [78]. L'obéissance au précepte, articulée, dans la théologie de Thomas, à l'une de ces grandes vertus, pourra souvent être interprétée comme le signe de la crainte révérencielle [79].

Il peut donc y avoir, envers les créatures, un sentiment analogue à la révérence divine. Qu'il s'agisse bien d'une affection de même type, la chose est clairement indiquée dans les textes de la *Somme de théologie*. Ainsi dans la première objection de la question sur la *dulia*, on retrouve, mais dans un contexte de relations humaines, les termes de *IIa-IIae*, q. 81, a. 2, ad 1, où Thomas assigne explicitement la révérence divine au don de crainte :

> Honor enim est exhibitio reverentiæ in testimonium virtutis : ut potest accipi a Philosopho, in I Ethic. Sed exhibitio reverentiæ est aliquid spirituale (en opposition, ici, à « aliquid corporale ») : revereri enim est actus timoris, ut supra habitum est (le renvoi ne peut être que *IIa–IIae*, q. 81, a. 2, ad 1) Ergo honor est aliquid spirituale [80].

La réponse explique que la révérence n'est pas à identifier à l'« *honor* », mais qu'elle en est le motif et la fin. La vertu de *dulia* — distincte de la *latria* réservée à Dieu [81] —, par laquelle on rend hommage à un supérieur humain, est donc animée par une révérence qui est un acte de la crainte.

D'après les textes, cette crainte révérencielle peut être de facture purement naturelle sans aucune référence ultérieure à Dieu dont le « principe humain » est l'image [82]. Lorsqu'elle s'adresse au supérieur humain en tant que ministre de Dieu, elle s'identifie à la crainte filiale [83].

Thomas admet-il, dans ses œuvres tardives, une forme naturelle de la crainte révérencielle envers Dieu ? Pour les expressions *timor filialis, timor castus, timor purus*, le problème ne se pose même pas : nous n'avons découvert aucun texte qui pourrait le laisser soupçonner. Dans les contextes sur le lien entre les vertus théologales et la crainte, l'Aquinate emploie presque toujours aussi les expressions *reverentia divina, timor reverentialis, reverentia timoris*. Il écrit même que la crainte révérencielle présuppose la foi dans certains articles du *Credo*, celui, par exemple, sur l'excellence divine [84]. La question d'une forme naturelle de révérence divine est tout particulièrement soulevée dans le contexte de la vertu de religion. Dès le deuxième article du traité de la vertu de religion, deux réponses posent le problème avec acuité. La première énonce un principe qui semble régler la question une fois pour toutes :

> ...revereri Deum est actus doni timoris. Ad religionem autem pertinet facere aliqua propter divinam reverentiam. Unde non sequitur quod religio sit idem quod donum timoris, sed quod ordinetur ad ipsum sicut ad aliquid principalius. Sunt enim dona principaliora virtutibus moralibus, ut supra habitum est [85].

La révérence qui anime la religion n'est pas n'importe quel sentiment naturel, mais l'activité du don de crainte.

La dernière réponse du même article semble néanmoins contredire cette conclusion. On objecte que la religion n'est pas une vertu puisqu'il lui appartient d'offrir un culte extérieur et que les *cæremonialia* ne relèvent pas de la nature mais d'institutions positives. Thomas répond :

> ...de dictamine rationis naturalis est quod homo aliqua faciat ad reverentiam divinam : sed quod hæc determinate faciat vel illa, istud non est de dictamine rationis naturalis, sed de institutione juris divini vel humani [86].

À notre connaissance, c'est le seul texte, dans tout l'enseignement postérieur de Thomas, qui mentionne explicitement la *reverentia divina* dans un contexte de « loi naturelle ». L'apparente contradiction entre l'affirmation de cette troisième réponse et celle de la première n'est cependant pas sans explication possible. Nous sommes d'avis qu'il s'agit bien, dans ce dernier texte, du sens dérivé de *reverentia divina* [87]. Le texte signifie très exactement : « il relève en effet de la dictée de la raison naturelle que l'homme fasse certaines choses pour rendre hommage à Dieu : mais etc. » Ce texte doit donc être éliminé du dossier ... si dossier il y a. Malgré toutes les « déductions » possibles à partir de « principes thomistes », les preuves basées sur les textes selon lesquelles Thomas aurait envisagé une forme naturelle de révérence divine, au sens précis de l'activité la plus formelle de la crainte de Dieu, sont donc bien maigres. Nous ne connaissons aucun texte incontestable dans lequel Thomas affirmerait l'existence d'une crainte révérencielle naturelle ; de plus, l'abondance des passages dans lesquels il en parle comme de l'activité première du don de crainte est telle que nous pensons qu'il ne s'est jamais posé le problème. La notion de révérence est d'ailleurs tellement liée à des problèmes théologiques précis de l'ordre de la grâce (espérance, dons du Saint-Esprit, justification, christologie) qu'il est permis de penser que Thomas aurait hésité à l'employer pour désigner une réalité d'un autre ordre. Se fût-il explicitement posé la question d'une crainte naturelle devant le « numineux » qu'il aurait sans doute parlé précisément de *timor naturalis*. Mais laissons là les hypothèses puisque, dans ce cas, elles sont, à notre avis, invérifiables dans les textes.

La crainte comme « *sentiment de* viator »

La crainte, très précisément comme « sentiment de créature », anime, sous l'inspiration de l'Esprit, la vertu de religion, et, de façon analogue, toutes les grandes vertus de vénération. Dès le début de son enseignement, néanmoins, Thomas, influencé par une certaine tradition, lie la crainte de Dieu à d'autres secteurs de l'agir moral. Dans les écrits de maturité, nous découvrons ces mêmes rapports. De Grégoire [88], il tient que le don de crainte est donné contre l'orgueil [89] et d'Augustin [90], le rattachement du don de crainte à la béatitude des pauvres [91]. Il renvoie à ces mêmes sources ainsi qu'à la Règle de Benoît [92] pour établir un lien entre la crainte de Dieu et la vertu d'humilité [93]. L'enseignement de ces « autorités » est cependant intégré au sien de façon souvent très personnelle. Il n'entre pas dans la perspective des considérations qui suivent de fouiller à fond ces thèmes et d'en proposer une « synthèse ». Nous voulons simplement montrer comment la crainte filiale opère en ce secteur de la vie morale, non pas seulement en tant que « sentiment de créature » — bien que cette activité révérencielle soit présupposée et garde une influence principielle — mais très précisément en tant que « sentiment de *viator* », donc en tenant compte de la « crainte de la séparation ». Si la crainte filiale connaît nécessairement cet *usus* dans le cheminement terrestre, il est normal que, comme telle, elle exerce une influence sur la vie morale.

La vertu d'authenticité qu'est l'humilité ne s'épanouit en l'homme que face à la vérité de Dieu. La reconnaissance affective de sa place devant Dieu est l'affaire de la crainte filiale ; c'est pourquoi l'humilité a aussi, comme la religion, un rapport avec le révérence par laquelle l'homme se soumet à Dieu [94]. Au lieu de cultiver ce sentiment sur le type de la justice pour le traduire, comme la religion, en œuvres dues, elle le fait sur le type de la tempérance, c'est-à-dire comme une vertu de modération : par elle l'homme jugule l'appétit de grandeur afin de ne point s'élever au-dessus de sa condition de créature [95]. La crainte filiale qui, soumettant à Dieu, évite, par conséquent, tout orgueil [96], toute recherche d'honneur indu qui pourrait séparer de Lui, est donc principe et animatrice de l'humilité [97]. Si la crainte révérencielle joue ce rôle, elle le fait aussi parce qu'elle s'oppose radicalement à la présomption et à l'orgueil qui séparent de Dieu ; car chez l'*homo viator*, elle est toujours liée, dans ce secteur, à une crainte de la séparation d'avec Dieu. La crainte de Dieu inspire l'humilité parce qu'elle s'oppose au « *peccandi consuetudo* » [98], elle fait obstacle à l'orgueil parce qu'elle est « *causa custodiæ et cautelæ* » [99]. Cette idée est bien rendue par un beau texte de l'*Expositio super Orationem dominicam* :

> Et dimitte nobis debita nostra, sicut et nos dimittimus debitoribus nostris (...) ex hac petitione possumus duo colligere quæ necessaria sunt homonibus in vita ista. Unum est quod homo semper sit in timore et humilitate. Aliqui enim fuerunt ita præsumptuosi quod dicerunt quod homo poterat vivere in mundo isto ita quod ex se poterat vitare peccata. Sed hoc nulli datum est, nisi Christo (...) et Beatæ Virgini (...). Sed de aliis sanctis nulli concussum est quin ad minus veniale peccatum incurreret : 1 Joan 1, 8 (...). Et hoc etiam probatur per petitionem istam (...) Ergo omnes recognoscunt et confitentur se peccatores vel debitores. Si ergo peccator es, debes timere et humiliari [100].

Puisque les béatitudes sont, d'après l'Aquinate, les opérations parfaites des vertus perfectionnées par les dons [101], il convient de rattacher l'activité de l'humilité sous l'inspiration du don de crainte à la béatitude de la pauvreté. On retrouve les mêmes idées dans les textes relatifs à cette « concordance » : la « pauvreté » empêche le mortel de rechercher sa propre excellence dans les richesses ou dans les honneurs, dans les autres ou en lui-même ; elle empêche la montée de tout ce qui fait obstacle à la soumission divine [102].

Dans un bon nombre de textes qui lient la crainte filiale à la vertu d'humilité, et, de façon excellente, à la béatitude de la pauvreté, la crainte s'oppose à la recherche démesurée des richesses et des honneurs, à l'excès de l'espoir (la présomption), à l'orgueil, à l'habitude de pécher. Elle est donc, par tout un aspect d'elle-même, la crainte d'une créature capable de pécher, crainte de la séparation d'avec Dieu.

Le rapport entre la crainte filiale et les vertus de vénération, d'une part, et l'humilité (avec la béatitude de la pauvreté), d'autre part, peut donc être diversifié de deux façons. D'abord, les premières cultivent la crainte afin d'en faire hommage à la personne dont on se sait débiteur alors que les secondes l'utilisent pour éduquer une certaine authenticité d'attitude et de comportement devant soi-même et devant Dieu. Mais, au plan plus profond de l'animation même de ces vertus par la crainte, on découvre une seconde divergence dans leur rapport. Alors que les vertus de vénération sont suscitées par ce qui est très précisément « révérence », et donc « éternel », dans la crainte filiale, l'humilité est motivée tout autant par ce qui relève du conditionnement terrestre de la crainte, à savoir la crainte d'être séparé de Dieu. N'est-ce pas, du reste, la raison pour laquelle il n'est jamais question d'humilité et d'esprit de pauvreté chez les bienheureux alors qu'on parle encore de religion [103] ?

Il faut pourtant ajouter aussitôt que si l'on peut déceler un usage de la crainte de la séparation dans les grandes attitudes d'humilité et de pauvreté, c'est bien en dernière analyse la révérence qui les anime et à laquelle elles tendent. Elles inclinent l'homme à se soumettre à Dieu, à se situer et à se maintenir en dépendance du Créateur. R. Bellemare a d'ailleurs montré que l'expression fondamentale du bien spirituel de la pauvreté est, selon l'Aquinate, la soumission de l'homme à Dieu [104]. Elle s'oppose à l' « insoumission à Dieu sous la forme d'une possession autonome » [105]. Sous l'inspiration de la crainte de Dieu, les attitudes chrétiennes d'humilité et l'activité de la béatitude de la pauvreté tendent au même *usus* révérenciel que les verus de vénération, notamment la religion. On comprend donc dans quel sens nous suggérons une nuance dans l'emploi des deux *usus* de la crainte filiale dans la vie morale. Celle-ci tend toujours vers son expression la plus parfaite dans la révérence. Mais dans un secteur de la vie morale de l'homme en marche vers la béatitude, elle se manifeste également selon son imperfection temporaire. Thomas a donc tracé un portrait de la démarche vertueuse qui répond intégralement à son analyse des modalités de l' « inspiration de crainte ».

La crainte est omniprésente au plan des habitus vertueux de la vie morale. D'une part, elle suscite de nombreuses vertus qui tendent à la maîtriser et à assurer ainsi son bon fonctionnement pour l'équilibre de la vie affective. D'autre part, elle exerce une vaste influence en inspirant de grandes vertus morales intimement liées à la vie théologale et à l'esprit évangélique : la religion ainsi que les vertus de vénération qui en découlent sont nourries de révérence ; l'humilité et les vertus qu'elle influence, surtout en s'opposant à l'orgueil, ont leur principe dans la crainte filiale qui fuit, ici-bas, et l'égalisation à Dieu et la séparation d'avec Dieu. En ces hautes vertus, la crainte s'épanouit et se dépasse elle même sous l'inspiration de l'Esprit. Enfin nous avons aussi mentionné comment Thomas précise les rapports entre le don de crainte et les vertus de foi, d'espérance et de charité.

L'analyse thomiste de la vie vertueuse n'omet donc aucun des aspects de la crainte. À la cohérence de la notion de crainte correspond celle des modalités de son influence au plan des principes intérieurs de l'agir vertueux. Encore faut-il examiner la façon dont Thomas a décrit les désordres de la crainte avant de conclure au succès du test de cohérence.

4. Les désordres de la crainte

Le regroupement et la comparaison des textes qui traitent de la crainte sous la rubrique « *de habitibus malis, scilicet de vitiis et peccatis* »[106] fournissent la contre-épreuve idéale des conclusions précédentes sur l'unité profonde de la notion de crainte et sur l'extension de son influence dans la vie morale. S'il est souvent question de crainte désordonnée dans la *Somme de théologie* et dans les œuvres de la même époque, on peut pourtant circonscrire dès l'abord, au moyen du vocabulaire, des « autorités » invoquées, et des applications types, les thèmes majeurs de la « mauvaise crainte ». Leur comparaison nous permettra de déterminer les rapports qu'ils soutiennent entre eux.

Si nous laissons de côté la notion de *metus* qui, du reste, n'est pas de soi un péché[107], le premier thème explicite sur la crainte désordonnée apparaît dans le traité du péché de la *Ia-IIae* avec l'expression augustinienne *timor male humilians*. Cette crainte ne distingue pas, avec son pendant, l'*amor male inflammans*, les péchés en espèces, mais elle en manifeste une cause motrice[108]. La sentence augustinienne, « *omne peccatum est ex amore male inflam-*

mante, vel ex timore male humiliante » [109], confrontée à d'autres traditions théologiques, soulève évidemment des problèmes : si la crainte désordonnée est à ce point racine de péchés, pourquoi n'est-elle pas mentionnée ni dans l'énumération de 1 Jn 2, 16 — la convoitise de la chair, la convoitise des yeux et l'orgueil de la vie [110] — ni dans l'énumération classique des péchés capitaux ? Les deux objections d'autorité reçoivent fondamentalement la même réponse : puisque les passions de l'irascible dérivent des passions du concupiscible, ce sont les péchés de « convoitise » — et ultimement l'amour désordonné de soi [111] — qui causent la fuite désordonnée des maux [112].

Après ces quelques données générales sur le timor male humilians, nous devons attendre la question centrale sur la crainte de IIa-IIae, q. 19, pour trouver un second thème important sur les péchés de crainte, celui du timor humanus vel mundanus. L'enseignement n'a pas changé sur ce point. La crainte humaine se distingue de la mondaine par la différence matérielle des maux qui sont craints : par la première l'homme redoute les atteintes à sa personne, par la seconde la perte de ses biens [113]. Ce n'est pas le simple fait de craindre ces maux qui les constitue péchés, mais celui de les craindre de façon désordonnée [114]. Aussi ces deux noms sont-ils réservés à la crainte par laquelle on s'éloigne de Dieu à cause des maux corporels ou temporels que l'on redoute plus que le péché [115].

L'expression crainte humaine ou mondaine apparaît généralement dans un contexte bien déterminé. Elle est utilisée en opposition à la crainte filiale ou chaste qui ne redoute pas la peine mais la coulpe [116], ou à la crainte servile qui redoute aussi la peine, mais la peine par laquelle l'homme se convertit à Dieu [117]. En outre la péricope de Matth 10, 28, « Ne craignez pas ceux qui tuent le corps », lui sert habituellement d'appui scripturaire [118]. Ce contexte n'appelle jamais l'expression timor male humilians. Par contre, il existe des convergences notables entre ces « deux » craintes. Ainsi dans IIa-IIae, q .19, a. a. 2, ad 5, un parallèle est établi entre la convoitise des yeux et de la chair d'une part, et la crainte mondaine et humaine d'autre part. Or dans Ia-IIae, q. 77, a. 5, ad 4, c'est au timor male humilians [119] que ces mêmes convoitises sont comparées. Dans IIa-IIae, q. 19, a. 3, la malice de la crainte humaine et mondaine est établie par sa relation causale à l'amour mondain ou désordonné dont elle procède toujours [120]. De même le *timor male humilians* est un appétit désordonné de fuite puisqu'il provient d'un amour désordonné de soi [121]. Et comme le *timor male humilians* est cause d'autres péchés, il en est de même de la crainte humaine [122].

Il n'est guère possible d'établir avec certitude si, par-delà les schémas traditionnels qui appellent tel vocabulaire plutôt que tel autre. Thomas a perçu un rapport entre ce *timor male humilians* et ce *timor humanus vel mundanus*. En examinant le contenu de son enseignement on peut cependant conclure que la première expression exprime une notion plus universelle que la seconde. La chose va de soi lorsque Thomas emploie soit la crainte humaine soit la crainte mondaine de façon formelle puisqu'alors il y a une spécification à un domaine plus restreint que celui auquel s'adresse le *timor male humilians*. Lorsqu'on compare la signification de l'expression globale *timor humanus vel mundanus* à celle de *timor male humilians*, la distinction est déjà moins claire. On peut cependant penser que la crainte désordonnée qu'est le *timor male humilians* cause aussi la crainte servile mauvaise, celle qui redoute la peine opposée à son bien-être naturel comme le mal principal [123].

En suivant l'ordre de composition de la *Somme de théologie*, le troisième contexte de la crainte désordonnée est celui du vice opposé à la vertu de force. La question 125 de la *Secunda Secundæ*, qui fait suite à la question sur la force (q. 123) et à celle sur le martyre (q. 124), s'intitule « *de timore* ». Son prologue annonce qu'elle est la première des trois questions qui examineront les vices opposés à la force [124]. Les éditions manuelles courantes de la *Somme de théologie* ont vite fait d'assigner *in III Ethic., lectio* 15, comme lieu parallèle au premier article de cette question, alors que Thomas, en examinant si et comment la crainte est un péché, ne dit pas un seul mot de la vertu de force. De plus, l'autorité invoquée pour soutenir que la crainte est péché n'est autre que Matth 10, 28 [125], le texte classique sur la crainte humaine et mondaine [126].

C'est donc une erreur de lire ce premier article en substituant le *timor* utilisé par Thomas à une *timiditas* qui n'apparaît que dans le second article, sous l'autorité d'Aristote [127]. L'Aquinate écrit, du reste, que cette timidité est le nom donné par antonomase à la crainte désordonnée qui résulte très précisément de l'affrontement des périls de mort et qui s'oppose alors à la vertu cardinale de force [128]. Le premier article a une portée beaucoup plus générale.

La structure même de cette question et son enseignement montrent clairement qu'avant d'envisager, encore une fois, un cas particulier du vice ou du péché de crainte, Thomas se dégage de tous les schémas imposés par diverses traditions théologiques et philosophiques, pour établir précisément ce en quoi consiste, dans tous les cas imaginables, le péché de crainte. Dans sa réponse, dépouillée de toute référence, il explique que dans les actes humains, le péché est le désordre, c'est-à-dire l'insoumission de l'appétit au gouvernement de la raison. Or la raison dicte la fuite de certaines choses et la poursuite d'autres choses ainsi que la hiérarchisation dans ces fuites et ces poursuites. Il conclut :

> Quando ergo appetitus fugit ea quæ ratio dictat esse sustinenda ne desistat ab aliis quæ magis prosequi debet, timor inordinatus est, et habet rationem peccati. Quando vero appetitus timendo refugit id quod est secundum rationem fugiendum, tunc appetitus non est inordinatus, nec peccatum [129].

Voilà la règle universelle : lorsque l'appétit fuit ce que la raison dicte de supporter afin de ne pas abandonner d'autres biens qu'on doit poursuivre davantage, alors la crainte est désordonnée, peccamineuse. Et comme toute crainte procède de l'amour et qu'un amour désordonné est au cœur de tout péché, alors la crainte désordonnée est incluse dant tout péché, qu'il soit avarice, intempérance ou autres [130]. Ce péché sera mortel ou véniel selon que la crainte désordonnée atteint ou non le niveau de l'appétit supérieur et selon qu'elle dispose ou non à commettre ce qui est prohibé ou à omettre ce qui est prescrit dans la loi divine [131]. Elle peut cependant excuser totalement ou partiellement du péché selon les règles complexes de l'influence de la passion de crainte sur le volontaire [132].

Ce timor inordinatus inclus dans tout péché correspond, mais plus complètement analysé, à la notion générale de crainte peccamineuse que Thomas rendait, dans la *Prima Secundæ*, par l'expression augustinienne *timor male humilians*. On lui donnera les noms de crainte humaine ou de crainte mondaine lorsqu'on parlera de crainte des peines corporelles ou de crainte des peines temporelles qui provoquent un détournement de Dieu ; celui de crainte servile désordonnée lorsqu'elle visera un châtiment divin qui fait éviter le péché mais de façon contrainte. Appliquée au domaine très précis du péril de mort et des maux qui lui sont assimilés, elle se nommera la timidité, péché ou vice opposé à la force par excès de crainte, et à l'audace [133]. Thomas, même dans son œuvre tardive, ne se préoccupe pas toujours de préciser par ces termes le nom des péchés de crainte. Il parle, pour des péchés très précis de crainte, soit simplement de crainte [134] soit de crainte désordonnée [135]. Il dit aussi : *timor superfluus* [136], *timor inopiæ* [137], *timor stultus* [318], *timor irrationabilis* [139], *timor vanus* [140].

L'article premier de *IIa-IIae*, q. 125, est d'un intérêt majeur non seulement en ce qu'il livre la pensée personnelle de Thomas sur la nature du péché de crainte, mais aussi et surtout en ce qu'il montre encore une fois, par le biais du péché, l'unité fondamentale des problèmes de la crainte dans la théologie de Thomas. L'analyse structurelle du mouvement craintif dans le traité des passions s'applique également à tous les péchés de crainte comme elle s'applique à toutes ses formes louables :

> ... ira et audacia, et omnium passionum nomina, dupliciter accipi possunt. Uno modo, secundum quod important absolute motus appetitus sensitivi in aliquod objectum bonum vel malum : et sic sunt nomina passionum. Alio modo, secundum quod simul cum hujusmodi motu important recessum ab ordine rationis : et sic sunt nomina vitiorum [141].

À l'état de vice, la crainte est un principe intérieur extrêmement puissant de l'agir qui, s'il fait sentir son poids dans des secteurs particuliers, exerce cependant une influence aussi vaste, ou peu s'en faut, que celle de l'amour désordonné.

Le but de ce chapitre était moins de fouiller tous les problèmes particuliers que soulève la crainte dans la vie morale que de bien dégager les grandes zones de l'influence exercée par la crainte au plan des principes intérieurs de l'agir moral. Cette enquête donne deux résultats majeurs. On doit d'abord faire une constatation matérielle mais qui, à notre connaissance, n'a jamais été établie : il n'est pas un seul secteur de l'organisme interne de la vie morale qui ne soit, d'une façon ou d'une autre, affecté par la crainte. Or cette constatation est de première importance pour notre propos puisqu'elle postule, avant même d'en examiner la théorie, que toute pédagogie, quelle qu'elle soit et de quelque manière qu'elle s'y prenne, tienne compte de la crainte. Après avoir ménagé une telle place à la crainte au plan des principes intérieurs, Thomas ne peut pas l'ignorer au plan des principes extérieurs.

Le deuxième résultat important, étroitement lié au premier, concerne la méthode. Nous avons de nouvelles preuves dans la

Somme de théologie — dont celle de *IIa-IIae*, q. 125, a. 1, est peut-être la plus évidente — que, pour Thomas d'Aquin, tous les problè-mes soulevés par la crainte sont connexes et exigent des solutions cohérentes précisément parce que la crainte ne donne pas son nom à une série de réalités équivoques. Et parce que la crainte, comme l'amour, est un dynamisme de fond inhérent à la condition humai-ne, on doit la retrouver à tous les plans et à tous les degrés de per-fection et de dégradation de l'agir humain. Après en avoir étudié les composantes et les formes, il fallait donc examiner si l'organis-me intérieur de la vie morale était équipé pour la maîtriser intégra-lement et sous quelles modalités il en était à son tour affecté. Cela, Thomas le fait avec une rare maîtrise. Il faut être sensibilisé à l'ampleur et à l'unité profonde des problèmes de la crainte dans la théologie de Thomas pour que les affirmations parfois laconiques du traité de la loi dans la *Somme de théologie* à ce sujet prennent une signification qui dépasse la *littera* du texte.

---

[1] Cf. *Ia-IIae*, q. 54, prol. : « Et quia habitus, ut dictum est, distinguuntur per bonum et malum, primo dicendum est de habitibus bonis, qui sunt virtutes et alia eis adjuncta, scilicet dona, beatitudines et fructus ; secundo, de habitibus malis, scilicet de vitiis et peccatis ».

[2] Cf. *Ia-IIae*, q. 68, a. 1, in c. : « ... aliqua computentur inter dona, quæ non computantur inter virtutes, ut patet de timore ; *ibid.*, a. 4, ad 4 : « ... non est nomen virtutis theologicæ » ; voir aussi, *IIa-IIae*, q. 19, a. 9, obj-ad 2-3 ; *de Virt. in com.*, q. un., a. 12, obj.-ad 11.

[3] *In Psalm* 54, 5 (éd. Uccelli, p. 250a) : « ... nullum malum est ita magnum inter mundana sicut mors ».

[4] Cf. *Ia-IIae*, q. 60, a. 4 ; a. 5, ad 4 ; q. 61, a. 2, in c. ; a. 3, in c. ; q. 66, a. 4, in c. ; q. 100, a. 11, ad 3 ; *IIa-IIae*, q. 47, a. 7, in c. ; q. 58, a. 9, ad 1 ; q. 108, a. 2, ad 2 ; q. 123, aa. 3-4 et 11-12 ; q. 124, a. 2, ad 1 ; a. 3, in c. q. 125, a. 2, ad 2 ; a. 4, ad 2 ; q. 127, a. 2, in c. ; q. 129, a. 2, in c. ; a. 5, obj. 3 ; a. 7, ad 1 ; q. 134, a. 4, ad 2 ; q. 136, a. 4, ad 2 ; q. 137, a. 1, in c. ; q. 138, a. 2, obj. 3 ; q. 141, a. 3, in c. et ad 2 ; a. 4, in c. ; q. 146, a. 1, ad 3 ; q. 155, a. 2, obj.-ad 2 ; q. 161, a. 2, ad 3 ; q. 166, a. 2, ad 3 ; *de Malo*, q. 2, a. 6, in c. ; *de Virt. card.*, q. un., a. 1, in c. ; a. 4, in c. et ad 5 ; *de Virt. in com.*, q. un. a. 4, in c. ; a. 5, in c. ; a. 12, in c. et ad 26 ; a. 13, ad 13 ; *in II Ethic.*, lect. 2 (no. 264) ; lect. 3 (no. 267) ; lect. 8 (nn. 339 et 341) ; *in III Ethic.*, lect. 14-18 (nn. 528-594) ; lect. 19 (no. 597) ; *in IV Ethic.*, lect. 1 (no. 652).

[5] *IIa-IIae*, q. 123, a. 5.

[6] *Ibid.*, in c. : « Potest autem aliquod esse justum bellum dupliciter. Uno modo, generale : sicut cum aliqui decertant in acie. Alio modo, particulare :

puta cum aliquis judex, vel etiam privata persona, non recedit a justo judicio timore gladii imminentis vel cujuscumque periculi, etiam si sit mortiferum. (...). Et secundum hoc, concedendum est quod fortitudo proprie est circa pericula mortis quæ est in bello ».

[7] Cf. Aristote, *Ethic. à Nic.*, III, c. 9 (115 a 34).

[8] *IIa-IIae*, q. 123, a. 5, in c. : « Sed et circa pericula cujuscumque alterius mortis fortis bene se habet : præsertim quia et cujuslibet mortis homo potest periculum subire propter virtutem ; puta cum aliquis non refugit amico infirmanti obsequi propter timorem mortiferæ infectionis ; etc ».

[9] *IIa-IIae*, q. 125, a. 2, ad 2 : « ...actus humani præcipue dijudicantur ex fine, ut ex supra dictis patet. Ad fortem autem pertinet ut se exponat periculis mortis propter bonum : sed ille qui se periculis mortis exponit ut fugiat servitutem vel aliquid laboriosum, a timore vincitur ; quod est fortitudini contrarium ».

[10] *De Virt. card.*, q. un., a. 4, ad 5 : « ...fortitudo non intendit inhærere periculis superando pericula, sed consequi bonum rationis ».

[11] Nous utilisons la traduction française de F. Chapey, *le courage d'être*, Paris, Casterman, 1967.

[12] P. Tillich, *op. cit.*, p. 23.

[13] Idem, *ibid.*, p. 21.

[14] *In III Ethc.*, lect. 18 (no. 593).

[15] Dans *IIa-IIae*, q. 123, a. 5, in c., il en énumère quatre autres et il ajoute qu'on peut en trouver encore plusieurs.

[16] Ce n'est pas, du reste, le seul point de l'interprétation de P. Tillich dont le bien-fondé nous semble mal assuré. Ainsi son énoncé du primat de la prudence sur la force : « La question est alors de savoir quelle est, du courage ou de la sagesse, la vertu qui englobe les autres. La réponse dépend de l'issue de la discussion fameuse sur la priorité de l'intellect ou de la volonté dans l'essence de l'être et, par conséquent, dans la personne humaine. Et puisque saint Thomas se prononce sans équivoque pour la priorité de l'intellect, il subordonne nécessairement le courage à la sagesse » (p. 22). La raison précise pour laquelle la force ne saurait être la plus noble des vertus morales ne dépend pas directement de cette discussion, mais de la nature de son objet, le « malum arduum » : la grandeur d'une vertu doit être « mesurée » selon la raison de *bien* avant celle de *difficile* : cf. v.g., *IIa-IIae*, q. 123, a. 12, ad 2 : « ...ratio virtutis magis consistit in bono quam in difficili. Unde magis est mensurando magnitudo virtutis secundum rationem boni quam secundum rationem difficilis ». La prudence, qui assure le *bonum rationis*, vient donc avant la force. Pour la même raison, la justice passe avant le courage, contrairement à ce que P. Tillich, *op. cit.*, p. 22, affirme : cf. *IIa-IIae*, q. 123, a. 12, in c. et ad 3. Mais la méprise la plus fondamentale de Tillich est de chercher l'équivalent de son « courage d'être » dans la *fortitudo* de Thomas et, avant lui, d'Aristote. Il fallait étudier chez ces auteurs la grande vertu humaniste, la vertu par excellence de l'espoir : la magnanimité.

[17] J. Pieper, *Vom Sinn der Tapferkeit*, München, Kösel, 1963, pp. 27-28 : « So ist alle Tapferkeit auf den Tod bezogen ; alle Tapferkeit steht im Angesichte des Todes. Tapferkeit ist im Grunde die Bereitschaft zu sterben, genauer gesagt : die Bereitschaft zu fallen, das heisst : im Kampfe zu sterben ».

[18] *IIa-IIae*, q. 124, a .3.

[19] Nous pensons, en tenant compte des nombreuses réponses où Thomas « explique » la détermination trop stricte de l'objet de la force — les « périls de mort » —, que telle fut, en dernière analyse, la pensée personnelle de l'Aquinate : la force vise les « dangers graves », c'est-à-dire les périls de mort et les maux assez sérieux pour l'annoncer.

[20] La « partie potentielle » d'une vertu cardinale, selon Thomas, est une vertu annexe à une « vertu type » en ce sens qu'elle lui ressemble en réalisant le même mode général (pour la force et ses parties potentielles, la fermeté d'âme), mais d'une ressemblance imparfaite puisqu'elle s'exerce sur une matière « secondaire » et, par là même, ne réalise pas aussi parfaitement le type commun : cf. *IIa-IIae*, q. 48, a. un. ; q. 80, a. un. ; q. 129, a. 5 ; q. 134, a. 4.

[21] Cf. *Ia-IIae*, q. 66, a. 4, ad 2 ; q. 70, a. 3, in c. ; *IIa-IIae*, q. 124, a. 2, ad 3 ; q. 136, a. 4, ad 2 ; a. 5, in c.

[22] Thomas donne parfois, comme objet propre de la crainte, les périls et les labeurs : cf. *Ia-IIae*, q. 61, a. 2, in c. ; *IIa-IIae*, q. 123, a. 3, ad 2 : dans les deux cas, il s'agit explicitement de la vertu cardinale de force visant le « timor pericularum vel laborum » ou les « pericula et labora ».

[23] *Ia-IIae*, q. 41, a. 4, in c. : « In operatione autem ipsius hominis, potest duplex malum timeri. Primo quidem, labor gravans naturam. Et sic causatur segnities : cum scilicet aliquis refugit operari, propter timorem excedentis laboris ». Voir aussi : q. 44, a. 4, obj.-ad 3.

[24] *IIa-IIae*, q. 137, a. 2, in c. : « ... necesse est quod fortitudini adjungatur sicut secundaria virtus principali, omnis virtus cujus laus consistit in sustinendo firmiter aliquod difficile. Sustinere autem difficultatem quæ provenit ex diuturnitate boni operis, dat laudem perseverantiæ : nec hoc est ita difficile sicut sustinere pericula mortis. Et ideo perseverantia adjungitur fortitudini sicut virtus secundaria principali » ; *ibid.*, ad 2 : « ... perseverantia secundum quod ponitur virtus, moderatur aliquas passiones : scilicet timorem fatigationis aut defectus propter diuturnitatem. Unde heac virtus est in irascibili, sicut et fortitudo ... ».

[25] *IIa-IIae*, q. 123, a. 4, ad 2 : « ... quia timor ex amore nascitur, quæcumque virtus moderatur amorem aliquorum bonorum, consequens est ut moderatur timorem contrariorum malorum. Sicut liberalitas, quæ moderatur amorem peruniarum, per consequens etiam moderatur timorem amissionis earum. Et idem apparet in temperantia et in aliis virtutibus. Sed amare propriam vitam est naturale. Et ideo oportuit esse specialem virtutem quæ moderaretur timores mortis ». A propos de la libéralité et de la parcimonie en relation avec la crainte, voir aussi : *in III Ethic.*, lect. 14 (no. 534) ; *in IV Ethic.* lect. 4 (no. 695) ; lect. 5 (nn. 701-702).

[26] Cf. *Ia-IIae*, q. 61, a. 4, in c. Thomas considère que ce premier degré de réalisation des quatre modes généraux de la vertu (discernement, rectitude, fermeté, modération) ne suffit pas pour parler, au sens strict, de prudence, de justice, de force et de tempérance. On ne le fera de façon propre que lorsque ces quatre modes généraux se réalisent en quatre matières déterminées. Alors ils constitueront quatre vertus spéciales, distinctes entre elles et de toutes les autres vertus.

[27] *Ia-IIae*, q. 61, a. 4, ad 1 : « Temperantia etiam dicitur fortis, ex redundantia fortitudinis in temperantiam : inquantum scilicet ille qui per forti-

tudinem habet animum firmum contra pericula mortis, quod est difficillimum, est habilior ut retineat animi firmitatem contra impetus delectationum ».

[28] Cf. *IIa-IIae*, q. 53, a. 5, ad 1 ; q. 54, a. 2, ad 3.

[29] Cf. *IIa-IIae*, q. 30, a. 2, in c. ; q. 159, a. 1, ad 2 : « ... misericordia et clementia conveniunt in hoc quod utraque refugit et abhorret miseriam alienam ; aliter tamen et aliter. Nam ad misericordiam pertinet miseriæ subvenire per beneficii collationem ; ad clementiam autem pertinet miseriam diminuere per subtractionem pœnarum ».

[30] Voir textes et interprétation dans notre article, *La « crainte honteuse » selon Thomas d'Aquin*, dans *RT*, 69 (1969) 589-623.

[31] Cf. *IIa-IIae*, q. 144, a. 1.

[32] *Ia-IIae*, q. 68, aa. 1-8.

[33] *Ibid.*, a. 3.

[34] *IIa-IIae*, q. 19.

[35] Cf. M.-M. LABOURDETTE, *Dons du Saint-Esprit, Saint Thomas et la théologie thomiste*, dans *DSp*, III (1957) 1610-1635.

[36] Ainsi la *quæstiuncula* sur la moralité de l'usage de la crainte servile (*in III Sent.*, d. 34, q. 2, a. 2, qla. 2) n'a pas d'article correspondant dans le traité de la *Somme*, mais seulement une courte réponse qui tranche la longue dispute scolastique sur le sujet (cf. *IIa-IIae*, q. 19, a. 4, ad 1). Par contre, celle-ci introduit un article nouveau sur la crainte, « initium sapientiæ » (a. 7) et un autre (a. 12) consacré à la « concordance » entre la béatitude de la pauvreté et le don de crainte : cette dernière question n'avait été traitée que de façon générale dans *in III Sent.*, d. 34, q. 1, a. 4.

[37] La perturbation de l'ordre suivi dans le *Commentaire* atteint les questions médianes sur les rapports entre les craintes servile, initiale et filiale entre elles : les articles 5 à 9 de *IIa-IIae*, q. 19, bouleversent l'organisation de *in III Sent.*, d. 34, q. 2, a. 2, qlae. 1 à 3, et a. 3, qlae. 1 et 2.

[38] Ainsi l'explication de *IIa-IIae*, q. 19, a. 6, relative aux rapports de la crainte servile à la charité, est plus complète et plus claire que celle de *in III Sent.*, d. 34, q. 2, a. 2, qla. 3 et a. 3, qla. 3. De même, l'explication de la notion de crainte en tant que « don » diffère, à la suite des modifications de la théorie générale sur les dons, entre *in III Sent.*, d. 34, q. 2, a. 1, qla. 3 et *IIa-IIae*, q. 19, a. 8. C'est d'ailleurs le changement le plus notable dans le contenu des deux traités et il ne nous intéresse pas directement.

[39] *IIa-IIae*, q. 19, a. 1.

[40] *IIa-IIae*, q. 19, a. 1, in c. : « ... timor duplex objectum habere potest, quorum unum est ipsum malum quod homo refugit, aliud autem est illud a quo malum provenire potest. Primo igitur modo Deus, qui est ipsa bonitas, objectum timoris esse non potest. Sed secundo modo potest esse objectum timoris : inquantum scilicet ab ipso, vel per comparationem ad ipsum nobis potest aliquod malum imminere ». Voir aussi, *IIIa*, q. 7, a. 6, ad 1.

[41] *IIa-IIae*, q. 19, aa. 1, 2, 5, 10.

[42] Cf. *IIa-IIae*, q. 7, a. 1, in c. : « ... inquantum per fidem hanc existimationem habemus de Deo, quod sit quoddam immensum et altissimum

bonum, a quo separari est pessimum et cui velle æquari est malum » ; ad 1 :
« ... supposita fide de aliquibus articulis fidei, puta de excellentia divina,
sequitur timor reverentiæ » ; *IIa-IIae*, q. 16, a. 1, ad 5 : « ... in illa etiam
auctoritate (i.e. Eccli 2, 8 : « qui timetis Dominum, credite illi ») præsuppo-
nitur fides per quam credimus Deus esse : unde præmittit, 'Qui timetis
Deum', quod non posset esse sine fide. Quod autem addit, 'credite illi', ad
quædam credibilia specialia referendum est, et præcipue ad illa quæ promittit
Deus sibi obedientibus » ; *de Malo*, q. 16, a. 5, obj. 5 : « ... spes oritus ex
fide, sicut et timor ». Il faut probablement interpréter de la même façon
cette crainte des Gentils « audita proditione Filii Dei », dans *in Joan* 19, 8,
lect. 2 (no. 2388) ; *IIIa*, q. 1, a. 2, ad 3 : « Deus, assumendo carnem, suam
majestatem non minuit : et per consequens non minuitur ratio reverentiæ
ad ipsum. Quæ augetur per augmentum cognitionis ipsius. Ex hoc autem
quod nobis appropinquare voluit per carnis assumptionem, magis nos ad se
cognoscendum attraxit ». Voir encore : *in Psalm* 34, 10, no. 7 (p. 272ab) et
le long développement *in ad Rom* 11, 20 21, lect. 3 (nn. 901-902) où Thomas
explique que la perte de la crainte chaste conduit à l'incrédulité.

[43] Le don de crainte appartient, avec celui de force et de piété, à l'appétit :
cf. *Ia-IIae*, q. 68, a. 1, in c. ; *IIa-IIae*, q. 8, a. 6, in c.

[44] *Ia-IIae*, q. 68, a. 4, ad 5 : « Ratio enim timendi Deum præcipue sumitur
ex consideratione excellentiæ divinæ ... » ; voir aussi, *IIa-IIae*, q. 7, a. 1,
ad 1 ; *in Joan* 4, 44, lect. 6 (no. 666).

[45] *IIIa*, q. 7, a. 6, in c. et ad 1.

[46] *De Spe*, q. un., a. 4, ad 2 ; *IIIa*, q. 1, a. 2, ad 3. Voir encore, *in Psalm*
46, no. 2 (p. 330a) ; 51, 8, no. 4 (p. 352b), où divers aspects du divin motivent
la crainte.

[47] Cf. *Ia-IIae*, q. 113, a. 4, ad 1 ; *IIa-IIae*, q. 19, a. 11, in c. et ad 2 ;
q. 81, a. 2, ad 1 ; a. 7, in c. ; q. 103, a. 1, obj. 1 ; q. 130, a. 2, ad 1 ; *in Psalm*
18, 10, no. 10 (p. 210ab) ; 24, 12, no. 10 (p. 232ab) ; *in ad Rom* 1, 1, lect. 1
(nn. 20-21) ; 8, 8 ,lect. 2 (no. 624).

[48] *IIa-IIae*, q. 7, a. 1, in c. : « ... timor filialis (...) quo quis refugit se
Deo comparare reverendo ipsum (...) cui velle æquari est malum » ; q. 19,
a. 10, ad 3 : « ... non præsumit se ei æquare, sed ei se subjicit » ; a. 12,
ad 2 : « ... directius opponitur subjectioni ad Deum, quam facit timor
filialis, indebita magnificatio hominis vel in seipso vel in aliis rebus ». Voir
aussi, *in Psalm* 18, 10, no. 10 (p. 210ab).

[49] Cf. *Ia-IIae*, q. 67, a. 4, ad 2 ; *IIa-IIae*, q. 19, a. 10, ad 3 ; « ... timor
filialis non importat separationem, sed magis subjectionem ad ipsum ... » ;
a. 11, in c. et ad 3 : « ... timor importat defectum naturalem creaturæ,
secundum quod in infinitum distat a Deo : quod etiam in patria remanebit.
Et ideo timor non evacuabitur totaliter » ; *de Spe*, q. un., a. 4, ad 2 :
« ... timor est respectu mali. Sub malo autem comprehendi potest omnis
defectus. Est autem triplex hominis defectus. Unus quidem pœnæ ; et hunc
quidem principaliter respicit timor servilis. Alius autem est defectus culpæ ;
et hunc defectum respicit timor filialis vel castus, secundum quod est in
statu viæ, in quo peccare possumus. Neutro autem modo erit timor in
patria, sublata potestate culpæ et pœnæ ; (...). Est autem tertius defectus
naturalis, secundum quem quælibet creatura in infinitum distat a Deo ; qui
defectus numquam tolletur, et hunc defectum respicit timor reverentialis
qui erit in patria : qui reverentiam exhibit suo creatori ex consideratione
majestatis ejus, in propriam desiliens parvitatem » ; *in Psalm* 18, 10, no. 10
(p. 210ab) : « ... filialis timor dupliciter permanet : scilicet in patria. Primo

quantum ad sui præmium (...). Vel manet secundum aliquem sui actus : non quod timet offendere, quia ibi non timet peccatum nec separationem, sed quantum ad revereniam, quia submittent se Deo, nec audebunt se ei æquare : Job 26, 11 (...) » ; *in Psalm* 34, 10, no. 7 (n. 272ab) : « Primo enim ponit reverentiam ad Deum (...). Omnis fortitudo hominis Deo comparata debilitas est : unde quanto quis plus habet de cognitione Dei, tanto minus esse suam virtutem intelligit. Sed qui posset credi quod illud quod infirmum est in nobis, sit Deo incomparabile, non tamen quod est firmum ; ostendit non sic esse, quia omne quantumcumque firmum est, Deo incomparabile est. Sunt enim illa infinita, ista vero finita... ». — Notons que l'argument de P. MARC, *Liber de Veritate Catholicæ Fidei...*, t. I, p. 160, note 1, basé sur la seule « découverte » de la triple distinction du « malum » de la crainte dans *De Spe*, q. un., a. 4, ad 2, pour reculer la date de composition de cette question disputée, nous paraît bien fragile. P. MARC écrit : « In Summa autem sententia S. Thomæ instabilis fuerat (cfr. II-II, q. 19, a. 11, c et 3m ; III, q. 7, a. 6, c et 1m), nondum inventa hac triplici distinctione secundum quam ipse defectus naturæ, qua creatura in infinitum distat a Deo, etiam largo sensu dicitur ». Qu'il y ait, dans la question disputée, une formulation extrêmement précise à ce sujet, nous ne saurions le nier. Qu'elle soit attribuable à une « découverte » de la triple distinction du « mal » de la crainte, nous paraît tout à fait invraisemblable, car il faudrait alors penser que le double « usus » de la crainte filiale, analysé dans les nombreux textes que l'on sait, ne reposait pas sur cette double structure de son objet. A notre avis, cette thèse n'a aucun fondement possible dans les textes de Thomas et l'unique argument de P. MARC pour reculer la composition du *de Spe* est réduit au hasard d'une formulation dont on retrouve ailleurs les éléments essentiels (cf., v.g., le « defectus naturæ » dans *IIa-IIae*, q. 19, a. 11, ad 3). C'est bien peu pour engager la chronologie !

[50] Cf. *Quodl.*, II ,a. 2 ; *in Joan*, 12, 27, lect. 5 (nn. 1650-1654) ; *IIa-IIae*, q. 19, a. 2, obj.-ad 2 ; *IIIa*, q. 13, a. 3, obj. 1 ; q. 15, a. 7 ; q. 18, a. 6, ad 3 ; q. 21, a. 4, ad 1 ; q. 46, a. 5, in c. ; *in Psalm* 21, a, no. 1 (p. 218b) ; 21, 15, no. 11 (p. 221b).

[51] Cf. *in Joan* 1, 14, lect. 7 (no. 168) ; 1, 35, lect. 15 (no. 283) ; *IIIa*, q. 5, aa. 3-4 ; q. 15, a. 8.

[52] *IIIa*, q. 7, a. 6, in c. : « ... in Christo fuit timor Dei, non quidem secundum quod respicit malum separationis a Deo per culpam ; nec secundum quod respicit malum punitionis pro culpa ; sed secundum quod respicit divinam eminentiam, prout scilicet anima Christi quodam affectu reverentiæ movebatur in Deum, a Spiritu Sancto acta. Unde Hebr 5, 7, dicitur quod in omnibus 'exauditus est pro suo reverentia'. Hunc enim affectum reverentiæ ad Deum Christus, secundum quod homo, præ ceteris habuit pleniorem. Et ideo ei attribuit Scriptura (Is 11, 3, cité dans le sed contra) plenitudinem timoris Domini ». Voir aussi les trois réponses aux objections.

[53] *IIa-IIae*, q. 19, a. 11, in c.

[54] Ch. A. BERNARD, *Théologie de l'espérance...*, p. 79.

[55] *IIa-IIae*, q. 19, a. 11, in c. : « ... propter naturalem liberi arbitrii flexibilitatem ».

[56] *Ibid.*

[57] Si l'on peut dire que la crainte de s'égaliser à Dieu comporte une certaine crainte de la séparation, c'est au sens très particulier où « separatio »

exprime précisément l'incommensurabilité de la créature à Dieu : cf. *IIa-IIae*, q. 19, a. 10, ad 3 : « Timor filialis non importat separationem, sed magis subjectionem ad ipsum. Separationem autem refugit a subjectione ipsius ; sed quodammodo separationem importat per hoc quod non præsumit se ei adæquare, sed ei se subjicit : quæ etiam separatio invenitur in caritate, inquantum diligit Deum supra se et supra omnia ».

[58] C. A. BERNARD, op. cit., p. 79. Voir aussi la formule de la p. 140 : « ... Sous ce très pur aspect formel, elle (i.e. l'espérance) trouve, comme le don de crainte, son exemplaire dans l'âme du Christ. Ni l'un ni l'autre n'acceptent de limite, car ils signifient purement et simplement la dépendance radicale de la créature par rapport à l'éminence du Créateur ».

[59] Nous n'acceptons donc pas la formule de A. GARDEIL, *Le Don de crainte et la béatitude de la pauvreté*, dans *VSp*, 33 (1932) 229 : « Qui avons-nous à craindre ? Pourquoi craignons-nous Dieu ? A cause d'une seule chose : parce que nous avons en nous, par notre volonté, notre liberté, le terrible pouvoir de nous séparer de lui. C'est donc moins Dieu que nous craignons, que notre volonté pécheresse ». Il ne suffit pas d'affirmer ensuite, sans autre explication, que, transfigurée, « l'âme ne conserve de la crainte qu'une transe d'amour, un frisson d'admiration » (p. 232), pour résoudre le problème que soulèvent justement les questions précédentes.

[60] *Ia-IIae*, q. 68, a. 2, sed contra.

[61] *IIa-IIae*, q. 19, a. 9, in c. : « ... dona Spiritus sancti sunt quædam habituales perfectiones potentiarum animæ quibus redduntur bene mobiles a Spiritu Sancto, sicut virtutibus moralibus potentiæ appetitivæ redduntur bene mobiles a ratione. Ad hoc autem quod aliquid sit bene mobile ab aliquo movente, primo requiritur ut sit ei subjectum, non repugnans : quia ex repugnantia mobilis ad movens impeditur motus. Hoc autem facit timor filialis vel castus, inquantum per ipsum Deum reveremur, et refugimus nos ipsi subducere. Et ideo timor filialis quasi primum locum tenet ascendendo inter dona Spiritus Sancti, ultimum autem descendendo, sicut Augustinus dicit, in libro de Serm. Dom. in Monte ».

[62] Cf. *Ia-IIae*, q. 68, a. 7, ad 1 : « ... timor maxime requiritur quasi primordium quoddam perfectionis donorum, quia 'initium sapientiæ timor Domini' : non propter hoc quod sit ceteris dignius. Prius enim est, secundum ordinem generationis, ut aliquis recedat a malo, quod fit per timorem, ut dicitur Prov 16, 6 ; quam quod operatur bonum quod fit per alia dona ». Pour la reprise de cette question de la crainte « initium sapientiæ », cf. : *Ia-IIae*, q. 68, a. 4, ad 5 ; a. 7, ad 1 ; *IIa-IIae*, q. 19, aa. 7-8 ; a. 12, ad 1 ; q. 45 a. 1, obj.-ad 3 ; a. 6, ad 3 ; *in Psalm* 33, 12-13, nn. 12-13 (p. 267ab) ; 34, 26, no. 17 (p. 276a) ; *in ad Rom* 1, 31, lect. 8 (no. 165) ; 8, 15, lect. 3 (no. 640) ; *in 1 ad Cor* 1, 19, lect. 3 (no. 49) ; 2, 3, lect. 1 (no. 76) ; *de duobus præcept.*, prol. (no. 1132). Dans le même sens voir aussi *in Psalm* 52, 2 (éd. Uccelli, p. 244a).

[63] Cf. *Ia-IIae*, q. 78, a. 3, in c. ; *IIa-IIae*, q. 14, aa. 1-2 ; *de Malo*, q. 3, a. 4, in c. et ad 4 ; q. 8, a. 2, obj. 5 ; *in Psalm* 35, 2, no. 1 (p. 277ab). Et puisque le don de crainte constitue un obstacle majeur au péché, Thomas continue à lui assigner un rôle secondaire dans le domaine de la tempérance, c'est-à-dire là où plus facilement — les attraits que combat la tempérance relèvent du domaine des « bona facilia », objets du concupiscible — l'homme est porté à se détourner de Dieu : cf. *Ia-IIae*, q. 68, a. 4, in c. et ad 2 et 4 ; *IIa-IIae*, q. 19, q. 12, ad 2 et 4 ; q. 141, a. 1, ad 2 et 3 ; *de Carit.*, q. un., a. 2, ad 17 ; *in ad Rom* 8, 8, lect. 2 (no. 624). Peut-être, aussi, *in Psalm* 52, 2 (éd. Uccelli, p. 244a) : « ... multi timorem et amorem et Dei cognitionem

a se abjiciant et corrumpantur in immunditiis ». Il attribue cependant moins d'importance à ce rattachement qu'il ne le fait dans son *Commentaire sur les Sentences*, où la division des dons se faisait selon la diversification du domaine des vertus : cf. *in III Sent.*, d. 34, q. 1. F. B. SULLIVAN, s'inspirant du commentaire de Jean de Saint-Thomas, propose des remarques intéressantes sur cette relation dans *Reverence Towards God* ..., pp. 196-206. Il ignore cependant plusieurs textes que nous citons ici.

[64] Cf. *Ia-IIae*, q. 113, a .4, ad 1 : « ... motus fidei non est perfectus nisi sit caritatis informatus : unde simul in justificatione impii cum motu fidei, est etiam motus caritatis. Movetur autem liberum arbitrium in Deum ad hoc quod ei se subjiciat : unde etiam concurrit actus timoris filialis et actus humilitatis » ; *IIa-IIae*, q. 7, a. 1, in c. : « Sed secundi timoris, scilicet filialis, est causa fides formata, quæ per caritatem facit hominem Deo inhærere et ei subjici » ; q. 19, a. 2, ad 3 ; a. 8, in c. : « ... (timor initialis) accipitur secundum quod competit statui incipientium, in quibus inchoatur quidem timor filialis per inchoationem caritatis. Et ideo timor initialis hoc modo se habet ad filialem, sicut caritas imperfecta ad perfectam » ; a. 9, ad 3 ; a. 10, in c. : « Timor autem filialis, sicut augetur augmentata caritate, ita caritate perfecta perficietur » ; *in Joan* 15, 15, lect. 3 (no. 2014) : « Est autem duplex timor (...) ; alius est timor filialis, qui ex caritate generatur, quia timet perdere quis quod amat » ; *in Psalm* 18, 10, no. 19 (p. 210ab) : « Omnis autem timor ex amore causatur » quia illud timet homo perdere quod amat. Et ideo sicut est duplex amor, ita est duplex timor : quidam est timor sanctus qui causatur ab amore sancto (...). Sanctus amor est quo amatur Deus : Rom. 5, 5 (...). Timor ista sanctus tria facit. Primo timet Deum offendere. Secundo recusat ab eo separari. Tertio se Deo per reverentiam subjicit : et iste timor dicitur castus et filialis » ; *in ad Rom* 8, 15, lect. 3 (no. 641) : « sicut autem timor initialis causatur ex caritate imperfecta : ita hic timor (i.e. sanctus) causatur ex caritate perfecta (...). Et ideo timor initialis et timor castus non distinguuntur contra amorem caritatis, qui est causa utriusque, sed solum timore pœnæ ». Voir encore, *IIIa*, q. 80, a. 10, ad 3 ; *de duobus præcept.*, prol. (no. 1148 et surtout nn. 1157-1158) ; *Pia preces* ad beatissimam Virginem Mariam : « Fac etiam, o Regina cœli, ut dulcissimi Filii tui timorem pariter, et amorem semper in corde meo habeam ».

[65] *IIa-IIae*, q. 19, a. 10, ad 3 : « ... timor filialis non importat separationem, sed magis subjectionem ad ipsum : separationem autem refugit a subjectione ipsius. Sed quodammodo separationem importat per hoc quod non præsumit se ei adæquare, sed ei se subjiciat. Quæ etiam separatio invenitur in caritate, inquantum diligit Deum supra se et super omnia. Unde amor caritatis augmentatus reverentiam timoris non minuit, sed auget ».

[66] Cf. *IIa-IIae*, q. 19, a. 10, in c. : « Timor autem filialis necesse est quod crescat crescente caritate, sicut effectus crescit crescente causa : quanto enim aliquis magis diligit aliquem, tanto magis timet eum offendere et ab eo separari » ; q. 54, a. 2, ad 4 : « ... timor Dei operatur ad vitationem cujuslibet peccati : quia ut dicitur Prov 15, 27, 'per timorem Domini declinat omnis a malo'. Et ideo timor facit negligentiam vitare » ; (voir aussi q. 54, a. 3, ad 1) ; *de Spe*, q. un., a. 3, in c. : « Quantum ad vitationem malorum, pertinet ad hunc amorem timor » ; *in Joan* 15, 15, lect. 3 (no. 2014) : « ... alius est timor filialis, qui ex caritate generatur, quia timet perdere quis quod amat ». Voir aussi les développements de *in ad Rom* 12, 10-12, lect. 2 (nn. 986-990) sur l'attention et la révérence dans l'amour : v.g., « ... homo proximum in reverentia debet habere, quod pertinet ad rationem honoris. Nullus enim potest vere diligere eum quem despicit (...). Deinde, cum dicit 'solli-

citudine etc.', ostendit qualiter se debeat habere dilectio caritatis ad Deum.
Et primo incipit ab ipsa rationis attentione, cum dicit 'sollicitudine' sitis
'non pigris', scilicit ad serviendum Deo...».

[67] Cf. supra, chapitre sixième, pp. 151-153.

[68] Ch. A. BERNARD, *Théologie de l'espérance...*, p. 134.

[69] *IIa-IIae*, q. 19, a. 9, ad 1 : «...timor filialis non contrariatur virtuti
spei. Non enim per timorem filialem timemus ne nobis deficiat quod spe-
ramus obtinere per auxilium divinum : sed timemus ab hoc auxilio nos
subtrahere. Et ideo timor filialis et spes sibi invicem cohærent et se invicem
perficiunt». Nous n'insistons pas davantage sur ce lien profond entre le don
de crainte et l'espérance : ce point a été bien étudié par Ch. A. BERNARD,
op. cit., pp. 79-82 et 133-141.

[70] *Ia-IIae*, q. 64, a. 4, ad 4 : « Timoris autem objectum est malum, quod
Deo nullo modo competit : unde non importat conjunctionem ad Deum
sed magis recessum ab aliquibus rebus propter reverentiam Dei. Et ideo non
est nomen virtutis theologicæ, sed doni, quod eminentius retrahit a malis
quam virtus moralis » (dans le même sens, *IIa-IIae*, q. 19, a. 9, ad 2 et 3) ;
de Virt. in com., q. un., a. 12, ad 11 : « Timor etiam respicit pro objecto
aliquid aliud quam Deum ; vel pœnas vel propriam parvitatem, ex cujus
consideratione homo Deo reverenter se subjicit ». C'est évidemment dans
ce sens qu'il faut interpréter l'expression forte de *IIa-IIae*, q. 141, a. 1, ad 3 :
« Donum autem timoris principaliter quidem respicit Deum, cujus offensam
vitat ».

[71] *IIa-IIae*, q. 81, a. 3, in c. : « Ad religionem autem pertinet exhibere
reverentiam uni Deo secundum suam rationem, inquantum scilicet primum
est principium creationis et gubernationis rerum » ; ad 2 : «...cultus respicit
Dei excellentiam cui reverentia debetur ; servitus autem respicit subjectionem hominis, qui ex sua conditione obligatur ad exhibendum reverentiam
Deo. Et ad hæc duo pertinent omnes actus qui religioni attribuuntur, quia
per omnes homo protestatur divinam excellentiam et subjectionem sui ad
Deum, vel exhibendo aliquid ei, vel iterum assumendo aliquod divinum ».
— Ch. A. BERNARD, *Théologie de l'espérance...*, p. 79, emploie la formule
« la révérence due à Dieu » pour désigner l'objet de la crainte filiale : en
fait, il nomme l'objet de la vertu de religion.

[72] Cf. *IIa-IIae*, q. 83, a. 3, in c. : « Per orationem autem homo Deo reverentiam exhibet, inquantum scilicet se ei subjicit, et profitetur orando se eo
indigere sicut auctore suorum bonorum » ; ad 3 : « Orando tradit homo
mentem suam Deo, quam ei per reverentiam subjicit et quodammodo præ-
sentat ». Les relations étroites entre la crainte, l'espérance et la prière permettent à Thomas de proposer une interprétation plutôt heureuse de la
« concordance » entre l'une ou l'autre demande du Pater et le don de crainte :
comparer *IIa-IIae*, q. 83, a. 9, in c. avec *Exp. Orat. dom.*, petitio 2 (no. 1051)
et petitio 3 (no. 1060) ; peut-être aussi, par la notion de « sanctitas », petitio
4 (no. 1071) et petitio 5 (nn. 1082-1084). A noter que, si le Symbole nous
enseigne la « scientia credendorum » et la loi la « scientia operandorum »,
la prière dominicale nous enseigne la « scientia desiderandorum » : cf. *de
duobus præcept.*, prol. (no. 1128). Le lien entre les demandes de la prière
et la crainte est énoncé de façon générale dans : *in Joan* 12, 27, lect. 5 (nn.
1656-1658» ; *IIIa*, q. 39, a. 6, ad 4 ; *in Psalm* 37, 22-23, no. 12 (p. 295b) ; 38,
11, lect. 7 (p. 298b) ; *Exp. Orat. dom.*, prol. (no. 1025).

[73] *IIa-IIae*, q. 81, a. 2, ad 1 : «...revereri Deum est actus doni timoris.
Ad religionem autem pertinet facere aliqua propter reverentiam divinam.

Unde non sequitur quod religio sit idem quod donum timoris, sed quod ordinetur ad ipsum sicut ad aliquid principalius ». Cf. aussi *IIa-IIae*, q. 22, a. 2, in c. ; q. 81, a. 1, ad 1 ; q. 84, a. 1, in c. ; q. 88, a. 1, in c. ; q. 89, a. 10, in c. ; *de sortibus*, c. 4 (no. 654) ; *in ad Rom* 12, 11, lect. 2 (no. 989). Voir aussi les rapprochements suggestifs entre la « sanctitas », au sens très spécial où elle correspond à la « religio » (cf. *IIa-IIae*, q. 81, a. 8, in c. et ad 1), et la crainte de Dieu, dans *in Psalm* 11, 2, no. 1 (p. 180a) ; 33, 10-11, nn. 10-11 (p. 266b). F. B. SULLIVAN, *Reverence Towards God...*, pp. 116-117, avait déjà signalé cette évolution.

⁷⁴ Cf. *IIa-IIae*, q. 92,a. 2, in c. : « Ordinatur enim primo divinus cultus ad reverentiam Deo exhibendam. Et secundum hoc prima species hujus generis (i.e. de la superstition) est idolatria, quæ divinam reverentiam indebite exhibet creaturæ ». Voir les exemples de la déviation de la crainte qui entraîne des perversions du sentiment religieux, dans *IIa-IIae*, q. 95, a. 5, in c. ; q. 96, a. 3, ad 1 ; *de sortibus*, c. 4 (no. 654) ; c. 5 (no. 667).

⁷⁵ F. B. SULLIVAN, *Reverence Towards God...*, pp. 119-120 : « Clearly then there are two distinct — but analogical — meanings of the word reverence. In its primary meaning reverence signifies a species of fear, a flight from undue familiarity with God, a retreat into one's own nothingness. « Revereri Deum est actus timoris », we have heard St. Thomas say so often. In its secondary and transferred meaning reverence signifies the homage offered to God by the virtue of religion. It is in this latter sense that St. Thomas repeatedly says, « ad religionem pertinet exhibere reverentiam Deo » (...). We have therefore an analogy of attribution between the two usages. Properly reverence signifies fear ; analogically it is attributed to the homage of which it is the « motivum et finis ».»

⁷⁶ Cf. *IIa-IIae*, q. 101, a. 2, in c. : « Per se quidem debetur eis (i.e. aux parents» id quod decet patrem inquantum est pater. Qui cum sit superior, quasi principium filii existens, debetur ei a filio reverentia et obsequium ». Comme Dieu est par excellence notre Père, le culte de Dieu est aussi par excellence une « pietas » : *IIa-IIae*, q. 101, q. 3, ad 2. Aussi Thomas écrit-il dans *Ia-IIae*, q. 68, a. 4, ad 2 : « ... nomen pietatis importat reverentiam quam habemus ad patrem et ad patriam. Et quia pater omnium Deus est, etiam cultus Dei pietas nominatur, ut Augustinus dicit, X de Civ. Dei. Et ideo convenienter donum quo aliquis propter reverentiam Dei bonum operatur ad omnes pietas nominatur ». Voir aussi le commentaire du précepte de la piété filiale (Matth 15, 3) avec la référence à Sir 3, 8-10, « Qui timet Dominum, honorat parentes, etc. », dans *de duobus præcept.*, 4 (nn. 1240-1241 et 1254). Ce même texte de l'Ecclésiastique était déjà associé à la « pietas » dans *in Matth* 4, 21, II (no. 377).

⁷⁷ Voir toute la question 102 de la *IIa-IIae*.

⁷⁸ *IIa-IIae*, q. 102, a. 1, ad 2 : « Verum quia per scientiam et virtutem, et omnia alia hujusmodi, aliquis idoneus redditur ad dignitatis statum, reverentia quæ propter quamcumque excellentiam aliquibus exhibetur, ad eandem virtutem pertinet ».

⁷⁹ Ainsi Thomas dit à propos de l'obéissance d'Abraham, dans *IIa-IIae*, q. 64, a. 6, ad 1 : « ... et ostenditur Deum timere, ejus mandatis obediens ». Voir encore, *Ia-IIae*, q. 105, a. 1, ad 2 ; *IIa-IIae*, q. 110, a. 3, ad 2 ; a. 4, ad 4. Au sujet de l'obéissance dans le cadre de la vertu de religion, voir M.-M. LABOURDETTE, *La vertu d'obéissance selon saint Thomas*, dans *RT*, 57 (1957) 626-656.

[80] *IIa-IIae*, q. 103, a. 1, obj. 1.

[81] *IIa-IIae*, q. 103, a. 3.

[82] *IIa-IIae*, q. 103, a. 3, ad 3 : « ... honor vel subjectio duliæ respicit absolute quandam hominis dignitatem. Licet enim secundum illam dignitatem sit homo ad imaginem vel similitudinem Dei, non tamen semper homo, quando reverentiam alteri exhibet, refert hoc actu in Deum » ; q. 125, a. 1, ad 2 : « ... timor ille ad quem inducit Apostolus (Eph. 6, 5 : « Servi, obedite dominus carnalibus, cum timore et tremore »), est conveniens rationi : ut scilicet servus timeat ne deficiat ab obsequiis quæ domino debet impendere ». Voir aussi, q. 84, a. 1, ad 1 ; q. 88, a. 1, in c. ; q. 102, a. 2, ad 3.

[83] *IIa-IIae*, q. 25, a. 1, ad 1 : « Alio modo timetur homo et amatur propter id quod est Dei in ipso : sicut cum sæcularis potestas timetur propter ministerium divinum quod habet ad vindictam malefactorum et amatur propter justitiam. Et talis timor hominis non distinguitur a timore Dei, sicut nec amor » ; q. 19, a. 3, ad 2 : « ... potestates sæculares, quando inferunt pœnas ad retrahendum a peccato, in hoc sunt Dei ministri : secundum illud Rom 13, 4 : 'Minister enim Dei est, vindex in ira mei qui male agit'. Et secundum hoc timere potestatem sæculorum non pertinet ad timorem mundanum, sed ad timorem servilem vel initialem ».

[84] *IIa-IIae*, q. 7, a. 1, ad 1 : « ... supposita fide de aliquibus articulis fidei, puta de excellentia divina, sequitur timor reverentiæ, ex quo sequitur ulterius ut homo intellectum suum Deo subjiciat ad credendum omnia quæ sunt promissa a Deo ».

[85] *IIa-IIae*, q. 81, a. 2, ad 1.

[86] *IIa-IIae*, q. 81, a. 2, ad 3.

[87] Cf. *supra*, p. 249.

[88] GREGOIRE LE GRAND, *Moralium libri*, I, c. 32, no. 44 (PL 75, 547B) ; II, c. 49, no. 77 (PL 75, 593A).

[89] Cf. *Ia-IIae*, q. 68, a. 2, obj. 3 ; a. 6, ad 2 ; a. 8, obj. 3 ; *IIa-IIae*, q. 19, a. 9, ad 4 ; q. 162, a. 3, sed contra ; *de Malo*, q. 8, a. 3, sed contra I.

[90] AUGUSTIN, *De sermone Domini in Monte*, I, c. 1, no. 3 (PL 34, 1231-1232) ; c. 4, no. 11 (PL 34, 1234).

[91] Cf. *IIa-IIae*, q. 19, a. 12, sed contra et in c. ; q. 121, a. 2, in c. ; q. 161, a. 2, ad 3. R. GUINDON, *Le « De Sermone Domini in monte » de S. Augustin dans l'œuvre de S. Thomas d'Aquin*, dans *RUO*, 28 (1958) 82*-83*, a montré comment cette œuvre d'Augustin est, dans la *Somme de théologie*, contrairement au *Commentaire sur les Sentences*, l'autorité principale pour le rattachement des béatitudes aux dons.

[92] S. P. BENEDICTI REGULA, c. 7 (PL 66, 371B-372c). Thomas n'a cependant pas eu ce texte devant les yeux, mais une copie incorrecte des « capitula » qui se trouvaient en tête du traité de BERNARD, *De Gradibus humilitatis et superbiæ*. Dans cette copie, les degrés, vraisemblablement par une bévue d'un copiste, étaient comptés à rebours : cf. D. C. LAMBOT, *L'ordre et le texte des degrés d'humilité dans S. Thomas*, dans *RBén*, 39 (1927) 129-135.

[93] Cf. *IIa-IIae*, q. 161, a. 6, introd. et in c. ; q. 162, a. 4, ad 4 (pour les citations de la Règle de Benoît).

[94] *IIa-IIae*, q. 161, a. 3, in c. : « Humilitas (...) proprie respicit reverentiam qua homo Deo subjicitur ».

[95] *IIa-IIae*, q. 161, a. 2, in c. : «...ad humilitatem proprie pertinet ut aliquis reprimat seipsum, ne feratur in ea quæ sunt supra se » ; ad 3 : « Sed in reprimendo præsumptionem spei, ratio præcipua sumitur ex reverentia divina, ex qua contingit ut homo non plus sibi attribuat quam sibi competat secundum gradum quem est a Deo sortitus. Unde humilitas præcipue videtur importare subjectionem hominis ad Deum ».

[96] La soumission à Dieu de la crainte filiale a évidemment un lien profond avec la défaite de l'orgueil qui est la négation de sa participation à Dieu. On retrouve ici l'idée augustinienne de l'orgueil comme « imitation perverse de Dieu » : cf. AUGUSTIN, *De Civitate Dei*, XIV, c. 13, no. 1 (PL 41, 420) : « Quid est autem superbia, nisi perversæ celsitudinis appetitus ? Perversa enim celsitudo est, deserto eo cui debet animus inhærere principio, sibi quodammodo fieri atque esse principium » ; *Confessionum Liber* II, c. 6, no. 14 (PL 32, 681) : « Perverse te imitantur omnes qui longe se a te faciunt et extollunt se adversum te ». Cf. A. SOLIGNAC, *La condition de l'homme pécheur d'après saint Augustin*, dans *NRT*, 78 (1956) 359-387, surtout pp. 370-376 ; M. HUFTIER, *Le tragique dans la condition chrétienne...*, pp. 40-46. Pour l'enseignement de Thomas relativement à l'orgueil, voir Th. DEMAN, *Orgueil*, dans *DTC*, XI (1931) 1415-1432.

[97] Cf. *IIa-IIae*, q. 19, a. 9, ad 4 : «...sicut dicitur Eccli 10, 14, 'initium superbiæ hominis apostatare a Deo', hoc est nolle subdi Deo : quod opponitur timori filiali, qui Deum reveretur. Et sic timor excludit principium superbiæ : propter quod datur contra superbiam. Nec tamen sequitur quod sit idem cum virtute humilitatis, sed quod sit principium ejus : dona enim Spiritus Sancti sunt principia virtutum intellectualim et moralium ut supra dictum est » ; q. 161, a. 2, ad 1 : «...extollentia oculorum est quoddam signum superbiæ, inquantum excludit reverentiam et timorem » ; a. 6, in c. : «...humilitas essentialiter in appetitu consistit, secundum quod aliquis refrenat impetum animi sui, ne inordinate tendat in magna : sed regulam habet in cognitione, ut scilicet aliquis non se existimet esse supra it quod est. Et utriusque principium et radix est reverentia quam qui habet ad Deum » ; *in Psalm* 33, 10, no. 10 (p. 266b) : «...non solum timor necessarius est ascendentibus ad sanctitatem, sed etiam manentibus in ea : Eccli 27, 4 : 'Si non in timore Domini tenueris te, instanter a te subvertetur domus tua'. Et etiam quia nihil ita evacuat sanctitatem sicut superbia ; et timor est retinaculum superbiæ : Eccli 7, 19 : 'Qui timet Deum nihil negligit' ; Eccli 40, 27 : 'Non est in timore Domini immoratio' ». Voir encore : *Ia-IIae*, q. 68, a. 2, ad 2 ; *IIa-IIae*, q. 126, a. 1, in c. ; q. 129, a. 3, ad 4 ; q. 130, a. 2, ad 1 ; *de Malo*, q. 8, a. 3, ad 4.

[98] *IIa-IIae*, q. 162, a. 4, ad 4 : « Ultimus autem gradus humilitatis est 'timor Dei'. Cui opponitur 'peccandi consuetudo' quæ implicat Dei contemptum ».

[99] *In ad Rom* 11, 20-23, lect. 3 (nn. 901-902) : ce long développement sur la crainte chaste contre l'incrédulité et la présomption se termine ainsi : « In hoc ergo consistit solutio Apostoli quod cum aliquis videt se gratiam adeptum alio cadente, non debet extolli contra cadentem, sed magis timere sibi ipsi, quia ipsa superbia est causa præcipitii et timor est causa custodiæ et cautelæ » ; *de Malo*, q. 8, a. 2, ad 5 : «...sicut superbia per diffusionem et effectum invenitur in omnibus peccatis, quamvis sit speciale peccatum, ita etiam timor eisdem modis potest inveniri in omnibus actibus virtutum, quamvis sit speciale donum ».

[100] *Exp. Orat. dom.*, petitio 5 (no. 1082).

[101] *Ia-IIae*, q. 69, a. 1.

[102] Cf. *Ia-IIae*, q. 69, a. 3, in c. : « Et ideo Dominus primo quidem ponit quasdam beatitudines quasi removentes impedimentum voluptuosæ beatitudinis. Consistit enim voluptuosa vita in duobus. Primo quidem, in affluentia exteriorum bonorum : sive sint divitiæ, sive sint honores. A quibus quidem retrahitur homo per virtutem sic ut moderate eis utatur : per donum autem excellentiori modo, ut scilicet homo totaliter ea contemnat. Unde prima beatitudo ponitur, 'Beati pauperes spiritu' : quod potest referri vel ad contemptum divitiarum ; vel ad contemptum honorum quod fit per humilitatem » ; a. 4, in c. : « Quærunt enim homines in rebus exterioribus, scilicet divitiis et honoribus, excellentiam quamdam et abundantiam ; quorum utrumque importat regnum cælorum, per quod homo consequitur excellentiam et abundantiam bonorum in Deo. Et ideo regnum cælorum Dominus pauperibus spiritu repromisit » ; *IIa-IIae*, q. 19, a. 12, in c. : « Timori proprie respondet paupertas spiritus. Cum enim ad timorem filialem pertineat reverentiam exhibere et ei subditum esse, id quod ex hujusmodi subjectione consequitur pertinet ad donum timoris. Ex hoc autem quod aliquis Deo se subjicit, desinit quærere in seipso vel in aliquo alio magnificari nisi in Deo : hoc enim repugnaret perfectæ subjectioni ad Deum. Etc. ». Voir encore : *IIa-IIae*, q. 19, a. 12, ad 3 ; q. 121, a. 2, in c. ; q. 161, a. 2, ad 3 ; q. 188, a. 7, ad 4 ; *in Psalm* 33, 11, no. 11 (p. 266b) ; *contra retrahentes*, c. 15 (no. 846) ; *in Joan* 6, 19-20, lect. 2 (no. 882) ; *Exp. Symb. apost.*, a. 2 (no. 1014).

[103] Cf., v.g., *Ia-IIae*, q. 103, a. 3 : « In illo ergo statu beatorum nihil erit figurale ad divinum cultum pertinens, sed solum 'gratiarum actio et vox laudis' (Is 51, 3) » ; *IIa-IIae*, q. 83, a. 11, sur la prière des bienheureux. Il y aurait ici une recherche intéressante à faire dans la théologie de Thomas.

[104] R. BELLEMARE, *Pour une théologie thomiste de la pauvreté*, dans *RUO*, 26 (1956) 137*-164*.

[105] IDEM, *ibid.*, p. 150*.

[106] Cf. *Ia-IIae*, q. 54, prol.

[107] Voir *L'influence de la crainte...*, dans *RT*, 72 (1972) 49-57.

[108] *Ia-IIae*, q. 72, a. 3, obj.-ad 3 et in c. Voir aussi dans une formulation moins technique, un passage de *Piæ preces*, *pro peccatorum remissione* : « Dereliqui te, Domine, de bonitate tua conqueror, amore malo accedente (sic), timore malo humiliante, quibus potius te amittere, quam amatis carere, potius te offendere, quam timenda non incurrere volui ».

[109] AUGUSTIN, *Enarratio in Psalmum* 79, 17, no. 13 (PL 36, 1027). Voir *supra*, chapitre deuxième, pp. 58-59, note 82.

[110] AUGUSTIN exploite d'ailleurs aussi ce thème de la triple concupiscence comme racine de tous les péchés : cf. *Confessionum Liber* III, c. 8, no. 16 (PL 32, 690) ; *Sermo 155* c. 1 (PL 38, 841).

[111] Cf. *Ia-IIae*, q. 77, a. 4, ad 3 ; *de Carit.*, q. un., a. 10, ad 4 : « ... omnis tentatio ex amore alicujus boni creati proveniat, vel ex timore mali contrarii, quod etiam ex amore derivatur ».

[112] Pour I Joan 2, 16 : cf. *Ia-IIae*, q. 77, a. 5, ad 4 ; pour les péchés capitaux : cf. *Ia-IIae*, q. 84, a. 4, ad 2 ; *de Malo*, q. 8, a. 1, ad 20.

[113] *IIa-IIae*, q. 19, a. 2, ad 5.

[114] *IIa-IIae*, q. 19, a. 3, ad 3 : « ... naturale est quod homo refugiat

proprii corporis detrimentum, vel etiam damna temporalium rerum : sed quod homo propter ista recedat a justitia, est contra rationem naturalem ».

[115] Cf. *IIa-IIae*, q. 19 a. 2, in c. et ad 4-5 ; *in ad Rom* 8, 15, lect. 3 (no. 638) : « Contingit autem quandoque quod malum quod quis refugit, est contrarium bono corporali vel temporali quod quis interdum inordinate amat et refugit pati ab aliquo homine temporali. Et hic est timor humanus vel mundanus ; et hic non est a Spiritu Sancto. Et hunc prohibet Dominus, Matth 10, 28 (...) ».

[116] Cf. *IIa-IIae*, q. 19, a. 2, in c. ; q. 25, a. 1, ad 1 ; *in Joan* 14, 27, lect. 8 (no. 1967) ; *in Psalm* 18, 10, no. 10 (p. 210ab) ; *in ad Rom* 8, 15, lect. 3 (nn. 638 et 640-641).

[117] Cf. *IIa-IIae*, q. 19, a. 2, in c. et ad 4 ; q. 19, a. 3, ad 2 ; *in Psalm* 18, 10, no. 10 (p. 210ab) ; *in ad Rom* 8, 15, lect. 3 (nn. 638-639).

[118] Cf. *IIa-IIae*, q. 19, a. 3, sed contra ; a. 9, in c. ; *in Joan* 9, 22, lect. 2 (no. 1334) ; *in Psalm* 18, 10, no. 10 (p. 210ab) ; *in ad Rom* 8, 15, lect. 3 (no. 638) ; *Exp. Orat. dom.*, petitio 6 (no. 1098). Il cite aussi Is 51, 12 : « Quis tu ut timeas ab homine mortali ? », dans *in Joan* 12 ,15, lect. 3 (no. 1627) ; 14, 27, lect. 8 (no. 1967).

[119] Il faut relier *Ia-IIae*, q. 77, a. 5, ad 4 à l'ad 3 de l'article précédent, qui associe explicitement cette « inordinata fuga mali » au « timor male humilians ».

[120] Cf. aussi, *in Psalm* 18, 10, no. 10 (p. 210ab) ; *in ad Rom* 8, 15, lect. 3 (no. 638).

[121] Cf. *Ia-IIae*, q. 77, a. 4, ad 3 ; *de Malo*, q. 8, a. 1, ad 20.

[122] Cette causalité est exprimée en termes généraux surtout dans *IIa-IIae*, q. 19, a. 3, ad 3. Des exemples sont donnés dans : *IIa-IIae*, q. 19, a. 9, in c. (la négation de Pierre) ; q. 24, a. 12, ad 2 (idem) ; q. 73, a. 4, in c. (la tolérance de la détraction) ; *IIIa*, q. 47 ,a. 3, ad 3 ; a. 6, ad 2 (l'action de Pilate).

[123] Cf. *IIa-IIae*, q. 19, a. 4 ; a. 6. Le « timor male humilians » est une notion proche du « non sanctus timor » de *in Psalm* 18, 10, no. 10 (p. 210ab) : « Non sanctus timor est qui causatur ab amore non sancto qui est mundi et suiipsius ; et de tali amore non sancto causatur duplex timor non sanctus. Servilis, qui est ex amore sui ; et mundanus, qui procedit ab amore mundi : Matth 10, 28 (...). De timore sancto : Psalm 33, 10 : 'Timete Deum, omnes sancti ejus, quoniam non est inopia timentibus eum'. Mundanus timor non permanet nisi cum mundo : servilis permanet in malis in perpetuum, sed sanctus permanet in bonis ».

[124] *IIa-IIae*, q. 125, prol. : « Deinde considerandum est de vitiis oppositis fortitudini. Et primo, de timore ; secundo, de intimiditate ; tertio, de audacia ».

[125] Thomas ajoute aussi Ezech 2, 6 : « Ne timeas eos, neque sermones eorum metuas ».

[126] A notre connaissance, ce texte n'est cité qu'une seule fois en dehors du contexte précis de la crainte humaine et mondaine, à savoir dans *IIa-IIae*, q. 126, a. 1, obj. 2. On pourrait encore alléguer *in Psalm* 52, 6 (éd. Uccelli, p. 245b), mais si l'expression même « timor mundanus » n'y est pas mentionnée, c'est bien d'elle qu'il s'agit : c'est la crainte vaine des pécheurs de perdre leurs biens à cause d'un amour désordonné des « temporalia ».

[127] *IIa-IIae*, q. 125, a. 2 : « Sed contra est quod Philosophus, in II et III Ethic., timiditatem ponit fortitudini oppositam ».

[128] *IIa-IIae*, q. 125, a. 2, in fine c.

[129] *IIa-IIae*, q. 125, a. 1, in fine c.

[130] *Ibid.*, a. 2, in c. En dehors de cet article, dans lequel quelques péchés engendrés par la crainte sont mentionnés, voir des exemples, dans : *Ia-IIae*, q. 45, a. 2, in c. et ad 2-3 ; *IIa-IIae*, q. 125, a. 2, ad 3 ; q. 129, a. 7, in c. : le désespoir ; dans *IIa-IIae*, q. 129, a. 4, ad 2 ; *in Joan* 9, 13, lect. 2 (no. 1321) ; *in IV Ethic.*, lect. 15 (no. 836) : le mensonge ; dans *IIa-IIae*, q. 133, a. 1, in c. ; a. 2, in c. et obj.-ad 3 : la pusillanimité ; dans *IIa-IIae*, q. 135, a. 1, ad 2 : la lésinerie ; dans *de Malo*, q. 13, a. 3, obj.-ad 3 : l'avarice ; dans *in Joan* 7, 24, lect. 2 (no. 1050) : l'acception des personnes.

[131] *IIa-IIae*, q. 125, a. 3, in c.

[132] *Ibid.*, a. 4, in c. Voir *L'influence de la crainte...*, dans *RT*, 72 (1972) 53-54.

[133] Cf. *IIa-IIae*, q. 125, a. 2. Voir aussi : *Ia-IIae*, q. 105, a. 3, ad 6 ; *IIa-IIae*, q. 21, a. 3, sed contra ; q. 126, a. 2, in c. ; q. 127, a. 2, obj.-ad 3 ; q. 142, a. 3 ; q. 144, a. 2, ad 4 ; q. 150, a. 1, obj. 1 ; *de Malo*, q. 2, a. 6, in c. ; *de Virt. in com.*, q. un., a. 13, obj.-ad 13 et 15 ; *in 1 Pol.*, lect. 10 (no. 161) ; *in II Ethic.*, lect. 1 (no. 253) ; lect. 2 (no. 262) ; lect. 3 (nn. 266 et 269) ; lect. 8 (no. 341) ; lect. 9 (no. 347) ; lect. 10 (nn. 361-362 et 365-367) ; lect. 11 (no. 371) ; *in III Ethic.*, lect. 14 (no. 535) ; lect. 15 (nn. 552-553 et 557) ; lect. 22 (nn. 635-637 et 640) ; *in V Ethic.*, lect. 3 (no .917) ; *in VII Ethic.*, lect. 5 (nn. 1379-1380 et 1382-1383) ; lect. 13 (no. 1499) ; *in Psalm* 43, 16, no. 8 (p. 317a) ; *Exp. Orat. dom.*, petitio 4 (no. 1070).

[134] Cf. *Ia-IIae*, q. 105, a. 3, ad 5 (la « timidité » : cf. ad 6) ; *IIa-IIae*, q. 33, a. 2, ad 3 (la crainte humaine) ; q. 118, a. 7, obj.-ad 3 (la crainte mondaine) ; *de corr. frat.*, q. un., a. 1, ad 10 (la crainte humaine) ; *in Joan* 7, 4, lect. 1 (no. 1016) (la timidité) ; 11, 48, lect. 7 (nn. 1570-1572) (la crainte mondaine) ; 16, 2, lect. 1 (no. 2071) (la timidité) ; *in Psalm* 28, 8, no. 7. (p. 246a) ,la timidité) ; 48, 17, no. 9 (p. 338ab) (la crainte mondaine et humaine) ; *Exp. Symb. apost.*, prol. (no. 863) (la crainte mondaine) ; *in ad Rom* 8, 38, lect. 7 (no. 729) (la crainte humaine et mondaine) ; *in 1 ad Cor* 4, 3, lect. 1 (no. 191) (la crainte humaine et mondaine) ; *IIIa*, q. 36, a. 2, ad 3 (la crainte humaine et mondaine).

[135] Cf., v.g., *IIa-IIae*, q. 4, a. 7, in fine c. : « ... sicut fortitudo removet inordinatum timorem impedientem fidem ... ».

[136] *IIa-IIae*, q. 55, a. 6, in c.

[137] *IIa-IIae*, q. 117, a. 4, ad 1 ; *in Joan* 13, 29, lect. 5 (no. 1820).

[138] *IIa-IIae*, q. 189, a. 7, ad 2 ; *Quodl.*, III, a. 12, ad 5.

[139] *IIa-IIae*, q. 189, a. 10, ad 3.

[140] *De sortibus*, c. 5 (no. 667).

[141] *Ia-IIae*, q. 45, a. 1, ad 1. Voir le parallèle dans *IIa-IIae*, q. 125, a. 1, ad 1. Dans *IIa-IIae*, q. 127, a. 1, ad 3, Thomas remarque que les noms des passions qui ont le mal pour objet sont souvent utilisés pour signifier aussi les vices : ainsi la haine, la crainte, la colère, l'audace.

CHAPITRE DIXIÈME

DE LA LOI ET DE LA CRAINTE

Dans les dix-neuf questions dont est composé le traité de la loi dans la *Prima Secundæ* [1], les matériaux sur la crainte sont répartis de la façon suivante : quelques textes, importants de par leur valeur de principe, s'inscrivent dans les questions générales *de lege* ; un nombre déjà plus imposant concerne la loi humaine ; la grande majorité intéresse la loi « historique » divine. Par contre, aucun passage ne mentionne la crainte dans les six articles de la question 94e consacrée à la « loi naturelle » et une seule réponse — relative, d'ailleurs, à la loi de l'Esprit-Saint dans le cœur des fils de Dieu — mentionne la crainte dans les six articles de la question 93e sur la « loi éternelle » [2].

Dans ce chapitre nous examinerons ce qui, en somme, prépare et même appelle l'étude de la pédagogie divine de la crainte, à savoir le traitement de la crainte aux plans de la loi en général et de la loi humaine.

1. La place faite à la crainte dans les considérations « de lege »

« *Ia-IIae* », q. 90 : *pour une théologie de la loi*

Le traité de la loi dans la *Somme de théologie* est une théologie et non point une philosophie de la loi [3]. Il représente même un des plus importants liens d'unité évangélique de la « morale » enseignée par l'Aquinate. Des travaux comme ceux de Th. Deman [4], de

R. Guindon [5], de G. Lafont [6] et, dans la ligne de ces orientations, les études sur la théologie de la loi de A. Valsecchi [7] et de U. Kühn [8], ont remis en lumière les perspectives théologiques du traité thomiste de la loi [9].

On n'a cependant pas encore explicitement souligné que cette théologie de la loi commence dès la première question du traité, la 90e « *de essentia legis* »..

Cette question fait immédiatement suite au traité du péché dont la puissance s'oppose à celle de la vertu. Avec la question 90e, Thomas entreprend l'étude de la dimension historique de l'agir chrétien afin de compléter son examen de la condition humaine. Cette question opère le passage des « principes intérieurs » de l'agir au principe qui nous meut « extérieurement » au bien, à savoir Dieu qui nous instruit par la loi et nous aide par la grâce [10]. La loi expose l'enseignement divin sur la vie vertueuse et conduit sur le chemin de la béatitude. Par elle la créature raisonnable apprend son véritable métier : « devenir soi-même » [11].

Ce passage du traité du péché à celui de la théologie de la loi n'est pas inscrit dans la seule structure de la *Prima Secundæ* et dans les prologues qui en scandent les grandes étapes, mais il est indiqué dans les textes qui, selon une technique constamment utilisée par Thomas, assurent la transition. La toute dernière réponse du traité du péché détermine le temps de la conversion « *ex Dei præcepto affirmativo* » [12] : l'étude des principes intérieurs mauvais qui grèvent la condition humaine depuis l'enfance se termine donc par l'annonce de la loi de Dieu, principe de conversion. Entre ce prélude d'une théologie de la loi et son exécution, il n'y a pas un temps mort durant lequel Thomas, pour quelque raison inexplicable, aurait écrit une monographie sur la philosophie du droit. La toute première objection de la question 90e rattache le nouveau traité à celui qui vient de se terminer :

> Dicit enim Apostolus, ad Rom 7, 23 : «Video aliam legem in membris meis, etc. ». Sed nihil quod est rationis, est in membris : etc. [13].

Thomas explique, dans sa réponse, en quel sens on peut appeler loi, la « *lex membrorum* », c'est-à-dire l'inclination à la convoitise [14]. Si cette entrée en matière n'est pas théologique, on doit penser que c'est alors une façon fort incongrue, pour un « philosophe », d'objecter « *quod lex non sit aliquid rationis* » !

La place du traité de la loi dans la structure de la *Prima Secundæ*, les précisions de son prologue et les textes de transition indiquent clairement, qu'avec la question 90ᵉ, nous n'ouvrons pas un manuel de philosophie du droit, mais que nous poursuivons l'étude théologique de la démarche morale. La présence du « *de essentia legis* » de *Ia-IIae*, q. 90, à l'intérieur du traité théologique de la loi, n'est pas plus étonnante que le « *Videtur quod Damascenus inconvenienter timorem definiat, dicens 'Timorem est desiderium secundum systolem movens* » à l'intérieur d'un traité sur le don de crainte [15] ! Ni l'un ni l'autre ne constitue une « mise entre parenthèses » du propos théologique. Thomas, ici encore, analyse des structures en fonction des problèmes que la tradition théologique avait généralement abordés d'emblée, sans être munie, bien souvent, de notions suffisamment élaborées pour répondre adéquatement aux questions soulevées. Pour la première fois dans son œuvre et, semble-t-il, dans la scolastique [16], Thomas s'interroge sur la notion de loi en général [17]. La question 90ᵉ n'est pas une sorte de bloc erratique dans la théologie de la loi : elle appartient au plus original de la technique théologique de Thomas [18].

Si, comme nous le prétendons, *Ia-IIae*, q. 90, est écrite pour une théologie de la loi, il est important d'examiner attentivement la place ménagée à la crainte dans les considérations générales *de lege*.

Les éléments constitutifs de la loi

Ce n'est évidemment pas dans la question 90ᵉ, où sont étudiés les éléments constitutifs de la loi, qu'il fallait s'attendre à trouver de nombreuses données sur la crainte qui, en tout état de cause, n'est pas attribuable à la loi elle-même, sinon par métonymie, mais à ceux dont elle prétend régir les actes humains. De fait la première question du traité ne mentionne pas une seule fois la crainte. Par contre la question 92ᵉ, sur les effets de la loi, en parle dans ses deux articles. On ne saurait pourtant se désintéresser des analyses de la question 90ᵉ parce qu'elles sont souvent décisives pour la détermination ultérieure du rôle de la crainte de la loi et du législateur. Un examen rapide des principaux éléments de la loi est, à ce point de vue, instructif.

a) La loi est œuvre de raison

Dans les deux courants de pensée qui, au cours des âges, ont imputé la loi soit plutôt à la volonté, soit plutôt à la raison, Thomas s'inscrit clairement dans cette deuxième tradition [19] : la loi, règle et mesure des actes humains, appartient nécessairement, dans une perspective thomiste, à la raison puisque, ordonnant à la fin, elle est principe premier de l'agir [20].

Ce premier élément est décisif pour l'approfondissement du thème de la crainte. D'abord, il permet d'établir un parallèle entre la vertu de l'irascible et du concupiscible par leur soumission à la raison et la vertu du sujet de la loi par sa soumission à l' « ordination » du législateur [21] : l'analogie entre l'analyse de la relation crainte - loi et celle de la relation crainte - raison est, par là même, fondée. Ensuite, il fournit un schème intéressant pour analyser l'image, importance pour une théologie de la loi ancienne, qui exprime le rapport entre l'enfant et le pédagogue. La raison n'est-elle pas à l'appétit sensible ce que la loi est au citoyen et ce que le pédagogue est à l'enfant [22] ?

Ce n'est pas le moment d'étudier les conséquences de ces vues. Leur principe, néanmoins, est déjà énoncé dans cet article fondamental sur la loi comme une « *ordinatio rationis* ».

b) La loi poursuit le bien commun

Il n'est pas moins essentiel à la loi, d'après Thomas, d'orienter au bien commun. La loi est une « *ordinatio ad bonum commune* » [23]. L'analyse plus fouillée de cette composante de la loi, dans la *Ia-IIae*, permet de découvrir et de préciser la fonction nécessairement communautaire de la législation pénale, source possible de crainte. Si, dans certains cas — celui de la peine capitale dans la législation humaine ou celui de la peine éternelle dans la législation divine — , la punition n'est pas « médicinale » pour celui qui la subit, elle l'est toujours, par le biais de la crainte, pour les autres membres de la communauté [24]. Cette constatation, plus importante finalement pour une théologie que pour une philosophie de la loi [25], n'est compréhensible que si la loi ordonne, aussi bien par manière de sauvegarde que par manière de promotion, à la félicité commune.

c) Le législateur

Étroitement liée à cette notion de bien commun comme fin de la loi, celle du législateur fait l'objet du troisième article de la question 90 : seul le peuple tout entier, ou le législateur qui le représente, peut en effet ordonner à la fin commune [26]. Seul habilité à légiférer, il peut seul aussi contraindre les « citoyens » à se plier aux exigences de la législation par la menace des peines [27]. La loi a non seulement un pouvoir directif sur les actes humains, mais également un pouvoir de contrainte [28] : par cet élément constitutif, la loi se distingue de la monition paternelle [29].

Cette distinction entre le pouvoir « législatif » et le pouvoir « paternel » n'est certainement pas simple curiosité juridique pour Thomas. Elle sera souvent reprise par la suite, car elle est une des idées maîtresses pour la notion de pédagogie divine.

d) La promulgation

Avant d'examiner les conséquences de cette contrainte de la loi au plan de son efficacité, comme Thomas le fait dans la question 92e, soulignons un dernier élément de la notion de loi : la promulgation [30]. L'importance accordée à cet élément dans Ia-IIae, q. 90, valorise les considérations de in III Sent., d. 40, a. 4, qla. 2, où le thème lex timoris - lex amoris était interprété avec une insistance marquée sur les « modalités » anciennes et nouvelles de la promulgation. Par leurs valeurs de signification, ces modalités de l' « événement » contribuaient à dégager le sens de la loi.

L'efficacité par la crainte

Les deux articles de la question 92[a] « de effectibus legis » soulèvent explicitement la question du rôle de la crainte au plan de la loi en général. À la lumière des remarques précédentes, ces annotations, en dépit de leur sobriété, précisent mieux que les analyses engagées dans les particularités des situations concrètes, l'efficacité qu'une législation peut espérer en suscitant la crainte pénale.

Étant présupposé que seule est « loi » ce qui est œuvre de raison et ce qui ordonne à la vraie félicité de l'homme [31], la soumission du

subordonné à l'« ordination de la raison » du législateur corres-
pondra à l'agir vertueux [32]. Thomas maintient donc sa position
initiale du *Commentaire sur les Sentences* : la loi a pour effet de
rendre les hommes bons. L'étude plus systématique de la notion
de loi facilite cependant ici les précisions [33].

On doit d'abord éviter une pétition de principe : la loi, en effet,
rend les hommes vertueux pour autant que ceux-ci lui obéissent.
Or pour obéir à la loi, ne faut-il pas déjà être vertueux ? Thomas,
qui a prévu l'objection, répond qu'on n'obéit pas toujours à la loi
en raison de la bonté parfaite de la vertu : on peut le faire par
crainte de la peine ou encore sous la seule dictée de la raison,
principe, elle aussi, de vertu [34]. Malgré ces remarques préliminaires, on doit pourtant constater que ceux qui obéissent à la loi par
la seule crainte servile accomplissent sans doute une œuvre bonne,
mais ils n'en sont pourtant pas meilleurs puisqu'ils sont contraints.
Aussi le grand nombre de ceux qui obéissent « *timore pœnæ* »
n'est-il pas conduit à la vertu par la loi. Cette objection, soulevée
par Thomas à propos de l'acte propre à la loi qu'est le « punir » [35],
est de taille : ou l'on maintient la fin vertueuse de la loi et l'on
estime le moyen de la crainte par la menace pénale impropre à son
obtention, ou, alors, on justifie la législation pénale et son efficacité par la crainte et l'on renonce à penser que la loi vise la formation vertueuse des hommes.

Il faut bien remarquer que, pour résoudre le dilemme, Thomas
sort de l'intemporalité du débat : en évitant ce qui est interdit et en
accomplissant par crainte ce qui est prescrit, l'homme s'accoutume
graduellement au bien et il y prend goût. Ainsi la loi, même en
punissant, conduit les hommes à la vertu [36]. La crainte de la peine
est ce par quoi la loi achemine à l'obéissance [37]. Aussi l'acte de
punir, qui donne par la crainte son efficacité à une législation, est-il
plus caractéristique du pouvoir que l'acte de récompenser que
tout éducateur peut utiliser sans autorité spéciale [38].

On ignore facilement cette question 92[a] ou alors on l'explique
en insistant sur l'érudition juridique de Thomas, sur l'effort consenti à l'intégration des textes du droit, etc. Tout cela est certes
fort légitime, mais il y a beaucoup plus et surtout quelque chose de
beaucoup plus décisif.

Dans une question qui précède l'étude des diverses sortes de
loi, donc dans une question qui s'attache encore à examiner la

structure même de la loi, Thomas introduit, « *ex parte effectus* », une dimension historique capitale : la loi est un moyen qui opère effectivement dans un déroulement temporel. Elle achemine progressivement au but dont elle est moyen. Elle est une « voie » à la vertu. De plus, l'Aquinate a encore le souci, comme dans la question 90 [39], de bien distinguer cette « *via ad virtutem* » des autres « voies » qui lui ressemblent : toutes peuvent avertir, inciter au bien, récompenser, etc., mais seule la loi qui émane de celui qui détient un pouvoir coercitif peut sauvegarder et promouvoir le bien commun en suscitant, par la menace des grands châtiments, la crainte.

Cette même notion de coercition, liée à l'efficacité historique de la loi, doit aussi nous garder de penser à la loi — à partir de l'assertion générale du prologue : « *Deus, qui et nos instruit per legem, et juvat per gratiam* » [40] — en termes exclusifs d'« enseignement » [41]. La loi est un enseignement EFFICACE pour la conduite humaine, c'est-à-dire un enseignement doublé du pouvoir d'amener ceux auxquels il s'adresse à conformer leur agir à sa règle et mesure. Dans ses élaborations générales sur la loi, Thomas attribue une bonne part de cette efficacité à la menace pénale qui provoque la crainte.

L'Aquinate s'est donc préoccupé, dès les premières questions du traité théologique de la loi, de préciser la place et la nature du rôle de la crainte dans le propos vertueux de toute législation telle qu'il la conçoit. On a vite fait de penser que ce sont là des précautions qui préparent l'étude de la loi humaine. Elles le font, comme nous le verrons immédiatement. Mais ces précisions — comme du reste les déterminations ultérieures fournies par l'application au plan de la loi humaine — sont essentielles à une théologie soucieuse d'« intelliger » la geste historique de Dieu.

2. Le vocabulaire « pédagogique » de la loi humaine

Contrairement à la grande majorité des traités sur la loi humaine — et même de ceux qui s'affichent « thomistes » — celui de Thomas s'ouvre par une considération sur l'état concret de l'humanité pécheresse [42] et non sur l'indétermination de la loi naturelle appelant une détermination positive [43]. Le fait est d'importance car il pose d'emblée la question théologique majeure du traité, celle de l'utilité et des limites de la loi humaine par rapport à la vie vertueuse et donc à la béatitude. Or dans cette perspective, l'analyse de l'utilité et des limites de la coercition, et, par conséquent, de la pédagogie de crainte, sera décisive.

La technique usuelle des transitions est instructive : elle situe, ici encore, l'enjeu du traité. Si le but de toute loi est de rendre les hommes vertueux et si les hommes sont mieux conduits à faire volontairement le bien par les monitions que par la contrainte des lois, celles-ci ne sont-elles donc pas inutiles [44] ? Thomas ne nie pas que la loi humaine, comme toute loi, poursuit en dernière analyse l'éducation de l'homme en vue de l'acte volontaire, pas plus qu'il ne conteste le principe de la supériorité de la démarche volontaire sur la contrainte pour l'acquisition de la vertu. Mais il CONSTATE, d'une part, la multitude des « imparfaits » qu'il faut éduquer graduellement à la vertu [45], et d'autre part, l'incapacité des pécheurs à développer par eux-mêmes, sans la contrainte, leur aptitude à la vie vertueuse [46].

La singularité de ce « *de lege humana* » est manifeste dès le premier article. D'abord, c'est une théologie de la loi humaine puisqu'elle présuppose le fait révélé du péché. Ensuite, cette théologie ne se cantonne pas dans des énoncés théoriques, mais elle définit la méthode humaine de légiférer en fonction du déroulement progressif d'une vie humaine orientée vers la béatitude. La théologie de la loi humaine est une théologie de la « voie ». Enfin, dans ce contexte qu'il ne faut pas perdre de vue, la distinction est reprise, au plan de la loi humaine, entre la « monitio », moyen éducatif de la « *disciplina paterna* », et la « *coactio metu pœnæ* », instrument de la « *disciplina legum* » [47]. L'énoncé de cette distinction dans le traité de la loi en général ne manifestait cependant pas les nuances importantes qu'impose son utilisation dans la question qui nous occupe. Aussi faut-il maintenant l'examiner de plus près.

Le premier problème soulevé par *Ia-IIae*, q. 95, a. 1, est un problème de lexicographie. Dans le cas de la « *disciplina paterna* », comme dans celui de la « *disciplina legum* », que signifie *disciplina* ?

Nous devons d'abord constater que dans les deux cas, nous avons affaire à une disciplina qui se veut éducatrice de la vertu proprement dite [48]. Or si l'habitus de science se perfectionne en lui-même par l'acquisition de nouvelles connaissances, c'est-à-dire en étendant le champ de ses objets, la vertu proprement dite se développe uniquement — il ne s'agit, bien sûr, que du mécanisme naturel — par l'exercice pleinement humain de l'habitus qui, graduellement, en affermit l'enracinement dans le sujet [49]. Dans ces conditions, la *disciplina* de la monition paternelle ou de la loi ne peut être interprétée comme une simple propédeutique « doctrinale » selon le sens le plus élémentaire et le plus général (« *disciplina* » de « *discere* ») à partir duquel le moyen âge développera toute une série de thèmes : certitude, démonstrabilité, type déterminé d'abstraction, etc. [50]. Elle doit être comprise comme un « *exercitium* » de la part du sujet [51] ou comme une « éducation morale » [52] comportant un inévitable élément d'entraînement, voire même de « dressage » [53] de la part du pédagogue [54], ou, en un sens plus large, du père ou du législateur [55]. L' « éducateur », dans tous les cas, fait figure de principe extérieur [56] : son influence ne saurait nécessiter l'agir volontaire — seule la raison même de bien nécessite [57] — mais elle pèsera sur l'appétit du sujet, l'incitant à choisir les moyens susceptibles d'obtenir la fin désirée [58].

La « *disciplina paterna* » et la « *disciplina legum* » de *Ia-IIae*, q. 95, a. 1, ne sauraient pourtant être identifiées. S'il est admis, comme nous l'avons vu dans les nombreux textes déjà cités, que la « *disciplina puerorum* » utilisera même la contrainte, celle-ci relève, en tout état de cause, d'une certaine « *potestas admonendi* » [59] qui n'atteint pas l'ampleur de la « *potestas coercendi* » de la loi. Pour Thomas, c'est finalement le pouvoir coercitif qui oblige à distinguer sa méthode éducative de celle du « père » [60] : la loi, de par l'éminence du bien qu'elle promeut et défend, peut contraindre les « pécheurs » en suscitant chez eux la crainte d'être atteints dans les biens auxquels ils tiennent le plus : la vie, l'intégrité corporelle, la liberté de mouvement et les biens extérieurs [61]. L'autorité parentale n'a aucun titre pour justifier un tel pouvoir de « vengeance » punitive.

Mais si la *disciplina* du père ne se réduit pas à un pur enseignement — les monitions paternelles sont des « *sermones persuasivi* » — elle atteint une efficacité réelle, non pas surtout par voie d'intimidation, mais par voie d'amour : les liens affectifs qui unissent les enfants aux parents sont autres que ceux qui, ordinairement, lient les citoyens au législateur et ils sont généralement de plus puissants leviers [62] que ceux auxquels peut recourir la loi [63]. La « *via amoris* » de l'éducation paternelle n'est cependant efficace que pour les enfants qui « ne sont pas totalement mal disposés » [64].

Dans ces nombreux textes relatifs à la « *disciplina paterna* » destinée aux enfants et à la « disciplina legum » réservée aux citoyens, on constate parfois un passage des « enfants » aux « commençants » et aux « pécheurs ». D'après Thomas l'« enfant » est en effet cet être imparfait qui doit être conduit par la « raison » d'un autre, qui doit être « disposé » à sa fin par l'obéissance au « pédagogue » [65]. Comme la « *ratio* » éduque la sensibilité, ainsi fait le pédagogue pour l'enfant [66]. La loi étant pour le citoyen l'« *ordinatio rationis ad bonum commune* », on comprend pourquoi l'Aquinate assimile aux enfants les citoyens non vertueux, ceux auxquels il faut appliquer une « *disciplina puerorum* » adaptée à leur conduite [67], et notamment les « pécheurs » pour lesquels on utilise la contrainte [68]. Pour que la loi s'impose au citoyen sans recours à la menace pénale, il faut que celui-ci soit animé par l'amour du « bien honnête » qui le préserve de mal agir. Alors on peut faire appel — comme pour l'« enfant bien né » — non pas à la crainte des peines, mais à ce bon sentiment de honte qui fuit la turpitude [69]. Ainsi s'explique le paradoxe de *Ia-IIae*, q. 95, a. 1, où ce sont surtout les jeunes gens qui, étant généralement plus enclins aux convoitises, doivent être disciplinés par la crainte des peines — donc par la méthode propre à la loi — , alors que les « vertueux », les « adultes », ne sont plus éduqués que par la mesure rationnelle de l'agir communautaire, donc par une « *disciplina* » qui s'apparente à la monition paternelle.

Outre qu'elle facilite l'interprétation de *Ia-IIae*, q. 95, a. 1, cette analyse du vocabulaire « pédagogique » de la loi humaine confirme l'importance du point de départ du traité de la loi humaine, à savoir la situation concrète de l'homme pécheur. Elle permet aussi de discerner les formes diverses de crainte (et d'amour) auxquelles le législateur fera appel pour conduire le citoyen à la vertu. Elle laisse entrevoir, enfin, son utilisation au plan de la loi divine [70].

3. L'application humaine de l'intimidation légale

À la différence du *Commentaire sur les Sentences*, la *Somme de théologie* justifie la crainte des peines suscitée par la loi humaine en faisant appel à l'ordination de celle-ci au bien commun et donc à sa fin propre, la « *temporalis tranquillitas civitatis* » [71] : empêchés de donner libre cours à leurs desseins pervers par crainte du châtiment, les malfaiteurs ne font pas obstacle à la « *quietam vitam* » à laquelle les autres citoyens aspirent légitimement[72]. L'analyse fondamentale de *Ia-IIae*, q. 90, a. 2, a donc porté des fruits. Pourtant la bonté de la méthode d'intimidation n'est pas expliquée exclusivement en fonction de son utilité pour les autres membres de la société. Le texte de *Ia-IIae*, q. 95, a. 1 — reprenant au compte de la loi humaine l'enseignement général de *Ia-IIae*, q. 92, a. 2, ad 4 — affirme que la crainte des peines humaines peut éventuellement pousser les « méchants » à accomplir volontairement ce qu'ils ne font d'abord que par contrainte et les conduire ainsi à la vertu[73]. Utilisée par la loi humaine, la crainte peut donc éduquer à la vertu civique, celle qui est proportionnée à cette fin ultime en son ordre qu'est le bien commun temporel.

En plus des considérations générales que l'on pourrait proposer ici sur la subordination de ce bien commun de la cité terrestre à celui de la cité céleste et donc sur le sens ultime de cette pédagogie[74], des données plus immédiates montrent que Thomas accorde une dimension divine à cette éducation des sujets de la loi humaine par la crainte. Lorsque les pouvoirs séculiers infligent des peines pour que l'homme renonce au péché, ils sont en cela même les ministres de Dieu : « *Minister enim Dei est, vindex in iram ei qui male agit* » (Rom 13, 4)[75]. Comme l'agir contraint peut, par une éducation au bien, évoluer progressivement vers un agir pleinement volontaire, ansi ce qui au début pouvait être pure crainte mondaine peut aussi, sous l'influence de la loi, céder la place à une crainte servile et, au-delà, avec l'avènement de la charité, à une forme supérieure de la crainte qui ne vise plus la peine mais la coulpe. À ce stade, l'œuvre pédagogique de la peine est terminée et nous n'avons plus affaire à des sujets-enfants, mais à des « parfaits » qui ont acquis leur autonomie. La loi n'est plus alors pour eux un instrument d'éducation par la crainte, mais un moyen d'éduquer cette crainte nécessaire à l'équilibre et à l'épanouissement de la vie vertueuse.

Tant que l'on ne dépasse pas ce niveau de la loi humaine, cette pédagogie par la crainte des peines connaît des limites étroites. D'abord, le législateur humain est lui-même susceptible de craintes désordonnées, surtout lorsqu'il est porté à identifier la béatitude à l'exercice du pouvoir[76]. On doit alors le redouter parce qu'il devient facilement injuste et cruel [77]. La menace des châtiments liée au gouvernement des hommes est donc chargée, concrètement, de quiproquos : sa portée pédagogique en est proportionnellement diminuée.

Mise à part cette restriction importante, mais accidentelle à la nature de l'art de gouverner, la méthode contraignante de la loi humaine atteint des limites beaucoup plus infranchissables du côté de son objet même. Pour promouvoir et sauvegarder les intérêts de la majorité des citoyens, elle ne s'exerce qu'en fonction des fautes extérieures. Le législateur ne doit même sanctionner que les délits dont la majorité des sujets peuvent s'abstenir et dont la prohibition s'avère nécessaire pour la sauvegarde de la société humaine [78]. Bref, la loi humaine ne contrôle guère, par la coercition, que les actions extérieures qui lèsent gravement l'ordre de la justice. Une sphère considérable de l'agir moral échappe donc à sa juridiction [79].

À cette restriction théorique de l'objet, et partant du pouvoir de coercition, s'ajoutent encore, pour le législateur humain, des difficultés concrètes de discernement prudentiel : ainsi il y a des cas où une loi pénale, ou plutôt son application, risque, « en ramassant l'ivraie, d'arracher en même temps le blé » [80] ; de même si la pénalité visant à guérir les pécheurs, déclenche, au contraire, de plus grands et de plus nombreux péchés, elle ne satisfait plus aux exigences de la justice [81]. De plus, la pédagogie d'intimidation risque toujours d'éreinter les non vertueux auxquels elle s'adresse [82], de les rendre timorés, incapables de contribution positive à l'œuvre commune [83] : de ce point de vue, encore, il faudra une prudence fort éclairée pour déterminer judicieusement la mesure à observer.

Ces quelques « règles de casuistique » suffisent à montrer que l'Aquinate n'ignore pas les dangers inhérents à l'exercice de la « potestas coercendi » par le pouvoir temporel : la crainte est un mécanisme central, et donc délicat, de l'affectivité humaine. Il faut tout autre chose qu'un bureaucrate pour savoir la mettre en œuvre à bon escient.

4. Le dilemme de la pédagogie de crainte dans la loi humaine

L'approfondissement de la notion de loi a produit des résultats appréciables pour une meilleure intelligence du rôle de la crainte au plan de la loi humaine. Oeuvre de raison, la loi peut être conçue comme une pédagogie : comme le pédagogue pour l'enfant, elle est la « raison pratique » des « faibles », recourant à l'usage de la peine pour les contraindre à se plier à sa norme et à sortir d'une situation pécheresse dont ils ne savent point se dégager par eux-mêmes. Ordonnée au bien commun, elle frappe les « pervers » pour sauvegarder les valeurs communautaires. Ce faisant, elle exerce encore son rôle de pédagogue en suscitant, par ces exemples, une crainte salutaire. Son bien commun est néanmoins celui de la cité temporelle : l'application de sa pédagogie d'intimidation est donc réduite à un secteur extrêmement limité, voire même périphérique, de l'agir humain.

Dans toute cette application, la valeur et la limite de la pédagogie par la crainte sont appréciées en fonction du péché. Aucune utilité ne lui est reconnue qui ne soit basée sur l'incapacité des faibles à développer par eux-mêmes leur aptitude à la vertu ou sur le danger que représentent les malfaiteurs pour la communauté. Des deux points de vue, seule la situation pécheresse la justifie. Ses limites sont également déterminées en fonction du péché : du côté de l'objet, ce sont les seuls péchés extérieurs constituant une menace grave pour les droits des citoyens qui autorisent la loi humaine à sévir, du côté du pouvoir public, c'est encore la condition pécheresse de ses détenteurs qui souvent restreint la portée pédagogique de sa législation (et de son application) pénale ; du côté des sujets, ce sont aussi les désordres du péché qui vicient souvent l'émotion craintive et qui rendent si difficile le maniement de cet instrument d'éducation. Même si les autorités temporelles sont les « ministres » de Dieu pour punir et, par là même, les collaborateurs de Dieu dans l'éducation de « son peuple », étant donnée la « chute » leur aptitude à susciter une crainte bénéfique est extrêmement limitée.

Aussi lorsque l'Aquinate s'interroge sur l'à-propos d'une loi positive divine [84], il explique d'abord la nécessité d'une loi ordonnée à la béatitude éternelle, c'est-à-dire à cette fin qui excède les « proportions » naturelles de l'homme et, partant, de la loi naturelle et de la loi humaine. À cette raison essentielle, il ajoute cependant trois autres motifs relatifs aux insuffisances de la loi humaine : l'incertitude du jugement humain, surtout dans le domaine de l'agir, qui donne lieu à des lois diverses et contraires ; l'incapacité pour le

législateur humain de juger du for intérieur et donc le fait historique [85] de la faillite de la loi humaine à ordonner de façon satisfaisante les actes intérieurs ; finalement, l'impossibilité pour la loi
humaine de punir ou de prohiber tous les maux sans supprimer,
en même temps, d'excellentes réalisations et sans faire obstacle à
l' « utilité du bien commun » nécessaire aux relations humaines [86].
Voilà donc pourquoi il faut une loi divine pour lever toute incertitude sur la conduite à adopter, pour ordonner les actes intérieurs
eux-mêmes et pour satisfaire aux exigences intégrales de la justice.

La toute première raison invoquée fournit l'explication théologique décisive. Les trois autres tirent argument des limites inhé-
rentes à la condition humaine du législateur pour expliquer l'échec
partiel de la loi humaine. La quatrième raison formule cependant
le dilemme fondamental de la pédagogie de crainte comme telle au
niveau de la loi humaine. À partir du moment où, précisément, la
majorité des citoyens d'une société humaine attendent d'elle ce
qu'elle ne saurait donner sans la loi divine, les termes du dilemme
se précisent. Puisque le « bien » et le « mal » n'existent pas comme
deux entités clairement définies et faciles à isoler l'une de l'autre,
il s'ensuit que la répression du « mal » entraîne nécessairement, dès
qu'elle prétend à l'efficacité complète, la suppression de toutes ces
bonnes initiatives qui germent dans la pâte humaine : sans elles, la
société devient un cadre sans vie et sans idéal dans lequel l'existence
humaine n'a plus aucun sens. Si, au contraire, la loi humaine abdi-
que son rôle de pédagogue, avec la part de répression qu'il implique
nécessairement dans une humanité rongée par le péché, on assiste
à sa corruption interne et finalement on aboutit au même résultat :
une société incapable d'étancher la soif de justice de ses membres
les plus valables n'a plus aucune raison d'être.

La pédagogie divine viendra remédier à cette incapacité de la
loi humaine. Il est rare, cependant, que Thomas en parle, dans la
Somme de théologie, sous cette rubrique encore trop vague de « loi
divine ». La grande majorité des textes analysent la pédagogie de
la crainte sous le régime de la loi ancienne ou sous celui de la loi
nouvelle. C'est donc dans ces deux phases historiques bien caractérisées qu'il nous faut maintenant l'étudier à la lumière des nombreuses précisions techniques en toute cette première partie du
traité théologique de la loi.

¹ *Ia-IIae,* qq. 90-108.

² Cf. *Ia-IIae,* q. 93, a. 6, ad 1.

³ Ne faut-il pas faire abstraction de la majorité des questions de *Ia-IIae,* qq. 90-108, pour penser, avec J.-M. AUBERT, *Le droit romain*..., p. 78, que « *L'ensemble de la doctrine* de saint Thomas sur la loi est d'origine avant tout aristotélicienne » ? (Nous soulignons). La bibliographie fournie par la plus récente édition manuelle de la *Somme,* SANCTI THOMAS DE AQUINO, *Summa Theologiæ,* Alba-Roma, Editiones Paulinæ, 1962, pp. 939ss., montre que le traité de la loi a beaucoup plus intéressé les juristes et les philosophes que les théologiens.

⁴ Th. DEMAN, *Der neue Bund und die Gnade,* Heidelberg, F. H. Kerle ; Graz-Wien-Köln, Verlag Styria, 1955, pp. 287-325.

⁵ R. GUINDON, *Le caractère évangélique de la morale de saint Thomas d'Aquin,* dans *RUO,* 25 (1955) 145*-167*. Voir aussi : *Béatitude et Théologie morale chez saint Thomas d'Aquin,* Ottawa, Editions de l'Université d'Ottawa, 1956, pp. 312-323.

⁶ G. LAFONT, *Structures et méthode dans la Somme th théologie de saint Thomas d'Aquin,* Paris, Desclée de Br., 1961, pp. 237-252.

⁷ A. VALSECCHI, *La « legge nuova » del cristiano secondo San Tommaso,* Dissertatio ad Lauream in Facultate Theologica Pontificiæ Universitatis Gregorianæ, Roma, 1956. L'auteur tient cependant compte des travaux déjà cités dans la partie de sa thèse (à savoir, le premier chapitre) qui a été publiée sous le même titre à Varese, en 1963.

⁸ U. KüHN, *Via caritatis, Theologie des Gesetzes bei Thomas von Aquin,* Göttingen, Vandenhoeck und Ruprecht, 1965. Cf. pp. 121-223, pour la *Somme de théologie.*

⁹ Nous connaissons aussi A. M. di MONDA, *La legge nuova della libertà secondo S. Tommaso,* Napoli, Convento S. Lorenzo Maggiore, 1954. Cet ouvrage contient des vues suggestives. Ses interprétations manquent cependant de rigueur et nous semblent trop souvent inspirées par des préoccupations qui ne sont pas celles de Thomas.

¹⁰ Cf. *Ia-IIae,* q. 90, prol. : « ...principium (...) exterius movens ad bonum est Deus, qui et nos instruit per legem, et juvat per gratiam ». Sur le rapport du traité de la loi à celui de la grâce, voir les excellentes remarques de Th. DEMAN, *op. cit.,* pp. 324-325.

¹¹ L'expression est de R. GUINDON, *Béatitude et Théologie morale*..., p. 291. Voir une formulation semblable, quoique plus large, dans M. SECKLER, *Das Heil in der Geschichte*..., p. 55 : « ...die Welt nicht als ein starres Gefüge unveränderlicher Naturen, sondern als ein überaus dynamisches Geschehen, in dem jedes Ding sich dadurch definiert, dass es unterwegs ist zu sich selbst ».

¹² *Ia-IIae,* q. 89, a. 6, ad 3 : « Primum enim quod occurrit homini discretionem habenti est quod de seipso cogitet, ad quem alia ordinet sicut ad

finem : finis enim est prior in intentione. Et ideo hoc est tempus pro quo obligatur ex Dei præcepto affirmativo, quo Dominus dicit : 'Convertimini ad me, et ego convertar ad vos', Zach 1. 3 ».

[13] *Ia-IIae*, q. 90, a. 1, obj. 1.

[14] *Ia-IIae*, q. 90, a. 1, ad 1 : «... quælibet inclinatio proveniens ex aliqua lege, potest dici lex, non essentialiter, sed quasi participative. Et hoc modo inclinatio ipsa membrorum ad concupiscendum 'lex membrorum' vocatur ». On se souvient que c'est par cette même exégèse qu'Augustin expliquait l'esclavage du péché : nous péchons en acquiesçant à une concupiscence que nous trouvons comme une loi déposée en nos membres : cf. *supra*, p. 36, note 29. — Les études « philosophiques » thomistes omettent généralement de signaler ce texte important ou alors elles le font dans une optique purement philosophique. Ainsi, par exemple, S. Cotta, *Il concetto di legge nella Summa theologiæ di S. Tommaso d'Aquino*, Torino, G. Giappichelli, 1955, p. 21 : « S. Tommasso si preoccupa (...) di distinguere la legge vera e propria della cosidetta « lex membrorum », dall'istinto (ad 1)...». Cette traduction de « inclinatio ipsa membrorum ad concupiscendum » par « loi de l'instinct » illustre bien la tendance courante à « dé-théologiser » le traité de la loi.. O. Lottin, *La loi en général, La définition thomiste et ses antécédents*, dans *Psychologie et Morale...*, II/1, p. 29, propose ce commentaire intéressant mais qui, à notre avis, méconnaît son importance dans la technique de transition : « Quant à la « loi des membres », elle ne peut être appelée « loi » que d'une manière toute dérivée. Fruit de la déchéance originelle, elle résulte d'un châtiment divin. Elle dérive donc d'une loi proprement dite, c'est-à-dire d'une loi pénale ; mais en elle-même elle n'est aucunement rationnelle ; et si saint Thomas conserve la « loi des membres » au nombre des lois, c'est par pur respect pour la tradition scolaire et le texte de saint Paul ».

[15] *In III Sent.*, d. 34, q. 2, a. 1, qla. 1.

[16] Même le fameux traité sur la loi de Jean de la Rochelle dans la troisième partie de la *Summa sic dicta fratris Alexandri* ne contient pas un exposé comme tel de la notion de loi. Pourtant Thomas a beaucoup emprunté à la Somme franciscaine. Voir I. Brady, *Law in the « Summa Fratris Alexandri »*, dans *Proceedings of the American Catholic Philosophical Association*, 24 (1950) 133-147. L'auteur donne un bon aperçu de l'influence de ce traité de la loi sur celui d'Albert le Grand (pp. 142-143), de Bonaventure (pp. 143-145) et de Thomas d'Aquin (pp. 145-147) avec une bibliographie.

[17] *Ia-IIae*, q. 90, prol. : « Circa legem autem, primo oportet considerare de ipsa lege in communi ».

[18] C'est pourquoi nous nous inscrivons encore en faux contre les oppositions, à notre avis trop rigides, que U. Kühn, *Via caritatis...*, p. 128, croit déceler entre les divers traités de la loi chez Thomas. D'après l'auteur, le traité de la loi du *Commentaire sur les Sentences* s'ouvrait par les « convenances » de la loi à partir de la « unheilsgeschichtliche Lage des Menschen vor Gott ». Dans celui de la *Somme de théologie*, au contraire, Thomas commencerait par déterminer scientifiquement la notion de loi. Sans doute ! Mais cette considération n'est-elle pas quelque peu matérielle ? Si nous nous entendons pour parler formellement, le « Ausgangspunkt » réel n'est pas totalement différent dans les deux œuvres. On voit mal, en effet, comment *Ia-IIae*, qq. 90-108, serait une « théologie de la loi » — ce que U. Kühn prétend bien démontrer — si, sans lien profond et réel avec « la situation historique de la justice ou surtout de l'injustice de l'homme devant Dieu »

(ibid.), Thomas s'était mis à réfléchir inopinément sur la notion de loi pour en chercher ensuite les applications analogiques à divers niveaux. Sans doute, l'auteur ne le conçoit-il pas ainsi. Mais son insistance sur la divergence des deux points de départ risque d'obscurcir le fait que, dans la *Prima Secundæ*, Thomas entreprend encore l'étude de la loi de Dieu parce que l'examen de ce qui est dans l'« homme historique » prouve qu'il ne se suffit pas à lui-même pour retourner vers Dieu. Le traité du péché appelle celui de la « via timoris et via caritatis ».

[19] Voir l'étude de ces « traditions », dans T. E. DAVITT, *The Nature of Law*, St. Louis (USA)-London, B. Herder Book Co., 1951. Pour l'Aquinate, cf. pp. 135-148. Voir aussi, L. LACHANCE, *Le concept de droit selon Aristote et S. Thomas*, Ottawa-Montréal, Les éditions du lévrier, 1948², pp. 91-117.

[20] *Ia-IIae*, q. 90, a. 1.

[21] *Ia-IIae*, q. 92, a. 1, in c. : « Cujuslibet autem subditi virtus est ut bene subdatur ei a quo gubernatur : sicut videmus quod virtus irascibilis et concupiscibilis in hoc consistit quod sint bene obedientes rationi ».

[22] En plus des analyses dans ce sens que nous reverrons au plan des divers états concrets de la loi, le principe même de ce parallèle est posé dans *in III Ethic.*, lect. 22 (no. 647) : « Sicut enim oportet quod puer vivat secundum præcepta pædagogi, sic oportet, quod vis concupiscibilis consonat rationi. Intentio enim utriusque, scilicet rationis et pædagogi, est ad bonum ».

[23] *Ia-IIae*, q. 90, a. 2. L'effort de S. COTTA, *Il concetto de legge...*, pp. 27-34, pour expliquer la « beatitudo » de ce texte — béatitude qui est le « finis ultimus humanæ vitæ » ainsi que le but de l'ordre établi par la loi — dans un sens limité à la fin de la société politique ne nous semble pas très convainquant. Lorsque Thomas écrit ici : « Est autem ultimus finis humanæ vitæ felicitas vel beatitudo, ut supra habitum est », rien ne justifie de penser qu'il ne s'agit pas là de la « beatitudo » dont Thomas a clairement montré qu'elle ne consiste pas « in aliquo bono creato » dans *Ia-IIae*, q. 2, a. 8. — Au sujet des difficultés qu'offre ici l'interprétation de Thomas relativement à la « primauté du bien commun de l'univers » *versus* la « primauté de la perfection de la créature intellectuelle », voir un bon résumé et la discussion de la controverse dans J. H. WRIGHT, *The Order of the Universe in the Theology of St. Thomas Aquinas*, Romæ, apud ædes Universitatis Gregorianæ, 1959, pp. 118-135.

[24] Cf., v.g., *Ia-IIae*, q. 87, a. 3, ad 2 : « ... pœna etiam quæ secundum leges humanas infligitur, non semper est medicinalis ei qui punitur, sed solum aliis : sicut cum latro suspenditur, non ut ipso emendetur, sed propter alios, ut saltem metu pœnæ peccare desistant, secundum illud Prov 19, 25 : 'Pestilente flagellato, stultus sapientior erit'. Sic igitur et æternæ pœnæ reproborum a Deo inflictæ, sunt medicinales his qui consideratione pœnarum abstinent a peccatis ; secundum illud Psalm 59, 6 : 'Dedisti metuentibus te significationem, ut fugiant a facie arcus, ut liberentur dilecti tui' ».

[25] Les peines « irrémédiables » sont accidentelles à la législation humaine, car elles présupposent une société politique qui ne peut encore se protéger suffisamment sans ce facteur de dissuasion. Elles sont, au contraire, essentielles à la notion même de la justice divine.

[26] *Ia-IIae*, q. 90, a. 3.

[27] *Ia-IIae*, q. 90, a. 3, ad 2 : « ... persona privata non potest inducere efficaciter ad virtutem. Potest enim solum monere, sed si sua monitio non

recipiatur, non habet vim coactivam ; quam debet habere lex, ad hoc quod efficaciter inducat ad virtutem ».

[28] *Ia-IIae,* q. 96, a. 5, in c.: «... lex DE SUI RATIONE duo habet : primo quidem, quod est regula humanorum actuum ; secundo, quod habit vim coactivam ». L'ad 3 revient sur la distinction entre la « vim coactivam » et la « vim directivam » de la loi. Nous sommes étonné que U. KÜHN, *Via caritatis...,* p. 137, note 82, dans son plaidoyer sur ce point contre les arguments de O. SCHILLING, n'ait pas cité ce texte décisif. Il se contente d'en appeler à une définition, à notre avis beaucoup plus contestable, de *in ad Rom* 2, 14, lect. 3 (no. 217) : « Lex est sermo coactionem habens, ab aliqua prudentia et intellectu procedens ». Ce texte est une citation littérale d'ARIS-TOTE, *Ethic. à Nic.,* X, c .10 (1180 a 20-22), ce que l'auteur omet de signaler. De plus, on pourrait toujours objecter que, sans la précision du texte de *Ia-IIae,* q. 96, a. 5, in c.: cette définition du commentaire ne dit pas de quelle façon la contrainte qualifie le « sermo » législatif, à savoir par mode d'élément constitutif ou par mode de conséquence, comme le pense O. Schilling.

[29] *Ia-IIae,* q. 90, a. 3, ad 2 et ad 3. Voir à ce propos, O. LOTTIN, *loc. cit.,* pp. 35-36.

[30] *Ia-IIae,* q. 90, a. 4. Voir la discussion autour de ce problème dans U. KÜHN, *op. cit.,* pp. 137-139.

[31] *Ia-IIae,* q. 32, a. 1, ad 1 : «... lex tyrannica, cum non sit secundum rationem, non est simpliciter lex, sed magis est quædam perversitas legis ».

[32] *Ia-IIae,* q. 92, a. 1, in c.

[33] U. KÜHN, *op. cit.,* p. 139, souligne bien ce fait.

[34] *Ia-IIae,* q. 92, a. 1, ad 2.

[35] *Ia-IIae,* q. 92, a. 2, obj. 4. Pour les sources juridiques romaines de cet article, voir J.-M. AUBERT, *Le droit romain...,* pp. 78-79.

[36] *Ia-IIae,* q. 92, a. 2, ad 4 : «... per hoc quod alignis incipit assuefieri ad vitandum mala et ad implendum bona propter metum pœnæ, perducitur quandoque ad hoc quod delectabiliter et ex propria voluntate hoc faciat. Et secundum hoc, lex etiam puniendo perducit ad hoc quod homines sint boni ». On notera l'insistance sur le vocabulaire de la durée : « incipit assuefieri ad » ; « perducitur ad » ; « perducit ad ».

[37] *Ia-IIae,* q. 92, a. 2, in c.: « Id autem per quod inducit lex ad hoc quod sibi obediatur, est timor pœnæ ; et quantum ad hoc, ponitur legis effectus punire ».

[38] *Ia-IIae,* q. 92, a. 2, ad 3 : «... etiam præmiare potest ad quemlibet pertinere : sed punire non pertinet nisi ad ministrum legis, cujus auctoritate pœna infertur. Et ideo præmiare non ponitur actus legis, sed solum punire ».

[39] Cf. *Ia-IIae,* q. 90, a. 3, ad 2.

[40] *Ia-IIae,* q. 90, prol.

[41] Voir encore l'affirmation très claire de *Ia-IIae,* q. 96, a. 5, in c.: «... lex de sui ratione duo habet : primo quidem, quod est regula huma-norum actuum ; secundo, quod habet vim coactivam ». U. KÜHN, *op. cit.,* pp. 125-127, insiste peut-être trop exclusivement, dans sa présentation de la

place du traité de la loi dans la *Somme de théologie,* sur le fait que la loi expose l'« enseignement » divin sur la vie vertueuse.

⁴² Ainsi, S. Cotta, *op. cit.,* pp. 115-154 (La lex humana), malgré son interprétation intéressante sur les rapports entre la loi humaine et la loi naturelle — interprétation qui donne une plus grande autonomie à la loi humaine que celle des « giusnaturalisti » des 17e et 18e siècles — ne mentionne même pas ce point de départ de Thomas dans la *Somme.*

⁴³ Cf. *Ia-IIae,* q. 95, a. 1. G. Lafont, *op. cit.,* p. 241, a fort bien souligné ce fait de structure et son importance pour le caractère théologique des questions sur la loi humaine dans la *Somme de théologie.* U. Kühn, *op. cit.,* p. 160, ne méconnaît pas le fait et il souligne justement, à cette occasion, le rapprochement de ce point de départ avec celui du *Commentaire sur les Sentences.* Nous sommes cependant d'avis que son traitement de la loi humaine et de la loi divine comme déterminations de la loi naturelle (pp. 157-163) l'oblige, en effet, à partir de considérations sur la relation loi naturelle — loi positive, ce qui a l'inconvénient de masquer l'originalité du traité de la loi humaine dans la *Somme,* telle qu'une étude des structures et de la méthode comme celle de G. Lafont avait contribué à dégager. L'introduction de D. Bourke à la traduction anglaise du traité de la loi ancienne, St. Thomas Aquinas, *Summa theologiæ, The Old Law (Ia 2ae, 98-105),* t. 29, London, Blackfriars, 1969, pp. XXss, n'échappe pas à cette critique.

⁴⁴ *Ia-IIae,* q. 95, a. 1, obj. 1.

⁴⁵ *Ia-IIae,* q. 96, a. 2, ad 2 : « Lex humana intendit homines inducere ad virtutem, non subito, sed gradatim. Et ideo non statim multitudini imperfectorum imponit ea quæ sunt jam virtuosorum, ut scilicet ab omnibus malis abstineant. Alioquin imperfecti, hujusmodi præcepta ferre non valentes, in deteriora mala prorumperent ».

⁴⁶ *Ia-IIae,* q. 95, a. 1,ad 1 : « ... homines bene dispositi melius inducuntur ad virtutem monitionibus voluntariis quam coactione : sed quidam male dispositi non ducuntur ad virtutem nisi cogantur » ; *ibid.,* in c. : « ... homini naturaliter inest quædam aptitudo ad virtutem ; sed ipsa virtutis perfectio necesse est quod homini adveniat per aliquam disciplinam (...). Ad hanc autem disciplinam non de facili invenitur homo sibi sufficiens. Quia perfectio virtutis præcipue consistit in retrahendo hominem ab indebitis delectationibus, ad quas præcipue homines sunt proni (...). Sed quia inveniuntur quidam protervi et ad vitia proni, qui verbis de facili moveri non possunt ; necesse fuit ut per vim et metum cohiberentur malo (...). Hujusmodi autem disciplina cogens metu pœnæ, est disciplina legum ».

⁴⁷ *Ia-IIae,* q. 95, a. 1.

⁴⁸ *Ia-IIae,* q. 95, a. 1, in c. : « ... hominis naturaliter inest quædam aptitudo ad virtutem ; sed ipsa virtutis perfectio necesse est quod homini adveniat per aliquam disciplinam ».

⁴⁹ *De Virt. in com.,* q. un., a. 11, ad 10 : « ... hoc interest inter scientiam et virtutem : quia de ratione scientiæ non est quod se extendat in actum respectu omnium objectorum : non enim est necesse quod sciens omnia scibilia cognoscat. Sed de ratione virtutis est quod in omnibus virtuose se agat. Unde scientia potest augeri vel secundum numerum objectorum, vel secundum intensionem ejus in subjecto ; virtus autem uno modo tantum ». Voir aussi *Ia-IIae,* q. 52 en entier.

⁵⁰ Voir M.-D. Chenu, *Notes de lexicographie philosophique médiévale, Disciplina,* dans *RSPT,* 25 (1936) 686-692. Pour Thomas, l'idée élémentaire

de disciplina-enseignement transmis ou reçu est clairement énoncée dans
in Boet. de Trin., q. 6, a. 1 :« Disciplina nihil aliud videtur quam acceptio
scientiæ ». En ce sens, on peut aussi parler de la disciplina à propos de la
loi, puisqu'elle comporte un enseignement. Ainsi Thomas dit que la loi
ancienne contient des préceptes visant la disciplina : *IIa-IIae*, q. 16, a. 2,
in c. : «...circa scientiam et intellectum tria possunt considerari : primo
quidem acceptio ipsius ; secundo, usus ejus ; tertio vero, conservatio ipsius.
Acceptio quidem scientiæ vel intellectus fit per doctrinam et disciplinam. Et utrumque in lege præcipitur. Dicitur enim in Deut 6, 6 : 'Erunt
verba hæc quæ ego præcipio tibi, in corde tuo', quo pertinet ad
disciplinam : pertinet enim ad discipulum ut cor suum applicet his quæ
dicuntur. Quod vero subditur (v. 7) : 'Et narrabis ea filiis tuis', pertinet ad
doctrinam ». Ici la distinction entre « disciplina » (« discipulus ») et « doctrina » (« docere ») en est une entre un enseignement-reçu et un enseigne-
ment-donné. La chose est claire dans l'objection 2e et sa réponse : «... disciplina præcedit doctrinam : prius enim homo ab alia discit quam alium
doceat » ; ad 2 : «... doctrina pertinet ad majores (...) disciplina autem
pertinet ad minores, ad quos præcepta legis per majores debent pervenire ».

[51] Le terme est employé en ce sens, dans *IIa-IIae*, q. 186, a. 3, in c. :
«... status religionis est quoddam exercitium et disciplina per quam per-
venitur ad perfectionem caritatis » ; peut-être aussi, dans *IIa-IIae*, q. 80,
a. 1, ad 3.

[52] Voir la définition de l'« educatio » dans le Supplément de la *Somme de
théologie*, q. 41, a. 1, in c. : «... promotio (i.e. prolis) usque ad perfectum
statum inquantum homo est, qui est status virtutis ».

[53] H. de Lubac, *Exégèse médiévale...*, vol. 1, pp. 46-56, a colligé une
série imposante de textes médiévaux dans lesquels le mot « disciplina » est
employé dans ce sens. On trouve des expressions telles que « per disciplinæ
terrorem » (p. 51), « severitatis disciplina », « disciplina timoris », « discipli-
narum severitatis » (p. 53), etc. Nous n'avons vérifié qu'une seule expression
— celle qui nous intéressait davantage ici — « disciplina legis », citée à la
p. 49, avec référence à la note 10. Malheureusement elle est inexacte. Dans
le texte du Xe siècle intitulé *Altercatio Aecclesiæ contra Synagogam*, publié
dans *RMAL*, 10 (1954) 53-123, l'expression n'est présente sous aucune forme
dans les pages 79-80 citées par l'auteur. Nous avons cependant relevé, au
sujet de la « dei dispensatio » : « disciplina coercebat », p. 59, ligne 2. —
Thomas est évidemment tributaire aussi de ce « second usage » de la première scolastique qui, selon H. de Lubac, était « emprunté à la tradition
biblique, plus encore qu'à la tradition grecque de la *Paideia* » (p. 46). Augustin, dont la théologie de la loi a certainement influencé celle de Thomas,
utilise aussi largement ce sens dérivé de « disciplina »-éducation (correction)
comme, d'ailleurs, le sens classique de « disciplina »-instruction : voir W.
Dürig, *Disciplina, Eine Studie zum Bedeutungsumfang des Wortes in der
Sprache der Liturgie und der Väter*, dans *SaE*, 4 (1952) 245-279. On verra,
dans les textes de Thomas, que nous citons, des traces nombreuses de la
littérature sapientiale vétéro-testamentaire dont tous ces théologiens s'inspirent. Par ailleurs, il est incontestable que Thomas, selon sa méthode habi-
tuelle, recourt souvent à Aristote pour « expliquer » la « disciplina » dans
ce second sens.

[54] A l'« educatio conveniens » veille particulièrement le « pédagogue » :
IIIa, q. 67, a. 7, ad 2 : «... in generatione carnali non requiritur ex necessitate nisi pater et mater : sed ad facilem partum, et educationem pueri
convenientem, requiritur obstetrix et nutrix et pædagogus ».

[55] Voir déjà dans *in IV Sent.*, d .42, q. 2, a. 2, obj. 3, où il est dit que l'enfant « ab ipso (i.e. a patre) habet esse, nutrimentum et disciplinam ». Idem dans *in I Ethic.*, lect. 1 (no. 4) : « ... quilibet homo a parentibus habet generationem et nutrimentum et disciplinam » ; *in II Ethic.*, lect. 3 (no. 268) : « Hæc est enim recta disciplina juvenum ut assuescant quod delectentur eis bonis operibus et tristentur de malis. Et ideo instructores juvenum cum bene faciunt applaudent eis, cum malefaciunt increpant eos ». Thomas a aussi noté que la « tristesse modérée », conséquente à de telles tribulations de l'éducation, « potest conferre ad disciplinam suscipiendam », dans *Ia-IIae*, q. 37, a. 1, ad 1. Voir encore : *Ia-IIae*, q. 99, a. 2, sed contra : « Sed contra est quod dicitur Eccli 17, 9 : 'Addidit illis disciplinam, et legem vitæ hæreditavit eos'. Disciplina autem pertinet ad mores : dicit enim Glossa (cf. GLOSSA LOMBARDI, PL 192, 503) ad Hebr 12, super illud 'Omnis disciplina etc.' (v. 11) : 'Disciplina est eruditio morum per difficilia'. Ergo lex a Deo data, præcepta moralia continebat » ; *IIa-IIae*, q. 142, a. 2, in c. : « Puer enim emendatur per hoc quod coercetur : unde dicitur Prov 23, 13 : 'Noli subtrahere a puero disciplinam : tu virga percuties eum, et animam ejus de inferno liberabis' ». L'emploi le plus caractérisé de « disciplina », au sens dérivé de « dressage » est dans *IIa-IIae*, q. 65, a. 2, qui demande si les pères peuvent fouetter leurs enfants et les maîtres leurs serfs. Les « auctoritates » du sed contra sont Prov 13, 13-14 et 24. L'article se termine ainsi : « Et quia filius subditur potestati patris, et servus potestati domini, licite potest verberare pater filium et dominus servum, causa correctionis et disciplinæ » ; *ibid.*, ad 1 : « ... per hoc quod patribus interdicitur ne filios ad iracundiam provocant (Eph 6, 4), non prohibetur quin filios verberent causa disciplinæ : sed quod non immoderate eos affligant verberibus (...) ut remisse minis utentur : quod pertinet ad moderationem disciplinæ ». Dans la 3e objection et sa réponse, « disciplina » est même utilisé au sens de correction corporelle, de châtiment : « ... alteri disciplinam impendere », « exhibere disciplinam volenti cuilibet licet », « disciplinam nolenti adhibere ». Dans *Ia-IIae*, q. 99, a. 6, in c., Thomas applique la notion de « disciplina » intellectuelle à l'observance des préceptes au plan de l'affection : « Videmus autem in scientiis speculativis procedere, ut ex notioribus disciplina incipiat. Ita etiam oportet eum qui vult inducere hominem ad observantiam præceptorum, ut ex illis eum incipiat quæ sunt in ejus affectu : sicut pueri provocantur ad aliquid faciendum aliquibus puerilibus munusculis ». H. de LUBAC, op. cit., vol. I, p. 51, note que « les Victorins mettaient en parallèle la « doctrina veritatis » et la « disciplina virtutis ».

[56] Voir les deux premiers articles de la question disputée *de Magistro*, dans *de Ver.*, q. 11.

[57] *Ia-IIae*, q. 10, a. 2.

[58] *Ia-IIae*, q. 6, a .4 et q. 9, a. 4. F. W. BEDNARSKI, *L'educazione dei gióvani nel pensiero di S. Tommaso*, dans *Sz*, 20 (1967) 80-104, propose, malgré un certain nombre de citations hors de contexte, des remarques intéressantes à ce sujet.

[59] Le verbe « admonere » supporte non seulement le sens d'exhorter, mais aussi, au moins en dehors de la prose de l'époque classique, celui de réprimander, châtier, punir.

[60] En plus de *Ia-IIae*, q. 95, a. 1, in c. et ad 1, voir : q. 105, a. 4, ad 5 : « ... principatus paternus habet solam admonendi potestatem ; non autem habet vim coactivam, per quam rebelles et contumaces comprimi possent. Et ideo in hoc casu lex mandabat ut filius contumax a principibus civitatis

puniretur ». Le corps de l'article décrit cette disciplina paternelle comme une « instructio in fide (...) in moribus » ; *IIa-IIae*, q. 50, a. 3, ad 3 : « ... pater in domo habet quandam similitudinem regii principatus, ut dicitur in VIII Ethic. : non tamen habet perfectam potestatem regiminis sicut rex » : q. 65, a. 2, obj. 2 : « ... Philosophus dicit, in X Ethic. quod 'sermo paternus habet solum monitionem, non autem coactionem' » : ad 2 : « ... major potestas majorem debet habere coactionem. Sicut autem civitas est perfecta communitas, ita princeps civitatis habet perfectam potestatem coercendi : et ideo potest infligere pœnas irreparabiles, scilicet occisionis vel mutilationis. Pater autem et dominus, qui præsunt familiæ domesticæ, quæ est imperfecta communitas, habent imperfectam potestatem coercendi secundum leviores pœnas, quæ non inferunt irreparabile nocumentum. Et hujusmodi est verberatio » ; *in I Ethic.*, lect. 1 (no. 4) : « ... per publicam potestatem coercentur insolentes juvenes metu pœnæ, quos paterna monitio corrigere non valet » ; encore dans *in X Ethic.*, lect. 14 (nn. 2140 2142, 2147, 2153) ; lect. 15 (no. 2159).

[61] Cf., v.g., *IIa-IIae*, q. 108, a. 3, in c., ainsi que *IIa-IIae*, q. 65, a. 2, ad 2, cité dans la note précédente.

[62] *ScG*, III, c. 116 (no. 2890) : « ... magis vult homo id quod vult propter amorem, quam id quod vult propter timorem tantum : nam quod vult propter timorem tantum, dicitur mixtum involuntario » ; etc.

[63] *In X Ethic.*, lect. 15 (no. 2158) : « Sicut enim se habent leges publicæ et mores per eos introducti in civitatibus, sic se habent in domibus paterni sermones et mores per eas inducto » ; (no. 2159 :) « Hæc autem sola differentia est : quod paternus sermo non habet plenarie vim coactivam, sicut sermo regis, ut supra dictum est, consequenter autem ostendit, quod quantum ad aliquid hoc magis, competit privatæ personæ quad publicæ, ex cognatione et beneficiis, scilicet propter quæ filiii diligunt parentes, et de facili obediunt naturali amicitiæ, quæ est filiorum ad patrem. Sic igitur, licet sermo regius magis possit per viam timoris, tamen sermo paternus magis potest per viam amoris, quæ quidem via est efficacior in his qui non sunt totaliter male dispositi ». — Notons que les parents ont aussi droit à des actes de vénération semblables à ceux offerts au législateur : ainsi la « pietas », en reconnaissance de leur excellence de « principes » (*IIa-IIae*, q. 101), correspond à l'« observantia » due aux supérieurs (*IIa-IIae*, q. 102, a. 1) ; l'obéissance répond aux préceptes que parents et législateurs établissent en vue du « bien commun » dont ils ont respectivement la charge (*IIa-IIae*, q. 104). Ces vertus, nous l'avons vu, se nourrissent également du sentiment de crainte, mais du type de la révérence. Au législateur seul revient une crainte de type « servile » en raison de son pouvoir coercitif. Le sens de ces « dettes » envers le législateur est résumé dans un bref commentaire de Rom 13, 9 : « Reddite omnibus debita : cui tributum, tributum, etc. », dans *IIa-IIae*, q. 102, a. 2, ad 3 : « ... excellentia eorum qui sunt in dignitate constituti debetur honor ratione sublimioris gradus ; timor autem ratione potestatis quam habent ad coercendum. Officio vero gubernationis ipsorum debetur obedientia, per quam subditi moventur ad imperium præsidentium ; et tributa, quæ sunt quædam stipendia laboris ipsorum ».

[64] Voir la fin de *in X Ethic.*, lect. 15 (no. 2159) déjà cité.

[65] Cf., v.g., *in I Pol.*, lect. 10 (no. 161) : « Sed quia puer est imperfectus, virtus ejus non est ad seipsum, idest ut secundum suum sensum regatur, sed ut disponatur secundum quod est conveniens ad finem debitum, et ad obediendum ductori, scilicit pædagogo ».

[66] *In III Ethic.,* lect. 22 (no. 647) : « Sicut enim oportet quod puer vivat secundum præcepta pædagogi, sic oportet, quod vis concupiscibilis consonet rationi. Intentio enim utriusque, scilicet rationis et pædagogi, est ad bonum ». Le texte commenté d'ARISTOTE (c. 12 (1119 b 13)) est encore cité dans *IIa-IIae,* q. 142, a. 2, in fine c., pour expliquer en quel sens l'intempérance est un « péché puéril » : et la convoitise et l'enfant doivent être parfois contraints. Au début de ce même article, Thomas donne aussi une autre raison de cette appellation : la concupiscence, comme l'enfant, tend vers ce qui est vil, parce que l'un comme l'autre ne prêtent pas attention à l'ordre de la raison.

[67] *Ia-IIae,* q. 107 ,a. 1, in c. : « Alio modo duæ leges distingui possunt secundum quod una propinquius ordinat ad finem, alia vero remotius. Puta in una et eadem civitate dicitur alia lex quæ imponitur viris perfectis, qui statim possunt exequi ea quæ pertinent ad bonum commune ; et alia lex de disciplina puerorum, qui sunt instruendi qualiter postmodum opera virorum exequantur ».

[68] Cf. *Ia-IIae,* q. 96, a. 5, in c. ; q. 105, a. 4, ad 5 ; *in I Ethic.,* lect. 1 (no 4) ; etc.

[69] *In III Ethic.,* lect. 16 (no. 565) ; *in X Ethic.,* lect. 14 (nn. 2140-2142 et 2147). On notera l'intérêt de ces textes qui, même chez les « bons sujets », parlent encore du dôle de la crainte, mais d'une espèce meilleure.

[70] Voir l'application très précise déjà signalée de la notion de « disciplina » correction à la loi ancienne dans *in ad Hebr* 12, 11, lect. 2 (no. 681). On soupçonne déjà l'inexactitude de cette affirmation de I. HUNT, *The Theology of St. Thomas on the Old Law...,* p. 4 : « The Old Law unlike the New, did no more than instruct man » !

[71] U. KÜHN, *Via caritatis...,* p. 160, a bien souligné ce point.

[72] Cf. *Ia-IIae,* q. 95, a. 1, in c. : « Sed quia inveniuntur quidam protervi et ad vitia proni, qui verbis de facili moveri non possunt ; necessarium fuit ut per vim et metum cohiberentur a malo, ut saltem sic male facere desistentes, (et) aliis quietam vitam redderent » ; q. 98, a. 1, in c. : « Legis enim humanæ finis est temporalis tranquillitas civitatis, ad quem finem pervenit lex cohibendo exteriores actus, quantum ab illa mala quæ possunt perturbare pacificum statum civitatis ». Cet aspect communautaire de la menace légale qui fait craindre les pécheurs est également souligné dans *Ia-IIae,* q. 96, a. 2, ad 1 ; *IIa-IIae,* q. 67, a. 4, ad 3 ; q. 68, a. 4, ad 2 ; q. 108, a. 3, ad 1.

[73] *Ia-IIae,* q. 95, a. 1, in c. : « ... necessarium fuit ut per vim et metum cohiberentur a malo, ut saltem sic male facere desistentes, ET ALIIS quietam vitam redderent, ET IPSI tandem per hujusmodi assuetudinem ad hoc perducerentur quod voluntarie facerent quæ prius metu implebant, et sic fierent virtuosi ». Le ad 1 ne reprend que cette seconde raison : « ... quidam male dispositi non ducuntur ad virtutem nisi cogantur ». Tous les textes sur la « pédagogie » de la loi étudiée plus haut vont aussi dans ce sens.

[74] Ce problème a souvent été étudié et nous n'avons pas à le reprendre ici. Cf. A. P. VERPAALEN, *Der Begriff des Gemeinwohls bei Thomas von Aquin, Ein Beitrag zum Problem des Personalismus,* Heidelberg, F. H. Kerle, 1954. La première partie (pp. 15-46) étudie l'interprétation de la majorité des thomistes contemporains qui se sont penchés sur le problème. L'auteur prétend ensuite établir les divers sens de la notion de bien commun et leur relation interne dans l'enseignement de Thomas. La bibligraphie (pp. 80-84) est excellente.

[75] *IIa-IIae*, q. 19, a. 3, ad 2 : «... potestates sæculares, quando inferunt pœnas ad retrahendum a peccato, in hoc sunt Dei ministri : secundum illud Rom 13, 4 (...). Et secundum hoc timere potestatem sæculorum non pertinet ad timorem mundanum, sed ad timorem servilem vel initialem » ; q. 25, a. 1, ad 1 : «... proximus potest timeri dupliciter, sicut et amari. Uno modo, propter id quod est sibi proprium : puta cum aliquis timet tyrannum propter ejus crudelitatem, vel cum amat ipsum propter cupiditatem acquirendi aliquid ab eo. Et talis timor humanus distinguitur a timore Dei, et similiter amor. Alio modo timetur homo et amatur propter id quod est Dei in ipso : sicut cum sæcularis potestas timetur propter ministerium divinum quod habet ad vindictam malefactorum, et amatur propter justitiam. Et talis timor hominis non distinguitur a timore Dei, sicut nec amor ». Les mêmes distinctions sont appliquées aussi, non pas à la cause efficiente humaine, mais aux peines que peuvent infliger les humains : leur crainte sera désordonnée si elle fait dévier de la justice ; bonne lorsque l'homme redoute d'être empêché d'accomplir des œuvres vertueuses pour lui-même ou pour les autres : *IIa-IIae*, q. 126, a. 1, ad 2 et ad 3. Ces vues sont cohérentes avec les éclaircissements de *IIa-IIae*, q. 19, a. 2, ad 4.

[76] Cf. *Ia-IIae*, q. 2, a. 4, sed contra : Thomas tire argument d'un texte de BOECE, *De consolatione philosophiæ*, III, prosa V (PL 63, 741A), selon lequel le pouvoir humain n'enlève pas la crainte, afin de prouver que la béatitude ne réside pas dans le pouvoir.

[77] *Ia-IIae*, q. 43, a. 2, in c. : « Contingit tamen per accidens quod aliquis defectus ex ista parte causat timorem, inquantum ex aliquo defectu contingit quod aliquis velit nocumentum inferre : puta propter injustitiam, vel quia ante læsum fuit, vel quia timet lædi ». Thomas écrivait dans *Ia-IIae*, q. 42, a. 1, in c. : « Per hunc etiam modum timetur potestas alicujus hominis, maxime quando est læsa, vel quando est injusta : quia sic in promptu habet nocumentum inferre ». Cf. aussi la première partie de *IIa-IIae*, q. 25, a. 1, ad 1. — Aussi celui qui gouverne doit-il posséder les vertus morales pour bien s'acquitter de sa tâche : *in I Pol.*, lect. 10 (no. 157).

[78] Cf. *Ia-IIae*, q. 96, a. 2, in c. : « Et ideo lege humana non prohibentur omnia vitia, a quibus virtuosi abstinent ; sed solum graviora, a quibus possibile est majorem partem multitudinis abstinere ; et præcipue quæ sunt in nocumentum aliorum, sine quorum prohibitione societas humana conservari non posset, sicut prohibentur lege humana homicidia et furta et hujusmodi » ; q. 98, a. 1, in c. : « Legis enim humanæ finis est temporalis tranquillitas civitatis, ad quem finem pervenit lex cohibendo exteriores actus, quantum ad illa mala quæ possunt perturbare pacificum statum civitatis ».

[79] Il est finalement beaucoup plus difficile de déterminer théoriquement la part de l'activité extérieure qu'elle ne saurait censurer, car dès qu'un péché extérieur implique plus d'une personne, il se complique presque toujours, concrètement, de rapports propres à la justice. Le lien conséquent que tout acte de justice soutient envers le bien commun soulève donc de délicats problèmes moraux à la « prudence royale » : d'où les disputes acerbes autour des projets de loi concernant la légalisation ou l'interdiction de l'avortement, de l'homosexualité, de la drogue, etc.

[80] *IIa-IIae*, q. 108, a. 3, ad 1 : « Dominus prohibet (Matth 13, 29) eradicari zizania quando timetur 'ne simul cum eis eradicetur et triticum'. Sed quandoque possunt eradicari mali per mortem non solum sine periculo, sed etiam cum magna utilitate bonorum. Et ideo in tali casu potest pœna mortis peccatoribus infligi ».

[81] *IIa-IIae*, q. 43, a. 7, ad 1 : « ... pœnarum inflictio non est propter se expetenda, sed pœnæ infliguntur ut medicinæ quædam ad cohibenda peccata. Et ideo intantum habent rationem justitiæ inquantum per eas peccata cohibentur. Si autem per inflictionem pœnarum manifestum sit plura et majora peccata sequi, tunc pœnarum inflictio non continebitur sub justitia ». Thomas applique ensuite ce principe général au danger d'excommunier une minorité avec la menace d'un schisme ! Voir encore, sur la tolérance du vice : *Ia-IIae*, q. 101, a. 3, ad 2 ; *IIa-IIae*, q. 10, a. 11. Sur cette question voir : A. BERNAREGGI, *S. Tommaso d'Aquino e la repressione dell'errore*, dans *SC*, 52 (1924) 54-86 ; A. CHEREL, *Histoire de l'idée de tolérance*, dans *RHEF*, 28 (1942) 20-24. Pour le problème plus restreint de la légalisation de la prostitution, voir cependant A. DUGRE, *La tolérance du vice d'après St. Augustin et St. Thomas*, dans *Greg*, 6 (1925) 442-446. Malgré la valeur relative de l'« auctoritas » d'Augustin et de Thomas invoquée en cette matière précise, nous croyons pourtant que la critique de A. Dugré est trop sévère, car le même principe de tolérance est invoqué par Thomas en d'autres secteurs analogues : la justification est la même, par exemple, pour la lésion du juste prix : le législateur tolère des transgressions de moindre importance, pour en éviter de plus graves : *IIa-IIae*, q. 77, a. 1, ad 1.

[82] *Ia-IIae*, q. 96, a. 5, in c. : « ... lex de sui ratione duo habet : primo quidem, quod est regula humanorum actuum ; secundo, quod habet vim coactivam. Dupliciter ergo aliquis homo potest esse legi subjectus. Uno modo, sicut regulatum regulæ. Et hoc modo omnes illi qui subduntur potestati, subduntur legi quam fert potestas (...). Alio vero modo dicitur aliquis subdi legi sicut coactum cogenti. Et hoc modo homines virtuosi et justi non subduntur legi, sed soli mali. Quod enim est coactum et violentum, est contrarium voluntati. Voluntas autem bonorum consonat legi, a qua malorum voluntas discordat. Et ideo secundum hoc boni non sunt sub lege, sed solum mali ».

[83] Cette conclusion découle de tout ce que Thomas écrit à propos des dangers inhérents à la crainte. Mais l'application précise à la crainte des sujets de la loi humaine est fournie dans *in I Pol.*, lect. 10 (no. 157) : « Si vero subjectus non habeat has virtutes, non poterit bene subjici ; quia propter intemperantiam vel timorem frequenter omittit facere ea quæ oportet, et tunc non bene subjiceretur ».

[84] *Ia-IIae*, q. 91, a. 4.

[85] *Ibid.*, Thomas conclut bien, du principe de l'incapacité de jauger les actes intérieurs, à une constatation d'ordre historique : « Et ideo lex humana non POTUIT (et non pas : « non potest ») cohibere et ordinare sufficienter interiores actus ».

[86] Cette dernière raison est inspirée d'AUGUSTIN, *De libero arbitrio*, I, c. 5, no. 13 (PL 32, 1228).

CHAPITRE ONZIÈME

LEX PÆDAGOGUS NOSTER FUIT IN CHRISTO

La logique serait mieux satisfaite si nous écrivions ce présent chapitre dans le prolongement des deux précédents, c'est-à-dire en étudiant le schéma de la loi en général dans ses applications à la loi ancienne et en cernant la sphère des coïncidences et des divergences avec la loi humaine. Cette méthode trahirait cependant, croyons-nous, la pensée de Thomas. Sans doute, aucun grand article du traité de la loi dans la *Somme de théologie* n'expose de façon compréhensive ce problème précis de la fonction de la crainte dans la loi ancienne. L'Aquinate a préféré reprendre des aspects divers et complémentaires de la question tout au long du traité. Cette constatation est d'ailleurs significative. Il s'agit moins d'une *quæstio* que d'une idée maîtresse. Thomas n'étudie pas ce que « devrait être » ici le rôle de la crainte dans la législation, comme il le faisait au plan de la loi en général et encore, quoique nuancé par des considérations historiques, au plan de la loi humaine. Il est attentif à la geste divine : c'est à partir des modalités de l'événement qu'il cherche à comprendre et à expliquer la signification d'un régime marqué par la crainte.

Étant donné le grand nombre de passages sur la crainte dans ces articles relatifs à la loi ancienne — les plus longs de toute la *Somme de théologie* — la tâche d'organiser sans arbitraire les matériaux est extrêmement délicate. Leur systématisation à partir de schémas antérieurs serait facile mais risquerait de trahir l'esprit du présent traité. Aussi optons-nous pour une méthode analytique, plus astreignante sans doute, mais plus conforme aussi à l'état de la question dans ce grand texte.

Il y a néanmoins un point de repère qui nous évitera d'aligner tout simplement des textes et d'aboutir à une considération assez matérielle. Un contexte bien caractérisé appelle presque toujours les développements les plus importants sur la fonction de la crainte dans la loi ancienne : c'est celui qui compare la loi ancienne à la loi nouvelle. Non seulement les aspects majeurs de la question sont soulevés à l'intérieur de ce cadre, mais c'est également lui qui manifeste le mieux l'orientation de la pensée de Thomas à son sujet.

Si Thomas remet à la question 107e l'examen « *de comparatione legis novæ ad legem veteram* »[1], depuis le début de la question 98e sur la loi ancienne, et même déjà à l'article cinquième de la question 91e sur la division de la loi divine, il ne cesse de comparer une loi à l'autre. Après une première lecture des questions 98 à 108, on a même l'impression qu'il répète toujours plus ou moins la même chose[2]. Et de fait, la méthode qui consiste à scruter une réalité historique ne pouvait qu'engendrer de nombreuses répétitions ou, plus exactement, une reprise continuelle des mêmes comparaisons afin que, soumis à divers éclairages successifs, cet événement livre peu à peu sa signification.

1. La reprise initiale du thème augustinien : «Ia-IIae », q. 91, a. 5

Le premier schéma d'importance vient dans la question 91e (de la division de la loi) à l'article 5e (de la « loi divine »). Cet article, comme tous ceux de cette question[3], se situe dans le sillon des considérations structurelles sur la loi : c'est à partir d'elles que Thomas aborde son propos. La remarque est particulièrement importante pour la « loi divine » car Thomas tentera, pour expliquer sa distinction en loi ancienne et loi nouvelle, de concilier l'analyse des éléments constitutifs de toute loi avec celle d'un fait historique gratuit. Aussi cette première approche de la comparaison revêt-elle un caractère théorique que nous ne retrouvons plus, du moins de façon aussi nette, par la suite[4].

La loi divine n'est pas distinguée en deux espèces, mais « comme ce qui est parfait et ce qui est imparfait dans la même espèce : ainsi l'enfant et l'homme ». Cet énoncé sur le rapport loi ancienne - loi nouvelle est le premier de tout le traité et le plus décisif. Il ne relève pas de quelque a priori arbitraire, mais prétend traduire en termes « scientifiques » l'image paulinienne :

Unde Apostolus, ad Gal 3, 24-25, comparat statum veteris legis statui puerili existenti sub pædagogo : statum autem novæ legis comparat statui viri perfecti, qui jam non est sub pædagogo [5].

Cette perfection et cette imperfection de la loi divine [6] sont ensuite étudiées selon trois éléments propres à la loi [7], à savoir ordonner au bien commun [8], diriger les actes humains selon l'ordre de la justice [9] et assurer l'obéissance aux préceptes [10].

Par rapport au but poursuivi, la loi ancienne ordonnait immédiatement au royaume de Chanaan alors que la loi nouvelle est immédiatement axée sur le Royaume des cieux : d'où l'imperfection de l'ancienne qui ne contenait que des « rudiments de la justice salutaire » [11].

G. Lafont pense que, sous ce premier aspect du rapport à la fin, Thomas insisterait ici sur l'opposition des deux lois, alors qu'à la question 98 il laisserait tomber ce premier chef d'opposition [12]. A. Valsecchi propose des remarques analogues [13]. Elles nous paraissent injustifiées. D'abord, dans *Ia-IIae*, q. 92, a. 4, qui, avant de poser une distinction entre ancienne et nouvelle, expose les diverses raisons pour lesquelles la loi divine fut nécessaire, Thomas commence par mentionner le « *finis beatitudinis æternæ* » qui postule un principe de direction proportionné, ce que ne sauraient fournir ni la loi naturelle ni la loi humaine. La loi ancienne, faisant partie de cette loi divine, trouve donc aussi, dans cette poursuite de la béatitude, sa justification. Examinons maintenant les termes de *Ia-IIae*, q. 91, a. 5. Thomas ne parle jamais d'une « opposition » entre les lois ancienne et nouvelle, mais d'une « distinction » « *sicut perfectum et imperfectum in eadem specie : sicut puer et vir* ». La conception de ces rapports ne variera jamais : elle est l'élément le plus constant des analyses de l'Aquinate et il n'y a aucune raison pour penser qu'elle marque davantage une opposition ici que dans les questions suivantes. En ce qui a trait au premier chef de distinction, on pourrait dire à propos de *Ia-IIae*, q. 91, a. 5, ce que G. Lafont écrit au sujet des vues de *Ia-IIae*, qq. 98 et 107 : « si les deux lois sont dans le prolongement l'une de l'autre, il est clair qu'il faut les comparer dans la perspective de la même fin » [14]. Ceci paraît d'autant plus certain si l'on tient compte des précisions apportées par les réponses aux objections :

> ...unus rex Deus, in uno suo regno, aliam legem dedit hominibus adhuc imperfectis existentibus ; et aliam perfectionem jam manu-ductis per priorem legem ad majorem capacitatem divinorum [15].

Avant la venue du Christ, porteur du même salut pour tous,

> dari oportuit populo ex quo Christus erat nasciturus, legem præ-
> paratoriam ad Christi susceptionem in qua quædam rudimenta
> salutaris justitiæ continerentur [16].

N'est-ce point là une comparaison des deux lois « dans la perspective de la même fin » ? L'insistance sur le lien interne des deux lois
est d'autant plus notable que ces textes répondent à des objections
qui, dans la logique de toute cette question 91e sur la diversité
des lois, prétendent établir l'unicité de la loi divine. Or au lieu de
rétorquer en marquant l'opposition, Thomas distingue des degrés
de perfection dans les moyens conduisant au même but. Il suffit
de *Ia-IIae*, q. 107, a. 1, pour constater la continuité du propos [17].
Nous ne voyons donc vraiment pas sur quels éléments textuels on
se base pour souligner une évolution de pensée sur ce point. La
« structure et la méthode » de la question 91e, comparativement à
celles des questions 98 et suivantes, suffisent à dissiper le malentendu qu'une première lecture peut provoquer.

Les deux autres chefs de comparaison sont clairs. Quant au pouvoir de direction des actes humains par les préceptes promulgués,
la loi ancienne se limitait à « lier les mains » alors que la loi nouvelle cherche à attacher le cœur des fidèles du Christ : d'où l'apophtegme lombardien : « *lex vetus cohibet manum, lex nova animum* ».
Au plan des moyens pédagogiques, finalement, la loi ancienne tirait
son efficacité de la crainte des peines alors que la nouvelle s'appuie
sur l'amour infus dans nos cœurs par la grâce du Christ, une grâce
conférée dans la loi nouvelle, mais déjà figurée dans la loi ancienne : d'où l'apophtegme augustinien : « *brevis differentia est Legis
et Evangelii, timor et amor* ».

La « *brevis differentia* » fondamentale entre la loi ancienne et la
loi nouvelle, celle qui les caractérise le mieux et sans laquelle on ne
saurait plus distinguer entre les deux « ordinationes » du divin
législateur, réside bien dans la distinction entre une pédagogie de
crainte et une pédagogie d'amour. Et si les deux étapes de la loi
divine sont telles, c'est qu'il fallait prendre l'humanité à un stade
infantile de développement spirituel et la préparer graduellement
à recevoir la nourriture plus solide du Christ. La fin immédiate proposée par l'économie antérieure n'a de sens qu'en fonction de cette
pédagogie où on ne peut tabler que sur les sens, qui réagissent à la
crainte de perdre des biens temporels seuls convoités. La restriction du rôle directeur de la loi ancienne aux actes extérieurs n'est

également compréhensible qu'à partir d'une pédagogie qui — toujours à cause de la condition « puérile » des sujets auxquels elle s'adresse — ne peut que lier les mains par la crainte servile sans pouvoir encore parler au cœur par l'amour. En d'autres termes, et le but immédiat provisoire et les restrictions du pouvoir directif n'ont de sens que par le propos pédagogique conditionné par l'état concret des « enfants » d'Israël.

Du même coup, cet article met en évidence le lien étroit qui relie la notion même d'une pédagogie de crainte à celle de l'histoire du salut. À l'intérieur d'une question aussi académique que celle de la division des lois, aucune raison intrinsèque à une notion théorique de loi ne justifie la division de la loi divine en ancienne et nouvelle, encore moins en pédagogie de crainte et régime d'amour [18]. La seule justification est d'ordre événementiel : il y a, de fait, une histoire attestée du salut des hommes qui achemine d'abord au Christ, pour s'accomplir ensuite en lui. Ce n'est qu'à l'intérieur de ce processus historique conduisant à l'amour que la loi ancienne peut être perçue comme une « *lex præparatoria* » et que la crainte qui la caractérise peut devenir intelligible [19].

Dans le tout premier article qui parle explicitement de la loi divine dans le traité de la *Somme de théologie*, on constate donc une reprise très habile — et cohérente avec les notions élaborées au début — du vieux thème augustinien *lex timoris - lex amoris*.

2. La « sententia profundior » du traité de la loi ancienne : « Ia-IIae », q. 98

Dans la *Ia-IIae*, Thomas consacre à la loi ancienne plus de questions (huit) qu'à aucune autre sorte de loi (trois pour la loi humaine et trois pour la loi nouvelle), et autant d'articles (quarante-huit) — parmi lesquels les plus longs de tout le traité — qu'à l'ensemble des autres (le traité complet est composé de 96 articles répartis en 19 questions). Le contenu de ces questions sur la loi ancienne explique cette démesure : une première question (q. 98) considère les aspects généraux de la loi ancienne, puis, après une deuxième (q. 99) sur la division de ses préceptes, les six autres (qq. 100 à 105) examinent longuement le contenu biblique et l'interprétation de ces divers préceptes, ce qui, du reste, a dérouté les commentateurs « classiques » plus attentifs à la construction spéculative de la *Somme* qu'à son animation scripturaire [20].

La question initiale concernant la loi ancienne est symptomatique des difficultés méthodologiques soulevées par le passage d'une « théologie systématique » [21] à une « théologie biblique » médiévale, c'est-à-dire à « une élaboration 'théologique' de la matière scripturaire *en elle-même*, sans préjudice des constructions ultérieures dites spéculatives » [22]. Si les questions 99 à 105 sont caractéristiques d'une telle « théologie biblique », comme le pense M.-D. Chenu [23], la question 98, à notre avis, tente d'assurer la transition de l'armature « scientifique » du traité de la loi à un contexte « biblique ». La tâche est délicate et il suffit de suivre pas à pas les développements de la question 98 pour s'en convaincre. De toutes les questions de la *Somme de théologie*, c'est l'une des plus déroutantes que nous connaissions. Pourtant, si elle soulève certaines difficultés que nous signalerons au passage, elle est, à notre avis, la question capitale pour la théologie de l'Ancien Testament. Nous nous proposons donc d'en présenter d'abord les principaux éléments puis, en un deuxième temps, d'en dégager la signification pour notre sujet.

L'enseignement de « Ia-IIae », q. 98

Les deux premiers articles de *Ia-IIae*, q. 98, déterminent le champ d'action de la loi ancienne et fournissent ainsi les éléments d'un jugement axiologique. Cette loi divine est bonne parce qu'elle bride la convoitise et interdit tous les péchés, conforme en cela à la raison [24]. Elle l'est aussi parce qu'elle ordonne à Jésus-Christ en lui portant témoignage et en éloignant ses fidèles du culte des idoles pour les rallier au culte du seul vrai Dieu [25]. Parce que ses moyens d'efficacité n'atteignent finalement que l'activité extérieure et s'avèrent même occasions de péchés — l'interdiction augmente et la gravité et la convoitise [26] — elle est imparfaite [27]. Disposant à la fin ultime de la loi divine selon la capacité des « hommes-enfants » auxquels elle s'adressait, on peut néanmoins affirmer — si l'on ne veut pas attribuer à Dieu des œuvres imparfaites — qu'elle était d'une perfection relative au temps, comme un enfant peut être dit « parfait », non absolument parlant, mais selon sa condition d'enfant [28]. D'ailleurs les occasions de péchés qu'on lui reproche de fournir n'étaient pas sans bénéfice : elles permettaient aux hommes de faire l'expérience de leur faiblesse et, humiliés, d'en appeler à Dieu [29]. Puisque la loi annonçait aussi le Médiateur, ils pouvaient également vivre de la foi en lui [30], de cette foi par laquelle les anciens Patriarches furent, comme nous, justifiés [31]. Aussi à la plénitude des temps, la loi ancienne a-t-elle disparu, non parce que mauvaise, mais parce que maintenant caduque et inutile : « Mais la foi venue, nous ne sommes plus sous un pédagogue » (Gal 3, 25) [32].

On observera, dans le premier article, une reprise adroite des éléments fondamentaux de la loi : sa fin, la « *felicitas æterna* » ; son rôle directeur : « *Ipsa etiam omnia peccata prohibebat, quæ sunt contra rationem* » [33] ; son pouvoir de coercition : « *concupiscentiam reprimebat, quæ rationi adversatur* » [34]. Ici nous sommes tout proche du contexte de *Ia-IIae*, q. 91, a. 5, et, par-delà, des élaborations de la question 90 . À l'instar de la loi humaine, avec laquelle Thomas fait explicitement le rapprochement dans le corps de l'article, la loi ancienne opérait par la crainte des peines et, en ce sens, mérite le nom de *lex timoris*.

Par contre l'article deuxième, qui aborde les mêmes problèmes de fond par le biais de l'attribution de la loi ancienne à Dieu [35], change notablement de vocabulaire : il ne s'agit plus de « *participatio felicitatis æternæ* » mais de « *salus hominum per gratiam Christi* » ; la loi n'opère plus un discernement entre le bien et le mal avec le pouvoir de coercition pour assurer l'efficacité de ses préceptes, mais porte un témoignage sur le Christ et sur une certaine disposition à son égard par la substitution du vrai culte à l'idolâtrie. Thomas passe ici à un vocabulaire plus biblique et à une considération plus historique. Cette transition a l'avantage de donner une consistance vécue à la fin et au contenu de la loi ancienne. Cela a néanmoins l'inconvénient, inhérent à tout emploi de « catégories » historiques, de mal exprimer tout le réel sans se livrer à une description exhaustive. La chose est ici très sensible au niveau de la double « *ordinatio* » de la loi : le témoignage sur le Christ est-il simplement une désignation du but ou comporte-t-il autre chose au plan de l'« *instructio* » de la loi et de son efficacité ? La seconde orientation est encore beaucoup plus vague : « *per modum cujusdam dispositionis, dum, retrahens homines a cultu idolatriæ, concludebat eos sub cultu unius Dei* ». Cette formule, bien sûr, est écrite en fonction du propos explicite de l'article, à savoir l'attribution de la loi ancienne au Père de Jésus-Christ [36]. Néanmoins, Thomas prétend bien déterminer par là la seconde ordination de

la loi ancienne à sa fin, le Christ. Les données sur la nature de la
loi ancienne dans l'article deuxième ne sont pas un simple décalque des données de l'article premier. Dans les deux cas, pourtant,
il s'agit toujours du but de la loi ancienne, de son « pouvoir directif » et de sa méthode.

L'article troisième sur la promulgation de la loi ancienne par le
ministère des anges a le seul intérêt d'insister sur l'imperfection
de la disposition temporaire qu'était la loi ancienne. Les articles
quatrième et cinquième nous ramènent plus directement aux préoccupations des premiers articles. On peut aussi les résumer globalement sous la rubrique de l'objection qui leur est sous-jacente :
si le salut en Jésus-Christ est universel, pourquoi cette économie
ancienne n'atteignait-elle que le peuple juif ? La raison fondamentale est d'ordre historique : la promesse faite à Abraham que le
Christ naîtrait de sa descendance [37]. En vue d'une telle fin, il fallait donc préparer le peuple par une sanctification spéciale [38]. Cette
sanctification, est-il précisé, engendrait la « révérence envers le
Christ à venir » [39]. Si tout le genre humain devait observer les préceptes de la loi naturelle manifestés par la loi ancienne, seuls les
juifs étaient tenus aux « *quædam propria præcepta* » qui les préparaient à cette mission particulière [40].

Notons enfin, pour terminer cet examen de *Ia-IIae*, q. 98, que
les moyens qui conduisent au but de la loi ancienne ne sont pas
aussi clairement énoncés que dans *Ia-IIae*, q. 91, a. 5. Le thème de
la loi de crainte s'y complique. On mentionne encore l'intimidation
propre à l'efficacité de la loi dans l'article premier. Dans l'article
deuxième et surtout dans l'article cinquième, on ne parle que d'éducation de la crainte révérencielle, vraisemblablement par le culte du
vrai Dieu [41]. Le problème est donc plus complexe que ne le laissait
prévoir une approche plus « spéculative ».

Avec le dernier article nous retrouvons aussi des idées connues, mais, par certains aspects, leur exposé est ici encore plus
déroutant qu'instructif. Pour expliquer l'opportunité de cette législation « au temps de Moïse », Thomas prend son point de départ
dans une distinction souvent alléguée déjà entre les deux catégories
de sujets auxquels toute loi s'adresse : les « méchants » qu'il faut
contraindre et les « bons » qu'il suffit d'instruire [42]. L'application de
cette distinction aux sujets de la loi ancienne conduit cependant à

des conclusions qui ne semblent pas conformes à celles déjà notées soit au plan de la loi en général, soit à celui de la loi humaine, soit même à celui de la loi ancienne d'après les contextes précédents. Après avoir énoncé, en effet, que la loi est imposée aux « durs et aux superbes » pour les dompter, Thomas montre qu'avant la loi écrite, les hommes croyaient « forger » leur salut à l'aide de la seule raison naturelle. Par ce régime, ils ont été conduits, au temps d'Abraham, à l'idolâtrie et aux pires vices. La loi vint donc à propos pour les persuader de leur orgueil en portant remède à l'ignorance humaine, car « la connaissance du péché est donnée par la loi » (Rom 3, 20). Après cet enseignement de la loi, ils furent aussi convaincus de leur faiblesse, puisqu'ils ne pouvaient accomplir ce qu'ils connaissaient. Quant aux « bons », la loi leur fut d'un précieux secours au moment où le débordement des péchés commençait à obscurcir la loi naturelle. Et Thomas conclut :

> Oportebat autem hujusmodi auxilium quodam ordine dari, ut per imperfecta ad perfectionem manuducerentur. Et ideo inter legem naturæ et legem gratiæ, oportuit legem veteram dari [43].

Ajoutons à ce développement central, la réponse à la première objection selon laquelle la loi ancienne aurait dû être donnée dès le début de l'histoire puisque, immédiatement après le péché, l'homme, appelé déjà au salut par le Christ, avait besoin d'elle. À quoi Thomas oppose la nécessité d'attendre que l'homme ait pris conscience d'en avoir besoin et que la lumière directrice de la loi naturelle se soit enténébrée par l'habitude de pécher [44].

Ce texte soulève un problème. Thomas avait constamment enseigné que la loi contraignait les méchants pour protéger la communauté et dans l'espoir de les éduquer eux-mêmes par la crainte. On pouvait, à partir de l'enseignement plus général de *Ia-IIae*, q. 91, a. 5 et q. 98, a. 1, conclure dans le même sens pour la loi ancienne. L'énoncé des principes au début de l'article sixième confirme cette vue, mais la conclusion du développement est la suivante : la loi ancienne arrivait à temps pour convaincre les pécheurs de leur ignorance et de leur impuissance, en les instruisant sur le bien et le mal. Cette conclusion n'exclut pas la possibilité d'une expérience salutaire du mal par l'humiliation [45], ni celle d'une éventuelle éducation par la coercition, comme semblait l'annoncer le début de l'article [46], mais elle ne va pas dans ce sens. De plus, l'économie du secours qui procède « *per imperfecta ad perfectionem* » semble ne valoir que pour les « bons » menacés eux aussi par l'obscurcisse-

ment de la loi naturelle [47]. D'autre part, qui sont ces « boni », opposés aux « *duris et superbis* », pour lesquels la loi naturelle est aussi
enténébrée par les progrès du péché [48] ?

On doit donc constater que cet ensemble d'articles, dans un processus de transition d'un type plus « systématique » de théologie à
un autre qu'on peut qualifier de « biblique », soulèvent quelques
problèmes d'interprétation relativement aux sujets de la *lex timoris*.

L'intérêt majeur de « Ia-IIae », q. 98

Par contre, il y a dans cette première grande recherche sur la
loi ancienne dans la *Somme de théologie*, une notion-clé qui se
dégage avec clarté : celle de la loi-pédagogue. Il est capital de le
saisir parce qu'elle est, plus profondément que les trois catégories
« moralia, cæremonialia, judicialia », la source première d'intelligibilité de la théologie de la loi ancienne chez Thomas d'Aquin.
L'image de la loi-pédagogue n'est pas une découverte nouvelle.
Thomas l'avait déjà trouvée et exploitée dans la *Lectura super
epistolas Pauli* [49]. Mais dans la *Ia-IIae*, elle devient une véritable
notion, notion que les analyses de la loi en général et de la loi
humaine avait déjà préparée et qui lui permet ici de relier sa
« théologie biblique » de la loi ancienne à ses élaborations plus
spéculatives du début. Aussi pensons-nous que M.-D. Chenu, faute
d'avoir souligné la place de cette notion dans « la théologie de la
loi ancienne selon saint Thomas » [50], ne rend pas tout à fait justice
à la *sententia* proposée par l'Aquinate [51]. Par le fait même, il durcit
certaines difficultés, notamment celles que soulève l'organisation de
cette théologie autour du mot « loi » plutôt qu'autour de celui, plus
biblique, d' « alliance » [52].

Le Père Chenu suggère que, pour dégager « le contenu profond
et organique de la pensée (biblique) au-delà de l'enchaînement
littéral des concepts » [53], le théologien médiéval peut choisir entre
deux moyens : soit le recours à une notion-clé queque peu extérieure à la *littera* même — celle de justice, par exemple, pour la loi
ancienne — qui puisse fournir « un principe d'explication aux divers
éléments du texte » et les unifier « en quelque sorte dans une
'raison' intérieure commune » [54]. « Le lecteur du texte peut au contraire s'établir dans cette lettre même, dans son contenu exprès,
avec ses liaisons et son mouvement, et, par une pression intérieure

exhaustive, faire émaner en quelque sorte de ce contenu des notions, énoncées ou non dans la *lettre*, qui, en totale homogénéité, condenseront organiquement la doctrine enseignée » [55]. L'auteur montre ensuite, avec perspicacité et finesse, comment Thomas obtient, par ce second moyen, la triade *moralia - cœremonialia - judicialia* qui constitue l'armature de son traité.

S'il est vrai que ces catégories sont historico-doctrinales ; que la majeure partie du traité (qq. 100-105) est organisée à partir d'elles et que la division est principe d'intelligibilité [56], nous sommes cependant d'avis que l'alternative entre la notion-clé « comme du dehors » et la ou les notions extraites de la lettre même ne s'impose pas nécessairement, du moins de façon aussi nette ; que la triade étudiée par M.-D. Chenu n'est pas la seule base, ni même la plus révélatrice, d'une « *profundior intelligentia* » de la loi ancienne ; que la notion « loi-pédagogue » contribue à rendre intelligible toutes les parties de la réalité plus encore que la division moral - cultuel - social.

Il faut d'abord remarquer que cette question initiale sur la loi ancienne prétend bien dire l'essentiel *de ipsa lege* » [57], donc d'en manifester la *profundior intelligentia*, la *sententia*. Or cet « essentiel » tient à cette notion-clé : « *Lex pœdagogus noster fuit in Christo* ». Dans le cadre du traité de la loi de la *Prima Secundœ*, ce n'est plus l'autorité de Rom 8, 15, que Thomas retient pour caractériser la loi ancienne, mais le passage de l'épître aux Galates 3, 15-29, sur le rôle pédagogique de la loi de Moïse [58]. C'est bien parce que la loi fut « notre pédagogue jusqu'au Christ » qu'elle est bonne, qu'elle a le Père de Jésus-Christ pour auteur, qu'elle est d'une perfection relative, qu'elle est temporaire, qu'elle ne suffisait pas sans la foi au Médiateur, qu'elle fut promulguée non directement par Dieu, mais par le ministère des anges, qu'elle fut adressée non au genre humain mais au seul peuple de la promesse, qu'elle fut donnée au temps de Moïse et non à Adam ni même à Abraham.

Ce dernier aspect appelle même des précisions sur la gradation de l'économie ancienne qui marquent jusqu'à quel point Thomas est attentif à l'étonnante progression de la pédagogie mise en œuvre par le Père de Jésus-Christ. À partir d'une série de schémas triadiques de l'histoire comme « *ante legem, sub lege, sub gratia* » [59] ou « *lex naturœ, lex vetus, lex gratiœ* » [60] d'une part, et « *sub figuris legis, sub veritate fidei, in æternitate gloriæ* » [61] ou des formules correspondantes [62] d'autre part, on peut distinguer, selon Thomas, quatre grandes étapes dont les trois premières sont des temps historiques immanents au monde : le stade sotériologique dans lequel vivait l'homme prémosaïque, celui de la loi ancienne, celui de la loi nouvelle et celui de la gloire [63]. Mais dans *Ia-IIae*, q. 98, a. 6, ad 2 et ad 3, l'économie des deux premiers stades est elle-même nuancée dans un effort de plus grande fidélité à toute la réalité de l'histoire du salut. Il y a là une préoccupation, qu'on ne souligne guère, de rendre compte du déroulement de l'événement et de l'importance du temps dans l'acheminement progressif au Fils en qui « la destination interne du temps se manifeste et devient réalité » [64]. Thomas discerne un premier temps — celui décrit par les onze premiers chapitres de la Genèse — durant lequel il n'y avait strictement pas de loi divine écrite : on suivait alors tant bien que mal, et de plus en plus mal [65], les « *præcepta communia* » de la loi naturelle [66]. Au temps d'Abraham, la bible mentionne cependant une première intervention positive : la promesse. La circoncision en était à la fois le signe et le sceau qui authentifiait l'appartenance au peuple de la promesse [67]. Une « loi » fut donc donnée non seulement aux descendants de David, à qui la promesse a été renouvelée, mais déjà aux descendants d'Abraham [68]. Faut-il alors dire que la « loi ancienne » commence avec Abraham plutôt qu'avec Moïse ? L'Aquinate pense qu'il faut distinguer entre la *lex vetus* proprement dite, celle que reçurent les juifs vraiment constitués en un « peuple » sous Moïse, et des « *quædam familiaria præcepta, et quasi domestica* », donnés par Dieu au temps d'Abraham. Thomas justifie cette nuance en expliquant que les juifs d'alors ne formaient pas un peuple proprement dit, tant à cause de leur nombre limité que du fait de leur esclavage. Or les esclaves ne constituent pas une communauté à laquelle il convient de donner une loi [69]. Pour les juifs du temps de la « promesse », Dieu utilise donc la pédagogie des « préceptes familiaux ». Il se comporte envers eux comme le père envers les enfants et les serfs de sa *domus* [70]. On voit comment, par ce biais encore, on rejoint les analyses précédentes relatives à la « *disciplina puerorum* » par la monition paternelle distincte de la « *disciplina legis* » par le pouvoir de coercition.

La loi ancienne était donc le pédagogue qui avait pour mission d'enseigner Jésus-Christ et de disposer progressivement un peuple à accueillir son sauveur en l'arrachant au péché, particulièrement à

l'idolâtrie, et en stimulant son attente du vrai Dieu. C'est cette
notion qui préside à l'enseignement de la *Ia-IIae*, q. 98, et qui,
partant, fournit la *sententia profundior* du traité de la loi ancienne
dans la *Somme de théologie*. Elle est issue d'un processus beaucoup
plus complexe et aussi beaucoup plus vrai, à notre avis, que ceux
décrits par M.-D. Chenu, processus dans lequel la « lecture » des
textes sacrés et l'élaboration systématique de certaines notions
s'influencent réciproquement pour aboutir, comme c'est ici le cas,
à des convergences remarquables. L'image de la loi-pédagogue, pri-
vilégiée par un « théologien biblique » de l'Ancien Testament comme
Paul, reprise en Occident par Augustin, devient progressivement,
dans les œuvres de Thomas, une notion qui permet de donner, dans
la *Somme de théologie*, l' « intelligence » la plus cohérente de cette
réalité historique qu'est l'ancienne disposition, et cela en harmonie
avec les exigences d'une analyse rationnelle.

Cette notion nouvelle est déjà beaucoup plus chargée de connotations historiques et affectives que celle, plus simple, de loi. Elle
se prête mieux non seulement à caractériser et à « expliquer » un
régime historique, mais aussi à marquer les relations très spéciales
de piété filiale, d'amour et de religion que crée cette disposition
ancienne chez les sujets et le propos pédagogique du Père envers
son peuple. Aussi cette notion d'origine néotestamentaire rejoint-
elle, par tout un aspect d'elle-même, le concept scripturaire d'alliance auquel le Père Chenu oppose celui de loi [71]. Elle a l'avantage
de permettre l'intégration cohérente d'une théologie de l'Ancien
Testament dans la charpente de la *Somme de théologie*, tout en
sauvegardant certaines valeurs d'histoire sainte appelées par la
notion d'alliance et exclues d'une notion abstraite de loi.

La comparaison de la loi ancienne au pédagogue dans la *Prima
Secundæ* ne pouvait passer inaperçue tant elle est fréquente. Aussi
les commentateurs de ce traité de la loi la mentionnent-ils généralement. Mais il est notable qu'aucun, à notre connaissance, ne l'utilise réellement pour chercher l'intelligibilité profonde de la théologie
thomiste de l'Ancien Testament [72]. Ainsi I. Hunt mentionne-t-il à
deux reprises cette comparaison dans sa thèse [73]. Pourtant le chapitre troisième sur la nature de la loi ancienne [74] ne tient aucun
compte de cette notion de loi-pédagogue. Un paragraphe d'introduction en appelle à la notion générale de loi (*Ia-IIae*, q. 90, a. 4) ;
puis les trois catégories de préceptes sont étudiées dans la suite du

chapitre. Nous pourrions dresser une longue liste d'auteurs qui rapportent l'utilisation matérielle de la comparaison paulinienne sans jamais en souligner le rôle fondamental dans la théologie thomiste de la loi ancienne [75]. La raison, croyons-nous, réside en ce qu'on n'a pas saisi que, dans la *Prima Secundæ*, la comparaison n'est plus une simple image : elle est devenue la notion-clé du traité de la loi divine.

Il nous reste donc à découvrir comment Thomas l'utilise dans le reste de son long traité, comment il faut comprendre le rapport entre ce principe d'analyse et la division *moralia - cæremonialia - judicialia* et quelle interprétation il faut donner à l'opposition *boni - duri et superbi* qui, dans *Ia-IIae*, q. 98, offre une difficulté pour le thème *lex timoris*.

3. Le double contexte de la pédagogie de la crainte : «Ia-IIae », qq. 99-105

Avec la question 99e commence la plus longue section du traité de la loi, celle qui, jusqu'à la question 105e inclusivement, étudie les préceptes de la loi ancienne. Cette première question explique le sens de la distinction des préceptes en *moralia, cæremonialia* et *judicialia* [76], puis les six autres questions examinent successivement chacun des groupes. Ces très longs articles livrent un matériel imposant qui permet de vérifier et de compléter les vues antérieures sur la signification pédagogique de la loi ancienne. Il impose même une conclusion méthodologique importante pour l'interprétation de notre thème dans les œuvres de Thomas. Après avoir identifié les diverses catégories de sujets de la loi ancienne, nous examinerons séparément les deux séries de données relatives à une pédagogie de crainte dans l'ancienne disposition. Nous tenterons ensuite d'en dégager une règle générale d'interprétation.

Les catégories de sujets de la loi ancienne

Le dernier article de la question 98 [2] sur la nature de la loi ancienne soulevait, nous l'avons dit, un problème relativement à l'identification de ses sujets. Opposés aux « *duris et superbis* » que la loi doit contraindre et dompter, il y a les « *boni* » qu'elle instruit et aide ainsi à l'accomplissement de leur propos [77]. Or le contexte général de ce sixième article indique une fonction plutôt négative de la *lex timoris* à l'égard de la deuxième catégorie de « citoyens ». La pédagogie semble réservée aux « bons ». Qu'en est-il exactement ?

Deux articles permettent de tirer cette question au clair et de discerner également les nuances importantes qu'il faut apporter à la pédagogie ancienne. Le premier de ces articles se trouve à la fin de la question 99e. Dans le sixième, Thomas traite, selon ce qu'il avait annoncé dans le prologue, « *de modo quo lex inducebat ad observantiam prædictorum* » [78]. Il y expose encore une fois le grand thème de la pédagogie. Il commence par un bref « discours de la méthode » — « *sicut in scientiis speculativis inducuntur homines ad assentiendum conclusionibus per media syllogistica...* » [79] — qu'il transpose ensuite à la « méthode » de la loi humaine et de la loi ancienne. Dans l'enseignement des sciences spéculatives, il faut procéder à partir des choses les plus connues pour amener l'esprit à des conclusions nouvelles par un moyen terme. L'ordre à suivre est conditionné par la connaissance de l'élève. La loi doit adopter une méthode semblable. Il lui faut adapter ses moyens d'action à la préparation « affective » du sujet auquel elle s'adresse [80], tout comme on incite les enfants à agir par des présents minuscules. Puis il énonce l'idée-clé du traité :

> Dictum est autem supra quod lex vetus disponebat ad Christum sicut imperfectum ad perfectum : unde dabatur populo adhuc imperfecto in comparatione ad perfectionem quæ erat futura per Christum : et ideo populus ille comparatur puero sub pædagogo existenti, ut patet Gal 3, 24 [81].

Suit une détermination du « *sicut imperfectum ad perfectum* » par l'évocation des diverses catégories de personnes soumises à la loi. Les précisions des réponses font apparaître clairement que la division est tripartite. L'enseignement du corps de l'article présuppose que certains sujets adhèrent déjà aux choses spirituelles : ce sont les « parfaits », que la troisième réponse nomme explicitement, en expliquant que les épreuves occasionnées par la loi ne pouvaient servir qu'à les purifier davantage [82]. Mais parmi ceux qui n'en sont pas là, on doit encore distinguer à nouveau deux groupes : les « pervers », pour lesquels les biens temporels constituent une fin, et les » imparfaits », qui désirent aussi ces mêmes biens, mais de façon ordonnée à Dieu [83]. La convoitise des premiers est, selon l'expression d'Augustin [84], le « venin de la charité » ; pour les seconds, cette poursuite des biens temporels est au contraire une « voie » conduisant à l'amour de Dieu [85]. Il convenait donc que la loi ancienne se serve de promesses et de menaces temporelles, selon la disposition affective de ces hommes, pour les acheminer vers Dieu [86].

Dans la première question relative aux préceptes cérémoniels, un autre texte revient encore sur la division des sujets de la loi. Nous avons affaire, cette fois, à deux grandes catégories, et l'énoncé de *Ia-IIae*, q. 101, a. 3, reprend non point la terminologie de *Ia-IIae*, q. 98, a. 6, ni celle de *Ia-IIae*, q. 99, a. 6, mais bien celle de *Ia-IIae*, q. 95, a. 1, sur l'utilité des lois humaines. La loi est efficace, par son pouvoir de coercition, envers ceux qui sont enclins au mal. Les autres, bien disposés par la nature, par habitude ou surtout par grâce, reçoivent plutôt de la loi instruction et perfectionnement [87].

Si l'on peut durcir la pensée de Thomas à partir de l'un ou l'autre texte, l'ensemble en manifeste clairement les nuances. On peut classifier les sujets de la loi ancienne en trois grandes catégories. Aux deux extrêmes, il y a d'une part les « pervers » que la loi contraint par la peur et, d'autre part, les « parfaits » que la loi instruit et dirige. Entre les deux, le groupe des « imparfaits » — ceux qui sont enclins au bien par la nature ou par une certaine disposition acquise — est orienté vers Dieu par l'intermédiaire de la loi avec ses promesses et ses menaces. On doit d'ailleurs noter que, dans *IIa-IIae*, q. 19, a. 6, Thomas fournit une théorie révisée des rapports de la crainte de la peine à la charité, qui tient compte de cette triple catégorie : on peut craindre la peine en raison de la séparation d'avec Dieu, donc à l'intérieur de la crainte filiale et de la charité ; on peut aussi la redouter parce qu'elle menace notre propre bien, mais de deux façons : ordonnée, si l'amour de ce bien s'inscrit dans celui de Dieu, désordonnée dans le cas contraire [88]. Cette nouvelle formulation rejoint tout à fait la terminologie de *Ia-IIae*, q. 99, a. 6.

Ces déterminations de la réalité vivante à laquelle s'adresse la loi ancienne fournit le cadre large qui rend compte des nuances à introduire dans ses méthodes éducatives. Nous les connaissons déjà et le traitement des divers préceptes comporte, dans la logique de ces considérations, des indications portant aussi bien sur l'éducation par la crainte que sur celle de la crainte. Les données sont fragmentaires puisque les grands problèmes, telle l'efficacité pédagogique de la loi ancienne, ont déjà été théoriquement examinés en tête du traité. Le plan des applications assure néanmoins la solidité des déclarations de principe et permet même de discerner ultérieurement une double règle d'herméneutique qui guide l'interprétation de Thomas.

L'éducation par la crainte

L'éducation par la crainte qui s'adresse aux « pervers » et partiellement aux « imparfaits » est, techniquement, le thème de la *lex timoris*.

Au chapitre des *moralia*, le thème est explicitement invoqué. On s'étonne même qu'une sanction pénale ne soit pas prévue pour chaque précepte du décalogue puisque tous appartiennent à la loi de crainte [89]. Pour expliquer les prévisions apparemment incomplètes de la législation pénale, Thomas rappelle, avec Aristote [90], que les peines doivent être formulées en vue de ceux qui sont enclins au mal. Le législateur divin a donc apposé une clause pénale aux seuls préceptes que la majorité était portée à transgresser. Ainsi on châtiait l'idolâtrie que la coutume généralisée des Gentils favorisait et le parjure que la fréquence des serments occasionnait [91]. Thomas affirme donc à nouveau et le principe général du procédé d'intimidation propre à la loi ancienne et le secteur privilégié de son application, à savoir le faux culte, péché « ancien » le plus souvent dénoncé par la question 98ᵉ [92].

Au sujet des *cæremonialia*, dans le contexte de la grande distinction déjà signalée entre les « *proni ad malum* » qu'il faut contraindre et les « *habentes inclinationem ad bonum* » qu'il suffit d'instruire, c'est encore par la nécessité de dresser un barrage pour arrêter le flot de l'idolâtrie que Thomas explique la multitude des préceptes concernant le culte. Les mauvais sujets, contraints par la peur à observer les cérémonies, étaient tellement occupés à satisfaire aux lourdes exigences cultuelles, que le temps leur manquait pour s'adonner aux faux cultes [93]. Les questions 104 et 105, relatives aux *judicialia*, ne contiennent aucun renseignement de nature à nous intéresser ici.

L'exégèse des préceptes anciens ne procure finalement qu'une assez maigre moisson de textes sur la méthode d'intimidation. C'est presque uniquement par le biais du péché d'idolâtrie que les préceptes condamnent et cherchent à enrayer, que Thomas est amené à rappeler la théorie générale de la *lex timoris*.

L'éducation de la crainte

Au contraire, l'exégèse détaillée des préceptes de l'Ancien Testament nous renseigne amplement sur la culture vertueuse de la crainte. Ainsi dans le secteur des *moralia* [94], parmi les autres préceptes divins qui, en dehors du décalogue proprement dit, manifestaient les normes de l'agir vertueux, certains prescrivaient la vertu de force contre les désordres possibles de la crainte : ainsi Deut 20, 3 : « N'ayez ni crainte ni angoisse, et ne tremblez pas devant eux (i.e. vos ennemis) » [95]. Ce commandement ancien appelle donc la maîtrise vertueuse de la passion de crainte d'après le principe thomiste selon lequel les préceptes de la loi visent les actes des vertus [96]. La perspective ouverte par les textes du premier séjour italien concernant les normes révélées de la « force » face à la crainte [97] est étendue ici à la « révélation ancienne ». Thomas en a préparé la théorie dans la *Prima Secundæ* en expliquant que les préceptes moraux de la loi ancienne manifestent la loi naturelle [98] et qu'ils concernent les actes de toutes les vertus [99]. Dans la *Secunda Secundæ*, où toutes ces vertus sont soigneusement étudiées, la question sur les préceptes, qui termine l'exposé de chacune d'elles, pourra faire appel au *moralia* de la loi mosaïque [100].

Si la loi ancienne contient des préceptes relatifs à la culture vertueuse de la force, elle n'a pourtant pas un « sacrement » apte à lui donner la plénitude qu'elle trouvera chez le chrétien confirmé [101]. La loi ancienne — comme le parrain du chrétien qui n'est pas encore « adulte » spirituellement — n'assume qu'une fonction de pédagogue. Au stage de l' « *ætas perfecta* », on exige un parrain « plus érudit » pour donner l'instruction accordée aux moyens aptes à soutenir le bon combat [102].

En plus de ces indications relatives à la culture vertueuse de la crainte, l'obéissance aux préceptes de la loi ancienne est elle-même signe de crainte révérencielle [103]. Mais déjà ces données débordent le domaine des *moralia*, car il ne s'agit pas seulement de rendre un hommage à Dieu en obéissant à la loi naturelle dont il est aussi l'auteur, mais d'obéir à la loi révélée sous la mouvance de la crainte que lui-même modèle dans le cœur de ses fidèles. Aussi les *cæremonialia* de la loi ancienne déterminaient-elles les modalités cultuelles aptes à former la disposition requise envers le vrai Dieu[104]. Puisque le culte extérieur est toujours ordonné au culte intérieur[105] et que la révérence anime la vertu de religion, il va de soi que les dispositions cultuelles anciennes auront un impact déterminant sur la formation d'une crainte révérencielle authentique. Aussi est-ce surtout dans le cadre des *cæremonialia*, qu'avec beaucoup de cohérence, Thomas a précisé ce point.

Il est assez intéressant de constater qu'ayant un sens aigu du fondement ultime de la crainte, à savoir la finitude de la créature face à l'infini de Dieu, Thomas a généralement attribué la formation de ce « sentiment » à la *ratio litteralis* — qu'il nomme aussi l'*historicum sensum*[106] — de la loi ancienne[107]. Déjà lorsqu'il énumère les *causæ litterales* et les *causæ figurales* des préceptes cérémoniels, c'est aux premières qu'il assigne l'*insinuatio* de l'excellence divine[108], objet propre de la révérence. Plus loin, lorsque Thomas s'interroge sur la *ratio* des cérémonies sacrées, il montre qu'il fallait organiser le culte extérieur pour amener les esprits à une plus grande révérence envers Dieu[109]. À l'occasion d'une objection contre la construction du temple, soulevée à partir de Act 27, 24, Thomas précise bien qu'il y a deux *rationes* dont la première correspond à l'interprétation littérale :

> Primo quidem, ut ad hujusmodi locum convenienter cum hac cogitatione quod deputaretur ad colendum Deum, cum majori reverentia accederent[110].

La seconde raison, en revanche, est d'ordre typologique et rejoint celle déjà donnée dans *Ia-IIae*, q. 98, a. 5, au sujet de la sainteté particulière exigée du peuple élu à cause de la révérence due au Christ :

> Secundo, ut per dispositionem talis templi, vel tabernaculi, significarentur aliqua pertinentia ad excellentiam divinitatis vel humanitatis Christi[111].

Lorsque Thomas examine les raisons pour les nombreuses purifications corporelles prescrites par la loi, la révérence est encore assignée comme la *ratio litteralis* générale[112].

Ce passage est influencé par l'exégèse de Maïmonide[113]. Il suffit de comparer les questions de la *Ia-IIae* relatives aux pratiques cérémonielles, notamment la question 102, avec la troisième partie du *Guide des égarés* du philosophe juif pour se rendre compte des emprunts considérables faits par l'Aquinate [114]. Lorsqu'il détermine les *rationes litterales* des cérémonies anciennes, Thomas suit de très près l'exégèse de Maïmonide. On ne cite jamais, dans les éditions de la *Somme de théologie*, le chapitre 52e de la troisième partie du *Guide*. Il fait partie de la conclusion générale de l'ouvrage et résume la *ratio litteralis* fondamentale des pratiques cérémonielles de la loi mosaïque ; c'est elle que Thomas a, de toute évidence, largement exploitée dans toute cette section de son traité. Il n'est pas inutile d'en citer au complet le dernier paragraphe :

> « L'idée sur laquelle j'ai éveillé ton attention renferme aussi le but de toutes les pratiques prescrites par la Loi ; car, c'est en se livrant à tous ces détails pratiques et en les répétant, que certains hommes d'élite s'exerceront pour arriver à la perfection humaine, de manière à craindre Dieu, à le respecter et à le révérer, connaissant celui qui est avec eux, et de cette manière ils feront ensuite ce qui est nécessaire. Dieu a exposé lui-même que le but de toutes les pratiques prescrites par la Loi, c'est de recevoir par là ces impressions dont nous avons, dans ce chapitre, démontré la nécessité à ceux qui connaissent les hautes vérités, (impressions qui consistent) à craindre Dieu et à respecter ses préceptes. Il dit : « Si tu n'as pas soin de pratiquer toutes les prescriptions de cette Loi, écrites dans ce livre, pour craindre le nom glorieux et redoutable, l'Éternel ton Dieu (Deutér., XXVIII, 58) ». Tu vois comme il dit clairement que « toutes les prescriptions de cette Loi » n'ont qu'un seul but, à savoir de faire « craindre ce nom, etc. » ; que ce but doit être obtenu par les « pratiques ». c'est ce que tu reconnais par les paroles de ce verset : « Si tu n'as pas soin de pratiquer », où il est dit clairement qu'il est le résultat des pratiques, (c'est-à-dire de l'exécution) des préceptes affirmatifs et négatifs. Quant aux « idées » que la Loi nous enseigne, à savoir celles de l'existence de Dieu et de son unité, elles doivent nous inspirer l'« amour » (de Dieu), comme nous l'avons exposé plusieurs fois, et tu sais avec quelle énergie la Loi insiste sur cet amour : « De tout ton cœur, de toute ton âme et de toutes tes facultés » (Ibid., VI, 5). En effet, ces deux buts, à savoir l'amour et la crainte de Dieu, sont atteints par deux choses : à l'« amour » on arrive par les idées que renferme la Loi sur la doctrine véritable de l'existence de Dieu ; à la « crainte » on arrive au moyen de toutes les pratiques de la Loi, comme nous l'avons exposé. — Il faut que tu comprennes bien cette explication sommaire [115].

Thomas d'Aquin, dont la théologie de la loi est différente de celle de Maïmonide, n'arrive pas à ces « deux buts » et à ces « deux moyens » de la loi ancienne. Il a cependant gardé, comme *ratio litteralis* fondamentale des prescriptions cultuelles, la formation, par la « pratique », de la crainte de Dieu. Dans son ensemble, le culte était immédiatement orienté vers l'éducation de la révérence divine [116]. Et comme le sacré vétérotestamentaire visait indissociablement, par sa structure typologique, le mystère du Christ à venir, la révérence qu'il inculquait s'adressait également au législateur de la loi nouvelle comme nous l'avons vu [117].

Dans les *judicialia*, nous trouvons peu de matière, car si toute la loi ancienne fut le pédagogue conduisant au Christ, ses prescriptions sociales n'acheminaient guère vers lui par mode de « figures », mais plutôt en organisant temporairement la vie collective du peuple dont il serait l'illustre rejeton [118]. Si l'examen de la « doctrine sociale » biblique apporte quelques discernements intéressants pour la théologie, la relativité dont elle est chargée limite généralement la portée de son enseignement. Ce sont des préceptes qui ne portent pas préjudice à la vérité de la foi, mais qui ne l'intéressent plus : ils ne sont pas « mortels », mais ils sont « morts » avec la naissance du peuple nouveau, puisqu'il n'y a plus, dans le Christ, la « *discretio gentilis et Judœi* » du régime ancien [119]. Et pourtant Thomas souligne que la *littera* de certains préceptes sociaux éduquait la crainte révérencielle des rois en leur prescrivant comment ils devaient se comporter devant Dieu [120].

Cette analyse de textes infirme certains arguments du réquisitoire de H. de Lubac contre les plaidoyers « thomistes » tendant à faire de Thomas « une sorte de Melchisédech de la théologie » [121]. Ces apologies « thomistes » nous irritent également. Nous estimons pourtant, après notre étude, que la critique du Père de Lubac est parfois inexacte et revêt à son tour un caractère polémique qui détonne un peu dans ce travail d'érudition.

D'abord nous croyons non justifiée son appréciation d'une « thèse » de Miss B. Smalley. Celle-ci écrit :

> St. Thomas had brought Christian exegesis to a stage where the Old Testament precepts could be made a subject of scientific study. At the same time he was giving content to the teaching of the Fathers, that the Old Testament was a history of religious education [122].

H. de Lubac reproduit ce texte en français et ajoute :

À ces deux assertions, nous avons quelque peine à donner un « contenu » précis. Nous ne voyons pas non plus en quoi l'action de Maïmonide se serait exercée sur ce point (cf. 294)...[128].

Notre étude confirme le bien-fondé des deux assertions de B. Smalley et l'à-propos de ses remarques sur l'influence considérable de Maïmonide sur l'interprétation thomiste de l'Ancien Testament comme une histoire de l'éducation religieuse.

Nous formulons également des réserves à la critique — il s'agit cette fois d'une « thèse » de M.-D. Chenu — formulée par H. de Lubac en ces termes :

> Il ne semble pourtant pas que celui-ci (i.e. Thomas) ait attribué aux rites anciens une valeur indépendante de leur vertu figurative, puisqu'il dit en ce même art. 2 (i.e. de *Ia-IIae*, q. 102), ad 2m : « Sacerdotes placebant Deo propter obedientim (il faut lire, bien sûr, obedientiam) et devotionem, et fidem rei præfiguratæ, non autem propter ipsas res secundum se consideratas[124].

L'auteur cite un texte dans le même sens avec le même renvoi à *Ia-IIae*, q. 102, a. 2, in c. Or le Père de Lubac commet, ici encore, une grave erreur de référence. M.-D. Chenu commente bien l'important article deuxième de la question 102 où les différentes *causæ litterales* des préceptes cérémoniels sont énoncées et dont nous avons examiné l'importance pour notre sujet. Les deux textes que lui oppose H. de Lubac ne sont pas « en ce même art. 2 », comme il l'écrit, mais dans l'article deuxième de la question 103 où il s'agit de savoir si les cérémonies de la loi ancienne « *habuerint virtutem justificandi tempore legis* ». Le doute exprimé par H. de Lubac trouve sa solution dans *Ia-IIae*, q. 102, a. 2 : en autant qu'ils ont pour fin de « figurer » le Christ, les rites anciens « *habent rationes figurales et mysticas* » : *Ia-IIae*, q. 103, a. 2, en est une application. Mais en autant qu'ils sont ordonnés au culte de Dieu pour !a durée du temps salutaire de la loi ancienne, ils ont les diverses « *rationes litterales* » dont nous avons déjà fait état.

Ces critiques de H. de Lubac, qui atteignent ce qui appartient au plus original de la pensée de Thomas sur la théologie de l'Ancien Testament, sont assez déconcertantes[125] !

Le double contexte de la pédagogie ancienne

Le relevé des indications contenues dans les questions 99 à 105 relativement à l'éducation par la crainte et à celle de la crainte permet de bien dégager le double contexte de la pédagogie ancienne et de discerner, en chacun, une méthode différente d'analyse.

Dans un premier contexte, Thomas s'intéresse surtout à bien camper deux méthodes pédagogiques et à évaluer leur efficacité respective ainsi que le rapport de l'une à l'autre. Les analyses, dans ce contexte, ne sont pas indépendantes des données scripturaires qui les fondent, mais elles gardent à leur égard un certain recul. Il s'agit moins de « scruter les Écritures » que de « scruter l'histoire sainte » pour dégager le rapport structurel de la pédagogie ancienne à la pédagogie nouvelle. C'est dans ce contexte que le thème *lex timoris - lex amoris* est constamment évoqué et que Thomas tente d'en évaluer le bien-fondé face aux diverses catégories de « juifs » qui ont vécu de fait sous la loi ancienne.

Dans un second contexte, l'Aquinate analyse les rapports qu'on peut établir entre l'ancienne et la nouvelle disposition salutaire à partir d'une étude beaucoup plus détaillée des divers sens de l'Écriture. L'interprétation du rapport entre les deux temps du salut est l'aboutissement d'une exégèse littérale et typologique des institutions et des prescriptions vétérotestamentaires. Dans ce contexte prédominent les divers thèmes de la culture vertueuse de la crainte et de la préparation du peuple à la venue du Christ par et dans la crainte révérencielle. À l'intérieur de ce contexte, on peut distinguer, en plus des données de l'exégèse littérale, « deux grandes lois d'herméneutique spirituelle, fondée sur le parallélisme des étapes du salut » : l'une qui se fonde sur des relations d'imparfait à parfait, l'autre sur des relations de figure à réalité ; nous sommes aussi porté à croire, avec M.-D. Mailhiot, que la deuxième de ces lois prédomine [126]. Thomas en énonce lui-même le fondement : « *primus status* (i.e. de la loi ancienne) est *figuralis et imperfectus respectu status evangelici* » [127]. Cette vue rejoint, du reste, deux grandes tendances théologiques traditionnelles : l'une qui explique les interventions salutaires conduisant au Christ comme une condescendance divine provisoire, l'autre qui est plutôt partisane du symbolisme [128]. Dans les questions 99 à 105, où Thomas procède à l'étude détaillée des préceptes de la loi mosaïque, conduite souvent avec l'aide de l'exégèse de Maïmonide, on trouve donc peu de considérations importantes sur le thème précis de la *lex timoris*. Nous sommes ici dans le contexte d'une exégèse littérale et allégorique qui manifeste comment, en vue du Christ, la loi ancienne formait les juifs à la culture vertueuse de la crainte et à l'éclosion de la crainte révérencielle.

Thomas est-il bien conscient de ces deux contextes, qu'on repère en fait dans la *Prima Secundæ*, et des procédés différents d'analyse qu'il applique dans chacun d'entre eux ? C'est une question à laquelle il n'est pas facile de répondre, à moins que l'auteur n'ait fait lui-même la théorie de ses méthodes. En ce qui concerne très précisément le problème qui nous intéresse, il existe pourtant un texte composé peu de temps après le traité de la loi ; il n'est pas loin d'être la mise en théorie de ce qui ressort de l'étude de sa théologie de la pédagogie divine de crainte dans l'Ancien Testament.

Dans *IIa-IIae*, q. 22, a. 2, où il est question des préceptes concernant le don de crainte, Thomas, après avoir cité les *auctoritates* de Deut 10, 12 [129] et de Psalm 110, 10 [130], énonce, dans le corps de l'article, la distinction classique entre la crainte servile et la crainte filiale. Or, dit-il, Dieu n'avait pas à donner un précepte concernant la crainte servile dans la législation elle-même [131] : il suffisait de la susciter par les menaces, d'où les clauses pénales du décalogue et des préceptes secondaires de la loi. Par la suite, les sages et les prophètes, dont le rôle n'est pas de légiférer mais d'inciter les hommes à l'obéissance, transmirent des « *documenta* » sur cette crainte. Au contraire, la loi comporte des préceptes précis concernant la crainte filiale. Cette crainte de Dieu « *sub præcepto* » n'est d'ailleurs par une « révérence naturelle », car elle procède de la charité [132] et constitue, avec elle, le principe même de l'accomplissement des préceptes de la loi [133].

Cet énoncé théorique, on le voit, correspond bien à la double réalité que nous venons d'analyser. Mais avant de tirer des conclusions ultérieures, il faut encore examiner la fin du traité de la loi.

4. L'approfondissement du thème augustinien : «Ia-IIae », qq. 106-108

Les longues préparations des seize premières questions du traité de la loi s'accomplissent, pour ainsi dire, dans les trois dernières [134], celles qui proclament la « bonne nouvelle » de la loi évangélique. Comment, sous cet éclairage direct, Thomas envisage-t-il la loi ancienne et ses « craintes » [135] ? Au centre de cette étude sur la loi nouvelle, une réponse de la longueur d'un article fournit les principaux éléments d'explication sur la pédagogie de la loi ancienne. C'est autour d'elle que nous reconstituerons les dernières réflexions de Thomas, dans ce traité, à ce sujet.

Le texte de *Ia-IIae*, q. 107, a. 1, ad 2, est élaboré à partir de l'axiome majeur de la relation entre les deux lois :

> ... omnes differentiæ quæ assignantur inter novam legem et veterem, accipiuntur secundum perfectum et imperfectum.

On assiste, dans les articles qui encadrent la réponse qui commence par cette déclaration de principe, à une réelle axiomatisation de l'aphorisme paulinien sur la loi-pédagogue, c'est-à-dire au perfectionnement du schéma abstrait de base « parfait - imparfait » sur lequel s'appuient tous les développements ultérieurs. Cet axiome n'est pas nouveau. Ici, pourtant, Thomas le polit en lui faisant rendre toutes ses virtualités.

Il apparaît dès *Ie-IIae*, q. 196, dans les deux derniers articles, ceux qui, précisément, étudient la loi nouvelle non pas dans sa structure interne mais bien en fonction du déroulement chronologique de l'événement salutaire. Si la loi nouvelle n'a pas été octroyée au « principe » du monde, c'est, entre autres raisons, à cause de sa perfection. L'être humain naît enfant, puis l'enfant devient homme. L'acheminement vers le parfait s'accomplit selon un certain « ordre temporel de succession » [136]. Voilà bien la raison que donnne l'Apôtre : « *Lex pædagogus noster fuit in Christo* » [137]. À la loi nouvelle, au contraire, aucune autre économie terrestre ne succèdera : elle ne peut être surpassée en perfection [138]. Face à la loi imparfaite, la loi nouvelle est un accomplissement (*adimpletio*) : elle justifie intérieurement, elle manifeste pleinement ce que l'autre ne faisait que promettre, elle réalise ce que l'ancienne figurait [139]. Comme la loi de de Jésus-Christ, on peut également exprimer la relation parfait - imparfait en termes de « *complementum in incompleto* » [140]. La formule « *sicut complementum in incompleto* » traduit l'axiome « *sicut imperfectum ad perfectum* » en termes d'exégèse spirituelle : la loi nouvelle est dans l'ancienne « comme le blé dans l'épi » [141].

Les deux articles qui précèdent *Ia-IIae*, q. 107, a. 1 et les deux qui le suivent dressent donc le bilan de la réalité historique que Paul nomme « *Lex pædagogus noster* » : qu'on l'examine à son origine ou à son terme, en ses limites ou en ses ambitions, le schéma théorique qui exprime le mieux et le plus adéquatement son statut par rapport à la loi évangélique est celui du rapport « *imperfectum ad perfectum* ». Ces éléments avaient presque tous été inventoriés [142]. Le fait qu'ils soient encore repris d'une seule coulée en utilisant d'une manière aussi dominante l'axiome du processus de perfection est néanmoins significatif de l'importance que Thomas accorde à cette conception.

Enchâssés dans ce contexte, l'article premier de la question 107, qui pose explicitement le problème de la comparaison entre les deux lois, prend beaucoup de relief. Pour répondre à la question décisive de l'originalité de la loi nouvelle par rapport à l'ancienne, l'Aquinate commence par invoquer la notion même de loi : « *omnis lex ordinat conversationem humanam in ordine ad aliquem finem* ». Or les moyens qui ordonnent à la fin peuvent être diversifiés de deux façons selon la raison même de fin. Si, en effet, ils ordonnent à des fins différentes, on aura une distinction spécifique. Si par contre ils ordonnent à la même fin, mais de façon plus ou moins prochaine, la distinction ne se fera plus que selon des degrés de perfection et d'imperfection. Ainsi en est-il des lois. On peut concevoir que, dans la même cité, une loi s'adresse aux hommes parfaits, donc à ceux qui peuvent immédiatement accomplir ce qu'exige le bien commun ; une autre, « *de disciplina puerorum* », prépare les « enfants » afin qu'ils agissent plus tard en parfaits. C'est uniquement de cette seconde façon que la loi nouvelle se distingue de l'ancienne :

> Quia lex vetus est quasi pædagogus puerorum, ut Apostolus dicit, ad Gal 3, 24 : lex autem nova est lex perfectionis, quia est lex caritatis, de qua Apostolus dicit, ad Colos 3, 14, quod est « vinculum perfectionis » [143].

Cette solution de *Ia-IIae*, q. 107, a. 1, expose très bien la mise en axiome de la loi-pédagogue : la fonction historique de la loi ancienne, selon l'Apôtre, est celle d'un « *pædagogus puerorum* » : elle est une « *disciplina puerorum* », comparativement à la nouvelle qui est un « *vinculum perfectionis* ». Étant présupposé que toute loi organise les « relations humaines » en vue d'une fin et que la fin de la loi divine est une, à savoir la soumission à Dieu [144], la distinction entre ces deux grandes dispositions divines est adéquatement rendue par les termes imparfait - parfait et leur rapport formulé par le schéma théorique « *sicut imperfectum ad perfectum* ». De ce postulat, on pourra ensuite procéder à des développements ultérieurs de type rigoureusement « scientifiques ».

C'est exactement ce que Thomas entreprend dans l'ad 2. Contre toutes distinctions entre la loi ancienne et la loi nouvelle, l'objection oppose des textes scripturaires tendant à les infirmer et à établir l'inanité de deux critères augustiniens, à savoir celui de la « brevis differentia »[145], et celui des « promissa temporalia » opposés aux « promissa spiritualia et æterna »[146]. Les préceptes de l'amour du prochain (Lev 19, 18) et de l'amour de Dieu (Deut 6, 5) de la loi mosaïque contrediraient le premier critère[147]. Le deuxième ne résisterait pas davantage à un examen des textes scripturaires, puisque le Nouveau Testament fait aussi des promesses temporelles : Marc 10, 30 : il recevra le centuple dès maintenant, au temps présent, en maisons, frères, etc. » ; vice versa, l'Ancien Testament promettait des biens spirituels et éternels selon ce qui est dit des anciens patriarches dans l'épître aux Hébreux, 11, 16 : « Or ils aspirent à une patrie meilleure, c'est-à-dire céleste »[148].

> Ad secundum dicendum quod omnes differentiæ quæ assignantur inter novam legem et veterem, accipiuntur secundum perfectum et imperfectum.

Pour permettre à cet axiome de fructifier, Thomas l'engage sur le terrain précis de la fonction éducatrice de l'agir vertueux déterminé par les préceptes. La discussion du rapport loi ancienne - loi nouvelle s'établit donc sur un plan strictement scientifique, ce qui permet de dépasser les images et de déterminer avec rigueur ce en quoi diffèrent deux lois qui soutiennent entre elles un rapport d'imperfection à perfection.

Pour exécuter les œuvres vertueuses, l'inclination de ceux qui n'ont pas encore l'habitus de la vertu est autre que celle des sujets déjà « perfectionnés » par cet habitus. La loi ancienne a été donnée aux « imparfaits », c'est-à-dire à ceux qui n'avaient pas encore reçu la grâce spirituelle, donc à ceux qui étaient inclinés à l'agir vertueux par une cause extérieure : elle est donc nommée, à juste titre, lex timoris, porteuse de promesses temporelles, celle qui lie la main et non le cœur[149]. En contrepartie, la loi nouvelle est accordée aux « parfaits », à ceux qu'elle-même incline intérieurement aux œuvres des vertus puisque sa principalitas consiste dans la grâce spirituelle répandue dans les cœurs[150]. On la nomme donc lex amoris, messagère des promesses spirituelles et éternelles, celle qui perfectionne l'esprit.

Comment répondre alors aux « difficultés scripturaires » ? La loi ancienne énonçait, en effet, les préceptes de la charité. Toutefois ce n'était point par elle que l'Esprit saint était répandu dans les cœurs. Ceux qui, sous son régime, vivaient de la charité, de la grâce et de l'espérance des promesses spirituelles, appartenaient déjà à la loi nouvelle[151]. De façon analogue, le Nouveau Testament héberge des êtres charnels qui n'atteignent pas encore à la perfection de la loi nouvelle et qu'il faut encore inciter à l'agir vertueux par la crainte des peines et par l'attrait des promesses temporelles[152]. À partir de l'axiome « *sicut imperfectum ad perfectum* », Thomas élabore donc une explication relative à l'« *inclinatio ad agendum virtutis opera* » des sujets auxquels s'adressent respectivement la loi ancienne et la loi nouvelle.

Si l'on collige les expressions qui caractérisent le rapport des deux lois dans la solution et dans la deuxième réponse de *Ia-IIae*, q. 107, a. 1, on aboutit à une énumération presque exhaustive des thèmes déjà connus : imparfait - parfait, enfant - homme, pédagogue - maître (de soi), pesant - léger, extérieur - intérieur, temporel - spirituel, loi de crainte - loi d'amour. À cette liste, il manque uniquement le binôme *lex servitutis - lex libertatis*. Il apparaît dans la question 108, et notamment dans le dernier article[153]. Le contexte immédiat est celui des « conseils évangéliques » ajoutés aux préceptes obligatoires : ceux-là présupposent justement un « état de perfection » dans lequel les sujets se portent d'eux-mêmes vers le bien en vue de la béatitude[154]. On serait tenté de paraphraser une formule de Montesquieu pour traduire la pensée générale de Thomas : la loi ancienne, faite pour lier les mains, doit donner des préceptes et point de conseils : la loi nouvelle, faite pour parler au cœur, doit donner beaucoup de conseils et peu de préceptes[155]. Les « conseils » sont caractéristiques de la loi de liberté et les « préceptes extérieurs » de la loi de servitude, dont ils sont la *principalitas*[156].

Nous ne rattachons pas arbitrairement ce binôme aux précédents. Dans *Ia-IIae*, q. 108, a. 1, où il est utilisé pour la première fois[157], la deuxième réponse aux objections explique la notion de loi de liberté à partir du texte tiré du *Commentaire sur les Métaphysiques* : « *liber est qui sui causa est* »[158], texte classique des élaborations sur la crainte servile opposée à l'amour[159]. Thomas y opère des mises au point sur les habitus. Ils inclinent dans le sens de la nature ou, au contraire, lui répugnent. Cela rejoint les explications décisives de la *Somme contre les Gentils* au sujet des fausses et vraies libertés et servilités de l'une et l'autre loi [160]. La grâce de l'Esprit-Saint est semblable à un habitus intérieur infus qui nous incline au bien. Accomplir les préceptes de la loi par cet « instinct intérieur » de la grâce, c'est agir librement [161]. Cet enseignement de *Ia-IIae*, q. 108, a. 1, ad 2, fait du reste pendant à celui de *Ia-IIae*, q. 107, a. 1, ad 2 : entre ces deux réponses, aucun autre texte n'expose la nouveauté de la loi évangélique par rapport à l'ancienne dans ce vocabulaire technique de l'habitus [162].

De tous ces thèmes exprimant le rapport loi ancienne - loi nouvelle, le plus expressif demeure *timor - amor* [163] : c'est celui qui caractérise le mieux la méthode éducative des deux « temps » de la loi divine, tout en manifestant la *principalitas* de leur contenu respectif. N'est-ce point par lui, du reste, que s'opère la discrimination entre « juifs » et « chrétiens » ? Lorsque des individus de la première économie ne sont pas mus *timore pœnæ*, mais *amore*, ils ressortissent à la loi nouvelle. Par contre, pour ceux qui, sous le régime de la grâce, n'agissent pas encore par amour, Thomas n'ose pas écrire, comme Prévostin de Crémone l'avait fait [164], qu'ils appartiennent encore à la loi ancienne, puisque celle-ci a effectivement cessé avec l'avènement du Christ. Il écrit pourtant que, « *similiter etiam* », on utilise à leur égard la méthode de la crainte des peines [165]. Remarquons aussi que le vocabulaire des contextes les plus formels de la crainte servile prévaut pour qualifier la loi ancienne : l'inclination produite par une cause extrinsèque, la menace des peines, la « contrainte de la main », la terminologie du « *metus* » (« ... *non simpliciter ejus voluntas a peccato recedit* »), *lex timoris*, *timore pœnæ*. Il faut enfin noter que, dans le corps de l'article premier de *Ia-IIae*, q. 107, l'énoncé principal de la nature de la distinction entre les deux lois implique cette même équivalence de l'axiome « imparfait au parfait » avec la relation « loi de crainte à loi d'amour » :

> ... *lex vetus est quasi pædagogus puerorum* (...) : *lex autem nova est lex perfectionis, quia est lex caritatis*....

La formule est elliptique :

$$\begin{cases} lex\ vetus: & quasi\ p\!\!\ædagogus\ puerorum: \quad \text{——} \\ lex\ nova: & lex\ perfectionis \qquad\qquad : lex\ caritatis \end{cases}$$

La traduction scientifique de *pædagogus puerorum* est *lex imperfectionis* ; le pendant de *lex caritatis* est *lex timoris*. On ne torture pas le texte, surtout après les précisions de l'ad 2, en le rendant de la façon suivante : la loi ancienne est une loi imparfaite car elle est la loi de crainte ; la loi nouvelle est la loi parfaite car elle est la loi d'amour.

On peut donc résumer la pensée de Thomas sur le rapport caractéristique des deux lois dans *Ia-IIae*, qq. 106-108 de la façon suivante : Paul dit que la loi ancienne « *pædagogus noster fuit in Christo* ». Son rapport à la nouvelle est donc, en termes techniques, du type de l'imparfait au parfait. Or les préceptes d'une loi imparfaite sont ceux qui n'ordonnent à la fin que de façon extérieure, sous la menace des peines. Les préceptes d'une loi parfaite orientent au contraire à cette fin en accordant l'inclination intérieure qui permet d'accomplir par amour les œuvres vertueuses qu'ils déterminent. Augustin a donc raison de caractériser la « *brevis differentia* » en qualifiant la première de *lex timoris* et la seconde de *lex amoris*. Voilà les deux méthodes dont le Père de Jésus-Christ s'est servi historiquement pour conduire son peuple à la béatitude : une pédagogie préparatoire de la crainte acheminant à une éducation définitive de l'amour.

Le contexte de *Ia-IIae*, qq. 106-108 considère la loi ancienne dans son rapport global à la loi évangélique. Aussi le thème de la loi de crainte reprend-il tous ses droits. Il y a là une confirmation des remarques que nous avons formulées à la fin de l'étude du contexte de *Ia-IIae*, qq. 99-105 [166]. Il n'exclut cependant pas le rappel de données sur le thème de la préparation d'Israël à la venue du Christ, thème caractéristique de l'exégèse pratiquée dans l'étude des prescriptions vétérotestamentaires de *Ia-IIae*, qq. 100-105. Ainsi trouvons-nous, dans les trois dernières questions du traité, des passages concernant l'unique législateur de la loi divine [167], l'histoire du péché et l'occasion possible de conversion qu'elle offre [168], la valeur « figurative » des prescriptions, surtout cérémonielles, par rapport au Christ [169] — de sorte que l'on peut, en ce sens, évoquer un autre binôme caractérisant le rapport des deux lois : « *lex umbræ et figuræ* [170] - *lex veritatis* » [171] — et, enfin, les deux états de la foi au Christ [172].

Un exposé compréhensif et nuancé de la pédagogie ancienne du salut d'après le traité de la loi dans la *Prima Secundæ* doit donc tenir compte des thèmes complémentaires de ces deux contextes.

5. Conclusions

L'étude attentive des modalités de notre thème dans chaque bloc de ce traité permet de tirer un certain nombre de conclusions que des études plus « globales » risquent de méconnaître.

Premièrement, elle nous apprend à nous méfier des textes qui schématisent une réalité historique complexe en vue de répondre au propos précis d'un article commandé par la structure d'une question. Thomas y épuise rarement, sinon jamais, toute sa pensée. Ainsi *Ia-IIae*, q. 98, a. 6, afin d'expliquer le début de la loi ancienne avec Moïse, et *Ia-IIae*, q. 99, a. 6, afin de justifier la « temporalité » des biens et des menaces dont se servait la loi ancienne, schématisent la division morale des sujets de la loi : les « bons », les « méchants » et, entre les deux, les « imparfaits ». La loi de crainte atteint peu ou prou les premiers, elle terrorise et condamne les seconds et elle vient en aide aux troisièmes par mode de « monition paternelle ». D'où la difficulté que nous soulevions à l'occasion de ces textes : en quoi consiste alors la pédagogie de crainte ? Or à côté de ces schématisations rapides et orientées vers un but précis, un nombre imposant de textes disent que les « bons » sur terre ne sont pas sans péché, que les « méchants » ne sont pas sans possibilité de se convertir et que les « imparfaits » ne sont pas mus exclusivement par la crainte révérencielle, pas plus, du reste, que par la seule crainte des peines. Aussi lorsque Thomas examine *ex professo* la pédagogie de la loi — ainsi dans *Ia-IIae*, q. 95, a. 1 et q. 101, a. 3 — ses schémas sont beaucoup plus nuancés et permettent de comprendre que si les « imparfaits » sont éduqués dans la crainte révérencielle, la crainte des peines leur sera souvent bénéfique ; par contre, si la loi ancienne condamne les « pervers » et les pénalise, elle leur fournit aussi, par là même, l'occasion de craindre et d'abandonner leurs voies mauvaises. Aussi pensons-nous qu'il n'y a pas, dans le traité de la loi, une « histoire des bons » et une « histoire des méchants », une « perspective optimiste » côtoyant une « perspective pessimiste ».

En établissant un parallèle étroit entre l'idée du processus de perfection dans le temps (traité de la loi) avec les principes vertueux (traité des vertus) d'une part, et celle de l'expérience temporelle du péché (traité de la loi) avec les principes peccamineux (traité des péchés) d'autre part, nous croyons que dom Lafont [178] s'engage dans une voie hasardeuse qui risque de prêter vie à des « principes intérieurs » qui, en fait, n'existent que côte à côte dans un sujet appelé au salut. Les deux éléments sont concomitants et font partie de l'expérience de chacun. Si l'Aquinate a su éviter, contrairement à certains Pères de l'Église[174], autant une interprétation pessimiste (une suite de décadences) qu'une interprétation optimiste (une gradation toute ascendante) de l'histoire, c'est précisément parce qu'il n'a jamais pris ses schématisations pour des réalités. Si cette pédagogie concrète de l'imparfait au parfait existe, c'est parce que le temps de la perdition existe aussi et dans la mesure même où le péché est encore à l'œuvre. Lorsqu'il disparaît, le déroulement historique est arrivé à son terme, à sa « perfection ». L'οἰκονομία de la réalisation historique du salut ne se comprend qu'en fonction de l'expérience dévastatrice du péché. Par contre, l'expérience « salutaire » du péché — l' « excæcatio » qui, par la providence de la miséricorde divine, est ordonnée à la guérison du pécheur[175] et qui seule fait partie de la pédagogie divine — présuppose, pour donner des résultats, le dispositif « vertueux » nécessaire à l'humilité et à la conversion dont les textes font état.

Par conséquent, et à plus forte raison, sommes-nous quelque peu réticent pour admettre le bien-fondé de la correspondance ultérieure établie par dom Lafont entre « actes extérieurs - coercition - thème de l'expérience du péché » d'une part, et « actes intérieurs - amour - thème d'une marche vers la perfection » d'autre part[176]. Si l'ordination des actes extérieurs et les moyens coercitifs sont propres à la loi ancienne, alors que l'ordination des actes intérieurs et le primat de l'amour caractérisent la loi nouvelle, il est beaucoup plus délicat d'attribuer à la loi ancienne le thème de l'expérience du péché en l'opposant au thème d'une marche vers la perfection, puisque — Thomas le répète constamment — la loi ancienne est essentiellement un processus de perfectionnement. N'y a-t-il pas là un certain durcissement de la pensée de Thomas causé par un parallélisme trop serré entre le plan des principes intérieurs et celui de l'histoire ? Ne risque-t-il pas de déboucher sur une vue manichéenne des « bons » et des « méchants » ?

Deuxièmement, nous avons constaté que, dans l'analyse de la signification respective et relative des deux étapes historiques de la pédagogie divine, le thème de la *lex timoris* est mis en relief. Lorsque l'Aquinate s'attache à une étude plus détaillée des composantes de la loi ancienne, surgit au contraire le thème de l'éducation de la crainte qui prépare également à la révérence envers le Christ à venir. Aucun des deux contextes n'exclut l'apparition du thème qui ne lui est point caractéristique, mais le moins qu'on puisse dire, c'est qu'il ne le privilégie pas.

Ces deux contextes ont cependant un lien profond. C'est pourquoi il est permis d'affirmer que leurs résultats doivent être réunis pour évaluer correctement le contenu et les modalités de la pédagogie divine dans l'ancienne disposition. Ce lien est assuré par l'idée-clée de la loi-pédagogue, avec toutes les nuances que les longues préparations du début du traité de la loi et les approfondissements de ces trois dernières questions autorisent à lui attribuer. C'est pourquoi nous ne sommes pas tout à fait d'accord avec le Père Mailhiot pour réduire l'utilisation de Gal 3, 24, à l'*auctoritas* qui fonde la loi d'herméneutique spirituelle du processus de perfectionnement, comme 1 Cor 10, 11 (« Toutes choses leur arivaient en figure ») représente la loi d'herméneutique spirituelle fondée sur l'aspect de figure [177]. Que ces deux lois s'expriment par ces deux textes, c'est certain. Mais celui de Gal 3, 24, est beaucoup plus important. En plus d'appuyer une loi d'herméneutique dans le contexte de l'exégèse des *præcepta*, il a aussi donné naissance à l'idée qui préside à toute la théologie de l'ancienne alliance, à savoir qu'elle était essentiellement et sous tous ses aspects, une pédagogie divine.

Troisièmement, ces précisions sur la nature de la pédagogie ancienne de crainte dans l'histoire du salut nous permettent d'établir une comparaison avec la pédagogie de la loi humaine dont les limites, justement, appelaient la divine [178].

Il existe des affinités certaines entre les deux. Par tout un aspect d'elles-mêmes, ces deux pédagogies sont caractérisées par leur pouvoir de coercition : par la menace pénale qui suscite la crainte, elles contrôlent la sphère extérieure de l'agir chez leurs sujets respectifs. C'est pourquoi, de ce point de vue, les « spirituels » échappent autant à la loi ancienne qu'à la loi humaine [179]. Par contre, ces mêmes « spirituels » se soumettent spontanément, et non par crainte, à ce que ces deux lois contiennent de positif pour orienter au bien commun [180].

Aussi lorsque, dans *Ia-IIae*, q. 98, a. 1, Thomas montre les limites de la loi ancienne par rapport à la nouvelle en disant que ce

qui convenait à la perfection de la loi humaine — à savoir la prohibition des péchés et la menace des peines — ne suffit pas à la perfection de la loi divine qui doit rendre les hommes aptes à partici-
per à la félicité éternelle, on a l'impression que la loi humaine vaut
bien la loi ancienne. L'objection est d'ailleurs explicitement soulevée
par Thomas à la question suivante : finalement on ne voit pas très
bien ce qui distingue la loi ancienne de la loi humaine, ce qui ne
convient guère à l'excellence de la loi divine [181]. Il répond que la loi
ancienne procède par une voie meilleure parce que la méthode
humaine est dans les mains des hommes alors que la divine est
utilisée par Dieu [182]. Si la même méthode éducative, employée par
des hommes distincts, peut, de fait, donner des résultats différents,
voire opposés, lorsque la distinction des pédagogues est celle qui
différencie Dieu de l'homme, on peut s'attendre à des résultats
différents dans les deux cas : en effet, la Providence ordonne les
malheurs du juste à des fins qui échappent aux prévisions de la
providence humaine [183]. Dieu n'est pas seulement auteur de sa loi,
mais il préside également au déroulement de l'histoire et c'est lui
qui appelle au salut.

La supériorité de la loi ancienne par rapport à celle des hommes ne s'établit cependant pas de ce seul point de vue. Par tout son
aspect figuratif, la loi mosaïque annonçait le Christ, et sa lettre
même préparait un culte spirituel animé par une révérence authentique bien au-delà de ce à quoi peut prétendre toute loi humaine [184].
Aussi faut-il interpréter avec discernement la limitation à l'« extériorité » de la loi ancienne : elle ne donnait pas, par elle-même, la
« grâce spirituelle », mais elle était tout orientée à la culture de la
vie vertueuse en prévision du Christ, pour que se prépare progressivement le passage d'un commandement extérieur à la notion
intime de l'Esprit de liberté. Elle favorisait plus immédiatement
ce que Thomas nomme, dans le cinquième *Quodlibet*, la fin spirituelle secondaire de la loi divine, à savoir la pureté et la rectitude
du cœur qui disposent à l'union à Dieu par la charité [185]. Il ne faut
donc pas comprendre son « extériorité » comme une non ordination
des actes intérieurs, mais uniquement au sens d'une loi qui ne
donne pas par elle-même l' » *inclinatio* » intérieure pour accomplir
ce qu'elle prescrit. C'est du reste en ce sens très précis que Thomas
comprend la « nouveauté » de la loi évangélique [186]. On comprend
mieux ainsi comment la loi ancienne dépasse en efficacité la loi
humaine et comment la loi nouvelle « accomplit » la loi mosaïque.

[1] *Ia-IIae*, q. 107, prol.

[2] Nous nous demandons si cela n'explique pas partiellement le silence quasi absolu des grands commentateurs classiques sur ces questions. Les auteurs contemporains qui ont remis en lumière l'importance théologique du traité de la loi dans la *Ia-IIae* ont noté ce désintéressement des commentateurs. CAJETAN, par exemple, n'a que vingt lignes pour tout le traité. Voir les remarques analogues de R. GUINDON, *Béatitude et Théologie morale...*, p. 324 ; Y. M.-J. CONGAR, *Le sens de l'« économie » salutaire...*, p. 82, note 40 ; U. KÜHN, *Via caritatis...*, p. 179. — A. M. di MONDA, *La Legge nuova della libertà...*, p. 3, souligne que les commentateurs de la Contre-Réforme, en particulier SOTTO et SUAREZ, ont repris, pour répondre aux attaques des Réformateurs, le commentaire de ces questions. Cependant, ils n'ont d'intérêt que pour l'aspect « juridico-moral » de l'enseignement de Thomas. Cette « tradition », qui consiste à ignorer, ou peu s'en faut, les questions concernant la loi divine, ne s'est perdue que récemment. Dans son ouvrage sur la loi, largement inspiré des commentateurs classiques, A. STANG, *La notion de loi dans saint Thomas d'Aquin*, Paris, Editions et publications contemporaines, 1926, étudie la loi en général, la loi éternelle, la loi naturelle et la loi humaine. Aucun chapitre n'est consacré à la partie la plus importante du traité de la loi chez Thomas, la loi divine. Ce n'est qu'un exemple parmi bien d'autres.

[3] Voir, par exemple, la façon dont la loi humaine y est traitée à l'article 3e comparativement aux approches des questions 95 à 97.

[4] Quoique jamais explicitement exploitée, cette approche n'est cependant pas complètement absente des autres textes. Thomas utilisera, tout au long de son traité, les notions de base qu'il a analysées dans *Ia-IIae*, q. 90, de sorte qu'on pourrait, en les colligeant, construire un « traité de la loi ancienne » sur le modèle de « la loi en général ». Cf., pour l'« ordinatio rationis » : q. 91, a. 5, in c. (secundo) ; q. 98, a. 1, in initio c. ; pour l'« ordinatio ad bonum commune » : q. 91, a. 5, in c. (primo), ad 1 et ad 2 ; q. 98, a. 1, in c. ; q. 99, a. 6, obj. 1 ; q. 100, a. 11, ad 3 ; q. 107, a. 1 ; pour le législateur et l'efficacité : q. 91, a. 5, in c. (tertio) ; q. 93, a. 6, ad 1 ; 98, a. 1, in c. ; q. 99, a. 6, ad 2 ; q. 101, a. 3, in c. ; pour la promulgation : peut-être q. 106, a. 2, ad 3. On observera que ce dernier élément est très peu mis en relief contrairement à la présentation du *Commentaire sur les Sentences*. A. M. di MONDA, *op. cit.*, p. 75, a aussi montré, sans s'y attarder, comment on peut retrouver les quatre éléments essentiels de la notion de loi dans la loi nouvelle. L'étude qui suivrait un tel schéma serait artificiel et trahirait l'intelligibilité que la démarche suivie par Thomas dégage.

[5] *Ia-IIae*, q. 91, a. 5, in c. A cette « auctoritas » paulinienne, on pourrait encore, comme Thomas le fait souvent au sujet du thème « lex timoris », accoler des « auctoritates » augustiniennes dans le même sens : l'humanité s'est développée, comme l'individu, de l'enfance à l'âge mûr : *De Civitate Dei*, X, c. 14 (PL 41, 292) ; un maître a d'autres préceptes pour l'adulte et pour l'enfant : *Epistola 138*, c. 1, no. 2 (PL 33, 526) ; etc.

[6] Deux lectures du texte sont possibles : l'édition Léonine lit : « Attenditur autem perfectio et imperfectio utriusque legis...» ; l'édition Piana

ne contient pas le mot « utriusque », ce qui, de soi, est plus conforme à la teneur de l'article.

⁷ *Ia-IIae*, q. 91, a. 5, in c. : « ... secundum tres quæ ad legem pertinent, ut supra dictum est ». Le « ut supra dictum est » ne peut se rapporter qu'aux analyses de la question 90e. — D'après R. GUINDON, *Le caractère évangélique de la morale de saint Thomas d'Aquin*, dans *RUO*, 25 (1955) 160*, note 24, il existerait un parallélisme entre cette comparaison des lois ancienne et nouvelle et la trilogie : béatitude - loi - grâce. A partir du sermon sur la montagne selon la version de Matthieu, Thomas organiserait la morale dans la *Lectura in Matthœum*, dans le IIIe livre de la *Summa contra Gentiles* et, dans une certaine mesure, dans la *Summa theologiæ*, selon cette trilogie.

⁸ Cf. *Ia-IIae*, q. 90, a. 2.

⁹ Les éditions manuelles récentes, qui indiquent les renvois principaux, sont hésitantes à ce point : l'édition Marietti donne une référence assez énigmatique à l'article précédent. Thomas y parle, sans doute, dans le « Tertio », de la rectitude des actes intérieurs et extérieurs ; mais dans cet article quatrième, comme dans le cinquième que nous examinons ici, il s'agit d'une application des analyses de la question 90e. Aussi l'édition Paulina s'abstient-elle ici de toute indication. Nous pensons que la référence est bien à *Ia-IIae*, q. 90, a. 1 : c'est en tant que « ordinatio rationis » qu'il appartient à la loi de « dirigere humanos actus secundum ordinem justitiæ ».

¹⁰ Cf. *Ia-IIae*, q. 90, a. 3.

¹¹ *Ia-IIae*, q. 91, a. 5, in c. Voir aussi ad 1 : puisque le salut ne vient que par le Christ, la loi parfaite ne pouvait être donnée que par lui : « Antea vero dari oportuit populo ex quo Christus erat nasciturus, legem præparatoriam ad Christi susceptionem, in qua quædam rudimenta salutaris justitiæ continerentur ».

¹² G. LAFONT, *Structures et méthode* ..., pp. 248-249.

¹³ A. VALSECCHI, *La « legge nuova » del cristiano* ..., p. 205 : « L'art. 5° della q. 91 non è, a questo riguardo (i.e. celui de la fin poursuivie), del tutto esplicito nè pertinente : S. Tommaso si limita a dirci che il fine della nuova legge è il bene spirituale del regno celeste, mentre quello dell'antica era il bene sensibile di un regno terreno ; non si vede una continuità tra questi due fini, etc. ».

¹⁴ G. LAFONT, *op. cit.*, p. 249. L'auteur note, du reste, que « ces considérations ne sont pas formulées à la question 98, mais un peu plus loin, qu. 107, 1 » (*ibid.*, note 1). On peut en dire autant de la q. 91, a. 5, où Thomas précise qu'il s'agit de deux états de la même loi divine et que la loi ancienne ordonne directement au bien temporel. Cette formulation n'implique-t-elle pas que, indirectement, elle oriente au bien spirituel ?

¹⁵ *Ia-IIae*, q. 91, a. 5, ad 1.

¹⁶ *Ibid.*, ad 2.

¹⁷ *Ia-IIae*, q. 107, a. 1, in c. : « ... omnis lex ordinat conversationem humanam in ordine ad aliquem finem. Ea autem quæ ordinantur ad finem, secundum rationem finis dupliciter diversificari possunt. Uno modo, quia ordinantur ad diversos fines : et hæc est diversitas speciei (...). Alio modo, secundum propinquitatem ad finem vel distantiam ab ipso (...) secundum vero quod una pars motus est propinquior termino quam alia attenditur

differentia in motu secundum perfectum et imperfectum ». Dans l'ad 2 de ce même article, on retrouve la même « opposition » que celle de *Ia-IIae*, q. 91, a. 5, in c., entre les « temporalia promissa » de la loi ancienne et les « promissa spiritualia et æterna » de la loi nouvelle !

[18] Ce qui ne signifie pas, notons-le bien, que la notion de loi telle qu'élaborée par Thomas, est réfractaire à une telle distinction. Au contraire, Thomas s'était préoccupé d'y introduire, au plan de son efficacité, des considérations d'ordre « historique » qui la rendent apte à supporter une différenciation en « loi de crainte » et « loi d'amour ».

[19] Nous avons ici un autre argument, interne cette fois-ci, qui rend l'interprétation de G. LAFONT sur l'opposition entre les deux fins dans *Ia-IIae*, q. 91, a. 5, inattribuable à Thomas... à moins qu'il faille voir ici une incohérence peu vraisemblable. Si Thomas ne pense pas à la loi ancienne et à la loi nouvelle « dans la perspective de la même fin », la notion même d'une pédagogie de crainte — la notion fondamentale de cet article — n'est-elle point une absurdité ? Comment Dieu aurait-il pu régir un peuple par la menace des peines pour le seul « plaisir » de le conduire au royaume de Chanaan et non parce que la crainte éduque à l'amour, le seul bien commun de son unique Royaume ? La crainte, selon Thomas, n'est intelligible qu'en fonction de l'amour.

[20] A propos des articles extraordinairement longs concernant les *cæremonialia*, CAJETAN, pour ne citer que le plus connu des commentateurs du « haut thomisme », se contente d'écrire : « In quæstionibus centesimaprima et centesimasecunda multa scribenda essent pro textu Scripturæ, quæ biblicis relinquo... » (éd. Léonine, t. VII, p. 224). Cette simple remarque manifeste le changement notable qui s'est opéré dans la conception de la méthode théologique entre Thomas et « son commentateur ».

[21] Par « systématique », nous comprenons ici l'organisation rationnelle selon l'« ordo disciplinæ ».

[22] Cf. M.-D. CHENU, *La théologie de la loi ancienne selon saint Thomas*, dans *RT*, 61 (1961) 486. Nous pensons cependant, avec R. GUINDON, *Le caractère évangélique de la morale de saint Thomas d'Aquin*, dans *RUO*, 25 (1955) 145*-167*, que la méditation de l'Ecriture au sujet des lois ancienne et nouvelle inspire profondément toute la théologie morale de Thomas, puisque la structure même de sa synthèse est, pour une large part, conditionnée par les questions sur la loi nouvelle. De ce point de vue, R. GUINDON a raison de s'élever contre la conception de « zone biblique dans l'édifice de la Somme » et de « théologie biblique : c'est-à-dire (...) des tranches entières de matière biblique » (M.-D. CHENU, *Introduction à l'étude de saint Thomas d'Aquin*, pp. 221-225 et 271-272. Voir R. GUINDON, *art. cit.*, p. 146*). — Il reste cependant vrai que, à partir de *Ia-IIae*, q. 98, on peut parler d'un certain passage à une « théologie biblique », comparativement aux questions précédentes sur la loi, en ce sens que Thomas entreprend une recherche à l'intérieur de la « lettre » scripturaire pour tâcher de discerner la signification des temps salutaires successifs.

[23] M.-D. CHENU, *La théologie de la loi ancienne...*, pp. 485-497 : le traité de la loi ancienne serait organisé selon les trois types de préceptes : moralia, cæremonialia et judicialia, des « catégories (qui) se manifestent en référence à des données empiriques et historiques, et non à une réflexion d'ordre philosophique sur la nature de la loi et des préceptes » (p. 488). Si le deuxième terme d'opposition réfère aux qq. 90 à 98, l'on voit déjà une première source de divergence entre notre interprétation subséquente et celle de M.-D. CHENU.

[24] *Ia-IIae*, q. 98, a. 1.

[25] *Ibid.*, a. 2.

[26] *Ibid.*, a. 1, ad 2.

[27] *Ibid.*, a. 1, in c.

[28] *Ibid.*, a. 2, ad 1.

[29] *Ibid.*, a. 2, ad 3. Cette idée revient souvent chez AUGUSTIN : cf. M. HUFTIER, *Le tragique dans la condition chrétienne...*, pp. 47-48, note 4. Toute une tradition patristique l'avait exprimée. H. de LUBAC, *Catholicisme, Les aspects sociaux du dogme*, Paris, Editions du Cerf, 1947[4], p. 222, la résume ainsi : «... il fallait que l'humanité « laissée à elle-même » eût fait une longue et multiple expérience de sa misère et qu'elle eût en quelque sorte touché le fond de l'abîme, pour mieux reconnaître le besoin qu'elle avait d'un sauveur et se trouver ainsi prête à l'accueillir ».

[30] *Ia-IIae*, q. 98, a. 2, in c. A l'« ordinatio » qui visait surtout l'éducation des moeurs, s'en ajoute une autre qui se voulait éducatrice de la foi.

[31] *Ibid.*, a. 2, ad 4. Voir aussi, q. 103, a. 2, in c. ; q. 106, a. 1, ad 3 ; q. 107, a. 1, ad 3. — Peut-on dire que, selon Thomas, les sacrements anciens avaient eux-mêmes, en tant que figuratifs, une valeur de justification ? Ou, ce qui exprime peut-être mieux la position éventuelle de Thomas : peut-on reconnaître aux sacrements anciens une valeur figurative réellement salutaire ? J. GRIBOMONT, *Le lien des deux Testaments selon la théologie de s. Thomas*, dans *ETL*, 22 (1946) 70-89 (en particulier, pp. 74-76 et 80-82), prétend l'établir. U. KÜHN, *Via caritatis...*, pp. 185-186, rejette cette interprétation : « Thomas betont nämlich in allen einschlägigen Äusserungen, dass die Vorschriften der Zeremonialgebote in keinem Falle die Kraft hätten, den entsprechenden Handlungen von ihrem Vollzug und ihrer symbolisierenden Bedeutung her eine rechtfertigende Kraft mitzuteilen, dass vielmehr eine solche rechtfertigende Wirkung allein dem Glauben, der sich mit dem zukünftigen Christus verbindet, zukomme ». Que l'insistance soit bien dans ce sens, nous en convenons. Que J. GRIBOMONT, par une faute méthodologique signalée par U. KÜHN, p. 186, note 353, se soit trompé sur le sens du changement d'opinion que Thomas s'attribue explicitement dans *IIIa*, q. 70, a. 4, sur la « grâce de la circoncision », c'est possible. Mais nous ne sommes pas certain que U. Kühn réfute adéquatement l'interprétation nuancée de J. Gribomont. Ce dernier dit bien que Thomas « n'admettra jamais que les sacrements anciens agissaient *ex opere operato*... » (p. 82, note 7), alors que U. Kühn semble attribuer l'interprétation contraire à J. Gribomont (cf. p. 185). De plus, U. Kühn n'explique pas comment il faudrait alors comprendre des textes aussi importants que *IIIa*, q. 8, a. 3, ad 3 : «... sancti Patres non insistebant sacramentis legalibus tanquam quibusdam rebus, sed sicut imaginibus et umbris futurorum. Idem autem est motus in imaginem, inquantum est imago, et in rem : ut patet per Philosophum, in libro de Memoria et Reminiscentia. Et ideo antiqui Patres, SERVANDO LEGALIA SACRAMENTA, refebantur in Christum per fidem et dilectionem eandem qua et nos in ipsum ferimur. Et ita Patres antiqui pertinebant ad idem corpus Ecclesiæ ad quod nos pertinemus ». Que veut dire aussi le « Cujus fidei quædam protestatio erat hujusmodi cæremoniarum observatio, INQUANTUM erant figura Christi » de *Ia-IIae*, q. 103, a. 2 ? Ne doit-on pas penser, avec J. Gribomont : « En raison de cette valeur typologique, les fidèles qui en usaient pouvaient, pénétrant et vivifiant la Lettre, être du Nouveau dans l'Ancien » (p. 74) ? On trouve des formules analogues chez divers interprètes de Thomas : I. HUNT, *The*

Theology of St. Thomas on the Old Law..., p. 146 : « Hence justification arose in the Jews through faith and love, *the observance of the precepts being supposed* » (c'est l'auteur qui souligne). M.-D. MAILHIOT, *La pensée de saint Thomas sur le sens spirituel*, dans *RT*, 59 (1959) 625, note 3 : « Il (i.e. Thomas) reconnaît alors (i.e. dans la *Somme de théologie*) aux sacrements anciens une valeur réelle purement figurative, mais une valeur figurative très réellement salutaire (IIIa, q. 62, a. 6) ». Voir encore, *ibid.*, p. 636, note 5. Voir aussi, A. M. HOFFMANN, *Die Gnade der Gerechten des Alten Bundes nach Thomas von Aquin*, dans *DTFr*, 29 (1951) 174-175.

[32] *Ia-IIae*, q. 98, a. 2, ad 2.

[33] *Ibid.*, a. 1, in c. : cf. aussi ad 2.

[34] *Ibid.*, in c. ; cf. aussi ad 3.

[35] On observera que les quatre réponses aux objections sont principalement des mises au point sur la « bonitas imperfecta » de la loi ancienne, et de façon conséquente seulement, des réponses aux objections contre la possibilité de lui assigner Dieu pour auteur.

[36] Thomas suit ici une longue tradition : l'origine divine de l'ancienne alliance est un thème de la littérature chrétienne des premiers siècles contre la dévalorisation excessive de l'Ancien Testament commune au gnosticisme, à Marcion et aux Manichéens. Une polémique semblable fut d'ailleurs reprise au moyen âge contre les albigeois : cf. P. GRELOT, *Sens chrétien de l'Ancien Testament...*, pp. 33-37, 50-51. — La qualification du « Dieu bon » par : « qui est le Père de Notre Seigneur Jésus Christ », dans une question explicite sur la nature de la loi ancienne, montre comment il faut interpréter les passages qui opposent la loi ancienne du Seigneur à la loi nouvelle du Père (cf., v.g., *in Joan* 4, 23, lect. 2 (no. 611)). — Elle rejoint aussi une idée commune à la spéculation des Pères de l'Eglise en cette matière, celle de la paternité divine comme fondement de la « thèse de la condescendance » : c'est parce que Dieu est Père que sa condescendance est une pédagogie et non point la connivence des « dieux capables de pactiser avec le mal : cf. H. PINARD, *Les infiltrations païennes dans l'ancienne Loi d'après les Pères de l'Eglise*, dans *RSR*, 9 (1919) 219. Notons que Thomas, dans des textes sur la pédagogie de la loi ancienne s'adaptant à la faiblesse du peuple choisi, se réfère explicitement au thème de la condescendance : v.g., *Ia*, q. 68, a. 3, in c. : « Moyses rudi populo loquebatur, quorum imbecillitati condescendens, illa solum eis proposuit, quæ manifeste sensui apparent » ; *IIa-IIae*, q. 1, a. 7, ad 2 : « ...profectus cognitionis dupliciter contingit (...). Alio modo, ex parte addiscentis : sicut magister qui novit totam artem non statim a principio tradit eam discipulo, quia capere non posset, sed paulatim, condescendens ejus capacitati. Et hac ratione profecerunt homines in cognitione fidei per temporum successionem. Unde Apostolus, ad Gal 3, 24, comparat statum veteris Testamenti pueritiæ ».

[37] *Ia-IIae*, q. 98, a. 4. Thomas renvoie à Deut 4, 36s et Gal 3, 16. Il ajoute à la fin de l'article : « Si autem rursus quæratur quare hunc populum eligit ut ex eo Christus nasceretur, et non alium : conveniet responsio Augustini, quam dicit super Joan (Trat. XXVI, super 6, 44 (PL 35, 1607)) : 'Quare hunc trahat at illum non trahat, noli velle dijudicare, si non vis errare' ». C'est le mystère de son élection gratuite : cf. *ibid.*, ad 2.

[38] *Ia-IIae*, q. 98, a. 4, in c. et ad 1.

[39] *Ibid.*, a. 5, in c.

⁴⁰ *Ibid.*, a. 5 ,in c. Cf. aussi, q. 95, a. 5, ad 3, qui distinguait entre les « præcepta communia » de la loi naturelle et la loi divine qui « dirigit etiam in particularibus ». A l'intérieur du traité sur la loi, la comparaison entre la loi naturelle et la loi nouvelle est aussi instituée dans q. 106, a. 1, ad 2. Thomas n'insiste plus sur la distinction entre les «préceptes communs » et les « préceptes particuliers », mais sur le caractère de renouvellement intérieur de la loi évangélique : «... dupliciter est aliquid inditum homini. Uno modo, pertinens ad naturam humanam : et sic lex naturalis est lex indita homini. Alio modo est aliquid inditum homini quasi naturæ superadditum per gratiæ donum. Et hoc modo lex nova est indita homini, non solum indicans quid sit faciendum, sed etiam adjuvans ad implendum ».

⁴¹ L'étude du vocabulaire, à bien des points de vue énigmatique, de la « sanctitas » chez Thomas serait fort utile pour éclaircir toute cette question. Le rapprochement de la « sanctificatio » avec la « reverentia Christi » dans l'article 5e et leur lien avec le « cultus » de l'article 2e tel que nous le suggérons, n'est pas arbitraire. Il faut se rappeler que, dans *IIa-IIae*, q. 81, a. 8, Thomas identifie « religio » à « sanctitas ». Dans *Ia-IIae*, q. 98, a. 5, ad 2, Thomas établit un parallèle entre la « sainteté cultuelle » des juifs de l'Ancien Testament et celle des « clercs » et des « religieux » du Nouveau Testament. On pourra aussi comparer *Ia-IIae*, q. 102, a. 5, in c., sur les conditions de « sainteté » pour tout le peuple hébreux député au culte divin avec *IIa-IIae*, q. 81, a. 8 ; etc. On trouve certaines indications à ce sujet chez I. Hunt, *The Theology of St. Thomas on the Old Law...*, pp. 104-137.

⁴² *Ia-IIae*, q. 98, a. 6, in c. : «... quælibet lex duobus generibus hominum imponitur. Imponitur enim quibusdam duris et superbis, qui per legem compescuntur et domantur : imponitur etiam bonis, qui, per legem instructi, adjuvantur ad implendum quod intendunt ».

⁴³ *Ibid.*, in fine c.

⁴⁴ *Ibid.*, ad 1. Voir encore, sur ce progrès du péché jusqu'à la loi écrite : *III*, q. 61, a. 3, ad 2 : « Per incrementa temporum et peccatum cœpit in homine magis dominari, intantum quod ratione hominis per peccatum obtenebrata, non sufficeret homini ad recte vivendum præcepta legis naturæ, sed necesse fuit determinari præcepta in lege scripta ». On relève des raisonnements semblables au sujet de l'institution de la circoncision au temps d'Abraham plutôt qu'au temps d'Adam dans *IIIa*, q. 70, a. 2, ad 1, et encore au sujet de la révélation prophétique du monothéisme à Abraham dans *IIa-IIae*, q. 174, a. 6, in c.

⁴⁵ L'ad 1 y fait peut-être allusion : «... tunc quia nondum homo recognoscebat se ea (i.e. la loi ancienne) indigere, de sua ratione confisus ». Cf. déjà, a. 2, ad 3.

⁴⁶ *Ia-IIae*, q. 98, a. 6, in c. : «... Imponitur enim quibusdam duris et superbis, qui per legem compescuntur et domantur ... ».

⁴⁷ *Ia-IIae*, q. 98, a. 6, in fine c. : « Ex parte vero bonorum, lex data est in auxilium. Quod quidem tunc maxime populo necessarium fuit, quando lex naturalis obscurari incipiebat propter exuberantiam peccatorum. Oportebat autem hujusmodi auxilium quodam ordine dari, ut per imperfecta ad perfectionem manuducerentur ».

⁴⁸ *Ibid.* : «... propter exuberantiam peccatorum » ; ad 1 : «... per consuetudinem peccandi ».

⁴⁹ Cf. *supra*, chapitre cinquième, pp. 133ss.

[50] M.-D. CHENU, *La théologie de la loi ancienne...*, dans *RT*, 61 (1961) 485-497.

[51] IDEM, *ibid.*, pp. 486-487.

[52] IDEM, *ibid.*, pp. 492-493. Ce problème, tel qu'il se posait au moyen âge, avait déjà été étudié par M.-D. CHENU, *Vocabulaire biblique et vocabulaire théologique*, dans *NRT*, 74 (1952) 1029-1041. L'auteur signalait, parmi d'autres exemples, la difficulté spéciale soulevée par la notion d'« alliance », p. 1035.

[53] M.-D. CHENU, *La théologie de la loi ancienne...*, pp. 486-487.

[54] IDEM, *ibid.*, p. 487.

[55] IDEM, *ibid.*

[56] IDEM, *ibid.*, p. 488.

[57] *Ia-IIae*, q. 98, prol.

[58] Cf. Gal 3, 16, dans q. 98, a. 4, in c. : Gal 3, 19, dans q. 98, a. 6, sed contra ; Gal 3, 23, dans q. 98, a. 2, in c. ; Gal 3, 24, dans q. 98, a. 2, ad 1 ; Gal 3, 25, dans q. 98, a. 2, ad 2. Ce texte paulinien, surtout le verset 24e, revient ensuite, comme un leitmotiv, tout au long du traité : cf., v.g., q. 99, a. 6 ; q. 104, a. 3, in c. ; q. 106, a. 3, in c. ; q. 107, a. 1, in c.

[59] *IIIa*, q. 53, a. 2, in c. ; Voir aussi *IIa-IIae*, q. 1, a. 7 ; q. 174, a. 6.

[60] *Ia-IIae*, q. 98, a. 6, in c. Voir aussi q. 107, a. 3 : « lex naturæ, lex Moysi, Evangelium ».

[61] *IIIa*, q. 53, a. 2, in c.

[62] Cf. *in II Sent.*, d. 9, q. 1, a. 8, ad 4 ; *in III Sent.*, d. 11, a. 4, qla. 1 ; *Ia*, q. 73, a. 1, ad 1 ; *Ia-IIae*, q. 101, a. 2, in c ; q. 103, a. 3, in c. ; q. 106, a. 4, ad 1 ; *IIIa*, q. 61, a. 4, ad 1. Signalons aussi la formule moins connue de *in Psalm*, prœm. (p. 150a) : « ... psalmi distinguuntur in tres quinquagenas ; et hæc distinctio comprehendit triplicem statum populi fidelis : scilicet STATUM POENITENTIAE : et ad hunc ordinatur prima quinquagena, quæ finitur in 'Miserere mei Deum', qui est psalmus pœnitentiæ. Secunda JUSTITIAE : et hæc consistit in judicio, et finitur in Psalm 100 : 'Misericordiam et judicium'. Tertia LAUDEM GLORIAE concludit æternæ ; et ideo finitur : 'Omnis spiritus laudat Dominum' ».

[63] Les quatre sont énumérés ensemble dans *in 2 ad Cor* 3, 18, lect. 3 (no. 115), où Thomas décrit ainsi les degrés de connaissance chez les disciples du Christ : « Primum est a claritate cognitionis naturalis in claritatem cognitionis fidei. Secundus est a claritate cognitionis Veteris Testamenti, in claritatem cognitionis gratiæ Novi Testamenti. Tertius est a claritate cognitionis naturalis et Veteris et Novi Testamenti, in claritatem visionis æternœ ». Voir les analyses intéressantes de M. SECKLER, *Das Heil in der Geschichte...*, pp. 196-202 : « Der Geschichtsverlauf und die Heilszeiten ». — La totalité de cette division correspond, du reste, à la formule quadripartite d'AUGUSTIN. Voir les principaux textes et un commentaire chez A. LUNEAU, *L'histoire du salut chez les Pères de l'Eglise...*, pp. 357-363.

[64] M. SECKLER, *op. cit.*, p. 105 : « .. kommt also die innere Bestimmung der Zeit zum Durchbruch und wird Wirklichkeit ». Voir aussi ses remarques à propos du temps comme facteur du salut dans la théologie de l'Aquinate. pp. 104-106.

[65] *Ia-IIae*, q. 98, a. 6, in c.

[66] Cf. *Ia-IIae*, q. 98, aa. 5 6.

[67] *Ia-IIae*, q. 98, a. 6, ad 3 : « ... totus populus consignatus signaculo circumcisionis, quæ fuit signum promissionis Abrahæ factæ et ab eo creditæ, ut dicit Apostolus, ad Rom 4, 11 ... ».

[68] *Ibid.*

[69] *Ia-IIae*, q. 98, a. 6, ad 2. Voir aussi *IIIa*, q. 70, a. 2, ad 2 : « ... legalis observantia tradi non debuit nisi populo jam congregato : quia lex ordinatur ad bonum publicum (...). Populus autem fidelium congregandus erat aliquo signo sensibili (...). Et ideo oportuit prius institui circumcisionem quam lex daretur. Illi autem Patres qui fuerunt ante legem familias suas instruxerunt de rebus divinis per modum paternæ admonitionis ». Cette amorce de la loi ancienne avec l'âge abrahamique correspond au troisième âge — l'adolescence — du schéma septénaire utilisé par AUGUSTIN s cf. A. LUNEAU, *op. cit.*, pp. 302-308. Mais ce rapprochement est, à notre avis, purement matériel, car il ne procède pas de ce schéma septénaire auquel Thomas ne se réfère que rarement. Nous ne connaissons que les textes suivants : in *Psalm* 36, 18, no. 18 (p. 286b) : « Et ideo vult Augustinus (*Enarratio in Psalmum* 36, 25, sermo 3, no. 4 (PL 36, 385)) quod loquatur in persona Ecclesiæ. Et hæc habet ætatem pueritiæ in Abel, juventutis in patriarchis, senectutis in Apostolis, senectam in fine mundi » ; *IIIa*, q. 1, a. 6, ad 1 (avec même référence à Augustin) ; in ad *Hebr* 9, 26, lect. 5 (no. 472) ; in ad *Rom* 4, 11-12, lect. 2 (no. 348) (simple allusion). Cette réticence envers le schéma septénaire des « âges du monde » s'explique d'ailleurs par la polémqiue véhémente que Thomas soutint contre les spéculations utopistes de JOACHIM DE FLORE. H. de LUBAC, *Exégèse médiévale ...*, t. III, pp. 446-459. donne un bon résumé des divisions de l'histoire et de leur « concordia » dans la théologie du célèbre calabrais. Pour la position de Thomas à cet égard, voir M. SECKLER, *op. cit.*, pp. 189-195.

[70] Voir aussi I. HUNT, *The Theology of St. Thomas on the Old Law*, pp. 29-64. — Notons les inexactitudes de la terminologie utilisée par A. M. di MONDA, *La Legge nuova della libertà ...*, p. 228, à propos de la division de l'histoire d'après Thomas. Se basant sur *Ia-IIae*, q. 91, a. 5 et q. 106, a. 4, ad 1, il écrit : « ... nella storia dell'umanità si possono così distinguere, secondo S. Tommaso, tre stati : stato di infanzia (...) ; stato di perfezione relativa, potremmo dire anche stato di giovinezza (...) ; stato di perfezione matura (...) ». Ces états correspondraient à ceux de la loi ancienne, de la loi nouvelle et de l'éternité. Cette terminologie n'est pas celle de Thomas. Dans *Ia-IIae*, q. 91, a. 5, cité par A. M. di Monda, l'opposition classique est pourtant clairement énoncée : « ... statum veteris legis statui puerili existenti sub pædagogo : statum autem novæ legis (...) statui viri perfecti ».

[71] M.-D. CHENU, *La théologie de la loi ancienne ...*, pp. 492-493. L'auteur admet, plus loin, une certaine correction à cette opposition : « L'amour de Dieu, l'amour du prochain sont en quelque sorte des préalables, entendez, des absolus, dont la lumière est toute spontanée, avant formule et consigne (q. 100, a. 3, ad 1um). Il y a comme un au-delà de la Loi, qui est la « Loi » elle-même. Sans doute récupérons-nous ici ce qui nous semblait tout à l'heure, face à l'inspiration religieuse et croyante de l'Alliance, être plus ou moins évacué par l'esprit judiciaire de la Loi. Dans cette théologie de saint Thomas, l'animation scripturaire déborde les analyses rationnelles les plus légitimes. Il ne philosophe pas sur une morale » (p. 495). Peut-être ! mais lorsqu'il trouve le moyen de pénétrer l'animation scripturaire d'intelli-

gibilité, il le fait. Or nous croyons qu'ici, il ne s'agit pas d'une « récupé-
ration » des valeurs propres à la notion d'« alliance » par une « Loi » qui
n'est pas la Loi, entendez, des absolus que la structure interne de la loi
ancienne ne supporte pas, mais bien de l'éclosion des richesses spirituelles
de ces « valeurs » à l'intérieur même de la notion théologique de loi-
pédagogue.

[72] Soulignons pourtant des ébauches en ce sens : J. Kopf, *La loi, indispensable pédagogue*, dans *VSp*, Suppl., 5 (1951) 185-200. Bien que l'application
historique à l'ancienne alliance soit signalée (pp. 195-196), cet article répond
à un propos plus large. Son inspiration rejoint cependant bien la pensée de
Thomas. A. Valsecchi, *La « legge nuova » del cristiano . . .*, dans la section
du chapitre troisième consacrée à la comparaison entre la loi nouvelle et la
loi ancienne (pp. 173-216), insiste également sur la loi ancienne comme « una
lunga ma provvidenziale pædagogia » (p. 188 ; voir aussi pp. 193, 199, 213).
L'importance de cette idée-clé n'est cependant point établie ni la notion
analysée. C. Journet, *L'économie de la loi mosaïque*, dans *RT*, (1963) 17-36.
On doit pourtant remarquer que, si Thomas est cité occasionnellement, cette
première partie de l'étude du cardinal Journet se présente comme une réflexion personnelle sur les données de l'Ancien Testament. Le texte de
Gal 3, 23-24 sert d'introduction et de conclusion à la partie de l'étude qui
s'intitule : « La loi doit servir de pédagogue jusqu'au temps du Christ ».
Cette présentation rejoint profondément la « sententia » de Thomas dans la
Prima Secundæ.

[73] I. Hunt, *The Theology of St. Thomas on the Old Law*, pp. 21 et 154.

[74] Idem, *ibid.*, pp. 65-97.

[75] Relevons un dernier exemple : S. Parker, *The Sacramental Aspect of
the Ceremonial Law*, dans *DSt*, 4 (1951) 162-163 : « It may appear from this
account of St. Thomas' treatment of the Ceremonial Law how his thought
continually centers around the notion of the ceremonies of the Old Testament
as *law*. He is at pains to discover the meaning of it all, on the principle
that law is always reasonable, and so he invariably looks for the reasons
for these ceremonies at two levels, that of the day to day observance of
the Jews, and that of the further purpose of a sign pointing to Christ.
For, as he stated at the beginning of the treatise on laws, the exterior
principle moving man to the good is God *instructing* by law and helping
by grace. And following St. Paul, St. Thomas sees the Law of Moses as
the pedagogue — the slave accompanying the Child to the school of Christ ».
La dernière affirmation, on le voit, n'a aucun lien interne avec les énoncés
précédents sur la notion de loi. Pourtant, elle apporte la solution réelle aux
difficultés soulignées par l'auteur.

[76] Cf. I. Hunt, *The Theology of St. Thomas on the Old Law*, Ottawa, St.
Paul's Seminary, 1949, 35pp. : il s'agit de l'extrait publié et qui reproduit
le chapitre troisième de la thèse portant le même titre ; M.-D. Chenu,
La théologie de la loi ancienne selon saint Thomas, dans *RT*, 61 (1961) 485-497.

[77] *Ia-IIae*, q. 98, a. 6, in c. : « Imponitur enim quibusdam duris et superbis,
qui per legem compescuntur et domantur : imponitur etiam bonis, qui, per
legem instructi, adjuvantur ad implendum quod intendunt ».

[78] *Ia-IIae*, q. 99, prol.

[79] *Ibid.*, a. 6, in c.

[80] *Ibid.* : « . . . ut ex illis eum movere incipiat quæ sunt in ejus affectu ».

[81] *Ibid.*

[82] *Ibid.*, ad 3 : « Sed aliquæ personæ particulares etiam justitiam legis observantes, in aliquas adversitates incidebant, quia jam erant spirituales effecti, ut per hoc magis ab effectu temporalium abstraherentur, et eorum virtus probata redderetur ».

[83] *Ibid.*, in c. : « Perfectio autem hominis est ut, contemptis temporalibus, spiritualibus inhæreat (...). Imperfectorum autem est quod temporalia bona desiderent, in ordine tamen ad Deum. Perversorum autem est quod in temporalibus bonis finem constituant. Unde legi veteri conveniebat ut per temporalia, quæ erant in affectu hominum imperfectorum, manuduceret homines ad Deum ».

[84] AUGUSTIN, *De diversis quæstionibus LXXXIII*, q. 36, no. 1 (PL 40, 25).

[85] *Ia-IIae*, q. 99, a. 6, ad 1 : « cupiditas, qua homo constituit finem in temporalibus bonis, est caritatis venenum. Sed consecutio bonorum quæ homo desiderant in ordine ad Deum, est quædam via inducens imperfectos ad Dei amorem ; secundum illud Psalmi 48, 19 : 'Confitebimur tibi cum benefeceris illi' ».

[86] *Ia-IIae*, q. 99, a. 6, in fine c.

[87] *Ia-IIae*, q. 101, a. 3, in c. : « ... omnis lex alicui populo datur. In populo autem duo genera hominem continentur : quidam PRONI AD MALUM, qui sunt per præcepta legis COERCENDI, ut supra dictum est ; quidam HABENTES INCLINATIONEM AD BONUM, VEL EX NATURA VEL EX CONSUETUDINE, VEL MAGIS EX GRATIA ; et tales sunt per legis præceptum INSTRUENDI et in melius promovendi ». Comparer avec *Ia-IIae*, q. 95, a. 1, in c. : « ... oportet quod hujusmodi disciplina, per quam ad virtutem perveniatur, homines ab alio sortiantur. Et quidem quantum ab illos juvenes qui sunt PRONI AD ACTUS VIRTUTIS, EX BONA DISPOSITIONE NATURAE, VEL CONSUETUDINE, VEL MAGIS DIVINO MUNERE, sufficit disciplina paterna, quæ est per MONITIONES. Sed qui inveniuntur quidam protervi et AD VITIA PRONI, qui verbis de facili moveri non possunt ; necessarium fuit ut per vim et metum COHIBERENTUR a malo (...). Hujusmodi autem disciplina cogens metu pœnæ, est disciplina legum ».

[88] *Ia-IIae*, q. 19, a. 6, in c. : « Alio modo timor pœnæ distinguitur quidem secundum substantiam a timore casto, quia scilicet homo malum pœnale non ratione separationis a Deo (ce serait alors la crainte filiale), sed inquantum est nocivum proprii boni : nec tamen in illo bono constituitur ejus finis, unde nec illud malum formidatur tanquam principale malum (ce serait alors la crainte service peccamineuse). Et talis timor pœnæ potest esse cum caritate ».

[89] *Ia-IIae*, q. 100, a. 7, obj. 4 : « ... lex vetus dicitur lex timoris, inquantum per comminationes pœnarum inducebat ad observationes præceptorum. Sed omnia præcepta decalogi pertinent ad legem veterem. Ergo in omnibus debuit poni comminatio pœnæ, et non solum in primo et secundo ».

[90] ARISTOTE, *Ethic. à Nic.*, X, c. 10 (1180 a 4-14).

[91] *Ia-IIae*, q. 100, a. 7, ad 4 : « ... pœnæ præcipue necessariæ sunt contra illos qui sunt proni ad malum ut dicitur in X Ethic. Et ideo illis solis præceptis legis additur comminatio pœnarum, in quibus erat pronitas ad malum. Erant autem homines proni ad idololatriam, propter generalem consuetudinem gentium. Et similiter sunt etiam homines proni ad perjurium, propter frequentiam juramenti ». Voir aussi : a. 5, ad 3 ; *IIa-IIae*, q. 122,

a. 3, ad 2 et ad 4. — Thomas, contrairement à Jean de La Rochelle et à la majorité des « manualistes » modernes, ne construit pas une « morale des préceptes ». En dernière analyse, il garde donc une attitude beaucoup plus « historique » qu'eux envers les préceptes du décalogue, puisqu'il ne se voit pas dans l'obligation d'inclure tout l'enseignement moral sous leurs dix rubriques. Pour Thomas, les deux premiers préceptes pénalisent exactement ce qu'ils interdisent : l'idolâtrie et l'irréligiosité du parjure. De même le rang privilégié qu'ils occupent dans la loi ancienne reçoit des justifications d'ordre « historique ».

[92] Cf. *Ia-IIae*, q. 98, a. 2, in c. ; a. 4, in c. ; a. 6, in c. Dans son commentaire de Hebr 12, 18-21, lect. 4 (no. 703), il avait déjà longuement insisté sur ce point.

[93] *Ia-IIae*, q. 101, a. 3, in c.

[94] Notons immédiatement, pour prévenir certaines difficultés d'interprétation, que la division de la matière législative ancienne en trois catégories garde un relativisme généralisé. Thomas en est d'ailleurs conscient : cf., v.g., *Ia-IIae*, q. 99, a. 4, ad 2. Voir M.-D. CHENU, *La théologie de la loi ancienne...*, pp. 496-497.

[95] *Ia-IIae*, q. 100 a. 11, ad 3. Dans la loi nouvelle, le précepte de Matth 10, 28, répond à celui de Deut 20, 3. L'orientation « nouvelle », qui insiste sur le « combat spirituel », est cependant mieux représentée par des préceptes nouveaux comme ceux de Matth 11, 12 ; 1 Pe 5, 8-9 et Jac 4, 7 : *IIa-IIae*, q. 140, obj.-ad 1. Voir aussi *Quodl.*, IV, a. 20 ; *IIa-IIae*, q. 124. a. 1, ad 3 ; a 3 ad 1. Par ailleurs, la loi divine dans son ensemble contient, dans le même sens, des préceptes relatifs aux vertus qui enlèvent la « mauvaise conscience » : cf. *IIa-IIae*, q. 44, a. 1. in c. Pour la signification de ces vertus contre la crainte, voir notre article, *La « crainte honteuse » selon Thomas d'Aquin*, dans *RT*, 69 (1969) 609, note 98.

[96] Cf. *Ia-IIae*, q. 92, a. 1. Ce principe est brièvement énoncé à nouveau dans le contexte précis de la « lex timoris » dans *Ia-IIae*, q. 107, a. 1, ad 2 : « Præcepta enim legis cujuslibet dantur de actibus virtutum ».

[97] Cf. *supra*, appendice I, pp. 168-170.

[98] *Ia-IIae*, q. 100, a. 1.

[99] *Ibid.*, a. 2.

[100] *Ibid.*, a. 3.

[101] *IIIa*, q. 72, a. 1, ad 2 : « Confirmatio est sacramentum plenitudinis gratiæ : et ideo non potuit habere respondens in veteri lege, quia 'nihil ad perfectum adduxit lex', ut dicitur Hebr 7, 19 ».

[102] *IIIa*, q. 72, a. 10, in c. : « Sicut autem aliquis de novo natus indiget instructore in his quæ pertinent ad conversationem vitæ (...) ita illi qui assumuntur ad pugnam indigent eruditoribus a quibus instruantur de his quæ pertinent ad modum certaminis ». Dans *IIIa*, q. 67, a. 8. Thomas écrit, en référence à la fonction du parrain du baptisé : « officium pædagogi ». Tout ce vocabulaire est évocateur de celui utilisé pour les deux lois : pædagogus — magister, etc. Voir également les textes suggestifs relevés par J. LATREILLE, *L'adulte chrétien, ou l'effet du sacrement de confirmation chez saint Thomas d'Aquin*, dans *RT*, 57 (1957) 236-237, au sujet de la « virilitas » de l'*ætas perfecta* ».

[103] Cf., v.g., l'obéissance d'Abraham dans *IIa-IIae*, q. 64, a. 6, ad 1 ; et celle des « accoucheuses égyptiennes » dans *IIa-IIae*, q. 110, a. 3, ad 2 ; a. 4, ad 4.

[104] *Ia-IIae*, q. 99, a. 3, ad 2. Il faut se souvenir du principe énoncé dans *IIa-IIae*, q. 81, a. 2, ad 3 : « ... de dictamine rationis naturalis est quod homo aliqua faciat ad reverentiam divinam ; sed quod hæc determinate faciat vel illa, istud non est de dictamine rationis naturalis, sed de institutione juris divini vel humani ». L'objection parle de « cæremonia » et de « cæremonialia ».

[105] *Ia-IIae*, q. 101, a. 2, in c. Cette question sera soigneusement traitée dans *IIa-IIae*, q. 81, a. 7.

[106] Cf. A. Blanche, *Le sens littéral des Ecritures d'après saint Thomas d'Aquin*, dans *RT*, 14 (1906) 197-199 ; P. Synave, *La doctrine de saint Thomas d'Aquin sur le sens littéral des Ecritures*, dans *RB*, 35 (1926) 41-43.

[107] Y. M.-J. Congar, *Le sens de l'« économie » salutaire...*, pp. 92-93, a justement souligné l'importance et l'originalité de l'interprétation littérale de la loi ancienne par Thomas dans la *Somme de théologie*. Tout en tenant compte des mises au point de H. de Lubac, *Exégèse médiévale...*, t. IV, pp. 285-302, sur les exagérations commises quant à l'originalité de Thomas en ce domaine — nous y reviendrons — on doit pourtant reconnaître que, de façon générale, l'Aquinate s'inscrit bien dans la tradition victorine de l'exégèse littérale et pratique plus systématiquement que plusieurs de ses contemporains l'interprétation « ad litteram » selon le principe premier de son herméneutique : « Nulla confusio sequitur in sacra Scriptura, cum omnes sensus fundentur super unum, scilicet litteralem : ex quo solo potest trahi argumentum » (*Ia*, q. 1, a. 10, ad 1). Malgré certaines expressions peut-être outrées quant à l'originalité de Thomas et l'« allégorisation radicale » de ses contemporains, voir : C. Spicq, *Pourquoi le moyen âge n'a-t-il pas davantage pratiqué l'exégèse littérale ?* *RSPT*, 30 (1941-1942) 169-179 ; Idem, *Esquisse d'une histoire de l'exégèse au moyen âge*, Paris, J. Vrin, 1944, p. 288 ; M.-D. Chenu, *Théologie symbolique et exégèse scolastique aux XIIe-XIIIe siècles*, dans *Mélanges J. De Ghellinck*, Gembloux, J. Duculot, 1951, t. II, pp. 524. — B. Smalley, *The Study of the Bible in the Middle Ages*, Notre Dame (Indiana), University of Notre Dame Press, 1964, p. 275 (cette édition que nous utilisons n'est qu'une réimpression du même ouvrage paru d'abord chez B. Blackwell and Mott Ltd., Oxford, en 1952), associe Thomas à Albert le Grand quant à la méthode exégétique : « Perhaps, and it is only perhaps, both Albert and Thomas as commentators were too advanced for their contemporaries ». Pour Albert le grand, voir J.-M. Voste, *Sanctus Albertus Magnus, evangeliorum interpres*, dans *Ang*, 9 (1932) 239-298, surtout pp. 249ss.

[108] *Ia-IIae*, q. 102, a. 2, in c. : « Sic igitur rationes præceptorum cæremonialium veteris legis dupliciter accipi possunt. Uno modo, ex ratione cultus divini qui erat pro tempore illo observandus. Et rationes istæ sunt litterales ; sive (...) ; sive ad insinuandam excellentiam divinam ».

[109] *Ia-IIae*, q. 102, a. 4, in c.

[110] *Ibid.*, ad 1.

[111] *Ibid.*

[112] *Ibid.*, a. 5, ad 4 : « Istarum autem immunditiarum ratio erat et litteralis, et figuralis. Litteralis quidem, propter reverentiam eorum quæ ad divinum cultum pertinent. Tum quia homines pretiosas res contingere non

solent cum fuerint immundi. Tum etiam ut ex raro accessu ad sacra, ea magis venerarentur. Cum enim omnes hujusmodi immunditias raro aliquis cavere possit, contingebat quod raro poterant homines accedere ad attingendum ea quæ pertinebant ad divinum cultum : et sic quando accedebant, cum majori reverentia et humilitate mentis accedebant ».

[113] MAIMONIDE, *Guide des égarés* . . . , III, c. 47 (éd. Munk, pp. 386ss).

[114] L'édition d'Ottawa de la *Somme de théologie*, la meilleure au plan des sources, donne, pour la seule question 102e, 17 références précises au *Guide des égarés*. Pourtant elle en omet encore : ainsi *Ia-IIae*, q. 102, a. 5, ad 1, sur la circoncision, n'est accompagné d'aucune note alors que les deux premiers arguments sont tirés presque textuellement du *Guide*, III, c. 45 (éd. Munk, pp. 416-420).

[115] MAIMONIDE, *Guide des égarés* . . . , III, c. 52 (éd. Munk, pp. 453-454).

[116] F. B. SULLIVAN, *Reference Towards God* . . . , pp. 167-174, a bien montré comment cette distinction — dont il ne fait cependant pas une étude approfondie au plan de la loi ancienne — est reprise, en quelque sorte, au plan des sacrements de la loi nouvelle : « The literal meaning is to lead man to offer fitting spiritual worship to the one true God. The figurative meaning is to typify Christ and His sacrifice and the whole Christian order of grace. Similarly, when St. Thomas speaks of the ceremonies of the Catholic Church, he often gives us two sets of meanings. Since these rites are intended to enhance and bring out more effectively the meaning of the sacraments themselves, they will signify the same things the sacraments do. That is, they will call to mind the passion of Christ, the life of grace and the virtues, and eternal bliss in the next world. But at the same time they have the same effect upon the soul as any kind of external worship ; they serve to awaken those basic religious attitudes and feelings which nature demands in all forms of cult, including sacramental worship » (p. 170). Des exemples sont ensuite étudiés dans les pages suivantes : *IIIa*, q. 66, a. 10, in c. ; q. 80, a. 7, in c. ; q. 83, a. 3, in c. et ad 6 ; a. 5, in c., ad 1-2 ; *Quodl.*, X, q. 6, a. 3, in c. (Eucharistie) ; *IIIa*, q. 66, a. 3, in c. ; a. 10, in c. (Baptême). Nous faisons cependant une réserve : les cérémonies de la loi nouvelle, comme ceux de la loi ancienne, éveilleront, par leur sens littéral, des attitudes et des sentiments religieux fondamentaux dont la structure peut être analysée de façon abstraite. Thomas a-t-il cependant pensé que les « cérémonies » anciennes et nouvelles, porteuses « in concreto » d'une valeur « littérale » et d'une valeur « figurative », donnent naissance à une « révérence » qui ne soit pas celle qu'inspire l'Esprit ? Nous ne croyons pas qu'on puisse l'établir à partir des textes.

[117] *Ia-IIae*, q. 98, a. 5, in c. : « . . . quantum ad illa quæ lex vetus superaddebat, non tenebantur aliqui ad observantiam veteris legis nisi solus populus Judæorum. Cujus ratio est quia lex vetus, sicut dictum est, data est populo Judæorum ut quandam prærogativam sanctitatis obtineret, propter reverentiam Christi, qui ex illo populo nasciturus erat ».

[118] *Ia-IIae*, q. 104, a. 3, in c. : « Præcepta autem judicialia non sunt instituta ad figurandum, sed ad disponendum statum illius populi, qui ordinabatur ad Christum. Et ideo, mutato statu illius populi, Christo jam veniente, judicialia præcepta obligationem amiserunt : lex enim fuit pædagogus ducens ad Christum, ut dicitur ad Gal 3, 24 . . . ».

[119] Cf. *Ia-IIae*, q. 104, a. 3, ad 3 et in c.

[120] *Ia-IIae*, q. 105, a. 1, ad 2 : « Instituit (i.e. lex vetus) etiam qualiter se

(i.e. reges) deberent habere ad Deum : ut scilicet semper legerent et semper legerent et cogitarent de lege Dei, et semper essent in Dei timore et obedientia ». — Après tous ces textes concernant la valeur littérale d'un certain nombre de préceptes cérémoniels et judiciaires, on voit mieux le danger de durcir la division thomiste tripartite des préceptes de la loi ancienne. Dans son introduction à la traduction anglaise du traité de la loi ancienne, S. THOMAS AQUINAS, *Summa theologiæ, The Old Law (1a 2ae. 98-105),* t. 29, London, Blackfriars, 1969, p. XIX, D. BOURKE écrit : «...*moralia, ceremonialia* and *judicialia* (...). Only the first of these has a permanent and definitive applicability. The other two are *figuralia* ». Les textes de Thomas ne justifient pas une telle assertion. Les cérémonies et les préceptes sociaux anciens ne se réduisaient pas à un rôle purement figuratif.

[121] H. de LUBAC, *Exégèse médiévale*..., t. IV, pp. 285-302. L'expression citée de notre texte est attribuée à Y. M.-J. CONGAR par H. de LUBAC, *ibid.*, p. 296. Elle était aussi le « cri de guerre » de O. LOTTIN ; cf. *RTAM,* 32 (1965) 6.

[122] B. SMALLEY, *The Study of the Bible*..., p. 306.

[123] H. de LUBAC, *op. cit.,* p. 293, note 3. Le texte de BROWN, cité à la page 293, dans lequel H. de Lubac dit avoir cru découvrir une élucidation de la thèse de B. Smalley, n'a, à notre avis, rien à voir avec ladite « thèse ». — Nous nous permettons de signaler que ce texte de Brown est, tel que cité par H. de Lubac, inintelligible : il faut lire « Just AS », non « Just AD » ; et « The spiritual sense was not TO be studied », non « The spiritual sense was not be studied ».

[124] H. de LUBAC, *op. cit.,* p. 294, note 4. Le titre de l'article de M.-D. CHENU auquel H. de Lubac se réfère n'est pas, comme il l'écrit, *Le sens de l'économie salutaire dans la théologie de S. Thomas* — c'est le titre d'un article de Y. M.-J. CONGAR! — mais bien : *Histoire et allégorie au douzième siècle,* dans *Festgabe Joseph Lortz,* herausgegeben von E. Iserloh und P. Manns, Baden-Baden, B. Grimm, 1958, t. II, pp. 59-71.

[125] Citons un dernier exemple d'« arguments » assez mal venus. Après avoir dit que Thomas expose souvent un sens mystique, H. de LUBAC, *op. cit.,* p. 298, poursuit : « L'on en dira autant de l'*Expositio in Cantica* ou du commentaire d'Isaïe. Cela nous empêchera de supposer que lorsque, par exception, et à l'imitation de son confrère Roland de Crémone, saint Thomas s'en tient pour le *Livre de Job* au seul sens littéral, ce soit par l'effet d'un souci critique et en raison d'une moindre estime pour le sens spirituel ». Peut-être ! Mais il faut remarquer, premièrement, que nous ne possédons aucun manuscrit de l'*Expositio in Cantica* de Thomas d'Aquin, de sorte qu'il est difficile d'apprécier jusqu'à quel point son commentaire était mystique plutôt que littéral ! Deuxièmement, l'entreprise de l'*Expositio super Job ad litteram* est encore la première du genre connue au moyen âge. Si le Père de Lubac avait lu attentivement A. DONDAINE, *Un commentaire scripturaire de Roland de Crémone, « Le Livre de Job »,* dans *AFP,* 11 (1941) 109-137, auquel il renvoie à la page 298, note 3, il n'aurait pas écrit « à l'imitation de son confrère Roland de Crémone », pour la bonne raison que le Père Dondaine dit au sujet du commentaire de ce dernier : «...le plus souvent chaque fragment comprend un exposé littéral ou historique, une application morale, mystique ou allégorique enfin un court résumé, ou bien un texte choisi de s. Grégoire (...). L'exposition est loin d'avoir la sobriété de celle de s. Thomas sur le même texte sacré » (p. 124). On ne trouvera pas le procédé décrit par A. Dondaine à propos de l'exégèse de Roland de Crémone dans l'exposé de Thomas d'Aquin.

[126] M.-D. Mailhiot, *La pensée de saint Thomas sur le sens spirituel*, dans *RT*, 59 (1959) 625.

[127] *Ia-IIae*, q. 106, a. 4, ad 1. Le même parallélisme est du reste signalé entre le « temps » actuel et l'état eschatologique : « ... sicut primus status (etc.), ita hic status (i.e. de la loi nouvelle) est figuralis et imperfectus respectu status patriæ ».

[128] Voir les textes colligés et commentés par H. de Lubac, *Catholicisme...*, pp. 207-239.

[129] *IIa-IIae*, q. 22, a. 2, sed contra.

[130] *Ibid.*, obj. 1.

[131] *Ibid.*, in c. : « ... in ipsa legislatione non fuit præceptum dandum (...) de timore qui respicit pœnam ».

[132] *Ibid.*, ad 2.

[133] *Ibid.*, in c. et ad 1. Les formules de P. Lumbreras, *Theologia moralis ad Decalogum*, dans *Ang*, 20 (1943) 284, et dans *El Decálogo según Santo Tomás*, dans *RET*, 4 (1944) 409, ne nous semblent pas correspondre très bien à la pensée de Thomas sur les rapports du décalogue à la crainte.

[134] *Ia-IIae*, qq. 106-108.

[135] Pour un excellent commentaire de ces trois questions, voir Th. Deman, *Der neue Bund und die Gnade...*, pp. 287-325, ainsi que les 25 premières notes, pp. 245-252.

[136] Cet article fournit un bon exemple de la « formule » thomiste du progrès de l'histoire : un processus de perfection. Le déroulement historique n'est pas un facteur indifférent ; il ne conduit pourtant pas à quelque chose de radicalement nouveau. Il doit aboutir à la perfection de la forme initialement donnée : *Ia*, q. 73, a. 1, ad 3. Voir M. Seckler, *Das Heil in der Geschichte...*, p. 27 (pour la notion de « formule ») et pp. 119-126. L'exemple de l'enfant qui devient homme « quodam temporali successionis ordine » (*Ia-IIae*, q. 106, a. 3, in c.), et l'application à la loi ancienne illustrent cette définition de la temporalité qui, selon M. Seckler, rend la pensée de Thomas : une identité non encore réalisée de l'origine et de la fin : « Zeitlichkeit ist hier als noch nicht realisierte Identität von Ursprung und Ziel verstanden » (p. 54).

[137] *Ia-IIae*, q. 106, a. 3, in c. Il est possible que cet article s'inspire de la *Summa sic dicta fratris Alexandri*, III, pars II, inquisitio IV, tract. I, q. 10, c. 2 (éd. Quaracchi, IV, pp. 877-879). La deuxième raison assignée par Thomas dans le corps de son article — le processus de perfectionnement — est étudiée par Jean de La Rochelle dans son ad 2. Il y cite un beau passage d'Augustin, *De diversis quæstionibus LXXXIII*, q. 44 (PL 40, 28), dans lequel on retrouve la même référence à Gal 3, 24-25. On notera que Thomas évite néanmoins les allusions au schéma des « âges du monde » que Jean de La Rochelle exploite en ces termes : « ... non defuit generi humano aliqua perfectio, quæ esset sibi necessaria secundum statum, sed infantia generis humani fuit ante Legem, pueritia in Lege, quæ ætates non sunt susceptibiles perfectionis disciplinæ ; juventus vero tempore gratiæ, quæ ætas perfectionis doctrinæ susceptibilis est, et ideo tunc dari debuit lex Evangelii, quæ est perfectio disciplinæ » (éd. Quaracchi, IV, p. 878b).

[138] *Ia-IIae*, q. 106, a. 4, in c. et ad 1. Dans cet article, Thomas prend

position contre les spéculations de Joachim de Flore et celles de ces disciples à propos d'un nouvel âge entre l'Evangile et la gloire. Th. DEMAN, *Der neue Bund...*, p. 297, écrit à propos de l'ensemble de cet article : « Man sucht umsonst nach einem Gegenstück, sei es im Werk des Aquinaten, sei es bei seinen Vorgängern ».

¹³⁹ *Ia-IIae*, q. 107, a. 2. Sur la « manifestation » des promesses de la loi ancienne, voir aussi a. 3, ad 2.

¹⁴⁰ *Ia-IIae*, q. 107, a. 3.

¹⁴¹ *Ibid.*, in fine c. Le « sicut fructus in spica » est une référence à Marc 4, 28. Cette exégèse est faussement attribuée par Thomas à Chrysostome. Elle est cependant traditionnelle dans l'exégèse latine : cf. GREGOIRE LE GRAND, *Homiliarum in Ezechielem*, II, homilia 3, nn. 5 6 (PL 76, 960B-961B) ; BEDE LE VENERABLE, *In Marci evangelium expositio*, I, c. 4 (PL 92, 172B-D) : sans citer explicitement Grégoire, il en transcrit cependant l'exégèse. Plus proche de Thomas, voir JEAN DE LA ROCHELLE, *Summa sic dicta fratris Alexandri*, III, pars II, inquisitio IV, tract. I, q. 7, in c. (éd. Quaracchi, p. 864a) : « Secundum moralia est comparatio Legis ad Evangelium sicut herbæ ad fructum et perfectibilis ad perfectum ; etc. ».

¹⁴² *Ia-IIae*, q. 107, aa. 2-3, redisent, sous une autre forme l'« imperfectio » et la « perfectio relativa » de la loi ancienne telles que Thomas les exprimait, en un premier temps, dans *Ia-IIae*, q. 97, aa. 1-2. — *Ia-IIae*, q. 106, aa. 3-4 ont des lieux parallèles dans *Ia-IIae*, q. 98, a. 6, in c. et a. 2, ad 2.

¹⁴³ *Ia-IIae*, q. 107, a. 1, in c.

¹⁴⁴ *Ibid.* : « ...utriusque (i.e. legis) est unus finis, scilicet ut homines subdantur Deo ; est autem unus Deus et novi et veteris testamenti, secundum illud Rom 3, 30 : 'Unus Deus est qui justificat circumcisionem ex fide, et præputium per fidem' ». Voir aussi, q. 106, a. 2, ad 3.

¹⁴⁵ AUGUSTIN, *Contra Adimantum Manichæi discipulum*, c. 17 (PL 42, 159).

¹⁴⁶ AUGUSTIN, *Contra Faustum Manichæum*, IV, c. 2 (PL 42, 217).

¹⁴⁷ Sur la portée des préceptes de l'amour de Dieu et du prochain dans la loi ancienne d'après Thomas, voir *Ia-IIae*, q. 100, a. 3, ad 1 ; a. 5, ad 1 ; a. 11, ad 1.

¹⁴⁸ Cf. *Ia-IIae*, q. 107, a. 1, obj. 2.

¹⁴⁹ *Ibid.*, ad 2 : « Illi enim qui nondum habent habitum virtutis, inclinantur ad agendum virtutis opera ex aliqua causa extrinseca : puta ex comminatione pœnarum, vel ex promissione aliquarum extrinsecarum remunerationum, puta honoris vel divitiarum vel alicujus hujusmodi. Et ideo lex vetus, quæ dabatur imperfectis, idest nondum consecutis gratiam spiritualem, dicebatur lex timoris, inquantum inducebat ad observantiam præceptorum per comminationem quarundam pœnarum. Et dicitur habere temporalia quædam promissa (...). Et propter hoc etiam lex vetus dicitur 'cohibere manum, non animum' : quia qui timore pœnæ ab aliquo peccato abstinet, non simpliciter ejus voluntas a peccato recedit, sicut recedit voluntas ejus qui amore justitiæ abstinet a peccato ». Au sujet du « cohibet manum et non animum », voir encore q. 108, a. 1, obj.-ad 3.

¹⁵⁰ *Ia-IIae*, q. 107, a. 1, ad 2. Voir aussi ad 3, où Thomas revient longuement sur la « principalitas » de la loi nouvelle, à savoir la grâce donnée

intérieurement aux croyants et non pas les « moralia » et les « cæremo-nialia » qui constituaient la « principalitas » de la loi ancienne.

[151] Voir, à ce sujet, A. M. HOFFMANN, *Die Gnade der Gerechten...*, pp. 182-183. On peut même ajouter, à cette affirmation de Thomas, une précision de *Ia-IIae*, q. 106, a. 4 : elle met encore en garde contre une lecture simpliste et non conforme à l'histoire de l'« état » des hommes sous la loi imparfaite : « Alio modo status hominum variari potest secundum quod homines diver-simode se habent ad eandem legem, vel perfectius vel minus perfecte. Et sic status veteris legis frequenter fuit mutatus : cum quandoque leges optime custodirentur, quandoque omnino prætermitterentur. Sic etiam status novæ legis diversificatur secundum diversa loca et tempora et personas, inquantum gratia Spiritus Sancti perfectius vel minus perfecte ab aliquibus habetur ». Notons que, dans *Ia-IIae*, q. 106, a. 3, ad 2, Thomas élargit l'appar-tenance au Nouveau Testament au-delà du régime ancien : « ... diversitas locorum non variat diversum statum humani generis, qui variatur per temporis successionem. Et ideo omnibus locis proponitur lex nova, non autem omnibus temporibus. : licet omni tempore fuerint aliqui ad novum testamentum pertinentes ».

[152] Cf. *Ia-IIae*, q. 107, a. 1, ad 2.

[153] Voir, au sujet de la « lex libertatis » : A. M. di MONDA, *La Legge nuova della libertà secondo S. Tommaso*, en particulier chapitres 4 (pp. 93-108) et 9 (pp. 227-246) ; J. LECUYER, *Pentecôte et loi nouvelle*, dans *VSp*, 88 (1953) 471-490 ; S. LYONNET, *Liberté chrétienne et loi de l'Esprit selon saint Paul*, dans *Chr*, (1954) 6-27, en particulier pp. 15-26 pour l'influence de la théologie pauli-nienne sur celle d'Augustin et de Thomas ; G. SALET, *La Loi dans nos cœurs*, dans *NRT*, 79 (1957) 449-462 ; 561-578 ; Y. M.-J. CONGAR, *Le sens de l'« économie » salutaire...*, pp. 98-100 ; A. VALSECCHI, *La « legge nuova » del cristiano*, le dernier chapitre de sa thèse.

[154] *Ia-IIae*, q. 108, a. 4, in c. : « ... hæc est differentia inter consilium et præceptum, quod præceptum importat necessitatem, consilium autem in optione ponitur ejus cui datur. Et ideo convenienter in lege nova, quæ est lex libertatis, supra præcepta sunt addita consilia : non autem in veteri lege, quæ erat lex servitutis. Oportet igitur quod præcepta novæ legis intelli-gantur esse data de his quæ sunt necessaria ad consequendum finem æter-næ beatitudinis, in quem lex nova immediate introducit. Consilia vero opor-tet esse de illis per quæ melius et expeditius potest homo consequi finem prædictum ».

[155] Cf. MONTESQUIEU, *De l'esprit des lois*, livre 24, c. 7 (éd. G. Truc), Paris, Garnier, 1944, t. II, p. 138 : « Les lois humaines faites pour parler à l'esprit doivent donner des préceptes et point de conseils : la religion, faite pour parler au cœur, doit donner beaucoup de conseils, et peu de préceptes ».

[156] Au contraire, les « præcepta » n'appartiennent qu'à l'élément secondaire de la loi nouvelle : *Ia-IIae*, q. 106, aa. 1-2. Il serait intéressant d'instituer une étude comparée des « états de vie », particulièrement dans *IIa-IIae*, qq. 183-184, et des « états de la loi ancienne et de la loi nouvelle ». Le re-coupement du vocabulaire et des thèmes est frappant : la perfection selon la charité, les moyens « parfaits » et « imparfaits », le thème des deux esclavages et des deux libertés (cf., v.g., q. 183, a. 4 et q. 184, a. 4), la division des sujets en commençants, progressants et parfaits, etc. Voir aussi *Ia-IIae*, q. 98, a. 5, ad 2, cité à la note 41.

[157] *Ia-IIae*, q. 108, a. 1, in fine c. : « ... dicitur lex Evangelii « lex liber-

tatis » : nam lex vetus multa determinabat, et pauca relinquebat hominum libertati determinanda ». — Après avoir vu les nombreux textes sur la libération du joug ancien, on est quelque peu étonné de lire chez P. Lumbreras, *Theologia Moralis ad Decalogum*, dans *Ang*, 20 (1943) 269 : «... adiungimus Decalogum non existere divinæ legis codicem perfectum. Nam imprimis Decalogus spectat Legem veterem, cui plura fuerunt superaddita in Evangelica ». Nous sommes parfaitement d'accord avec le propos de l'article, à savoir l'incongruité de l'organisation de la théologie morale selon les préceptes de décalogue. Mais l'impression générale qui résulte de la lecture de l'article du Père Lumbreras est précisément celle qu'énonce la phrase d'introduction que nous avons citée : la loi nouvelle regorge de préceptes moraux nouveaux que ne connaissait pas la législation de Moïse ! Cela ne nous semble guère en accord avec le message de libération du traité thomiste sur la loi nouvelle. Il faut cependant ajouter qu'un second article du même auteur, reprenant à peu près les mêmes idées, corrige cette impression fâcheuse ; il insiste davantage sur la nouvelle exigence d'intériorité de la loi évangélique : *El Decálogo según Santo Tomás*, dans *RET*, 4 (1944) 391-428.

[158] Aristote, *Méthaph.*, I, c. 2 (982 b 26).

[159] Ce texte aristotélicien est encore la base de l'explication de la bonté de la crainte servile dans *IIa-IIae*, q. 19, a. 4. L'enseignement de cet article est sous-jacent à tout le thème lex timoris - lex amoris. Notons d'ailleurs que son sed contra porte le texte classique du thème dans les œuvres antérieurs à la *Somme de théologie*, à savoir Rom 8, 15.

[160] Cf. *ScG*, IV, c. 22. Les mêmes idées sont encore exposées au sujet du précepte de la charité dans *IIa-IIae*, q. 44, a. 1, obj. 2 : «...caritas, quæ 'in cordibus nostris per Spiritum Sanctum diffunditur' (Rom 5, 5), facit nos liberos : quia 'ubi Spiritus Domini, ibi libertas', ut dicitur II ad Cor 3, 17. Sed obligatio ex præceptis nascitur, libertati opponitur : quia necessitatem imponit. Ergo de caritate non sunt danda præcepta » ; ad 2 : «... obligatio præcepti non opponitur libertati nisi in eo cujus mens aversa est ab eo quod præcipitur : sicut in his qui ex solo timore præcepta custodiunt. Sed præceptum dilectionis non potest impleri nisi ex propria voluntate. Et ideo libertati non repugnat ». Voir aussi, dans le même sens, *IIa-IIae*, q. 104, a. 3, sed contra.

[161] Sur la nature de cette grâce de l'Esprit-Saint, voir le premier chapitre de la thèse de A. Valsecchi, *La « legge nuova » del cristiano secondo San Tommaso d'Aquino*, publié en fascicule sous le même titre, Varese, 1963. Voir également, au sujet des relations entre cet « instinct intérieur » et la « liberté des enfants de Dieu», les analyses intéressantes de F. Marty, *La perfection de l'homme selon saint Thomas d'Aquin, Ses fondements ontologiques et leur vérification dans l'ordre actuel*, Roma, P.U.G., 1962, pp. 220-228.

[162] Une seule exception : dans la seconde partie de *Ia-IIae*, q. 107, a. 4, in c., Thomas explique la difficulté plus grande, pour les non vertueux de la loi nouvelle, d'en porter les préceptes, puisqu'ils visent aussi les actes intérieurs : « Hoc est difficillimum non habenti virtutem : sicut etiam Philosophus dicit, in V Ethic., quod operari ea quæ justus operatur, facile est ; sed operari ea eo modo quo justus operatur, scilicet delectabiliter et prompte, est difficile non habenti justitiam ». Ce texte a cependant moins d'ampleur que les deux autres et il n'aborde pas la question de la nature de la grâce évangélique comme telle.

[163] Il est significatif que A. M. di Monda, *La Legge nuova della libertà...*, dans sa section sur la « provvidenzialità della legge vecchia » (pp. 238-243), soit finalement conduit à analyser brièvement le concept de crainte et son rapport

à l'amour pour montrer comment la loi ancienne achemine à la nouvelle : c'est, du reste, le seul élément de cette section qui suggère COMMENT la loi ancienne pouvait préparer la nouvelle !

[164] Nous citons Prévostin de Crémone d'après le texte de la *Summa* produit par A. M. LANGRAF, *Die Gnadenökonomie des Alten Bundes* . . . , dans *Dogmengeschichte* . . . , III/1, p. 27, note 60a : « Solutio : Dicimus, quod mandata illa (i.e. veteris legis) non iustificabant nec iustificare poterant, secundum quod eis tradita fuerunt, et tantum opera exteriora eis precipiebantur (. . .). Erant tamen aliqui, qui spiritualiter intelligebant, et illi iustificabantur et non pertinebant ad vetus testamentum, immo ad novum. Dicit enim auctoritas, quod tunc temporis erant aliqui, qui pertinebant ad novum testamentum, sicut nunc sunt aliqui, qui pertinent ad vetus, qui tantum habent servire pro temporalibus ».

[165] On trouve pourtant une expression encore plus forte dans *IIa-IIae*, q. 108, a. 1, ad 3. Il s'agit de savoir si la « vindicatio » est licite. On objecte que « vindicta per pœnas fit, ex quibus causatur timor servilis. Sed lex nova non est lex timoris, sed amoris : ut Augustinus dicit contra Adimantum. Ergo, ad minus in novo Testamento, vindicta fieri non debet ». À quoi Thomas répond : « . . . lex Evangelii est lex amoris. Ideo illis qui ex amore bonum operantur, QUI SOLI PROPRIE AD EVANGELIUM PERTINENT, non est timor incutiendus per pœnas : sed solum illis qui ex amore non moventur ad bonum, qui, etsi numero sint de Ecclesia, non tamen merito ». Ceux donc qui agissent uniquement par crainte et non par amour dans le régime nouveau, n'appartiennent pas, à proprement parler, à la loi nouvelle ! — A. M. LANDGRAF, dans l'introduction à la troisième partie de son *Dogmengeschichte der Früscholastick*, intitulée *Die Lehre von den Sakramenten* (1954), p. 15, smble attribuer la paternité de cette distinction numero - merito à Thomas. Il ne cite pas *IIa-IIae*, q. 108, a. 1, ad 3, mais *in IV Sent.*, d. 16, q. 1, a. 2, qla. 5, sol., où Thomas dit que le pécheur, s'il n'est pas hors de l'Église « numero », l'est cependant « merito ».

[166] Cf. *supra*, pp. 322-324.

[167] *Ia-IIae*, q. 106, a. 2, ad 3 ; q. 107, a. 1, in c.

[168] *Ia-IIae*, q. 106, a. 3, in c. ; a. 4, in c.

[169] *Ia-IIae*, q. 106, a. 4, ad 3.

[170] L'expression « lex umbræ » suit une citation de Col 2, 17 : « umbra futurorum ». Ce thème a été largement exploité par les Pères de l'Église. Voir H. de LUBAC, *Catholicisme* . . . , pp. 210-211 et 217 ; *Exégèse médiévale* . . . , t. I, pp. 318-328.

[171] *Ia-IIae*, q. 107, a. 2, in c. et ad 1.

[172] *Ia-IIae*, q. 107, a. 1, ad 1 et ad 2 et ad 3 ; a. 3, ad 1.

[173] G. LAFONT, *Structures et méthode* . . . , pp. 248ss.

[174] Voir les exemples cités par H. de LUBAC, *Catholicisme* . . . , pp. 220-221.

[175] *Ia-IIae*, q. 79, a. 4.

[176] G. LAFONT, *op. cit.*, pp. 248-249.

[177] M.-D. MAILHIOT, *La pensée de saint Thomas sur le sens spirituel*, dans *RT*, 59 (1959) 625.

[178] Cf. *supra*, chapitre dixième, pp. 286-288.

[179] Pour la loi humaine, voir *Ia-IIae*, q. 96, a. 5, obj. 1 : « Illi soli subjiciuntur legi, quibus lex ponitur. Sed Apostolus dicit, I ad Tim 1, 9, quod 'justo non est les posita'. Ergo justi non subjiciuntur legi humanæ » ; ad 1 : « ... ratio illa procedit de subjectione quæ est per modum coactionis. Sic enim 'justo non est lex posita' : quia 'ipsi sibi sunt lex', dum 'ostendunt opus legis scriptum in cordibus suis', sicut Apostolus, ad Rom 2, 14-15, dicit. Unde in eos non habet lex vim coactivam sicut habet in injustos ».

[180] *Ia-IIae*, q. 93, a. 6, ad 1 : « ... spirituales viri non sunt sub lege : quia per caritatem, quam Spiritus Sanctus cordibus eorum infundit, volutarie id quod legis est, implent » ; *Ia-IIae*, q. 96, a. 5, ad 2 : « ... lex Spiritus Sancti est superior omni lege humanitus posita. Et ideo viri sprituales, secundum hoc quod Spiritu Sancti ducuntur, non subduntur legi, quantum ad ea quæ repugnant dictioni Spiritus Sancti. Sed tamen hoc ipsum est de ductu Spiritus Sancti, quod homines spirituales legibus humanis subdantur ; secundum illud I Pe 2, 13 : 'Subjecti estote omni humanæ creaturæ, propter Deum' »

[181] *Ia-IIae*, q. 99, a. 6, obj. 2.

[182] *Ibid.*, ad 2 : « ... lex humana inducit homines ex temporalibus præmiis vel pœnis per homines inducendis : lex vero divina ex præmiis vel pœnis exhibendis per Deum. Et in hoc procedit per media altiora ».

[183] *Ia-IIae*, q .99, a. 6, ad 3, en illustre bien un aspect : « Sed aliquæ personæ particulares etiam justitiam legis observantes, in aliquas adversitates incidebant, vel quia jam erant spirituales effecti, ut per hoc magis ab effectu temporalium abstraherentur, et eorum virtus probata redderetur ».

[184] Voir, en particulier, *Ia-IIae*, q. 98, a. 2.

[185] *Quodl.*, V, a. 19 : « Finis autem spiritualis, qui lege divina ordinatur, est duplex. Unus quidem principalis, scilicet adhærere Deo per caritatem (...). Alius autem finis secundarius quasi dispositivus, scilicet puritas et rectitudo cordis, qui consistit in interioribus actibus aliarum virtutum ». Voir *Ia-IIae*, q. 100, a. 2, dans le contexte immédiat des préceptes moraux de la loi ancienne : « Homo conjungitur Deo ratione, sive mente, in qua est Dei imago ; et ideo lex divina præcepta proponit de omnibus illis per quæ ratio hominis bene ordinata est. Hoc autem contingit per actus ominum virtutum (...) Et ideo manifestum est quod lex divina convenienter proponit præcepta de actibus omnium virtutum » ; *Ia-IIae*, q. 107, a. 2 : le Christ explique à ses apôtres l'intériorité des préceptes contre la FAUSSE interprétation du légalisme : « Sua autem doctrina adimplevit præcepta legis tripliciter. Primo quidem, verum intellectum legis exprimendo. Sicut patet in homicidio et adulterio, in quorum prohibitione Scribæ et Pharisæi non intelligebant nisi exteriorem actum prohibitum : unde Dominus legem adimplevit, ostendendo etiam interiores actus peccatorum cadere sub prohibitione ».

[186] *Ia-IIae*, q. 106, a. 1. Voir le commentaire de Th. DEMAN, *Die neue Bund und die Gnade* ..., pp. 290-292. Voir également les remarques pertinentes de C. A. J. OUWERKERK, *Caritas et ratio* ..., pp. 64-101.

CHAPITRE DOUZIÈME

LA PÉDAGOGIE D'INTIMIDATION SOUS
LA LOI D'AMOUR

En examinant le rôle de la crainte dans la vie affective nous avons vu que l'Aquinate étudie, dans le traité des passions, les données de base concernant les diverses relations possibles entre la crainte et l'amour[1]. L'insistance particulière sur le fait que la crainte peut accidentellement conduire à l'amour de l'auteur de la peine nous semblait même dénoter le souci de préparer certains aspects du traité de la loi. Il faut maintenant vérifier si ces préparations éloignées ont abouti à une doctrine cohérente et surtout si Thomas en a prévu l'application dans le régime caractérisé par la charité. Avant d'examiner, dans cette perspective, le contexte précis *lex timoris - lex amoris*, il est utile de faire l'inventaire des textes qui précisent derechef les relations de la crainte de la peine à la charité puisque, en définitive, les indications du traité de la loi divine n'ont de sens qu'en référence à cet enseignement général.

1. La crainte de la peine au service de la charité

De façon générale, c'est encore de la crainte filiale qu'est distinguée spécifiquement la crainte dite servile : la première redoute le mal de coulpe et la seconde le mal de peine[2]. Comme toute crainte, celle de la peine est causée essentiellement par l'amour qui dispose le sujet à ressentir comme un mal ce qui menace l'objet de son attachement : c'est l'amour que toute personne a nécessairement pour elle-même[3]. D'autre part, parce qu'un « bien » peut causer, ou permettre, qu'un mal menace ce que l'on aime, il peut être dit cause efficiente extérieure d'un *timor pœnœ*. Celui-ci peut, à son tour, conduire à l'amour de cet agent extérieur qui l'arrache à ses premiers amours [4]. C'est de cette façon que la crainte de la peine favorise l'union à Dieu par laquelle on évite tous les maux [5]. Comment, dans le cadre de ces énoncés généraux, Thomas précise-t-il une dernière fois, les rapports entre la crainte de la peine et la charité ?

Il faut lire avec attention *IIa-IIae*, q. 19, a. 4, où Thomas s'interroge sur la moralité du *timor servilis*. Sous des formules connues depuis le *Commentaire sur les Sentences*, on décèle certains aménagements. Ce texte, du reste, offre des difficultés d'interprétation. L'*auctoritas* invoquée pour confirmer la bonté de la dite crainte, est celle qui donnait lieu au titre même de *in III Sent.*, d. 34, q. 2, a. 2, qla. 1, à savoir Rom 8, 15, mais interprétée par Augustin [6] et par la *Glossa* citée ici par Thomas : « *Unus Spiritus est qui facit duos timores, scilicet servilem et castum* » [7]. L'article est divisé en deux paragraphes bien distincts. Le premier correspond à l'analyse du texte cité du *Commentaire sur les Sentences* par le recours au même passage d'Aristote sur le *liber* et le *servus* [8]. Toutefois la conclusion est orientée autrement que celle du *Commentaire* : là Thomas montrait que la servilité — une privation de volonté propre — n'est qu'une condition adventice à la crainte : elle n'affecte donc pas l'habitus. Ici Thomas conclut, de l'analyse aristotélicienne, qu'agir *ex amore* — « *ex propria inclinatione* » — est contre la raison même de servilité, d'où la contradiction entre l'opération servile comme telle et cet amour qu'est la charité.

Le deuxième paragraphe examine ensuite le cas, non plus de l'action servile, mais de l'habitus de crainte spécifié par la peine. Si la servilité appartenait à la raison même de crainte, il faudrait conclure que la « crainte servile » est purement et simplement mauvaise : ainsi l'adultère, car ce par quoi la charité est contrariée appartient à son espèce même. Or l'examen de l'objet de la crainte servile manifeste le contraire. Cet objet est la peine.. Celui qui n'a n'a pas la charité aime le bien menacé comme sa fin ultime ; par conséquent, il redoute cette peine comme le mal par excellence. Celui, au contraire, qui vit de la charité ordonne tout bien à Dieu, sa fin ultime.. Toute peine sera donc envisagée dans cette même perspective. Or l'ordination ultérieure de l'objet d'un habitus à une autre fin n'en modifie pas l'espèce. La bonté ou la malice de l'acte de la crainte dite servile sont donc accidentelles à sa nature [9].

Ce raisonnement ne conduit pas à de nouvelles conclusions. Nous savions que la servilité n'est qu'une condition de l'acte impéré du *timor servilis* et qu'elle ne porte pas préjudice à la structure de l'habitus. Dans la *Somme*, Thomas met toutefois l'accent sur la qualité de l'amour présupposé à cette démarche craintive comme critère de moralité. Un « amour mercenaire », par lequel on aime Dieu à cause des biens temporels [10], engendre une crainte peccamineuse ; la charité, une crainte louable. De plus, le mouvement de l'argumentation fait difficulté. Dans le premier paragraphe, Thomas conclut que si l'opération servile ne procède pas *ex amore* (entendez « *non causa sui* »), elle ne saurait pas davantage provenir *ex caritate*. Dans le deuxième paragraphe, au contraire, il affirme, pour montrer que l'opération servile est accidentelle à l'habitus de crainte, qu'elle procède *ex amore*, mais d'un amour qui n'est pas la charité. Donc Thomas énonce le critère de l'agir contraint (*non causa sui*) opposé à l'agir volontaire (*ex amore*) pour condamner, en un premier temps, la crainte servile en tant que telle. Puis, il oppose deux façons d'agir *ex amore* pour juger, en un deuxième temps, la bonté de l'habitus de crainte servile et la malice de sa servilité. On comprend d'ailleurs assez mal pourquoi de cette seconde considération sur les deux façons d'aimer un bien, et donc d'en craindre la perte, Thomas conclut à une seconde condamnation de la crainte servile en tant que servile.

L'obscurité de cet article provient, à notre avis, de son tour elliptique. L'Aquinate a cru, peut-être à tort, que certaines explications n'étaient pas indispensables à la compréhension du raisonnement. Il faut tenir compte des précisions dont nous avons fait état dans la *Somme contre les Gentils* pour saisir le rattachement du deuxième critère (les deux façons d'agir *ex amore*) au premier (l'agir contraint opposé à l'agir volontaire). Le pécheur contrarié dans son désir de mal agir se sent en effet privé de sa liberté : il est contraint d'agir contre ses penchants vicieux, mais dans le sens du vœu profond de sa nature. Au contraire son agir spontanément peccamineux est éprouvé comme une liberté alors qu'il est, de fait, un esclavage du péché [11]. Cet enseignement étant présupposé, il devient clair que agir par un « amour mercenaire » n'est pas réellement agir *ex amore*, mais bien « *non causa sui* », donc servilement. Au contraire, agir par crainte d'une peine subordonnée à celle de la séparation d'avec Dieu n'est pas vraiment agir « *non causa sui* » mais, d'une certaine façon, *ex amore*. Nous ne voyons pas comment comprendre autrement la logique de ce texte difficile.

Du reste deux textes majeurs confirment, à des points de vue différents, cette interprétation et présupposent les mêmes éclaircissements : *IIa-IIae*, q. 19, a. 6, sur la permanence de la crainte servile avec la charité, et *in ad Rom* 8, 15, lect. 3 (no 639), dans le contexte de la grande division « théologique » de la crainte. Examinons d'abord ce dernier passage que nous citons au complet pour bien manifester les termes employés par Thomas :

> Alius autem est timor qui refugit malum quod contrariatur naturæ creatæ, scilicet malum pœnæ, sed tamen refugit hoc pati a causa spirituali, scilicet a Deo : et hic timor est laudabilis quantum ad hoc saltem quod Deum timet. Deut 5, 29 (...).
> Et secundum hoc a Spiritu Sancto est.
> Sed inquantum talis timor non refugit malum quod opponitur bono spirituali, scilicet peccatum, sed solum pœnam, non est laudabilis. Et istum defectum non habet a Spiritu Sancto sed ex culpa hominis : sicut et fides informis quantum ad id quod est fidei, est a Spiritu Sancto, non autem ejus informitas. Unde et si per hujusmodi timorem aliquis bonum faciat, non tamen bene facit, quia non facit sponte, sed coactus metu pœnæ, quod proprium est servorum. Et ideo timor iste proprie dicitur servilis, quia serviliter facit hominem operari.

Le premier paragraphe énonce la structure de la crainte des peines : la fuite du mal contraire à la nature créée. Si elle est motivée par la « crainte de Dieu » — entendez la cause spirituelle de la peine radicale — elle peut être digne de louanges. La moralité est appréciée en fonction d'une certaine échelle de valeurs aimées et, par suite, de menaces redoutées. Cette analyse se rattache aux critères énoncés dans le deuxième paragraphe de *IIa-IIae*, q. 19, a. 4 [12].

Le deuxième paragraphe du commentaire paulinien passe, pour examiner le cas du *timor non laudabilis*, au critère exposé dans le premier paragraphe de *IIa-IIae*, q. 19, a. 4, à savoir la nature contrainte d'une action posée par la seule crainte de la peine. Bout à bout, les deux textes forment un chiasme.

Le résultat global des analyses des deux textes est le même. Si l'on voulait savoir, ici encore, pourquoi cette crainte de la seule peine est plus contraignante que celle du *malum pœnæ* que l'on redoute de subir de la part de la « cause spirituelle », il faudrait bien reprendre les explications selon lesquelles craindre une peine subordonnée à celle de la séparation d'avec Dieu est en fait un agir *ex amore*, alors que, dans le cas contraire, on a affaire à un « amour mercenaire » et donc à un agir *non causa sui*.

Après ces deux textes, *IIa-IIae*, q. 19, a. 6, ne manque pas d'intérêt [13]. L'amour de soi, cause matérielle du mouvement fondamental de la crainte de la peine, est mis en rapport avec la charité. Thomas écrit que l'*amor sui* peut soutenir un triple rapport à la charité selon que l'on s'aime à cause de Dieu et en Dieu ; 3° il peut de son propre bien ; 2° il peut, au contraire, être inclus dans la charité selon que l'on s'aime à cause de Dieu et en Dieu ; 3° il peut se distinguer de la charité sans pour autant la contrarier : ainsi lorsque quelqu'un s'aime en raison de sa propre bonté, mais de façon telle qu'il ne place pas sa fin dans ce bien. Un tel amour, en effet, est ultérieurement préférable à la charité. De même, l'amour du prochain, en raison de sa parenté ou d'une autre condition humaine quelconque, se distingue également de la charité, mais peut lui être rapporté. Les conséquences pour la diversité des rapports entre la crainte de la peine et la charité sont intéressantes : leur énoncé apporte des précisions aux données antérieures.

Le cas de l'activité proprement servile ne pose aucun problème : nous retrouvons simplement l'enseignement de *IIa-IIae*, q. 19, a. 4. Puisqu'elle fuit la peine contraire à son bien propre naturel comme le mal principal, cette crainte présuppose un amour désordonné de soi qui exclut la charité. Elle ne saurait cohabiter avec l'amour de Dieu.

Le deuxième cas comporte, au contraire un nouvel énoncé dont il faut évaluer la portée :

> Sic igitur et timor pœnæ includitur uno modo in caritate : nam separari a Deo est quædam pœna, quam caritas maxime refugit. Unde hoc pertinet ad timorem castum [14].

Cette formule est insolite. Une seule autre, à notre connaissance lui est apparentée. Dans le traité des passions, Thomas explique dans *Ia-IIae*, q. 42, a.3, que l'émotion craintive vise, à proprement parler, un « *malum pœnæ* » puisqu'il ne dépend que de la volonté d'éviter le « *malum culpæ* ». Mais on peut objecter qu'il existe bel et bien une crainte dont l'objet propre est un mal de coulpe, à savoir la séparation d'avec Dieu. La réponse de Thomas expédie — un peu vite, peut-être — l'objection en ces termes :

> ... separatio a Deo est quædam pœna consequens peccatum : et omnis pœna aliquo modo est ab exteriori causa [15].

On doit donc considérer que la fameuse *separatio a Deo,* incluse dans l'objet de la crainte filiale du *viator* toujours passible de pécher, peut être envisagée non seulement comme l'offense redoutée par celle-ci, mais aussi comme la peine résultant du péché. Doit-on dire alors qu'elle est objet d'une « crainte de la peine » ? C'est, en un certain sens, un *timor pœnæ,* mais non point une crainte de la peine qui se distinguerait de la crainte filiale. Cette fonction, d'après Thomas, « *pertinet ad timorem castum* ». Elle est autre que ce *timor pœnæ* qui se distingue, selon sa substance, de la crainte chaste, mais qu'on peut aussi exercer dans la charité [16].

La « crainte de la peine » pourrait donc désigner trois « craintes » possibles : une première, qu'on nomme proprement servile, la mauvaise, celle qui est engendrée par un amour désordonné de soi et qui est contaminée par la servilité ; une seconde, pour laquelle Thomas dit explicitement — confirmant en cela l'usage que nous avions déjà décelé dans le *Commentaire sur les Sentences* — qu'il ne faut pas nommer « servile », mais simplement *timor pœnæ* : elle est substantiellement bonne et peut coexister avec la charité ; une troisième, enfin, qui ne se distingue plus de la crainte filiale puisqu'elle redoute le mal pénal uniquement en raison de la séparation d'avec Dieu. Alors que la crainte de l'offense en raison de la peine serait un *timor pœnæ,* la crainte de la peine en raison de l'offense serait un aspect possible du *timor castus.*

Ce dernier emploi du terme *timor pœnæ,* on le voit, est tout à fait impropre et jamais Thomas ne l'utilise en dehors de cette explication sur la façon dont on pourrait aussi dire que la crainte chaste redoute une peine puisque la séparation d'avec Dieu est, en fait, une peine. Il était important de bien préciser ce point, car les grands textes de la *Somme de théologie* étant souvent les seuls points de référence — ou peu s'en faut — dans une bonne partie de la littérature théologique qui se réclame de Thomas, les formules de *IIa-IIae,* q. 19, a. 6, peuvent expliquer les équivoques que nous avons déjà signalées autour de ces notions de crainte filiale et le crainte servile.

La crainte de la peine est, de toutes les formes « théologiques » de la crainte, la seule dont la moralité ne soit pas arrêtée a priori. C'est d'ailleurs fort compréhensible : réduite à ses éléments essentiels, elle s'identifie au *timor naturalis* qui procède nécessairement de l'*amor sui*, en d'autres termes, à la passion fondamentale de crainte [17]. Si un poids de servilité peut en corrompre la bonté, il n'en reste pas moins que, issue de la foi informe, elle peut préparer à la charité, et, avec la foi formée, la servir [18]. Avant même la venue de la charité, ce *timor laudabilis* peut disposer en observant ses commandements [19]. Nous retrouvons ici le rôle de causalité accidentelle de la crainte dans le traité des passions [20]. Concrètement, cette préparation consiste d'abord dans le fait de s'arrêter, par crainte, de pécher [21]. En ce sens, la crainte de la justice divine [22] qui châtie à cause du péché [23] est médicinale, lorsqu'il s'agit de la peine éternelle, pour ceux qui n'en sont pas encore atteints [24] ; elle l'est aussi pour tous, dans le cas d'une peine non définitive : ainsi le seul fait d'être livré à la puissance destructive de son propre péché [25], d'être plongé dans le « gouffre des vices » [26]. Même la peine qui porte atteinte à la prospérité temporelle peut réveiller la « mémoire de Dieu » [27]. Pour ceux qui sont justifiés, la crainte de la peine joue un rôle préventif permanent : elle constitue, de façon générale, un obstacle au péché [28], surtout au péché de malice [29].

Aussi la crainte de la peine, même si elle n'inclut pas la charité dans sa notion [30] et même si elle est sujette à des déviations, n'en reste pas moins un dynamisme positif tout axé, dans l'histoire du salut, sur l'avènement de la loi d'amour et, avec l'instauration de celle-ci, sur le service de la charité avec laquelle elle peut encore coexister [31]. Son service achevé, elle cède graduellement la place à la crainte chaste qui seule demeure avec la charité parfaite [32] par laquelle Dieu est devenu notre Père, celui que l'on craint d'un sentiment filial [33].

Au terme d'un long travail d'analyse, Thomas a donc mis au point une doctrine fort nuancée des rapports entre la crainte de la peine et l'amour qui lui permet de déterminer avec précision jusqu'où et dans quelles conditions la crainte de la peine peut servir la charité. Cet enseignement étant présupposé, c'est à sa lumière qu'il faut comprendre non seulement comment la *lex timoris* est une *via amorem*, mais aussi comment, selon les quelques données du traité de la loi, la *lex amoris* elle-même peut encore admettre la permanence d'une pédagogie d'intimidation.

2. Les données du traité de la loi

Si Jésus reçut la circoncision, ce fut non seulement pour l'approuver, pour l'amener à son terme en la consommant dans sa propre personne, ou encore pour enlever aux juifs l'occasion de le calomnier, mais aussi pour libérer les hommes de l'esclavage de la loi ancienne [34]. Par son incarnation, les hommes reçurent l'adoption des fils selon ce qui est dit dans l'épître aux Romains 8, 15 : « Aussi bien n'avez-vous pas reçu un esprit de servitude pour retomber dans la crainte, mais vous avez reçu un esprit de fils adoptifs » [35]. Par sa mort, il a franchi « tous ceux qui, leur vie entière, étaient tenus en esclavage par la crainte de la mort » (Hebr 2, 15) [36]. Par la grâce spirituelle de son Esprit [37], le nouveau « législateur » [38] ordonne directement les actes intérieurs [39] de tous les hommes [40] au Royaume des cieux, à la béatitude de la gloire [41]. La loi nouvelle, comme nous l'avons vu dans le chapitre précédent, se définit donc, par rapport à l'ancienne, comme une loi de liberté et non d'esclavage, une loi pour adultes spirituels et non pour enfants, en un mot, une loi d'amour et non de crainte. Elle engendre dans les cœurs la crainte pure qui, dans l'union à Dieu, assure la vérité de l'amour de l'homme pour Dieu « qui le transcende et transcende toute chose » [42]. Voilà l'essentiel de la « bonne nouvelle » d'après le traité de la loi dans la *Prima Secundæ* [43]. Comment s'opère et en quoi consiste cette rénovation de l'homme intérieur, tel sera l'objet non seulement du traité de la grâce qui termine la *Prima Secundæ*, mais aussi de tout le reste de la *Somme de théologie* qui n'est « que la traduction en termes scientifiques du style de vie chrétienne qui distingue le fidèle vivant sous la Loi nouvelle » [44].

Une pédagogie d'intimidation trouve-t-elle encore place dans cette loi nouvelle qui est essentiellement une *lex caritatis*, libératrice de tout esclavage ? Contrairement aux *lecturæ* sur les épîtres de Paul et sur l'évangile de Matthieu, la *Somme de théologie* fournit peu d'indications à ce sujet dans le contexte précis des deux lois. La divergence des genres littéraires n'est pas étrangère à ce fait. Dans le commentaire scripturaire, le *magister in sacra Pagina* explique les divers aspects des « problèmes » soulevés par son texte. Dans l'exposé de la religion chrétienne « *secundum quod congruit ad eruditionem incipientium* » [45] au contraire, le « docteur de la vérité catholique » [46] peut se permettre de multiples renvois d'une

question à une autre. Il suffit donc de trouver des indications relatives à une certaine permanence d'une pédagogie d'intimidation
sous la nouvelle disposition dans les contextes de la loi chrétienne
pour penser que Thomas établit un lien avec son enseignement sur
la crainte de la peine au service de la charité.

Étant bien entendu que le régime nouveau lui-même n'est plus
caractérisé par une pédagogie « sévère » mais bien par une pédagogie « amoureuse », il faut pourtant se rendre compte que les hommes de la « nouvelle génération » ne se nourrissent pas tous de sa
substance, la charité. Si donc ceux qui agissent par amour — les
seuls qui appartiennent vraiment à l'Évangile — sont libérés d'un
dialogue de terreur, il n'en est pas de même pour les « hommes
charnels » qui ne sont pas encore parvenus à la perfection de la
loi nouvelle. Dieu, qui veut les rallier à son amour, utilise encore,
pour les former aux œuvres de la vertu, la crainte de la peine [47].
Pour ces « juifs retardés », tous les préceptes de la loi nouvelle —
même celui de la charité [48] — sont encore considérés comme des
entraves à leur liberté.

Les nouveaux transgresseurs ont, du reste, des raisons plus graves de craindre que les anciens. Le nouveau style de vie intérieure,
inauguré par la loi du Christ, rend l'obéissance à ses préceptes
extrêmement difficile sans la vertu [49]. Bien plus, ceux qui enfrei-
gnent la loi nouvelle sont passibles de peines beaucoup plus graves
que les anciens, comme l'enseigne l'épître aux Hébreux 10, 28ss, car
ils n'acceptent pas un secours éminent et se montrent ingrats en
refusant des bienfaits supérieurs aux anciens [50]. Aussi faut-il se
garder d'attribuer à certaines maximes plus de vérité qu'elles n'en
contiennent. Lorsque le *Magister* proclame que la loi ancienne lie la
main alors que la loi nouvelle attache le cœur, il caractérise les deux
régimes. Mais la loi nouvelle, pour garder l'esprit des mouvements
désordonnés, doit aussi empêcher « la main » de mal agir, puisque
l'un ne va pas sans l'autre [51].

Ce sont les seules indications, dans le cadre précis des deux
lois, relatives à une certaine permanence de la pédagogie par la
crainte à l'intérieur de l'alliance nouvelle. Celle ci ne se définit pas
en fonction d'une telle méthode, mais elle ne saurait l'exclure, puisque tous ceux qui ne sont pas renouvelés par son Esprit ne seront
souvent accessibles qu'à ce genre d'influence. Ces quelques données

suffisent pourtant à justifier le principe même de l'utilisation, par le Dieu du Nouveau Testament, d'une pédagogie de la crainte servile pour amorcer le mouvement de la conversion ou de la pénitence.

3. Les aménagements de la technique « lex timoris - lex amoris »

Lorsque l'Aquinate examine à nouveau le thème de la « correction fraternelle » dans les œuvres de ses quelque cinq dernières années d'enseignement, il reprend sous l'aspect qui nous intéresse, plusieurs idées déjà énoncées dans les périodes précédentes[52]. On discerne cependant, grâce surtout au vocabulaire et à l'organisation générale des textes les plus importants, un décalque de plus en plus évident du thème *lex timoris - lex amoris*, tel qu'il a été traité dans la *Prima Secundæ*, à l'intérieur de la pédagogie ecclésiale envers les frères qui ont péché. Ce contexte plus précis corrobore les indications fournies par le traité de la loi. Il indique surtout à quel point ce thème d'origine historique est devenu pour l'Aquinate une réelle technique d'analyse, de sorte qu'à ses aménagements au plan de l'histoire du salut correspondent des remaniements à tel ou tel autre plan.

Dans des mains d'hommes et de pécheurs, la correction fraternelle connaît les mêmes frontières que la loi humaine. Aussi de longues considérations sont-elles consacrées à l'étude des obligations en ce sens, des limites du précepte de la correction, des péchés de ceux qui l'appliquent mal ou point du tout, etc. Nous estimons inutile d'entrer dans tous ces développements. Signalons simplement, puisque tout ce qui se rapporte à la crainte nous intéresse spécialement, que des craintes désordonnées du « correcteur » éventuel sont souvent causes d'omissions coupables en ce domaine[53], alors que des craintes ordonnées par la charité justifient, selon les circonstances, soit la non-intervention[54] soit l'intervention[55].

Dans le contexte de la correction fraternelle, Thomas propose une distinction qui correspond à celle qui lui est antérieure, entre la *correptio* et la *correctio*. Elle est cependant exprimée par une terminologie semblable à celle que nous avons rencontrée dans le contexte du traité de la loi dans la *Somme de théologie*. Il faut distinguer entre une correction par la punition, qui incite à la crainte, et celle qui est procurée par la seule admonition du frère[56].

Dans son *expositio* sur la première épître aux Corinthiens, Thomas distingue pareillement la correction *solis verbis* de la correction *flagellis* [57], ou encore une correction *ostensione amoris*, faite de charité et de mansuétude, d'une autre *disciplinæ*, qui châtie par le fouet [58]. De même dans son *expositio* sur l'épître aux Romains, Thomas explique que si Paul emploie l'*obsecratio* pour admonester les Romains, c'est afin qu'ils soient davantage touchés *ex amore* par la supplication que *ex timore* par le commandement autoritaire [59].

La méthode forte s'adresse à ceux qui ont abandonné le sain jugement de la raison [60], qui ne veulent pas s'amender eux-mêmes [61] ou sont incorrigibles [62] ou aux orgueilleux [63]. Elle relève proprement des supérieurs qui ont le pouvoir de coercition [64]. Elle vise à amender le délinquant en le faisant renoncer au péché [65] ; mais, étant ordonnée au bien commun, elle vise aussi, par le châtiment exemplaire, à susciter la crainte chez les autres [66].

La méthode de l'admonition peut au contraire être employée par tous les frères et vise uniquement le « redressement » du coupable [67]. Aussi son usage doit-il obéir beaucoup plus aux règles de la charité qu'à celles de la justice [68]. Elle s'adresse aux humbles [69], à ceux qui veulent se corriger [70], à ceux qui, contrairement aux pécheurs éhontés, sont encore « émus » par cette « crainte honteuse » qui les empêchent d'exhiber leurs fautes et qui constitue un puissant levier pour leur amendement [71]. Pour les « imparfaits » cependant, elle fait aussi appel à la crainte [72].

Nous n'insistons pas davantage. Ces quelques indications suffisent à montrer comment cette question de la correction fraternelle reprend, à l'intérieur du régime ecclésial, la terminologie même et les idées maîtresses des deux pédagogies de Dieu dans l'histoire. *Lex timoris - lex amoris* est aussi, comme nous l'avons constaté depuis le début, une technique qui reçoit, au cours des années, les mêmes aménagements que le prototype historique de la pédagogie divine. La crainte de la peine n'anime plus les enfants nés de Dieu qui répondent à sa pédagogie d'amour. Elle fait cependant partie d'un mécanisme inhérent à la nature humaine et, au besoin, le nouveau Pédagogue tablera sur elle en un suprême effort pour arracher violemment le pécheur à son esclavage et le préparer ainsi à recouvrer la liberté des enfants de Dieu.

[1] Cf. *supra*, chapitre huitième, pp. 219-221.

[2] Cf. *IIa-IIae*, q. 19, a. 5. Voir aussi : *Ia-IIae*, q. 6, a. 7, ad 2 ; *IIa-IIae*, q. 7, a. 1, q. 19, a. 2, a. 10 ; q. 22, a. 2 ; *de Malo*, q. 7, a. 11, ad 9 ; *IIIa*, q. 7, a. 6, ad 2 ; *in ad Rom* 8, 15, lect. 3 (nn. 639 et 641).

[3] *IIa-IIae*, q. 19, a. 6 : « ... timor servilis ex amore sui causatur : quia est timor pœnæ, quæ est detrimentum proprii boni » ; *in Psalm* 18, 10, no. 10 (p. 210ab) : « Non sanctus timor est qui causatur ab amore non sancto qui est mundi, et suiipsius ; et de tali amore non sancto causatur duplex timor non sanctus. Servilis, qui est ex amore sui : et mundanus, qui procedit ab amore mundi ».

[4] Cf. *Ia-IIae*, q. 42, a. 1, in c. ; q. 43, a. 1, in c. et ad 1.

[5] *De Spe*, q. un., a. 3, in c. : « Ad hoc autem quod aliquis bonum divinum secundum se diligat, inducitur ex bonis a Deo provenientibus, quæ sibi quis vult, et ex malis quæ, Deo inhærendo, vitat. Quantum ad vitationem malorum, pertinet ad hunc amorem timor ; etc. ».

[6] Augustin, *In Joannis Evangelium*, tract. 85 (PL 35, 1849).

[7] *IIa-IIae*, q. 19, a. 4, sed contra. Voir la « Glossa Lombardi » : Pierre Lombard, *Collectanea in omnes D. Pauli apostoli epistolas*, in ad Rom 8, 15 (PL 191, 1439D) : « Unus ergo spiritus est qui duos timores facit ».

[8] Aristote, *Métaph.*, I, c. 2 (982 b 26).

[9] *IIa-IIae*, q. 19, a. 4, in c. : « Objectum autem timoris servilis est pœna ; cui accidit quod bonum cui contrariatur pœna ametur tanquam finis ultimus, et per consequens pœna timeatur tanquam principale malum, quod contingit in non habente caritatem ; vel quod ordinetur in Deum sicut in finem et per consequens pœna non timeatur tanquam principale malum, quod contingit in habente caritatem. Non enim tollitur species habitus per hoc quod ejus objectum vel finis ordinatur ad ulteriorem finem ».

[10] *Ibid.*, ad 3 : « ... amor mercenarius dicitur qui Deum diligit propter bona temporalia. Quod secundum se caritati contrariatur. Et ideo amor mercenarius semper est malus. Sed timor servilis secundum suam substantiam non importat nisi timorem pœnæ, sive timeatur ut principale malum, sive non timeatur ut malum principale. »

[11] Cf. *supra*, chapitre septième, pp. 184-186.

[12] Le « timor laudabilis » de ce texte ne réfère pas nécessairement à une crainte bonifiée par la charité. Dans *IIIa*, q. 85, a. 6, in c., où Thomas considère l'ordre temporel des actes conduisant à la pénitence, il écrit : « Secundum hoc ergo dicendum est quod actus quidam laudabiles etiam tempore præcedere possunt actum et habitum pœnitentiæ : sicut actus fidei et spei informium, ea actus timoris servilis ». Le deuxième paragraphe du texte cité de *in ad Rom* 8, 15, lect. 3 (no. 639) confirme cette interprétation.

[13] Notons que *IIa-IIae*, q. 19, a. 6, est en continuité beaucoup plus étroite avec *IIa-IIae*, q. 19, a. 4, que *in III Sent.*, d. 34, q. 2, a. 2, qla. 3, et a. 3, qla. 3, ne l'étaient avec l'article 2, qla. 1.

[14] *IIa-IIae*, q. 19, a. 6, in c.

[15] *Ia-IIae*, q. 42, a. 3, ad 1.

[16] *IIa-IIae*, q. 19, a. 6, in c. : « ALIO MODO timor pœnæ DISTINGUITUR QUIDEM SECUNDUM SUBSTANTIAM A TIMORE CASTO, quia scilicet homo timet malum pœnale non ratione separationis a Deo, sed inquantum est nocivum proprii boni : nec tamen in illo bono constituitur ejus finis, unde nec illud malum formidatur tanquam principale malum. Et talis timor pœnæ potest esse cum caritate. Sed iste timor pœnæ non dicitur esse servilis nisi quando pœna formidatur sicut principale malum, ut ex dictis patet ».

[17] Voir, par exemple, la formule dans *de Malo*, q. 7, a. 11, ad 9 : « Non enim esset motus caritatis quod aliquis detestaretur peccatum veniale propter pœnam : sed magis esset motus timoris servilis vel naturalis ».

[18] *IIa-IIae*, q. 7, a. 1, in c. et ad 2 ; q. 19, a. 5, ad 1.

[19] Cf. IIa-IIae, q. 22, a. 2, in c. et ad 1 ; q. 24, a. 2, ad 3 ; q. 27, a. 3, in c. et ad 3.

[20] Cf. *Ia-IIae*, q. 42, a. 1, in c. ; q. 43, a. 1, in c. et ad 1. Remarquons qu'elle dispose, de façon analogue, à l'espérance. Cf. Ch.-A. BERNARD, *Théologie de l'espérance...*, pp. 80, 82, 85, 139-141.

[21] *IIa-IIae*, q. 17, a. 8, in c. : « Sicut enim aliquis introducitur ad amandum Deum per hoc quod timens ab ipso puniri, cesset a peccato ». Cf. *Ia-IIae*, q. 43, a. 1, ad 1 ; *IIa-IIae*, q. 19, a. 7, in c. ; *de Malo*, q. 3, a. 13, ad 3 ; *de Spe*, q. un., a. 3, in c ; *de duobus præcept.*, prol. (no. 1158) ; *in Psalm* 17, 8, no. 5 (p. 196a) ; 32, 18, no. 16 (p. 264a) ; 39, 4, no. 2 (p. 301a) ; *in ad Rom* 2, 6, lect. 2 (no. 193) ; 3, 18, lect. 2 (no. 289) ; *IIIa*, q. 85, a. 5 ; *Exp. Orat. dom.*, petitio 5 (no. 1084).

[22] *IIa-IIae*, q. 19, a. 1, ad 2 ; *in Psalm* 27, 5, no. 5 (p. 242b) ; 32, 5, no 4 (p. 260b) ; 32, 18, no. 16 (p. 264a) ; 42, 1, no. 1 (p. 313a).

[23] *De Malo*, q. 1, a. 5, ad 11.

[24] *Ia-IIae*, q. 87, a. 3, ad 2.

[25] *Ibid.*, a. 2, ad 1.

[26] *In Psalm* 54, 16 (éd. Uccelli, p. 254a) ; *Quodl.*, I, a. 7, ad 3.

[27] *In Psalm* 52, 5 (éd. Uccelli, p. 245a) « ... frequenter contingit quod in statu prosperitatis homines non recognoscant Deum, sed per pœnas a Deo inflictas recordantur quod sit Deus, quasi dicat : et hoc necessarium est propter culpam ».

[28] *IIa-IIae*, q. 13, a. 4, ad 1.

[29] *Ia-IIae*, q. 78, a. 3, in c. : « ... solum ex certa malitia aliquis peccat, quando ipsa voluntas ex seipsa movetur ad malum. Quod potest contingere dupliciter (...) Alio modo contingit quod volutas per se tendit in aliquod malum, per remotionem alicujus prohibentis. Puta si aliquis prohibeatur peccare non quia peccatum ei secundum se displiceat, sed propter spem vitæ æternæ vel propter timorem gehennæ ; remota spe per desperationem, vel timore per præsumptionm, sequitur quod ex certa malitia, quasi absque freno, peccet » ; *IIa-IIae*, q. 14, a. 1, in fine c. ; q. 22, a. 2, ad 3 ; *de Malo*, q. 2, a. 8, ad 4.

[30] *IIa-IIae*, q. 19, a. 2, ad 3 : « ... timor autem servilis ad aliud pertinet : quia caritatem in sua ratione non includit » ; *ibid.*, a. 9, in c. ; *de duobus præcept.*, prol. (no. 1152).

[31] *IIa-IIae*, q. 19, a. 6 ; a. 8, ad 2 ; a. 10, in c. et ad 1. On comprend mal comment A. M. di MONDA, *La Legge nuova della libertà*..., p. 152, note 169, cite *IIa-IIae*, q. 19, a. 10, pour affirmer que « l'amore espelle ogni scoria di servilità distruggendo il timore servile » ! Thomas affirme souvent, en effet, que l'amour chasse la servilité, mais jamais qu'elle détruit la crainte servile. Il ne s'agit pas de destruction d'un habitus susbstantiellement bon, mais simplement d'une diminution progressive de son actualisation à mesure que la charité étend son empire. Qui d'ailleurs, ici-bas n'aura plus jamais à craindre la peine ?

[32] *IIa-IIae*, q. 19, a. 8, ad 2 ; a. 10, in c. ; *de Carit.*, q. un., a. 10, ad s.c. 4 ; *in Joan* 6, 19-20, lect. 2 (no. 882) ; 15, 15, lect. 3 (no. 2014) ; 21, 15, lect. 3 (no. 2626) ; *IIIa*, q. 7, a. 6, ad 3 ; *in Psalm* 18, 10, no. 10 (p. 210ab) ; 21, 24-25, no. 19 (p. 223ab).

[33] *IIa-IIae*, q. 19, a. 2, ad 3.

[34] *IIIa*, q. 40, a. 4 ,in c. : «...Quarto, ut homines a servitute legis liberaret : secundum illud Gal 4, 4-5 : 'Misit Deus Filium suum factum sub lege, ut eos qui sub lege erant redimeret' ». Voir encore, parmi les raisons de la circoncision de Jésus, dans *IIIa*, q. 37, a. 1, in c. : «...ut, legis onus in se sustinens, alios a legis onere liberaret : secundum illud Gal 4, 4-5 (...) ». — Pour un exposé plus général de toute cette question à la lumière de la première scolastique, voir A. M. LANDGRAF, *Die Wirkungen der Beschneidung*, dans *Dogmengeschichte*..., III/1, pp. 61-108. On y trouvera aussi des remarques intéressantes sur l'originalité du régime cultuel chrétien d'après Thomas comparativement à la théologie de la *Frühscholastik*.

[35] Voir encore dans *IIIa*, q. 3, a. 5, obj.-ad 2.

[36] *Quodl.*, II, a. 2 : « Secundo ut mors Christi non solum esset pretium redemptionis, sed etiam exemplum virtutis, ut videlicet homines non timerent pro veritate mori. Et has duas causas assignat Apostolus ad Hebr 2, 14-15, dicens : 'Ut per mortem destrueret eum qui habebat mortis imperium', quantum ad primum ; 'et liberaret eos qui timore mortis per totam vitam obnoxii erant servitutis', quantum ad secundum ».

[37] Cf. *Ia-IIae*, q. 91, a. 5, in c. ; q. 98, a. 1, in c. ; a. 2, ad 2 ; a. 6, in c. ; q. 106, a. 2, in c. ; a. 3, in c. ; q. 107, a. 1, in c. et ad 2-3 ; a. 4, in c. et ad 2 ; q. 108, a. 1, ad 2.

[38] Thomas nomme le Christ « législateur » dans *Ia-IIae*, q. 108, a. 1, in c. et dans *Quodl.*, IV, a. 13.

[39] *Ia-IIae*, q. 91, a. 5, in c. ; q. 98, a. 1, in c. ; q. 106, a. 1, in c. ; q. 107, a. 1, ad 2 ; q. 108, a. 1, ad 3.

[40] *Ia-IIae*, q. 91, a. 5, ad 2 ; q. 104, a. 3, ad 3.

[41] *Ia-IIae*, q. 91, a. 5, in c. ; q. 98, a. 1, in c. ; q. 101, a. 2, in c. ; q. 102, a. 2, in c. ; q. 106, a. 4, in c. ; q. 107, a. 1, in c. ; q. 108, a. 4, in c.

[42] *IIa-IIae*, q. 19, a. 10, ad 3. C'est la traduction suggérée pour « supra se et supra omnia », par CH.-A. BERNARD, *Théologie de l'espérance*..., p. 140.

[43] Sur l'originalité de la nouvelle disposition « cultuelle » face à l'ancienne, voir aussi Y. M.-J. CONGAR, *Le sens de l' « économie » salutaire*..., pp. 94-104.

[44] R. GUINDON, *Béatitude et Théologie morale*..., p. 312. Ce que l'auteur écrit de la *IIa Pars* vaut également pour la *IIIa Pars*.

[45] *Summa theologiæ*, prol.

⁴⁶ *Ibid.*

⁴⁷ *Ia-IIae*, q. 107, a. 1, ad 2 ; *IIa-IIae*, q. 108, a. 1, ad 3.

⁴⁸ *IIa-IIae*, q. 44, a. 1, ad 2.

⁴⁹ *Ia-IIae*, q. 107, a. 4, in c.

⁵⁰ *Ia-IIae*, q. 106, a. 2, ad 2. Notons que la fin de ce texte : « . . . Nec tamen propter hoc dicitur quod lex nova iram operatur : quia quantum est de se, sufficiens auxilium dat ad non peccandum », n'a rien à voir avec ce qu'on appellera plus tard la « gratia sufficiens », distincte d'une « gratia efficax » : pour l'usage de cette notion chez Thomas et ses contemporains, voir M.-D. CHENU, *Notes de lexicographie philosophique médiévale*, Sufficiens, dans *RSPT*, 22 (1933) 251-259 (à propos de ce texte précis, voir p. 257, note 1).

⁵¹ *Ia-IIae*, q .108, a. 1, ad 3 : « . . . lex nova, cohibendo animum ab inordinatis motibus, oportet quod etiam cohibet manum ab inordinatis actibus, qui sunt effectus interiorum motuum ».

⁵² Cf. *supra*, chapitre quatrième, pp. 116-117 ; chapitre sixième, pp. 151-154.

⁵³ Cf. *IIa-IIae*, q. 33, a. 2, ad 3 ; a. 6, in c. ; q. 73, a. 4, in c. ; *de Corr. frat.*, q. un., a. 1, ad 10 ; *in Joan* 3, 22, lect. 5 (no. 514). Sur la fameuse crainte coupable de Pierre qui l'amena à pactiser avec les judaïsants, voir encore, *Ia-IIae*, q. 103, a. 4, ad 2 ; *IIa-IIae*, q. 19, a. 9, in c. ; q. 33, a. 4, ad 2 ; q. 43, a. 6, ad 2.

⁵⁴ Cf. *IIa-IIae*, q. 33, a. 2, ad 3.

⁵⁵ Cf. *in 1 ad Cor* 5, 2, lect. 1 (no. 232) : la crainte de la « contagion » oblige parfois à séparer les pécheurs de la communauté pour la correction des autres.

⁵⁶ *IIa-IIae*, q. 33, a. 3, in c. ; a. 6, in c.

⁵⁷ *In 1 ad Cor* 4, 18, lect. 3 (no. 225).

⁵⁸ *In 1 ad Cor* 4, 21, lect. 3 (no. 227).

⁵⁹ *In ad Rom* 12, 1, lect. 1 (no. 955).

⁶⁰ *IIa-IIae*, q. 33, a. 3, ad 3.

⁶¹ *IIa-IIae*, q. 33, a. 6, in c.

⁶² *Ibid.*

⁶³ *In 1 ad Cor* 4, 18, lect. 3 (no. 225).

⁶⁴ *IIa-IIae*, q. 33, a. 3, in c. ; a. 6, in c.

⁶⁵ *IIa-IIae*, q. 33, a. 3, in c. ; a. 6, in c. ; *in 1 ad Cor* 4, 21, lect. 3 (no. 227) ; 5, 5, lect. 1 (no. 237).

⁶⁶ *IIa-IIae*, q. 33, a. 6, in c. ; *in 1 ad Cor* 5, 2, lect. 1 (no. 232).

⁶⁷ *IIa-IIae*, q. 33, a. 6.

⁶⁸ *IIa-IIae*, q. 33, a. 6 ; *de Corr. frat.*, q. un., a. 2, sed contra I ; *in 1 ad Cor* 4, 21, lect. 3 (no. 227).

⁶⁹ *In 1 ad Cor* 4, 18, lect. 3 (no. 225).

⁷⁰ *In 1 ad Cor* 4, 21, lect. 3 (no. 227).

⁷¹ *IIa-IIae*, q. 33, a. 7, sed contra et in c. ; *Quodl.*, I, a. 16 ; *de Corr. frat.*, q. un., a. 2, sed contra et in c.

⁷² *In Joan* 3, 27, lect. 5 (nn. 514-515).

Cinquième partie

VARIATIONS SUR UN MÊME THÈME

LES DERNIERS COMMENTAIRES SCRIPTURAIRES

Le thème de la pédagogie de la crainte dans l'histoire du salut comporte, dans la théologie de l'Aquinate, certaines constantes. Nous les avons retrouvées à toutes les étapes de son enseignement. Elles sont pourtant soumises à des aménagements successifs, parfois à des remaniements profonds. Dans un sujet où joue l'alternance de plusieurs thèmes connexes, il n'existe pas une seule explication précise à l'ensemble des développements constatés. On relève, en cours de route, les analyses plus poussées de telle ou telle notion importante : celle de crainte servile, celle de pédagogie, celle d'extériorité et d'intériorité, celle de loi-pédagogue, etc. ; et encore l'intégration d'aspects complémentaires de la crainte ou de la loi à l'intérieur du cadre précis *lex timoris - lex amoris* : la *servitus reverentiœ*, la crainte de la mort, la notion de bien commun, la comparaison avec la loi humaine, etc. Il est d'ores et déjà acquis que la structure et le contexte précis des œuvres dans lesquelles Thomas examine le thème exercent également une influence considérable sur le choix de ses composantes et, partant, sur leur approfondissement.

Dans cette dernière partie, nous examinerons brièvement les variations sur notre thème occasionnées par trois contextes scripturaires différents : celui de la *Lectura super Joannem* [1], composée vraisemblablement entre 1269-1272 [2], en même temps, donc, que la *Secunda Pars* ; celui de la *Lectura super Psalmos Davidis*, et celui de l'*Expositio super epistolam Pauli ad Romanos*, écrites probablement entre 1272-1273 [3]. À ces trois derniers chapitres, nous ajouterons une annexe sur les *collationes* prêchées à Naples pendant le Carême de 1273 et réunies sous le titre *De duobus prœceptis caritatis et decem legis prœceptis* [4].

Nous ne reprendrons pas, dans cette cinquième partie, l'étude des aspects complémentaires du thème de la crainte. Ces matériaux ont déjà été versés au dossier de la partie précédente. Nous nous en tiendrons strictement au thème de la pédagogie de crainte dans l'histoire du salut.

[1] Nous ne tiendrons pas compte de la distinction entre une « expositio », couvrant les cinq premiers chapitres du quatrième évangile, et une « lectura » à partir du sixième chapitre, telle que proposée encore par R. CAI, dans les éditions Marietti, Turin-Rome, 1952. Cette distinction est très mal assurée par les manuscrits. Il semble donc préférable de l'omettre.

[2] Cf. WALZ-NOVARINA, Saint Thomas..., pp. 96 et 164 ; M.-D. CHENU, Toward Understanding..., pp. 247-248.

[3] Cf. WALZ-NOVARINA, ibid., p. 182 ; M.-D. CHENU, ibid., pp. 245-246 (pour le commentaire du psautier) et p. 248 (pour l'« Expositio » sur Rom et 1 ad Cor 1-10).

[4] Cf. I. T. ESCHMANN, A Catalogue of St. Thomas's Work..., pp. 425-426.

CHAPITRE TREIZIÈME

LA *LECTURA SUPER JOANNEM*

> « *Je ne vous appellerai plus 'esclaves'
> mais je vous appelle 'amis'* » (Joan 15,
> 15) [1].

Le quatrième évangile ne se prête pas aussi bien que les épîtres
pauliniennes à de longues dissertations sur le rôle de la loi ancienne
dans l'histoire du salut. Ce n'est donc pas à l'intérieur d'une certaine théologie de la loi que s'inscrivent les données sur la pédagogie divine, mais à partir d'un thème typiquement johannique, à
savoir la révélation de l'amour dans l'Esprit. Aussi ne faut-il pas
s'étonner de ne point découvrir, à propos de la loi ancienne, le texte
clé de la *Prima Secundæ*, « *Lex pædagogus noster fuit in Christo* »
(Gal 3, 24), mais celui qui avait servi à signer les contextes du
thème loi de crainte — loi d'amour dans les œuvres précédentes :
« *Non accepistis spiritum servitutis iterum in timore ; sed accepistis spiritum adoptionis* » (Rom 8, 15) [2].

Ce point de départ, avec le recours à l'opposition de Rom 8,
15 plutôt qu'au lien de Gal 3, 24, explique aussi le traitement plutôt
défavorable que, face à la loi nouvelle, la loi ancienne reçoit dans
ce commentaire : elle engendrait l'esprit d'esclavage dans la crainte
jusqu'au moment où le Christ changea l'eau de la crainte en vin de
la charité [3] ; l'adoration de la loi s'adressait non au Père mais au
Seigneur : nous adorons comme des fils par amour alors qu'ils
adoraient comme des esclaves par crainte [4]. Ces idées reviennent
constamment au cours du commentaire : la loi ancienne fut imposée dans la crainte et elle engendrait des esclaves [5] ; la loi nouvelle,
au contraire, fait de nous des fils adoptifs par la communication

de l'Esprit [6] : elle libère de l'esclavage [7]. Nous vivons sous le signe du précepte « nouveau » de la charité : « nouveauté » de la rénovation intérieure, « nouveauté » de l' « esprit » d'amour qui l'engendre en nos cœurs, « nouveauté » du régime qu'il constitue, à savoir le « Nouveau » Testament, loi d'amour et non de crainte [8].

Un seul texte fait état du caractère préparatoire de la loi ancienne par rapport à la nouvelle. Après avoir évoqué la « *brevis differentia* », Thomas ajoute :

> Quod autem mandatum istud in Veteri Testamento ex timore et amore sancto erat, pertinebat ad Novum Testamentum : unde hoc mandatum erat in veteri lege, non tamquam proprium ejus, sed ut præparativum novæ legis [9].

La loi ancienne n'est pas préparatoire par sa pédagogie d'intimidation, en tant que *lex timoris*, mais parce qu'elle éduquait aussi, à l'instar de la loi nouvelle dont elle participait déjà, la crainte chaste et l'amour de Dieu. Thomas ne mentionne jamais, dans la *Lectura super Joanem*, cette pédagogie ancienne par la crainte. La crainte servile engendre des esclaves ; la loi nouvelle proclame la libération [10]. Ceux qui seront régénérés ne craindront plus, comme Nicodème, par manque de perfection dans l'amour [11].

D'après le commentaire du quatrième évangile, on peut donc résumer l'enseignement concernant le rapport des deux lois divines par le verset de Jean 15, 15 : « Je ne vous appellerai plus 'esclaves'..., je vous appelle 'amis' ». Ce verset reçoit d'ailleurs ici des commentaires qui déterminent, avec une précision encore jamais atteinte dans l'œuvre de l'Aquinate, en quel sens on peut encore qualifier de « *servi* » les « amis » du Christ. Toute *servitus* ne procède-t-elle pas, en effet, d'une certaine crainte qui ne sied guère aux relations d'amitié ?

Thomas commente ce verset à trois reprises. Deux fois, il est opposé à la déclaration de Jésus selon laquelle le *servus* n'est pas plus grand que son maître [12]. Les deux réponses comportent la même explication : les apôtres ne sont pas des *servi* selon la *servitus* qui procède de la crainte servile, mais selon celle qui s'enracine dans la crainte filiale [13]. Cette solution s'inspire du commentaire d'Augustin sur le quatrième évangile [14] que l'Aquinate cite deux fois dans sa *Catena super evangelium Joannis*, à savoir au chapitre 15, verset 15 [15] et verset 20 [16].

Le troisième commentaire de Thomas figure précisément au verset 15ᵉ en question [17]. Si la grande distinction augustinienne sert encore, comme dans les deux passages précédents, à résoudre le conflit entre les appellations « *amici* » et « *servi* », les explications sont plus élaborées. Ce texte, rédigé avec soin, mérite une attention spéciale.

Thomas analyse le contenu du verset en se plaçant dès l'abord dans la perspective historique des deux lois. L'asservissement est contraire à l'amitié et donc Jésus l'exclut en disant : « Je ne vous appellerai plus 'esclaves' ». Par là, il marque la différence entre les « *quasi servi sub lege* » et les « *quasi liberi sub gratia* » selon l'affirmation de Rom 8, 15. Jésus ajoute la raison de ce changement d'appellation lorsqu'il dit : « car l' 'esclave' ignore ce que fait son maître » (Joan 15, 15b).. Le « *servus* » est comme étranger au maître — il « n'est pas pour toujours dans la maison » (Joan 8, 35). Or on ne confie pas de secrets aux étrangers. Si l'on rattache ce verset 15ᵉ au précédent, dans lequel Jésus affirme son amitié pour ceux qui accomplissent ce qu'il commande, on comprend pourquoi il ajoute ici : « *Non dicam vos servos* ». Il écarte la conclusion que les disciples auraient pu déduire de cette parole, à savoir que l'observance des préceptes relève plutôt de l'asservissement que de l'amitié [18].

Suivent des textes scripturaires qui semblent contredire le bien-fondé de l'assertion de Jésus — « David » (Psalm 118, 125), les apôtres (Rom 1, 1), les bienheureux (Matth 25, 23) sont nommés « *servi* » — et la raison alléguée par Thomas : les « *servi* » de Dieu ne reçoivent-ils pas ses secrets (Amos 3, 7) ? La suite du texte répond successivement à ces deux objections.

Pour résoudre le conflit entre l'asservissement et l'amitié, Thomas reprend, comme il fallait s'y attendre, la distinction entre les deux *servitutes*, mais à partir du principe selon lequel « *servitus proprie ex timore creatur* ». Or il y a une double crainte : la servile que chasse la charité et la filiale qu'engendre la charité. Par conséquent, il y a une sujétion qui procède de la crainte filiale et selon laquelle les fils de Dieu sont nommés « serviteurs » ; une autre qui est causée par la crainte de la peine et dont Jésus dit : « Je ne vous appellerai plus 'esclaves' ». L'Aquinate ajoute cependant les précisions suivantes :

Sciendum est etiam, quod servus proprie est qui non est causa sui : liber vero qui est sui causa. Est ergo differentia inter operationes servi et liberi : quia servus operatur causa alterius ; liber autem causa sui operatur, et quantum ad causam finalem operis, et quantum ad causam moventem. Nam liber propter se operatur, sicut propter finem et a se operatur, quia propria voluntate movetur ad opus ; sed servus nec propter se operatur sed propter dominum, nec a se sed a domini voluntate, et quasi quadam coactione. Sed contingit aliquando quod aliquis servus operatur causa alterius, sicut causa finali ; operatur tamen a se, inquantum se movet ad opus : et hæc est bona servitus, quia ex caritate movetur ad bona opera facienda ; sed non operatur propter se : quia caritas non quærit quæ sua sunt, sed quæ sunt Jesu Christi et salutis proximorum. Qui autem omnino causa alterius operantur, sunt mali servi. Patet ergo quod discipuli servi erant, sed bona servitute, quæ ex amore procedit [19].

Ce texte est le meilleur commentaire de l'autorité aristotélicienne [20] appliquée à la question de la soumission craintive que Thomas ait jamais écrit. Il le reprendre succinctement dans son *Expositio super epistolas Pauli* [21]. D'abord il marque bien les deux sens possibles — causalité efficiente et causalité finale — du *sui causa* et de l'*alterius causa* [22]. Ensuite il détermine, mieux qu'il ne l'a fait encore, que la notion de *servus* s'oppose irrémédiablement à celle du *liber* dans le sens de la cause efficiente, puisqu'alors il y a nécessairement contrainte. Cette précision rejoint toutes les analyses relatives à la servilité de la crainte des peines. Mais si l'on peut attribuer à la *servitus* de la crainte servile le *alterius causa* dans le sens de la causalité efficiente, il est également possible de penser au « service » de la crainte filiale en termes de *alterius causa* dans le sens de la causalité finale. Cette *servitus* émane de la charité et, à cause d'elle, vise l'œuvre de Jésus-Christ, c'est-à-dire, le salut. Service de charité, la *servitus timoris filialis* jouit de la liberté du volontaire et du désintéressement de l'amitié [23].

L'analyse ne s'arrête pas là. Pour répondre à la deuxième objection concernant la révélation des secrets comme privilège de la seule amitié, Thomas reprend la notion de *servitus* en termes d'instrumentalité [24]. Contrairement à l'esclave, le serviteur par amour n'est pas un instrument qui participe dans l'exécution de l'œuvre sans communier au dessein du maître. Si son agir est volontaire, c'est qu'il en connaît la fin. On lui a donc dévoilé le but de son activité [25]. Ainsi aux bons serviteurs du Christ sont révélés les secrets divins. Les mauvais serviteurs, au contraire, ne connaissent pas ce que Dieu accomplit en eux, à savoir « le vouloir et l'opération

même » (Phil 2, 13). Ce beau texte s'achève par cette remarque qui
relie profondément ce développement à l'enseignement sur le don
de crainte, obstacle à l'orgueil :

> Servus ergo malus ex superbia cordis sui obtenebratus, dum quod
> facit, sibi attribuit, « nescit quid faciat dominus ejus »[26].

Rattaché dès le début au thème des deux lois divines, ce magni-
fique commentaire marque un nouvel approfondissement dans l'opposition entre le vieil esclavage caractéristique de la *lex timoris* et
le service nouveau de la *lex amoris*.

Comparé à l'enseignement de la *Somme de théologie*, celui de la
Lectura super Joannem est donc fort incomplet. L'opposition entre
les deux Testaments y est bien marquée : d'un côté les esclaves,
l'esprit d'esclavage, la crainte ; de l'autre, les fils, l'Esprit de liberté, l'amour. « Je ne vous appellerai plus 'esclaves'... je vous appelle
'amis' ». Si l'ancienne loi préparait à la nouvelle, ce n'est qu'en
vertu des mérites de celle-ci. En ce qui concerne la *principalitas*
de la *lex timoris* comme telle, Thomas ne signale jamais qu'elle
pourrait être une *via ad amorem*.

Nous ne voyons pas la nécessité de recourir à des explications
ingénieuses — « évolution de pensée », ou autres — pour motiver
cette lacune. L'influence du texte commenté est évidente. Le quatrième évangile constitue une toile de fond sur laquelle Thomas ne
pouvait guère que mettre en relief les traits « nouveaux » de la loi
évangélique. Les ombres de la loi ancienne ne servent qu'à les faire
ressortir. Si elle est à son tour quelque peu éclairée, ce n'est que
par les reflets de la loi nouvelle. La lumière projetée sur la loi de
liberté au détriment de l'ancienne occasionne cependant un excellent développement sur le service d'amour et de crainte filiale face
à l'esclavage de la crainte pénale.

---

[1] C'est la traduction qui correspond le mieux, nous le verrons, à la lecture
de Thomas.

[2] Cf. *in Joan* 2, 3, lect. 1 (no. 347) ; 3, 3 et 5, lect. 1 (nn. 432 et 442) ; 8, 42,
lect. 5 (no. 1234) ; 13, 34, lect. 7 (no. 1836) ; 15, 15, lect. 3 (no. 2014). Le contexte dans lequel se présente le thème des « deux lois » dans la *Lectura super
Joannem* explique l'utilisation de l'autorité de Rom 8, 15 plutôt que celle de
Gal 3, 24.

   [3] *In Joan* 2, 3, lect. 1 (no. 347) : « ... ante incarantionem Christi, triplex vinum deficiebat, scilicet justitiæ, sapientiæ et caritatis, seu gratriæ (...) Sed et vinum caritatis deficiefat ibi : quia accepterant spiritum servitutis tantum in timore. Sed Christus aquam timoris convertit in vinum caritatis, quando dedit 'spiritum adoptionis filiorum, in quo clamamus, Abba, pater', ut dicitur Rom 8, 15, et quando 'caritas Dei diffusa est in cordibus nostris', ut dicitur Rom 5, 5 ».

   [4] *In Joan* 4, 23, lect. 2 (no. 611) : « Sed dicit 'Patrem', quia adoratio legis non erat Patris, sed Domini. Nos adoramus ut filii per amorem, illi vero adorabant ut servi per timorem ».

   [5] Cf. *in Joan* 12, 15, lect. 3 (no. 1627) : « Vetus autem lex in timore data est, quia lex servitutem generabat » ; 13, 34, lect. 7 (no. 1836) : « Est eni mduplex spiritus, scilicet vetus et novus. Vetus quidem est spiritus servitutis ; (...) generat servos (...) Rom 8, 15 (...). Nam brevis differentia Novi et Veteris Testamenti est timor et amor » ; 15, 15, lect. 3 (no. 2014) : « 'Jam non dicam vos servos', quasi dicat : Etsi olim fueritis quasi servi sub lege, nunc etc. ; Rom 8, 15 (...) ».

   [6] Cf. *in Joan* 3, 3 et 5, lect. 1 (nn. 432 et 442) ; 8, 24, lect. 5 (no. 1234) ; 13, 34, lect. 7 (no. 1836).

   [7] *In Joan* 12, 15, lect. 3 (no. 1627) : « Venit (i.e. Rex tuus), inquam, tibi, non ad terrorem, sed ad liberationem, unde subdit 'Sedens super pullum asinæ' : in quo signatur regis clementia, quæ valde est accepta subditis ; (...). Noli ergo timere regni oppressionem. Vetus autem lex in timore data est (...) » ; 15, 15, lect. 3 (no. 2014) : «-Etsi olim fueritis quasi servi sub lege, nunc estis quasi liberi sub gratia ; Rom 8, 15 ... ».

   [8] *In Joan* 13, 34, lect. 7 (no. 1836) : « Specialiter autem mandatum istum dicitur novum propter tria. Primo propter effectum innovationis quem efficit (...). Hæc autem novitas est per caritatem, ad quam hortatur Christus. Secundo istud mandatum dicitur novum propter causam quæ hoc efficit, quia est a novo spiritu. Est enim duplex spiritus, scilicet vetus et novus. Vetus quidem est spiritus servitutis ; novus autem spiritus amoris ; ille generat servos, hic filios adoptionis ; Rom 8, 15 (...) ; Ezech 36, 26 (...). Et hic spiritus inflammat ad caritatem : quia 'caritas Dei diffusa est in cordibus nostris per Spiritum sanctum' ; Rom 5, 5. Tertio per effectum quem constituit, scilicet Novum Testamentum. Nam brevis differentia Novi et Veteris Testamenti est timor et amor ... ».

   [9] *Ibid.*

   [10] *In Joan* 12, 15, lect. 3 (no. 1627) : « Securitatem dat cum dicit 'Noli timere, filia Sion' (...) Judæis ergo dicitur 'Noli timere', quia Dominus defensor tuus ; Is 51, 12 : 'Quis tu ut timeas ab homine mortali' ? ; Psalm 26, 1 : 'Dominus defensor vitæ meæ : a quo trepidabo ? '. In quo excludit Evangelista timorem mundanum et servilem (...). Venit (i.e. Rex tuus), inquam, tibi, non ad terrorem, sed ad liberationem (...) Noli ergo timere regni oppressionem. Vetus autem lex in timore data est, quia lex servitutem generabat ».

   [11] *In Joan* 3, 2, lect. 1 (no. 427) : « 'Venit nocte'. Nox enim obscura est, et competebat qualitati affectus Nicodemi, qui non cum securitate et libera propalatione, sed cum timore ad Jesum veniebat ; nam erat de illis principibus, de quibus dicitur Joan 12, 42, quod 'crediderunt in eum ; sed propter Pharisæos non confitebantur, ut de synagoga non ejicerentur'. Non enim perfecte diligebant » ; *in Joan* 3, 3, lect. 1 (no. 432) : « Spiritus autem est qui regenerat, unde Apostolus Rom 8, 15 (...) ». — Rapprocher ce commentaire du « Venit nocte » de *IIa-IIae*, q. 147, a. 7, ad 1 : « Status Veteris Testamenti

comparatur nocti, status vero Novi Testamenti diei, secundum illud Rom 13, 12 : 'Nox præcessit, dies autem appropinquavit' ». La nuit est le symbole de la terreur : cf. *in Matth* 2, 14 (no. 213) ; 24, 30, II (no. 1966) ; 24, 43, IV (no. 1997).

[12] Cf. Joan 13, 16 ; 15, 20.

[13] *In Joan* 13, 16, lect. 3 (no. 1783) : « ... duplex est servitus. Una, quæ procedit ex timore filiali, quæ facit bonum servum ; secundum Matth 25, 23 : 'Euge serve bone et fidelis' : et hoc modo Dominus vocat eos servos. Alia est servitus quam facit timor servilis, de qua dicitur Matth 18, 32 : 'Serve nequam, omne debitum dimisi tibi quoniam rogasti me'. Et de hac dicit Dominus : 'Jam non dicam vos servos ...' » ; in Joan 15, 20, lect. 4 (no. 2041): « ... duplex est servitus. Una procedens ex timore servili, scilicet pœnæ, et secundum hanc Apostoli non erant servi ; alia ex timore casto, et talis servitus erat in Apostolis ; Luc 12, 37 : 'Beati servi illi quos cum venerit dominus invenerit vigilantes' ».

[14] AUGUSTIN, *In Joannis Evangelium*, tract. 85 (PL 35, 1848-1850).

[15] *Catena super Joan* 15, 15, no. 4 (p. 530b).

[16] *Ibid.*, 15, 20, no. 5 (p. 532b).

[17] *In Joan* 15, 15, lect. 3 (nn. 2014-2015).

[18] *Ibid.* (no. 2014) : « Amicitiæ autem contrariatur servitus, et ideo primo excludit servitutem, dicens 'Jam non dicam vos servos' ; quasi dicat : Etsi olim fueritis quasi servi sub lege, nunc estis quasi liberi sub gratia ; Rom 8, 15 (...). Secundo subdit rationem, dicens 'Quia servus nescit quid faciat dominus ejus' : servus enim est quasi extraneus a domino ; supra 8, 35 : 'Servus non manet in domo in æternum'. Extraneis autem secreta committenda non sunt ; Prov 25, 9 : 'Secreta extraneo ne reveles', unde nunc servis secreta committenda non sunt. — Potest autem hoc ad præcedentia sic continuari. Possent discipulis dicere, quod si servamus præcepta tua, sumus amici tui ; sed servare præcepta est magis servitutis quam amicitiæ ; et ideo hoc excludens Dominus dicit 'Jam non disam vos servos' ».

[19] *Ibid.* (no. 2015).

[20] ARISTOTE, *Métaph.*, I, c. 2 (982 b 26).

[21] *In ad Rom* 1, 1, lect. 1 (no. 21).

[22] Voir la discussion de ce problème *supra,* chapitre troisième, p. 63.

[23] Cette dernière partie du texte est semblable à l'analyse que Thomas avait faite dès *in III Sent.*, d. 9, q. 1, a. 1, qla. 1, ad 1, au sujet de la *latria* du Christ, une *servitus* vertueuse.

[24] On retrouve cette même terminologie dans un commentaire sur Aristote composé en même temps que la *Lectura super Joannem*, à savoir *in I Pol.*, lect. 2 (no. 55) ; lect. 3 (nn. 68-69).

[25] *In Joan* 15, 15, lect. 3 (no. 2015) : « Ad secundam quæstionem dicendum, quod ille servus qui movetur solum ab alio, et non a se, habet se ad moventem sicut instrumentum ad artificium. Instrumentum autem communicat cum artifice in opere, sed non in operis ratione. Sic ergo tales servi participant solum in opere ; sed quando servus operatur ex propria voluntate, necesse est quod rationem operis sciat, et quod revelentur ei occulta, per quæ ea scire possit quæ agit, Eccli 33, 31 ... ».

[26] *Ibid.*

CHAPITRE QUATORZIÈME

LA *LECTURA SUPER PSALMOS DAVIDIS*

> « *Vous qui craignez le Seigneur,
> louez-le* » (Psalm 21, 24).

La *Lectura super Psalmos Davidis* ne nous fournit pas un matériel abondant ni très original concernant le rapport de la loi de
crainte et de la loi d'amour. Mise à part une brève allusion dans
une glose du psaume 1, verset 2 [1], il n'y a guère que le commentaire
des versets 24 et 25 du psaume 21ᵉ qui ébauche une comparaison,
du reste difficile à interpréter quant à la loi ancienne, entre la *lex
timoris* et la *lex amoris* [2]. Comme l'*Expositio super Job ad litteram* et la *Lectura super Joannem*, ces « reportations » sur les 54
premiers psaumes, dues à Réginald de Piperno, s'adaptent au genre
sapiential du texte scripturaire. Or les livres de sagesse offrent peu
d'occasions à l'exégète médiéval d'examiner les considérants historiques de la loi mosaïque [3]. Au surplus, Thomas commente cet
ouvrage de l'Ancien Testament comme le livre de la prière chrétienne [4]. Cette orientation de la *lectura* explique que certains psaumes
sur la loi ne soient pas l'occasion d'une théologie de la loi.

Ce chapitre n'est pas pour autant superfétatoire. Les quelques
données autour du thème illustrent bien comment le cadre d'une
œuvre conditionne sa présentation en privilégiant certains éléments. Le thème des « deux lois » divines ne progresse pas de façon
linéaire d'une œuvre à l'autre. La notice qui suit rappelle davantage
le contexte de la *Summa contra Gentiles* et celui de l'*Expositio
super Job ad litteram* — avec, pourtant, une nuance liturgique —
que celui de la *Lectura super epistolas Pauli* et celui de la *Summa
theologiæ*. La raison n'est pas d'ordre chronologique, mais d'ordre
littéraire.

L'idée qui ressort des cinq textes dans lesquels Thomas examine la loi divine et la crainte[5] peut se résumer ainsi : la crainte filiale est liée à la loi divine pour que nous obéissions aux préceptes non par crainte servile mais par amour, car c'est ainsi que nous sommes soumis intérieurement à Dieu[6]. Si cette façon parfaite d'obtempérer à la loi caractérise le Nouveau Testament[7], elle est pourtant le fait de tout homme juste[8] qui se soumet à la « monition divine » spéciale[9]. Nous sommes ici dans un contexte semblable à celui de la *lex interior* de la *Somme contre les Gentils*.

L'enseignement du commentaire du psautier se distingue pourtant par une insistance, attribuable à son contexte liturgique, sur l'aspect cultuel de cette crainte chaste de la loi divine : elle est un « service religieux » attentif[10], un hommage de révérence[11], une source de louange[12].

Par la brève allusion au thème des deux lois divines dans le commentaire du psaume 21, cet enseignement s'applique principalement à la situation créée par la loi nouvelle qui, en révélant pleinement la miséricorde du Père en Jésus-Christ, suscite plutôt l'amour et sa révérence que la crainte des peines[13]. Mais la *Lectura super Psalmos Davidis* n'est pas très explicite sur ces étapes successives de la loi divine et sur leurs rapports. Une série d'allusions autorisent néanmoins à établir le lien avec l'enseignement de la *Prima Secundæ* : ainsi le fait que nul n'est bon sinon en vertu du Christ[14], que juifs de l'ancienne loi faisaient déjà partie de la « maison de Dieu »[15], et ainsi de suite.

Ces quelques textes présentent un double intérêt. Ils nous montrent d'abord que Thomas, abordant le thème de la loi divine et de la crainte dans une œuvre certainement postérieure à la *Prima Sacundæ*, ne se préoccupe guère de reprendre, même sommairement, les grandes perspectives de la *Somme de théologie*. Le commentaire sur les psaumes, tel qu'il l'envisageait, ne lui semblait pas offrir un contexte adapté pour de tels développements. Il a donc choisi des perspectives qui cadraient mieux avec son propos exégétique. En deuxième lieu, ces textes de la *Lectura* confirment le bien-fondé de notre étude des dimensions religieuses de la crainte à l'intérieur d'un exposé sur la loi divine et la crainte. Il est impossible d'étudier en profondeur un seul aspect de la crainte chez Thomas d'Aquin sans examiner l'ensemble des données à son sujet.

[1] *In Psalm* 1, 2, no. 1 (p. 151a) : « Et dicit 'in lege' per dilectionem, non sub lege per timorem, 1 ad Tim 1, 9 : 'Justo non est lex posita' ».

[2] *In Psalm*, 21, 24-25, no. 19 (p. 223ab).

[3] L'Aquinate met en garde ici contre une interprétation purement historique : *in Psalm*, prooem. (p. 149b) : « Circa modum exponendi sciendum est, quod tam in psalterio quam in aliis prophetiis exponendis evitare debemus unum errorem damnatum in quinto synodo. Theodorus enim Mopsuestenus dixit, quod in sacra Scriptura et prophetiis nihil expresse dicitur de Christo, sed de quibusdam aliis rebus, sed adaptaverunt Christo : sicut illud Psalm 21 : 'Diviserunt sibi vestimenta mea, etc.', non de Christo, sed ad literam dicitur de David. Hic autem modus damnatus est in illo concilio : et qui asserit sic exponendas Scripturas, hæreticus est. Beatus ergo Hieronymus super Ezech. tradidit nobis unam regulam quam servabimus in Psalmis : scilicet quod sic sunt exponendi de rebus gestis, ut figurantibus aliquid de Christo vel ecclesia. Unde enim dicitur 1 ad Cor 10, 11 : 'Omnia in figura contingebant illis' ».

[4] *In Psalm*, prooem. (p. 148a) : « Quarto est opus glorificationis : Psalm 149 : 'Exultabunt sancti in gloria etc.'. Et hæc est ratio, quare magis frequentatur Psalterium in ecclesia, quia continet totam Scripturam » ; *ibid.* (p. 148b) : « ... quidquid in aliis libris prædictis modis dicitur, hic ponitur per modum laudis et orationis (...). Docet ergo laudare Deum cum exultatione (...). Hujus Scripturæ finis est oratio, quæ est elevatio mentis in Deum (...). Finis ergo est, ut anima conjungatur Deo, sicut sancto et excelso » ; *ibid.* (p. 149a) : « Finis, quia ut elevati conjungamur excelso et sancto. Auctor, quia ipse Spiritus sanctus hoc revelans ». — Le commentaire lui-même contient un enseignement continu sur la prière. Il est assez étonnant que, dans les nombreux ouvrages sur la prière « selon saint Thomas », il y ait une absence à peu près totale de références à ce commentaire : il enrichit singulièrment l'enseignement fort scolaire de *IIa-IIae*, q. 83.

[5] Cf. *in Psalm* 1, 2, no. 1 (p. 151a) ; 2, 11, no. 9 (p. 155ab) ; 18, 10, no. 10 (p. 210b) ; 21, 24-25, no. 19 (p. 223ab) ; 32, 5 et 8, no. 4 (p. 260b) et no. 7 (p. 261b).

[6] Cf. *in Psalm* 1, 2, no. 1 (p. 151a) : « Est ergo processus rectus ad beatitudinem primo, ut subdamus nos Deo : et hoc dupliciter. Primo per voluntatem, obediendo ejus ; et ideo dicit : 'Sed in lege Domini' ; et hoc specialiter pertinet ad Christum. Joan 6, 38 (corriger la coquille de l'éd. Parme qui indique c. 8) (...). Convenit similiter et cuilibet justo. Et dicit 'in lege' per dilectionem, non sub lege per timorem. 1 ad Tim 1, 9 : 'Justo non est lex posita' » ; in Psalm 2, 11, no. 9 (p. 155ab) : « Dicat autem 'Domino' : qui enim servit Deo, oportet quod interius secundum animam subjiciatur ei, bonum affectum habendo (...). Dicit autem 'In timore', qui sanctus permanet, nec sinit peccare, ut 'Qui stare se existimat, videat ne cadat' 1 ad Cor 10, 12 (corriger la coquille de l'éd. Parme qui indique Rom 10) ; in Psalm 18, 10 : 'Timor'. Hic ponit quædam adjacentia legi : quorum unum est ex parte nostra, scilicet timor, qui inducit nos ad servanda præcepta : Eccle ult. (11, 13) : 'Deum time, et mandata ejus observa'. Et de timore isto duo dicit. Primo dicit eum sanctum. Secundo dicit eum permanentem. Omnis autem timor ex amore causatur ; quia illud timet homo perdere quod amat. Et ideo sicut est duplex amor, ita est duplex timor : quidam est timor sanctus qui causatur ab amore sancto : quidam non sanctus, qui a non sancto causatur. Sanctus amor est quo amatur Deus ; Rom 5, 5 (...). Timor iste sanctus tria facit. Primo timet Deum offen-

dere. Secundo recusat ab eo separari. Tertio se Deo per reverentiam subjicit : et iste timor dicitur castus et filialis. Etc. » ; *in Psalm* 21, 24-25, no. 19 (p. 223ab) : « Ad tria inducuntur homines in novo testamento : videlicet ad confessionem oris, ad quærendam gloriam Dei, et ad Deum timendum (. . .) Est autem duplex timor ; unus filialis qui timet Deum offendere, et timet ab eo separari, et exhibet ei reverentiam ; et hic est ex caritate. Alius autem est timor servilis, qui timet solum pœnam ; et hic non est ex caritate : 1 Joan 4, 18 (. . .). Vetus lex fuit timoris ; sed nova est lex amoris » ; *in Psalm* 32, 8, no. 7 (p. 261b) : « Tertio, cum dicit, 'Timuit', ostendit effectum Dei in terra (. . .). Sed quare hic posuit monitionem, cum locutus sit de effectibus aliis in quibus nulla monitione usus est, sed solum de terra ? Ratio est, quia omnis alia creatura obedit Deo ad nutum nisi homo terrenus ; et ideo dicit, 'Omnis terra', idest omnis homo terrenus, 'timeat Dominum'. Eccle 12, 13 : 'Deum time, et mandata ejus observa : hoc enim est omnis homo' ».

⁷ Cf. *in Psalm* 21, 24-25, no. 19 (p. 223ab).

⁸ Cf. *in Psalm* 1, 2, no. 1 (p. 151a).

⁹ Cf. *in Psalm* 32, 8, no. 7 (p. 261b).

¹⁰ *In Psalm* 2, 11, no. 9 (p. 155ab) : « Deinde cum dicit, 'Servite' : post intellectum convenienter ponit servitutem, quia servitus Dei, quæ est latria, est professio fidei. Et ideo primo oportet quod credat, et postea confiteatur et serviat (. . .). Dicat autem 'Domino' (. . .) qui servit Deo, oportet quod interius secundum animam subjiciatur ei (. . .) Dicit autem 'in timore', qui sanctus permanet (. . .). Ne autem hæc servitus, miseria videatur, addidit : 'Et exultate ei cum tremore'. Quia timor Domini non est miseriæ, sed gaudii : propter quod Lev 10, 19 : 'Respondit Aaron ad Moysen : Quomodo possunt placere Deo mente lugubri ? '. Sed in ista lætitia præsumptionem haberet vel negligentiam ideo subjungit, 'Cum tremore', qui est metus subitaneus : Phil 2, 12 : 'Cum metu et tremore vestram salutem operamini' ».

¹¹ *In Psalm* 18, 10, no. 10 (p. 210ab) : « . . . se Deo per reverentiam subjicit » ; *in Psalm* 21, 24-25, no. 19 (p. 223ab) : « . . . exhibet ei reverentiam ».

¹² *In Psalm* 21, 24-25, no. 19 (p. 223ab) : « Vetus lex fuit timoris ; sed nova est lex amoris. Vos ergo 'qui timetis Dominum', idest qui impletis legem ex timore, 'laudate eum', quia nihil laudat quis quod non diligit ; quasi dicat : Confitemini ei ex amore : Psalm 116, 1 : 'Laudate Dominum, etc.' ». — L'identification, au niveau de la loi d'amour, de l'accomplissement de la loi « ex timore », entendez « ex timore filiali », et de la louange « ex amore » est assez remarquable dans ce texte, surtout après l'énoncé du début : « Vetus lex fuit timoris ; sed nova est lex amoris ». Pour Thomas, il est devenu tellement évident que la loi nouvelle est une « servitus amoris et reverentiæ » qu'il peut écrire sans paradoxe : « . . . nova est LEX AMORIS. Vos ergo 'qui timetis Dominum', idest QUI IMPLETIS LEGEM EX TIMORE, 'laudate eum' (. . .) quasi dicat : CONFITEMINI EI EX AMORE ». Le Père L. VARIN, de la Commission Léonine, a eu l'obligeance de vérifier pour nous les manuscrits de ce texte : le « ex timore » n'est pas une coquille des éditeurs du XIXᵉ siècle.

¹³ *In Psalm* 32, 5, lect. 4 (p. 260b) : « . . . sine misericordia omnes timent, et non diligunt ».

¹⁴ *In Psalm* 52, 4 (éd. Uccelli, p. 245a) : « 'Sic non est usque ad unum', idest usque ad Christum non est qui propria virtute sit bonus ».

¹⁵ *In Psalm* 54, 15 (éd. Uccelli, p. 253b) : « Si autem referamus ad Judæos, sic 'in domo', id est in Jerusalem. Et similiter ibi fuit (i.e. Deus) cum Juda, quia non reprobavit Christus vinculum veteris legis. Matth 5, 17 : 'Non veni solvere legem, sed adimplere' ».

CHAPITRE QUINZIÈME

L'*EXPOSITIO SUPER EPISTOLAM PAULI AD ROMANOS*

> « *Vous n'avez pas reçu un esprit
> d'esclavage pour retomber dans
> la crainte* » (Rom 8, 15).

Des trois derniers commentaires scripturaires que nous examinons en fonction de la pédagogie de crainte dans cette cinquième
partie, celui sur l'épître aux Romains est de beaucoup le plus riche.
Il fallait s'y attendre : l'épître du « *Non accepistis spiritum servitutis iterum in timore* » (Rom 8, 15) se prête bien à des élaborations
sur l'histoire du salut et sur la crainte. L'importance de cette
œuvre pour notre sujet réside moins dans l'apport d'éléments nouveaux, bien qu'elle n'en soit pas dépourvue, que dans la rencontre,
en des textes condensés, d'aspects multiples déjà analysés au cours
de l'œuvre imposante de l'Aquinate. De ce point de vue, il est significatif, par exemple, que Thomas utilise successivement les trois
auctoritates scripturaires principales dans sa théologie des « deux
lois » divines : Joan 15, 15 [1], Gal 3, 24 [2] et Rom 8, 15 [3].

Nous possédons ici les réflexions d'un maître qui a longuement
approfondi ces nombreuses questions de la loi et de la crainte et
qui se contente souvent de les exprimer en des formules elliptiques
déroutantes pour un lecteur non averti. Lorsque l'on a parcouru ce
long cheminement vers ces dernières méditations, on en apprécie le
contenu ainsi que la richesse des convergences qui s'y manifestent.
Nous n'avons pas ici la savante cohérence structurelle de la *Somme
de théologie* ni l'ampleur de certaines questions disputées ou de
certains opuscules. Ce sont, à quelques exceptions près des « pensées » sporadiques qui éveillent tout un enseignement antérieur.

L'agencement des données ne soulève pas le problème auquel on s'attend. Le thème de la pédagogie de la crainte est généralement examiné, dans cette *expositio*, en référence à un « état » bien précis de la loi. D'ailleurs, le commentaire examine souvent ce problème général des temps du salut [4]. Il convient donc d'étudier le rôle de la crainte à ces diverses étapes de la pédagogie divine. Cet agencement manifeste, au surplus, la *sententia* de Thomas dans l'*Expositio super epistolam Pauli ad Romanos*.

1. Avant la loi : l'esclavage du péché

Les notices sur le problème de la crainte des « gentils » dans le *tempus ante legem* sont parmi les plus originales de cette *expositio*. Cet aspect du rapport entre les deux premières périodes du salut n'avait guère été étudié.

Avec la loi mosaïque, la responsabilité devant Dieu et, par conséquent, la peine réservée par Dieu aux pécheurs, sont manifestées à l'humanité. Elle inaugure l'ère de la crainte du jugement divin qui ébranle le règne du péché. Dans le « temps avant la loi de Moïse », au contraire, les hommes ne pouvaient être mûs par la crainte de la peine éternelle : celle-ci n'ayant pas encore été révélée, ils n'y croyaient pas. Seule la crainte du jugement des hommes pouvait freiner les élans déraisonnables de l'humanité. Ces hommes prémosaïques jouissaient donc, en un certain sens, d'une plus grande liberté que les esclaves de la loi ancienne : ils étaient libres de pécher sans retenue [5]. Cette « liberté païenne » est, en fait, un réel esclavage et une liberté illusoire [6]. Thomas relie explicitement, ici, cette notion augustinienne d'esclavage du péché à sa doctrine sur le péché de malice [7]. Ces hommes, libres de la loi divine et esclaves du péché, ne sont nommés ni « fils de Dieu », comme ceux qui servent Dieu par amour, ni « membres du peuple de Dieu », comme ceux qui lui obéissent par crainte [8] : l'Esprit ne leur avait été donné ni parfaitement comme aux fils adoptifs ni imparfaitement comme aux esclaves de la loi [9].

Mais alors « Dieu est-il le Dieu des Juifs seulement, et non point des païens ? » (Rom 3, 29). « Certes, également des païens (*ibid.*) : Il les gouverne et les dirige, commente Thomas. Ne lit-on pas en Jérémie 10, 7 : « Qui ne te craindrait, Roi des nations ? » [10]. N'y avait-il donc point des « gentils » qui craignaient, non pas nécessai-

rement la peine, mais le Créateur lui-même, principe de gouvernement ? Thomas, en alléguant l'exemple de Job, le « païen juste » par
excellence, répond indirectement qu'ils pouvaient effectivement
craindre Dieu, puisque les préceptes moraux, dictés par la raison
naturelle, les concernaient également [11]. La suite de cette troisième
lectio interprète cependant ce « *naturaliter faciunt quæ sunt legis* »
de façon bien augustinienne. En vieillissant, l'expérience des limites
de la « nature » rend peut-être de plus en plus manifeste l'erreur
pélagienne ! Il s'agit soit de la nature réformée par la grâce : ce
serait donc les « gentils » qui, avec le secours de la grâce du
Christ, commencèrent à accomplir les préceptes moraux de la loi ;
soit encore de la seule lumière naturelle qui indique la voie à suivre,
mais sans exclure la nécessité de la grâce pour accomplir ce qui
est ainsi connu [12]. Dans ces deux textes, le cas de la « crainte de
Dieu » est accessoire au propos principal. Il y a cependant ici une
raison supplémentaire pour croire, comme nous l'avons soutenu
depuis le début à propos de la « *reverentia divina* », que Thomas
ne conçoit pas une affection craintive pleinement « humaine » envers
Dieu qui ne soit pas sous l'influence de la grâce.

Ces indications sur la crainte des gentils prémosaïques représentent un apport assez original dans l'œuvre de Thomas. Le cas
des saints « *ante legem* » ne diffère pas, à ce point de vue, de celui
des saints « *sub lege* ». Par leur foi au Christ futur, ils révèrent, avec
le secours de sa grâce, le vrai Dieu des nations. L'ensemble de cette
époque avant Moïse est toutefois caractérisé par une « *libertas a
lege* », et donc, en l'absence de crainte servile autre que celle suscitée par les menaces humaines, par une « liberté de pécher ».
Face à l'« esclavage de la loi », la situation des païens s'apparente,
assez paradoxalement, davantage à celle des chrétiens qu'à celle
des juifs de l'ancienne alliance ! Cette vue rejoint tout un courant
de la pensée patristique selon lequel la loi mosaïque, par ses « *servitutis præcepta* », marquait plutôt un recul par rapport à la « loi
naturelle » [13]. Mais la condition des chrétiens diffère radicalement
de celle des païens puisqu'ils sont affranchis, non seulement de
l'esclavage de la loi, mais aussi de l'esclavage du péché.

2. Sous la loi : l'esclavage de la loi

Si la loi mosaïque inaugure une époque d'assujettissement à la
loi dont même les païens n'avaient pas à porter le joug, c'est préci-

sément parce que, comme telle, elle constitue une disposition salutaire. Par la crainte des peines, elle prétend briser l'esclavage beaucoup plus dégradant qui épuisait jusqu'alors l'humanité : la « *servitus peccati* » [14]. Emportés par toutes leurs débauches, libres de suivre l'inclination mauvaise qui les précipite de péché en péché, les hommes ressentiront évidemment comme une entrave d'esclave tout ce qui peut faire obstacle à cette liberté licencieuse [15]. La loi ancienne, réprimant la convoitise sans y apporter remède, ne faisait même qu'augmenter chez eux l'impétuosité de la concupiscence [16]. En les menaçant de châtiments éternels [17], elle instaure pour eux un réel régime de terreur [18]. Voilà, brièvement, l'idée maîtresse de l'*expositio* sur l'épître aux Romains concernant la pédagogie d'intimidation de la loi ancienne face au « temps » précédent.

Si elle était aussi implacable pour les hommes charnels, quelle différence y a-t-il entre cette loi ancienne et la loi humaine, puisque ni l'une ni l'autre n'apaise la convoitise ? Thomas répond que le propos (*intentio*) de la loi humaine n'est pas celui de la loi divine. Il suffit à celle-là, dont la compétence se borne au for extérieur, d'empêcher, par l'interdiction pénale, la multiplication des délits extérieurs quoiqu'il advienne du pervertissement intérieur. Pour la loi divine, au contraire, les convoitises intérieures elles-mêmes sont imputées au coupable [19]. Il y a donc ici matière à une autre distinction entre la *lex timoris* divine et la loi humaine que Thomas ne signalait pas explicitement dans la *Somme de théologie*. Elle confirme les remarques que nous suggérions sur la façon dont il faut comprendre l'« extériorité » de la loi ancienne [20].

Cette réponse ne résout pas pleinement le problème du bienfait que représente la loi de crainte. Thomas consacre à cette question la suite de cette sixième *lectio* en reprenant, dans un bref exposé, la notion de loi-pédagogue. Si la *lex timoris* ne fait que brider et condamner les pécheurs éhontés, elle conduit néanmoins les autres à la justice par ses préceptes cérémoniels et moraux [21]. C'est le rôle du « *spiritus servitutis in timore* » : le même Esprit détermine chez certains une crainte servile « comme imparfaite », chez d'autres un amour parfait [22].

Cet esprit d'amour, celui qui affranchit de la loi, œuvre déjà à l'intérieur de la loi ancienne, non point par les préceptes, mais par la foi au Christ à venir [23]. Par la grâce, il conduit les hommes de bonne volonté à la perfection de la vertu [24]. Pour les « parfaits », les préceptes cérémoniels ne sont plus que signe et les préceptes moraux consolation[25]. Voilà les « juifs croyants », les « hommes spirituels » de l'Ancien Testament qui méritaient déjà le nom de « fils de Dieu »[26].

Les textes relatifs à la loi ancienne s'apparentent pleinement à ceux de la *Prima Secundæ*. Il faut signaler en particulier le texte de *in ad Rom* 5, 20, lect. 5 (no 463) qui confirme bien notre interprétation au sujet de l'étendue du thème de Gal 3, 24 : la loi est pédagogue « *et quantum ad cæremonialia... et quantum ad moralia* ». Plusieurs aspects sont moins développés que dans la *Somme* et d'autres, comme la culture vertueuse de la crainte, font complètement défaut. L'accent porte sur la mise en échec du péché par la loi de crainte qui veut y substituer temporairement l'esclavage de la loi, dans un but pédagogique qui n'est pas toujours une réussite.

3. Sous la grâce : le service de Jésus-Christ

Avec le temps de la grâce que représente la loi nouvelle, nous sommes libérés de l'esclavage temporaire de la loi : « *sumus a lege liberati* »[27]. Si les fidèles du Christ sont encore soumis à la loi morale, ce n'est plus la contrainte qui les y oblige, mais uniquement la soumission volontaire par amour. Par la grâce, la tyrannie des penchants mauvais est détruite de sorte que l'homme exécute librement la loi[28]. Les sacrements du Christ confèrent ce que les anciennes cérémonies ne pouvaient opérer par elles-mêmes : la grâce d'une libre obéissance[29]. La crainte servile qui asservit à la loi est donc incompatible avec cette liberté des fils, celle qui procède de l'amour de charité et qu'accompagne seule la crainte initiale ou, avec la perfection de la charité, la crainte chaste[30].

Mais la loi nouvelle, comme la loi ancienne, n'atteint pas toujours son but. Le résultat est alors le même : l'insoumission à la loi — faute de crainte ou d'amour — instaure à nouveau la condition païenne, celle de l'esclavage du péché[31]. Le « *tempus sub gratia* » ne se caractérise cependant pas par cet esclavage ancien. Toute l'économie salutaire visait à faire passer l'humanité de la « *servitus peccati* », par la « *servitus legis* », à la « *servitus Dei* » : voilà la vraie liberté, la « *servitus* » parfaite. Par la justice nouvelle, l'homme est incliné à accomplir ce qui lui est propre et à éviter ce qui attise cette concupiscence qui l'entraîne dans la déchéance [32]. Le commentaire du chapitre sixième est tissé de ces expressions qui opposent à la fausse liberté, à la soumission avilissante, à l'esclave du péché, la vraie liberté dans la soumission à la grâce des sacrements du Christ [33], le service spontané de l'obéissance [34], la « servitus justitiæ » [35]

En se donnant le titre de « serviteur du Christ Jésus » (Rom 1, 1), l'Apôtre résume parfaitement la condition nouvelle. La perfection chrétienne se réalise par la soumission au salut (« Jésus » signifie « sauveur » selon Matth 1, 21) et à l'onction spirituelle de la grâce (« Christ » signifie « Oint » selon Psalm 44, 8). Et Thomas reprend le principe (et la comparaison) qu'il énonçait dès la distinction 34 du commentaire sur le IIIᵉ livre des Sentences au sujet de l'excellence de la crainte révérencielle [36] : le degré de perfection correspond au degré de soumission au principe de sa perfection, comme le corps est en relation à l'âme et l'air à la lumière [37]. L'Aquinate soulève alors l'objection classique de Jean 15, 15, et répond par une brève explication des deux sens du causa alterius, dans la ligne du long commentaire de la Lectura super Joannem [38]. Mais au lieu de distinguer entre la crainte servile et la crainte filiale, il oppose simplement une « servitus timoris » à une « servitus humilitatis et amoris » [39].

L'Esprit-Saint, en imprimant la loi nouvelle dans le cœur de ceux qu'il habite [40], engendre une nouvelle race de serviteurs, ceux qui servent comme des fils, par amour, parfaitement [41].

En examinant le rôle de la crainte au cours des différents « temps de salut », on saisit bien l'idée maîtresse dégagée par Thomas du texte paulinien. La « servitus legis » est une disposition temporaire qui amène les hommes, par la crainte des peines éternelles, à passer de la « servitus peccati » à la « servitus Jesu Christi ». Cette présentation donne de nouveaux aperçus sur le problème de la crainte chez les païens prémosaïques : la rétribution ne leur ayant pas été révélée, ils étaient sans crainte servile de Dieu. Mais, d'autre part, cette perspective appauvrit l'influence de la crainte sous la loi ancienne : l'insistance porte sur la ruine de l'esclavage du péché par la lex timoris. Sans l'enseignement des écrits antérieurs, nous serions assez mal renseignés sur la nature de cette pédagogie de crainte. Au niveau de la loi nouvelle, enfin, l'alternative est bien marquée entre la « nouveauté » de la voie d'amour — avec tous les thèmes connexes adroitement reliés : servitus de la

crainte filiale, obéissance, humilité — ou la rechute dans l'esclavage païen de la « protohistoire » du salut, ce temps où la crainte du
Juge n'existait pas même encore. Il n'est pas exclu que la patiente
pédagogie historique de la loi de crainte puisse encore s'appliquer
au pécheur. Mais la *sententia* de ce commentaire marque plutôt la
disparition de l'ère de la *lex timoris*. Le chrétien ne choisit pas de
vivre « *sub lege* » ou « *sub gratia* ». Le refus du « service de Jésus-
Christ » entraîne une condition moins enviable que celle des juifs
qui avaient reçu l' « esprit d'esclavage dans la crainte ». Les « hommes d'aujourd'hui » — comme on le dit assez curieusement de nos
jours dans les « milieux catéchétiques avancés » pour désigner
ceux qui refusent la « *servitus Jesu Christi* » — ne sont pas même
des « hommes d'hier : ils appartiennent encore, d'après Thomas, à
l'ère pré-patriarcale ! Aux exégètes de dire lequel des deux vocabu-
laires est le plus proche de la catéchèse paulinienne ».

Comparée aux autres contextes que nous avons exposés, cette
expositio donne un enseignement qui, tout en s'inscrivant dans la
ligne des précédents, porte une empreinte d'originalité. Il a, dans
la structure qu'impose le texte commenté, sa propre logique. Elle
lui impose certaines limites, mais elle produit également de nouveaux fruits.

---

[1] *In ad Rom* 1, 1, lect. 1 (no. 21).

[2] *In ad Rom* 5, 20, lect. 6 (no. 463).

[3] *In ad Rom* 1, 1, lect. 1 (no. 21) ; 9, 4, lect. 1 (no. 744) ; 9, 26, lect. 5
(no. 800). La prépondérance de ce dernier texte s'explique par le fait que
Thomas en a institué un commentaire important dans *in ad Rom* 8, 15, lect.
3 (no. 638-643). Les deux citations du commentaire du chapitre 9ᵉ sont d'ailleurs
des références explicites à ce commentaire.

[4] Voir, par exemple, le commentaire de Rom 8, 2, lect. 1 (nn. 601-605), en
particulier au no. 604 sur la « lex naturalis », la « lex fomitis », la « lex Moysi »
et la « lex nova ».

[5] *In ad Rom* 5, 14, lect. 4 (no. 426) : « Sed postea (i.e. après le temps
« ante legem Moysi ») lege divinitus data innotuit quod peccata imputantur
a Deo ad pœnam, et non solum ab hominibus (comme on le croyait avant :
cf. le début du no. 426). Et ideo quia homines non credebant se puniendos
a Deo pro peccatis, libere et absque frœno peccabant ubi humanum judicium
non timebant. Et ideo subdit : 'Sed mors', id est peccatum, 'regnavit', id est,
omnimodam suam potestatem exercuit, 'ab Adam usque ad Moysen', exclusive.
Nam per Moysen data est lex, quæ incipit regnum peccati diminuere, incu-

tiens timorem divini judicii, secundum illud Deut 5, 29 : 'Quis det eos talem habere mentem, ut timeant me, et custodiant universa mandata mea ? ' ».

⁶ *In ad Rom* 6, 20, lect. 4 (no. 509) : « Sciendum est tamen, quod iste status habet veram servitutem, libertatem autem non veram, sed apparentem. — Cum enim homo sit id quod est secundum rationem, tunc homo vere est servus, quando ad aliquo extraneo abducitur ab eo quod est rationis non cohibeatur a sequela concupiscentiæ, est libertas quantum ad opinionem illius, qui summum bonum putat concupita sequi ».

⁷ *Ibid.* (no. 508) : « ... homo naturaliter est liberi arbitrii, propter rationem et volutatem, quæ cogi non potest, inclinari tamen ab aliquibus potest. Semper ergo homo, quantum ad arbitrium rationis, remanet liber a coactione, non tamen est liber ab inclinatione (...). Quandoque autem arbitrium inclinatur ad malum per habitum peccati : et tunc habet servitutem peccati et libertatem justitiæ. Servitutem quidem peccati qua trahitur ad consentiendum peccato, contra judicium rationis. Joan 8, 34 : 'Qui facit peccatum, servus est peccati'. — Et quantum ad hoc dicit : 'Cum enim servi essetis peccati'. Libertatem vero a justitia, quantum ad hoc quod homo absque freno justitiæ præcipitat se in peccatum. Et quantum ad hoc dicit 'liberi fuistis justitiæ', quod præcipue contingit his qui ex certo proposito peccant. Nam illi qui ex infirmitate vel passione peccant, aliquo freno justitiæ retinentur, ut non videantur a justitia omnino liberi ».

⁸ *In ad Rom* 9, 26, lect. 5 (no. 800) : « Gentiles etiam non solum non dicebantur filii, quod pertinet ad eos qui ex amore Deo serviunt et spiritu Dei aguntur, ut supra 8, 14 dictum est, sed nec etiam digni erant ut populi Dei dicerentur, quod pertinere poterat etiam ad eos qui spiritum servitutis acceperunt in timore ».

⁹ *In ad Rom* 8, 15, lect. 3 (no. 643) : « Et ideo hic dicit : Recte dictum est quod 'qui spiritu Dei aguntur, etc...', 'non enim iterum', in nova lege sicut in veteri lege fuit, 'accepistis spiritum servitutis in timore', scilicet pœnarum, quem timorem Spiritus Sanctus faciebat ; 'sed accepistis spiritum', scilicet caritatis, qui est 'adoptionis filiorum', id est, per quem adoptamur in filios Dei. Gal 4, 5 : 'Ut adoptionem filiorum reciperemus'. — Non autem hoc dicitur quasi sit alius et alius spiritus, sed quia idem est spiritus, scilicet qui in quibusdam facit timorem servilem quasi imperfectum, in aliis facit amorem quoddam perfectum ».

¹⁰ *In ad Rom* 3, 29, lect. 4 (no. 319) : « ... proponit quæstionem ex parte Gentilium dicens : 'Nonne et Gentium', scilicet est Deus ? Et respondet 'immo et Gentium', quas scilicet gubernet et regit, secundum illud Jer 10, 7 : 'Quis non timebit te, o rex Gentium ? ' ».

¹¹ *In ad Rom* 2, 14, lect. 3 (no. 215) : « Secundo commendat in eis (i.e. Gentilibus) legis observantiam, cum dicit 'naturaliter faciunt quæ sunt legis', id est, quæ lex mandat, scilicet quantum ad præcepta moralia, quæ sunt de dictamine rationis naturalis, sicut et de Job dicitur (Job 1, 1), quod erat justus et rectus ac timens Deum et recedens a malo ».

¹² *In ad Rom* 2, 14, lect. 3 (no. 216) : « Sed quod dicit 'naturaliter', dubitationem habet. Videtur enim patrocinari Pelagianis, qui dicebant quod homo per sua naturalia poterat omnia præcepta legis servare. Unde exponendum est 'naturaliter', id est per naturam gratia reformatam. Loquitur enim de Gentibus ad fidem conversis, qui auxilio gratiæ Christi coeperunt moralia legis servare. — Vel potest dici 'naturaliter', id est per legem naturalem ostendentem eis quid sit agendum, secundum illud Psalm 4, 7sq. : 'Multi dicunt : Quis

ostendit nobis bona ? Signatum etc.', quod est lumen rationis naturalis, in qua est imago Dei. Et tamen non excluditur quin necessaria sit gratia ad movendum affectum, sicut etiam 'per legem' est 'cognitio peccati', ut dicitur infra 3, 20, et tamen ulterius requiritur gratia ad movendum affectum ». — C'est la double exégèse d'AUGUSTIN dans le *De Spiritu et Littera*, cc. 26-28, nn. 43-49 (PL 44, 226-231).

¹³ Voir les textes cités par H. de LUBAC, *Catholicisme...*, p. 213, note 2. Ainsi, par exemple, le PSEUDO-MAXIME DE TURIN : «... ante Abraham omnes sancti incircumcisi fuerunt et puritate mentis Domino placuerunt et populum christianum magis ipsi in se monstrarunt », dans *Contra Judæos qui sunt secundum litteram Judaei non secundum spiritum*, IV, 49-51. Le renvoi de H. de LUBAC est fautif. On trouvera ce texte publié par A. SPAGNOLO et C. H. TURNER, dans *JThSt*, 20 (1919) 299.

¹⁴ *In ad Rom* 5, 20, lect. 6 (no. 463) : pour les « duri », « lex fuit data in flagellum, et quantum ad præcepta moralia, ad quorum observantiam cogebantur per pœnas comminationem (...) et quantum ad cæremonialia, quæ ideo sunt multiplicata, ne liceret eis diis alienis alium cultum superaddere » ; *in ad Rom* 9, 31, lect. 5 (no. 809) : la loi ancienne « dicitur lex justitiæ, quia facit homines justos non vere, sed exterius dum peccata vitantur, non ex amore sed timore pœnæ quam lex infligebat ».

¹⁵ *In ad Rom* 6, 14, lect. 4 (no. 497) : « Alio modo dicitur aliquis esse sub lege, quasi a lege coactus ; et sic dicitur esse sub lege, qui non volutarie ex amore, sed timore cogitur legem observare. Talis autem caret gratia, quæ si adesset, inclinaret voluntatem ad observantiam legis, ut ex amore moralis ejus præcepta impleret. Sic igitur quamdiu aliquis sic est sub lege, ut non impleat voluntarie legem, peccatum in eo dominatur, ex quo voluntas hominis inclinatur ut velit id quod est contrarium legi ... ».

¹⁶ *In ad Rom* 5, 20, lect. 6 (no. 454). Thomas énumère trois raisons pour lesquelles le pécheur brûlait alors d'un désir plus véhément lorsque la loi ancienne lui défendait ce qu'il convoitait : 1° La défense soustrait en quelque sorte l'objet désiré du pouvoir de l'homme, de sorte qu'il paraît plus important qu'il ne l'est en réalité ; 2° En raison de la crainte pénale causée par l'interdiction, l'homme réprime intérieurement son désir : or une affection refoulée brûle toujours davantage («... interiores affectiones quando interius retinentur, ita quod exterius non deriventur, ex hoc ipso magis interius incenduntur ») ; 3° Lorsque l'interdiction n'existe pas, on peut exécuter son désir en tout temps : on passe donc souvent outre aux occasions. Son existence crée, au contraire, un certain empressement à satisfaire son désir dès que se présente une occasion de l'assouvir impunément. Thomas conclut (no. 455) : « Et inde est quod, data lege, quæ concupiscentiæ usum prohibeat, et tamen ipsam concupiscentiam non mitigabat, concupiscentia ipsa magis ferventur homines ad peccata ducebat ».

¹⁷ *In ad Rom* 5, 14, lect. 4 (no. 426) : « Sed postea lege divinitus data innotuit quod peccata imputantur a Deo ad pœnam, et non solum ab hominibus. (...) per Moysen data est lex, quæ incepit regnum peccati diminuere, incutiens timorem divini judicii, secundum illud Deut 5, 29 : 'Quis det eos talem habere mentem, ut timeant me, et custodiant universa mandata mea ? '.

¹⁸ *In ad Rom* 3, 19, lect. 2 (no. 293) : « Quæ contra alias gentes in Veteri Testamento dicuntur, aliquo modo ad Judæos pertinebant, inquantum eorum infortunia ad eorum consolationem vel terrorem prænunciabantur, sicut etiam prædicator ea debet dicere quæ pertinent ad eos quibus prædicat, non autem quæ pertinent ad alios » ; *in ad Rom* 8, 15, lect. 3 (no. 642) : « Lex igitur vetus

data est in timore, quod significabant tonitrua et alia hujusmodi, quæ facta sunt in datione veteris legis, ut dicitur Exod 19, 16sq. Et ideo dicitur in Hebr 12, 21 : 'Et ita terribile erat quod videbatur'. Et ideo lex vetus per inflictionem pœnarum inducens ad mandata Dei servanda, data est in spiritu servitutis. Unde dicitur Gal 4, 24 : 'Unum quidem in monte Sina in servitutem generans' » ; *in ad Rom* 9, 4, lect. 1 (no. 744) : « Quantum ad carnales vero supra 8, 15 innuit, quod acceperint spiritum servitutis in timore ».

[19] *In ad Rom* 5, 20, lect. 6 (no. 456) : « Sic igitur lex humana suam intentionem consequitur, dum per prohibitionem et pœnæ comminationem impedit ne multiplicentur exteriores actus peccati, licet concupiscentia interior magis augeatur : sed quantum ad legem divinam etiam interiores concupiscentiæ malæ imputantur ad peccatum, quæ abundant lege prohibente, et non auferente concupiscentiam ».

[20] Cf. *supra*, chapitre onzième, p. 334.

[21] *In ad Rom* 5, 20, lect. 6 (no. 463) : « Sed proficientibus qui dicuntur mediocres, lex fuit in pædagogum, secundum illud Gal 3, 24 : 'Lex pædagogus noster fuit in Christo'. Et hoc quantum ad cæremonialia, quibus continebantur in divino cultu : et quantum ad moralia, quibus ad justitiam promovebantur » ; *in ad Rom* 9, 31. lect. 5 (no. 809) : « Dicitur lex justitiæ spiritus vitæ per quam homines justificantur : ad quam Judæorum populus non pervenit : quam tamen sectabatur observando umbram hujus spiritualis legis, quæ consistit in observationibus legalibus : Hebr 10, 1 : 'Umbram habens lex futurorum bonorum'. Vel sectando legem justitiæ, id est legem Moysi, quæ est lex justitiæ si sit bene intellecta : quia docet justitiam. Vel dicitur lex justitiæ, quia facit homines justos non vere, sed exterius dum peccata vitantur, non ex amore sed timore pœnæ quam lex infligebat ».

[22] *In ad Rom* 8, 15, lect. 3 (no. 643) : « ... qui in quibusdam facit timorem servilem quasi imperfectum, in aliis facit amorem quoddam perfectum ».

[23] *In ad Rom* 6, 14, lect. 4 (no. 498) : « Hanc autem gratiam facientem libere legem implere, non conferebant legalia sacramenta, sed conferunt eam sacramenta Christi ; et ideo illi qui se cæremoniis legis subjiciebant, quantum pertinet ad virtutem ipsorum sacramentorum legalium, non erant sub gratia, sed sub lege, nisi forte per fidem Christi gratiam adipiscerentur ».

[24] *In ad Rom* 5, 20, lect. 6 (no. 457) : « ... quosdam tamen bene dispositos inducit per amorem virtutis. Sed ista bona dispositio quantum ad aliquid potest esse a natura, sed ejus perfectio non est nisi per gratiam ; ex qua contingit, quod etiam lege veteri data, non in omnibus peccatum abundat, sed in pluribus. Quidam vero, lege prohibente et gratia ulterius adjuvante, ad perfectionem virtutis tandem pervenerunt, secundum illud Eccli 44, 1 : 'Laudemus viros gloriosos, etc. », et infra (5, 3) » 'Homines magnos virtute' ».

[25] *In ad Rom* 5 20, lect. 6 (no. 463) : « Perfectius autem fuit (i.e. la loi) quantum ad cæremonialia quidem in signum (...) Quantum ad moralia vero in solatium (...) ».

[26] *In ad Rom* 9, 4, lect. 1 (no. 744) : « Secundo ostendit dignitatem illius gentis (i.e. les israélites) ex Dei beneficiis, inter quæ primo ponit spiritualia beneficia, quorum unum respicit præsens ; et quantum ad hoc dicit 'quorum est adoptio filiorum Dei' ; unde dicitur Exod 4, 22 : 'Primogenitus meus Israël'. Et hoc quidem dicitur quantum ad spirituales viros qui fuerunt in illo populo » ; *in ad Rom* 9. 26, lect. 5 (no. 800) : « ... etiam apud Judæos credentes, 'vocabuntur filii Dei' ».

[27] *In ad Rom* 6, 15-18, lect. 4 (no. 501).

[28] *In ad Rom* 6, 14, lect. 4 (no. 497) : «... 'non enim estis sub lege, sed sub gratia'. Ubi considerandum est, quod non loquitur hic de lege solum quantum ad cæremonialia, sed etiam quantum ad moralia, sub qua quidem aliquis dicitur esse dupliciter. Uno modo quasi legis observantiæ voluntarie subjectus. Et hoc modo etiam Christus fuit sub lege, secundum illud Gal 4 ,4 : 'Factum sub lege'. Fideles autem Christi sunt quidem hoc modo sub lege, quantum ad moralia, non autem quantum ad cæremonialia. Alio modo dicitur aliquis esse sub lege, quasi a lege coactus ; et sic dicitur esse sub lege, qui non voluntarie ex amore, sed timore cogitur legem observare. Talis autem caret gratia, quæ si adesset, inclinaret volutatem ad observantiam legis, ut ex amore moralia ejus præcepta impleret. (...) per gratiam tale dominium (i.e. du péché) tollitur, ut scilicet homo servet legem, non quasi sub lege existens, sed sicut liber, Gal 4, 31 ».

[29] *In ad Rom* 6, 14, lect. 4 (no. 498) : « Hanc autem gratiam facientem libere legem implere, non conferebant legalia sacramenta, sed conferunt eam sacramenta Christi ; et ideo illi qui se cæremoniis legis subjiciebant, quantum pertinet ad virtutem ipsorum sacramentorum legalium, non erant sub gratia, sed sub lege, nisi forte per fidem Christi gratiam adipiscerentur. Illi vero qui se sacramentis Christi subjiciunt, ex eorum virtute gratiam consequuntur ut non sint sub lege, sed sub gratia ».

[30] *In ad Rom* 8, 15, lect. 3 (no. 641) : « Sicut autem timor initialis causatur ex caritate imperfecta : ita hic timor (ie.. castus) causatur ex caritate perfecta. 1 Joan 4, 18 (...). Et ideo timor initialis et timor castus non distinguuntur contra amorem caritatis, qui est causa utriusque, sed solum timore pœnæ ; quia sicut hic timor facit servitutem, ita amor caritatis facit libertatem filiorum. Facit enim hominem voluntarie ad honorem Dei operari, quod est proprie filiorum ».

[31] *In ad Rom* 6, 14, lect. 4 (no. 498) : « Illi vero qui se sacramentis Christi subjiciunt, ex eorum virtute gratiam consequuntur ut non sint sub lege, sed sub gratia, nisi forte per suam culpam se subjiciant servituti peccati » ; *in ad Rom* 6, 15-18, lect. 4 (no. 501) : « 'Absit', scilicet ut peccemus, quia sumus a lege liberati : quia si peccaremus, sequeretur hoc inconveniens, quod iterum redigeremur in servitutem peccati. (...) cum aliquis obedit alicui, se servum profitetur ejus, obediendo.. Diverso tamen stipendio, diversis dominis obeditur. Qui enim obedit peccato, per servitutem peccati ducitur in mortem (...). Et satis convenienter obeditionem peccato opponit, eo quod, sicut Ambrosius dicit, peccatum est transgressio legis divinæ et cælestium inobedientia mandatorum ». — Thomas montre ensuite que nous ne devons pas être réduits encore à l'esclavage du péché en obéissant au péché, parce que nous avons été libérés par la grâce et parce que nous sommes devenus des serviteurs de la justice (no. 502). Il illustre enfin son enseignement par des textes de l'Apôtre (no. 503).

[32] *In ad Rom* 6, 22, lect. 4 (no. 513) : «... sicut quando aliquis a peccato inclinatur ad malum, est liber a justitia ; ita cum aliquis ex habitu justitiæ et gratiæ inclinatur ad bonum, est liber a peccato ; ut scilicet ab eo non superetur usque ad consensum. Unde dicit 'nunc vero', scilicet in statu justitiæ, 'liberati a peccato'. Joan 8, 36 : 'Si filius nos liberaverit, tunc vere liberi estis'. Similiter, e contra, sicut in statu peccati est aliquis servus peccati, cui obedit, ita in statu justitiæ est aliquis servus Dei voluntarie obediens, secundum illud Psalm 99, 2 : 'Servite Domino in lætitia'. Et hoc est quod subdit 'servi autem facti Deo'. Psalm 115, 16 : 'O Domine, quia ego servus tuus, etc.'. Hæc autem vere est libertas, et optima servitus ; quia per justitiam homo inclinatur ad id quod convenit ipsi, quod est proprium hominis, et avertitur

ab eo quod convenit concupiscentiæ, quod est maxime bestiale ». Voir aussi les nn. 569 et 571.

[33] *Ibid.*, v. 14, lect. 4 (nn. 497-498).

[34] *Ibid.*, v. 15, lect. 4 (no. 501).

[35] *Ibid.*, v. 20, lect. 4 (nn. 508-509) et v. 22, lect. 4 (no. 513).

[36] Cf. *in III Sent.*, d. 34, q. 1, a. 2, ad 7 ; q. 2, a. 1, qla. 3, ad 2.

[37] *In ad Rom* 1, 1, lect. 1 (no. 20) : « Videtur autem esse abjecta conditio servitutis si absolute consideratur (...). Sed redditur commendabilis ex eo quod additur 'Jesu Christi'. 'Jesu' enim interpretatur 'salvator', Matth 1, 21 (...). 'Christus' interpretatur 'unctus', secundum illud Psalm 44, 8 : 'Unxit te Deus, Deus tuus, etc.'. Quod autem aliquid subjiciatur suæ saluti et spirituali unctioni gratiæ, laudabile est, quia tanto aliquid est perfectius quanto magis suæ perfectioni subjicitur, sicut corpus animæ et aër luci. Psalm 115, 16 : 'O Domine, quia ego servus tuus sum' ».

[38] Cf. *supra*, chapitre treizième, pp. 376-379.

[39] *In ad Rom* 1, 1, lect. 1 (no. 21) : « Sed contra est quod dicitur Joan 15, 15 : Jam non dicam vos servos sed amicos'. Sed dicendum quod duplex est servitus. Una timoris, quæ non competit sanctis, Rom 8, 15 (...) alia humilitatis et amoris, quæ sanctis convenit secundum illud Luc 17, 10 : 'Dicite : Servi inutiles sumus'. Cum enim liber est qui est causa sui, servus autem qui est causa alterius, sicut ab alio movente motus : si quis sic agat causa alterius, sicut ab alio motu, sic est servitus timoris, quæ cogit hominem operari contra voluntatem ; si vero aliquis agat causa alterius, sicut propter finem, sic est servitus amoris, quia amicorum est bene facere et obsequi amico propter ipsum, ut Philosophus dicit in IX Ethic. ».

[40] *In ad Rom* 7, 14, lect. 3 (no. 557) : « Lex tamen nova non solum dicitur lex spiritualis, sed lex spiritus, ut patet infra 8, 2, quia non solum a Spiritu Sancto, sed Spiritus Sanctus eam imprimit cordi quod inhabitat ».

[41] *In ad Rom* 8, 15, lect. 3 (no. 643) : « Et ideo hic dicit : Recte dictum est quod 'qui spiritu Dei aguntur, etc.', 'non enim iterum', in nova lege sicut in veteri lege fuit, 'accepistis spiritum servitutis in timore', scilicet pœnarum, quem timorem Spiritus Sanctus faciebat ; 'sed accepistis spiritum', scilicet caritatis, qui est 'adoptionis filiorum', id est, per quem adoptamur in filios Dei. Gal 4, 5 (...). Non autem hoc dicitur quasi sit alius et alius spiritus, sed quia idem est spiritus, scilicet qui in quibusdam facit timorem servilem quasi imperfectum, in aliis facit amorem quoddam perfectum ».

LES SERMONS

DE DUOBUS PRÆCEPTIS CARITATIS ET DECEM LEGIS PRÆCEPTIS

Dans ses sermons prêchés à Naples en 1273 [1], Thomas considère ce qui est nécessaire au salut, à savoir la « *scientia credendorum* », objet de l'*Expositio super Symbolum apostolorum*, la « *scientia desiderandorum* », objet de l'*Expositio Orationis dominicæ* et la « *scientia operandorum* », objet de l'*Expositio in duo præcepta caritatis et in decem legis præcepta*. Ce faisant, il adopte une méthode catéchétique patristique toujours en vogue au moyen âge [2]. C'est au début de son exposé sur les deux préceptes de la charité que Thomas retrace, à l'intention du peuple et des étudiants napolitains, le plan général de sa prédication quadragésimale [3]. Cette dernière « science », celle de l'agir chrétien, est examinée en treize chapitres : les trois premiers sont consacrés aux deux préceptes de la charité et les dix autres aux préceptes du décalogue. Mais avant d'entrer dans le vif du sujet, Thomas compose un long prologue qu'il introduit par cette phrase :

> Nunc autem de scientia oparandorum intendimus : ad quam tractandum quadruplex lex invenitur [4].

Suit un développement qui reprend tout le thème du rapport entre les diverses dispositions salutaires.

Dieu donna d'abord, au moment de la création, la *lex naturæ* [5], mais le diable en sema une autre, à savoir la *lex concupiscentiæ*, celle dont Paul dit : « J'aperçois une autre loi dans mes membres qui lutte contre la loi de ma raison et m'enchaîne à la loi du péché qui est dans mes membres » (Rom 7, 23) : c'est la *lex membrorum* de *Ia-IIae*, q. 90, a. 1, ad 1, la *lex fomitis* de l'*Exposition super epistolam Pauli ad Romanis* [6], bref la *servitus peccati*. La loi de nature ayant été détruite par la loi de convoitise, il fallait que l'homme soit ramené à l'agir vertueux et soustrait aux vices : d'où la nécessité de la « loi de l'Écriture » [7].

Au lieu de passer immédiatement à l'étape suivante de l'histoire du salut, Thomas intercale un bref exposé sur le rôle de la crainte dans la conversion. L'homme est d'abord orienté au bien par la crainte : c'est la peine de l'enfer et le jugement dernier qui, au début, l'incitent surtout à fuir le péché. Voilà pourquoi l'Ecclésiastique enseigne que la crainte du Seigneur est le début de la sagesse (1, 16) et chasse le péché (1, 27). Éviter le péché par crainte ne rend pas juste, mais prépare la justification. Et le prédicateur de conclure :

> Hoc ergo modo retrahitur homo a malo et inducitur ad bonum per legem Moysi... [8].

Cette méthode s'avère pourtant insuffisante : la loi accordée par Moïse liait les mains sans attacher le cœur. Mais il existe un autre moyen de conversion : celui de l'amour. C'est pourquoi Dieu donna ensuite la loi du Christ, à savoir la loi évangélique, la loi d'amour [9]. Suivent trois paragraphes dans lesquels sont exposés à nouveau les trois « différences » classiques entre la *lex timoris* et la *lex amoris* : la première engendre des esclaves, introduit immédiatement aux biens temporels et constitue un joug ; la seconde engendre des hommes libres, des fils, donne accès aux biens célestes et son fardeau est léger (Matth 11, 30). L'autorité de Rom 8, 15, conclut le troisième paragraphe [10].

On observera, dans l'ensemble de cette présentation, le glissement du plan de la conversion individuelle à celui de la conversion d'« Israël ». À deux reprises on passe du temps présent à l'imparfait, des règles de la conversion aux étapes de la disposition salutaire, de la technique *lex timoris - lex amoris* au prototype historique.

Un peu plus loin, dans des développements sur les effets secondaires de la « *lex caritatis et gratiæ, quæ est lex Christi* », de la « *lex divini amoris* » [11], le thème rebondit par le texte de Jean 15, 15 [12] et l'objection « *Sed numquid Paulus non servus ?* » [13]. Quatre textes néo-testamentaires « classiques » sont habilement centonisés en

quelques lignes et livrent les éléments fondamentaux de solution :
la « *servitus solo timore* » n'est pas méritoire et enfante des esclaves, alors que la « *servitus amore divino* » libère puisqu'elle fait
agir volontairement. C'est pourquoi Jean 15, 15, dit : « Je ne vous
appellerai plus 'esclaves'... mais je vous appelle ' amis' », parce que
Paul aux Romains 8, 15, écrit : « Vous n'avez pas reçu un esprit
d'esclavage pour retomber dans la crainte, mais vous avez reçu un
esprit de fils adoptifs ». En effet, « il n'y a pas de crainte dans
l'amour » (1 Joan 4, 18). La charité fait de nous, non seulement des
hommes libres, mais des fils « pour que nous soyons appelés
enfants de Dieu, car nous le sommes » (1 Joan 3, 1) [14].

Ce beau texte limpide, tissé de citations scripturaires, est extrêmement suggestif. Étant une *reportatio*, il ne reproduit pas nécessairement le mot à mot de la prédication de Thomas. On ne peut
mettre en doute, pourtant, sa fidélité aux idées et aux expressions
mêmes du maître. La « loi divine » est nécessitée par la situation
pécheresse de l'humanité. La disposition ancienne œuvrait, par la
crainte, à saper le pouvoir du péché, et à conduire à la vertu. À
cette utile mais imparfaite méthode de conversion, succéda la loi
d'amour et de grâce. Par cette loi du Christ, nous sommes libérés
de tout esclavage. Elle demeure néanmoins une « *servitus* ».

Ce prologue, que n'imposait aucun texte commenté et que ne
conditionne aucune structure interne de l'œuvre, sinon le genre des
collationes qui exige une certaine sobriété, constitue donc un
excellent témoin des idées chères à l'Aquinate sur le rôle de la
pédagogie divine de la crainte dans l'histoire du salut.

¹ Cf. P. Mandonnet, *Le Carême de Saint Thomas d'Aquin à Naples (1273)*,
dans *S. Tommaso d'Aquino, O.P., Miscellanea storico-artistica*, Roma, (...),
1924, pp. 195-211.

² Cf. G. Bareille, *Catéchèse*, dans *DTC*, II (1905) 1877-1895 (jusqu'au IXᵉ s.)
et E. Mangenot, *Catéchisme, ibid.*, col. 1895-1968 (pour les XIIᵉ et XIIIᵉ
siècles, voir cc. 1899-1901). Aussi ces sermons sur le symbole, la prière dominicale et la loi chrétienne ont-ils souvent reçu le nom de « catéchisme de saint
Thomas » : cf., v.g., P. A. Uccelli, *Del catechismo di San Tommaso d'Aquino
e la prima petizione del Paternostro da lui spiegata*, dans *La scienza e la fede*,
40ᵉ année, série 4, vol. 17, Naples, 1880, pp. 97-115 ; A. Portmann et X. Kuntz,
*Katechismus des hl. Thomas von Aquin, oder Erklärung des apostolischen
Glaubensbekenntnisses, des Vater Unsers, Ave Maria und zehn Gebote Gottes*,

Luzern, (...), 1900 ; J. B. COLLINS, *The Catechetical Instructions of St. Thomas Aquinas*, New York, J. F. Wagner, 1939.

³ Cf. *de duobus præcept.*, prol. (no. 1128).

⁴ *Ibid.*

⁵ *Ibid.* (no. 1129).

⁶ Dans *in ad Rom* 8, 2, lect. 1 (nn. 601-605), Thomas développe également le thème de la « quadruplex lex » : lex naturalis, lex fomitis, lex Moysi, lex nova.

⁷ *De duobus præcept.*, prol. (no. 1131) : « Quia ergo lex naturæ per legem concupiscentiæ destructa erat, oportebat quod homo reduceretur ad opera virtutis, et retraheretur a vitiis : ad quæ necessaria erat lex scripturæ ».

⁸ *Ibid.* (no. 1132). Plus loin, il revient encore sur la même idée de l'« initium » de la conversion par la crainte, avec une application aux « religions » : « Est autem cupiditas amor adipiscendi aut obtinendi temporalia. Hujus imminuendæ initium est Deum timere, qui solus timeri sine amore non potest. Et propter hoc ordinatæ fuerunt religiones, in quibus et per quas a mundanis et corruptibilibus animus trahitur, et erigitur ad divina » (no. 1158).

⁹ *Ibid.* (no. 1133) : « Sed quia modus iste est insufficiens, et lex quæ data erat per Moysen, hoc modo, scilicet per timorem, retrahebat a malis, insufficiens fuit : licet enim coercuerit manum, non coercebat animum ; ideo est alius modus retrahendi a malo et inducendi ad bonum, modus scilicet amoris. Et hoc modo fuit data lex Christi, scilicet lex evangelica, quæ est lex amoris ».

¹⁰ *Ibid.* (nn. 1134-1136).

¹¹ *Ibid.* (no. 1137).

¹² *Ibid.* (no. 1151).

¹³ *Ibid.* (no. 1152).

¹⁴ *Ibid.* (no. 1152).

CONCLUSION

L'examen des œuvres de Thomas d'Aquin a mis en évidence l'évolution progressive de la « sentence-aphorisme » : la loi de crainte, en une « sentence-principe d'intelligibilité » : la loi-pédagogue.

La sentence-aphorisme augustinienne fait l'objet d'une question spéciale dans le *Commentaire sur les Sentences*[1]. Dans la *Lectura super epistolas Pauli*, l'exposé du rapport de la loi ancienne à la loi nouvelle est presque toujours ébauché sous son autorité conjointement à la référence à Rom 8, 15. Sa présence persiste jusque dans les toutes dernières œuvres. Néanmoins elle sert de plus en plus à signer le contexte de la pédagogie de la crainte plutôt qu'à en exprimer un aspect auquel on réserve une question ou un article. Il est significatif que la *Somme de théologie*, qui donne beaucoup plus de place à la loi ancienne que le *Commentaire sur les Sentences* et qui se réfère plus souvent que lui à la *lex timoris*, ne contient jamais la question : « *Utrum lex vetus differat a nova per radicem timoris et amoris* ».

Du début à la fin de l'œuvre de l'Aquinate, on discerne également la transformation graduelle de la sentence-aphorisme *lex timoris - lex amoris* en une technique d'analyse utilisée en dehors du prototype historique qu'elle prétend d'abord exprimer. Cette transposition s'effectue à partir d'une constatation qui est aussi de l'ordre de l'histoire du salut, à savoir l'existence de « juifs chrétiens » sous l'ancienne disposition et de « chrétiens juifs » sous la nouvelle. Ce fait capital appelle des développements importants sur la présence anticipée d'une méthode d'éducation par l'amour dans le régime mosaïque et même au-delà, et d'un recours à la vieille méthode d'intimidation dans le *tempus sub gratia*. Ce thème a de nombreuses ramifications : la méthode de conversion des « innocents » et des « impies » ; la *correptio* et la *correctio* ; le redressement par la « punition » et par l' « admonition » ; la *lex exterior* et la *lex interior* ; la *servitus timoris* et la *servitus amoris* ; etc. La comparaison des aménagements successifs de cette technique et de leurs relations étroites avec ceux du prototype historique des deux lois divines démontre le lien qui existe, dans l'esprit de Thomas, entre ces divers schémas. Les approfondissements et les mutations de vocabulaire sont effectués parallèlement au plan du thème historique et à celui de la technique.

La sentence-aphorisme, malgré sa permanence et sa transformation en une technique d'analyse, ne rend pourtant pas pleinement la « sentence » de Thomas lui-même, la *profundior intelligentia* de sa théologie de la loi ancienne. Cette « sentence » s'exprime plus adéquatement par l'expression « loi-pédagogue ». Pédagogie de crainte, elle n'exclut pas la première, mais elle manifeste mieux l'orientation et les nuances de la pensée thomiste.

Contrairement à l'apophtegme augustinien jumelé à Rom 8, 15, la sentence de la loi-pédagogue n'est point, pour le bachelier sententiaire, une donnée initiale. Elle est même absente, comme telle, des œuvres du premier enseignement parisien. L'image qui la fait naître apparaît clairement dans la *Lectura super epistolas Pauli*. On assiste alors aux développements successifs — bienfaits et avatars d'une pédagogie d'intimidation, notion de loi comme « *disciplina* », axiome du « *sicut imperfectum ad perfectum* », etc. — qui lui donnent sa consistance et la transforment en une véritable notion.

Parallèlement à ce développement, nous avons suivi celui de la notion de crainte. Dès le début de son enseignement, Thomas l'a analysée à fond en cherchant surtout une division cohérente. Il fait preuve d'originalité en ce domaine. Il construit une doctrine qu'il perfectionnera encore, mais dont il n'aura à renier aucun des éléments fondamentaux. Les développements sur ce point s'effectuent surtout par mode de formulations plus explicites. Par contre, nous observons l'intégration graduelle des nombreux problèmes soulevés par la crainte à l'intérieur du cadre du thème *lex timoris*. Cette constatation est capitale. D'une part, elle confirme l'unité du vaste problème de la crainte dans la pensée de Thomas ; et, d'autre part, elle autorise à en appliquer toutes les analyses à la crainte suscitée par la pédagogie divine.

Si l'on peut retrouver plusieurs composantes du thème complexe de la pédagogie de la crainte dans la théologie de ses devanciers et de ses contemporains, voire même dans la philosophie d'Aristote, l'assimilation et par conséquent la transformation qu'ils subissent au cours de ce processus rendent de plus en plus factice la détermination des liens de parenté entre la sentence thomiste et celle de Paul, d'Augustin, d'Aristote ou de tel ou tel contemporain de l'Aquinate. Le seul fait, par exemple, qu'il n'y ait pas, avant Albert le Grand, de traité cohérent des passions chez les Occidentaux du moyen âge, suffit à rendre extrêmement équivoque tout essai de comparaison entre le thème de la loi de crainte chez Thomas et chez tel ou tel scolastique, même chez un Jean de La Rochelle qui consacre d'assez longs passages aux « *passiones* » mais dont l'anthropologie de l'affectivité est finalement autre que celle de Thomas.

Nous pouvons donc déterminer assez clairement les composantes fondamentales du thème de la pédagogie de crainte dans l'œuvre de Thomas, en dégager les données initiales et permanentes, suivre ensuite les acquisitions nouvelles et la constitution progressive de la « *profundior intelligentia* ».

Pourtant il serait hasardeux, à notre avis, de « reconstruire », à partir de ces observations, un traité de la pédagogie de la crainte dans l'histoire du salut et de l'attribuer tel quel à Thomas d'Aquin. Nous connaissons les éléments de base qu'il aurait certainement utilisés, mais nous sommes beaucoup moins certains de l'importance relative qu'il aurait attribuée à chacun. Dans chacune des œuvres examinées, en effet, le thème apparaît avec des variantes considérables. Dans les écrits dont Thomas fixe lui-même le plan, le thème est engagé dans une structure bien déterminée qui en conditionne profondément la présentation. Il suffit de comparer les conclusions de la *Somme contre les gentils*, avec son insistance sur l' « extériorité » et l' « intériorité » de la loi providentielle, et celles de la *Somme de théologie*, où le thème s'insère dans les « principes extérieurs » de la vie vertueuse, pour se rendre compte de l'influence considérable de la structure d'ensemble sur la façon dont notre sujet est traité. Une observation analogue s'impose pour les œuvres dans lesquelles la sentence thomiste est étroitement dépendante de la sentence du texte commenté. Le livre de Job entraîne des considérations sur la patience et la révérence, le quatrième évangile sur la distinction des « esclaves » et des « amis », le psautier sur la crainte et la louange, l'épître aux Romains sur les trois « *servitutes* » des « temps » sucessifs du salut. Or quel plan précis Thomas aurait-il adopté dans une opuscule intitulée « de *timoris lege* » ? C'est une question à laquelle les variations importantes dans les diverses œuvres nous interdisent de répondre. Toute entreprise en ce sens pourrait tout au plus se réclamer d'une mention « *ad mentem sancti Thomæ* ». Mais que n'a-t-on pas attribué à l' « esprit » de Thomas !

Au terme de ce travail, nous pouvons pourtant répondre à la question que nous formulions au début de notre enquête sur le rôle de la crainte dans l'histoire du salut.

M. Seckler pense que si l'on voulait donner un nom à l'ecclésiologie de l'Aquinate, il faudrait l'appeler une *Theologie des Weges*[2]. Le Christ, en effet, bien qu'accomplissant l'histoire, ne marque pas l'aboutissement du chemin, mais inaugure une « voie nouvelle »[3]. Il nous a préparé la voie qui conduit au ciel[4] ; en lui le chemin de la gloire nous fut « démontré »[5] ; la voie conduisant à la vérité de la patrie est déjà révélée dans l' « état » de la loi nouvelle[6]. Cette voie de la loi évangélique — U. Kühn l'a montré — c'est la *via caritatis*[7].

Mais il n'y a pas que cette partie de l'ecclésiologie thomiste qui mérite le nom de « théologie de la voie ». Celle qui s'intéresse à l'*Ecclesia ab Abel*[8] jusqu'à la promulgation de la loi nouvelle en Jésus-Christ est également une *Theologie des Weges*, une théologie de la *via timoris*.

Il n'est pourtant pas sans ambiguïté d'en appeler à l'autorité de Thomas d'Aquin pour opposer la « religion de crainte » à la « religion d'amour ». Si Thomas évoque souvent la « *brevis differentia* » entre l'Ancien et le Nouveau Testament, il ne transmue pas pour autant la formule augustinienne en un slogan simpliste parce que, précisément, la loi de crainte est une *via ad amorem*, le pédagogue conduisant à la loi nouvelle. Le rôle de la crainte, du reste, ne peut jamais être considéré comme définitivement terminé. La condition pécheresse de l'*homo viator* rend souvent utile l'aiguillon de la menace de la séparation d'avec Dieu, voire même de l'intimidation. La condition de créature suscite nécessairement la crainte radicale de l'anéantissement et, sous l'inspiration de l'Esprit, le sentiment de sa propre petitesse face à la majesté de Dieu. Une opposition absolue entre la crainte et l'amour n'a du reste aucun sens dans l'anthropologie thomiste. Est-elle d'ailleurs concevable ?

Après ce que nous avons exposé, on voit enfin combien peu fondé est le reproche fait à l'Aquinate d'avoir ignoré toute dimension historique dans sa théologie[9]. Le premier pèlerinage que la « sagesse thomiste » doit entreprendre pour retrouver « le sentiment de l'irréversible devenir historique, du mouvement et du développement du monde dans le sens du temps », comme le souhaitait naguère J. Maritain[10] est d'abord, nous semble-t-il, à ses propres sources, à savoir aux œuvres d'exégèse et de théologie de Thomas d'Aquin. Notre propos était de fournir une contribution à cette entreprise collective en examinant le thème jamais encore exploré de la loi de crainte dans la théologie de l'Aquinate. Nous y avons découvert, non sans étonnement, un corps d'enseignement impressionnant sur la pédagogie de la crainte dans l'histoire du salut.

[1] *In III Sent.*, d. 40, a. 4, qla. 2.

[2] M. Seckler, *Das Heil in der Geschichte...*, p. 232.

[3] *Ia-IIae*, q. 106, a. 4, in c. : « Initiavit nobis viam novam ».

[4] *IIIa*, q. 57, a. 6, in c. : « Viam nobis præparavit ascendendi in cœlum ».

[5] *Quodl.*, VII, a. 15, ad 5 : « In Christo est nobis iter gloriæ demonstratum ».

[6] *Ia-IIae*, q. 101, a. 2, in c. : « In statu novæ legis hæc via jam est revelata ».

[7] U. Kühn, *Via caritatis, Theologie des Gesetzes bei Thomas von Aquin*, Göttingen, 1965.

[8] Y. M.-J. Congar, *Ecclesia ab Abel*, dans *Abhandlungen über Theologie und Kirche...*, p. 106, note 109, renvoie à *Exp. Symb. apost.*, a. 7 (en vérité, il s'agit de l'article 9 (no. 984)) pour cette expression traditionnelle dans les œuvres de Thomas. Signalons également : *in Psalm* 36, 18, no. 18 (p. 286b) : « Et hæc (i.e. Ecclesia) habet ætatem pueritiæ in Abel ».

[9] Voir, par exemple, le jugement de E. Jacob, *Théologie de l'Ancien Testament*, Neuchâtel, Delachaux et Niestlé, 1955, p. 13 : « Saint Thomas d'Aquin a écrit de nombreux ouvrages exégétiques, mais il ramène toutes les notions bibliques à la norme scolastique selon laquelle seule l'idée a une valeur, tandis que l'histoire n'en a point ». Cette « déclaration » ne reflète, du reste, qu'un lieu commun indéracinable.

[10] J. Maritain, *La sagesse augustinienne*, dans RdP, 30 (1930) 738.

BIBLIOGRAPHIE

1. Sources

Nous omettons ici les auteurs de la premirère scolastique que nous citons à partir des textes colligés par M. G. CSERTO, A. M. LAND-GRAF, O. LOTTON et H. de LUBAC (voir littérature).

ALBERT le GRAND, *Commentarium in IV Sententiarum*, dans *Opera omnia*, éd. S.C.A. BORGNET, Paris, L. Vivès, tt. XXV–XXX, 1893–1894.

AMBROISE, *Expositio Evangelii secundum Lucam*, dans *Opera*, PL 15 ; CCL 14.

ARISTOTE, *Aristotelis opera*, ex recension I. BEKKER, éd. O. GIGON, Berlin, W. de Gruyter et Socios, 1960–1961, 5 vol.

—— *Opera omnia, Graece et latine*, Paris, A .Firmin Didot, 1878.

AUGUSTIN, *Opera*, PL 32–47 ; CCL 32–50a.

BÈDE le VÉNÉRABLE, *Super Parabolas Salomonis allegorica expositio*, PL 91.

—— *In Marci evangelium expositio*, PL 92 ; CCL 120.

BENOIT, *Regula monachorum*, PL 66 ; éd. Ph. SCHMITZ et Ch. MOHR-MANN, Maredsous, 1955.

BOÈCE, *De consolatione philosophiae*, PL 63 ; CCL 94.

BONAVENTURE, *Commentaria in III librum Sententiarum Magistri Petri Lombardi*, Quaracchi, Typographia Collegii S. Bonaventuræ, t. III, 1887.

CASSIODORE, *In Psalterium expositio*, PL 70 ; CCL 97–98.

GRÉGOIRE le GRAND, *Homiliarum in Ezechielem*, PL 76.

—— *Moralium libri*, PL 75–76.

JEAN DAMASCÈNE, *De Fide orthodoxa*, PG 94.

JEAN de LA ROCHELLE, *Summa sic dicta fratris Alexandri*, Quaracchi, Typographia Collegii S. Bonaventuræ, 1924–1948 (IIIa pars, t. IV).

MAÏMONIDE, *Guide des égarés, Traité de théologie et de philosophie*, Traduit pour la première fois sur l'original arabe et accompagné de notes critiques, littéraires et explicatives, par S. MUNK, Nouvelle édition, Paris, G.-P. Maisonneuve et Larose, 1963, 3 vol.

NEMESUIS D'ÉMÈSE, *De Natura hominis*, PG 40 ; éd. G. OLMS, Hildesheim, 1967.

PIERRE LOMBARD, *Sententiarum libri quatuor*, PL 192 ; éd. Quaracchi, Typographia Collegii S. Bonaventuræ, 1916, 2 vol.
—— *Collectanea in omnes D. Pauli apostoli epistolas*, PL 191–192.
THOMAS D'AQUIN, *Opera omnia*. Voir le détail des œuvres et des éditions utilisées dans la liste des abréviations, pp. 8–12.

2. Littérature

ALLARD, P., *Esclavage*, dans *DAFC*, 1 (1914) 1495–1499.
ARBESMANN, R., *The Concept of « Christus medicus » in St. Augustine*, dans *Trad*, 10 (1954) 1–28.
AUBERT, J.-M., *Le droit romain dans l'œuvre de saint Thomas*, (Bibliothèque thomiste, XXX), Paris, J. Vrin, 1955.
BAKER, R. R., *The Thomistic Theory of the Passions and their Influence upon the Will*, Notre Dame (Indiana), …, 1941.
BAREILLE, G., *Catéchèse*, dans *DTC*, 2 (1905) 1877–1895.
BECKER, A., *De l'instinct du bonheur à l'extase de la béatitude, Théologie et pédagogie du bonheur dans la prédication de saint Augustin*, Paris, P. Lethielleux, 1967.
BECKER, J., *Gottesfurcht im Alten Testament*, (Analecta Biblica, 25), Rom, Päpstliches Bibelinstitut, 1965.
BEDNARSKI, F. W., *L'educazione dei gióvani nel pensiero di S. Tommaso*, dans *Sz*, 20 (1967) 80–104.
BELLEMARE, R., *Pour une théologie thomiste de la pauvreté*, dans *RUO*, 26 (1956) 137*–164*.
BERNARD, Ch. A., *Force*, dans *DSp*, 5 (1963) 685–694.
—— *Théologie de l'espérance selon saint Thomas d'Aquin*, (Bibliothèque thomiste, XXXIV), Paris, J. Vrin, 1961.
BERNAREGGI, A., *S. Tommaso d'Aquino e la repressione dell'errore*, dans *SC*, 52 (1924) 54–86.
BLAISE, A., *Dictionnaire latin-français des auteurs chrétiens*, Revu spécialement pour le vocabulaire théologique par H. CHIRAT, Paris, « Le latin chrétien », 1954.
BLANCHE, F. A., *Le sens littéral des Écritures d'après saint Thomas d'Aquin, Contribution à l'histoire de l'exégèse catholique au moyen âge*, dans *RT*, 14 (1906) 192–212.
BLIC, J. de, *Pour l'histoire de la théologie des dons avant saint Thomas*, dans *RAM*, 22 (1946) 117–179.
BOND, L.M., *The Effect of Bodily Temperament on Psychical Characteristics*, dans *Thom*, 10 (1947) 423–501 ; 11 (1948) 28–104.
BOULARAND, E., *Crainte*, dans *DSp*, 2 (1953) 2463–2511.
BOURKE, D. - LITTLEDALE, A., *The Old Law* (1a2ae. 98–105), London, Blackfriars, 1969.
BRADY, I., *Law in the « Summa Fratris Alexandri »*, dans *Proceedings of the American Catholic Philosophical Association*, 24 (1950) 133–147.
CARLYLE, A. J. et R. W., *A History of Medieval Political Theory in the West*, Edinburgh and London, W. Blackwood and Sons Ltd., 1950, vol. I et II.

CESAITIS, I. St., *Fortitudo præcipua characteris virtus*, Mariampoli (Lituaniæ), Sesupe, 1925.

CHENU, M.-D., *Contribution à l'histoire du traité de la foi. Commentaire historique de IIa IIae, q. 1. a. 2*, dans *Mélanges thomistes* (Bibliothèque thomiste, III), Kain, Le Saulchoir, 1923, pp. 123–140.

—— *Histoire et allégorie au douzième siècle, dans Festgabe Joseph Lortz*, Herausgegeben von E. ISERLOH und P. MANNS, Baden-Baden, B. Grimm, 1958, t. II, pp. 59–71.

—— *Introduction à l'étude de Saint Thomas d'Aquin*, Montréal, Institut d'Études Médiévales ; Paris, J. Vrin, 1950.

—— *Notes de lexicographie philosophique médiévale, Disciplina*, dans *RSPT*, 25 (1936) 686–692.

—— *Notes de lexicographie philosophique médiévale, Sufficiens*, dans *RSPT*, 22 (1933) 251–259.

—— *La théologie au douzième siècle*, (Études de philosophie médiévale, 45), Paris, J. Vrin, 1957.

—— *La théologie de la loi ancienne selon saint Thomas*, dans *RT*, 61 (1961) 485–497.

—— *Théologie symbolique et exégèse scolastique aux XIIe–XIIIe siècles*, dans *Mélanges J. de Ghellinck*, Gembloux, J. Duculot, 1951, t. II, pp. 509–526.

—— *Toward Understanding Saint Thomas*, Translated with Authorized Corrections and Bibliographical Additions by A.-M. LANDRY and D. HUGHES, Chicago, H. Gegnery Company, 1964.

—— *Vocabulaire biblique et vocabulaire théologique*, dans *NRT*, 74 (1952) 1029–1041.

CHEREL, A., *Histoire de l'idée de tolérance*, dans *RHEF*, 28 (1942) 9–50.

CHIOCHETTI, E., *La pedagogia di San Tommaso*, dans *S. Tommaso d'Aquino*, Pubblicazione commemorativa del sesto centenario della canonizzazione, Milano, Vita e Pensiera, 1923, pp. 280–293.

COLLINS, J. - BURNS, S. S., *The Catechetical Instructions of St. Thomas Aquinas*, New York, J. F. Wagner ,1939.

CONGAR, Y. M.-J., *Ecclesia ab Abel, dans Abhandlungen über Theologie und Kirche, Festschrift für Karl Adam*, Düsseldorf, Patmos-Verlag, 1952, pp. 79–108.

—— *Le moment « économique » et le moment « ontologique » dans la Sacra doctrina (Révélation, Théologie, Somme théologique)* dans *Mélanges offerts à M.-D. Chenu* (Bibliothèque thomiste, XXXVII), Paris, J. Vrin, 1967, pp. 135–187.

—— *Le Mystère du Temple ou l'Économie de la Présence de Dieu à sa créature de la Genèse à l'Apocalypse*, (Lectio divina, 22), Paris, Les éditions du Cerf, 1958.

—— *Le sens de l' « économie » salutaire dans la « théologie » de s. Thomas d'Aquin (Somme théologique)*, dans *Fesgabe Joseph Lortz*, herausgegeben von E. ISERLOH und P. MANNS, Baden-Baden, B. Grimm, 1958, t. II, pp. 73–122.

COTTA, S., *Il concetto di legge nella Summa theologiae di S. Tommaso d'Aquino*, Torino, G. Giappichelli, 1955.

CSERTO, G. M., *De timore Dei juxta doctrinam scholasticorum a Petro*

Lombardo usque ad S. Thomam, Disquisitio historico-theologica, Romae, Scuola Tip. Miss. Domenicana, 1940.

CULLMANN, O., *Christus und die Zeit, Die urchristliche Zeit- und Geschichtsauffassung*, Zurich, A. G. Zollikon, 1946.

DAVITT, T. E., *The Nature of Law*, St. Louis–London, B. Herder Book Co., 1951.

DELHAYE, P., La « *Correptio Fraterna* », dans *SMR*, 10 (1967) 117–140.

—— *Pierre Lombard, Sa vie, ses œuvres, sa morale*, Montréal, Institut d'études médiévales ; Paris, J. Vrin, 1961.

DEMAN, Th., *Le « De moribus Ecclesiæ catholicæ » de S. Augustin dans l'œuvre de S. Thomas d'Aquin*, dans *RTAM*, 21 (1954) 248–280.

—— *Der neue Bund und die Gnade*, Heidelberg, F. H. Kerle ; Graz–Wien–Köhn, Verlag Styria, 1955.

—— *Orgueil*, dans *DTC*, 11 (1931) 1415–1432.

DONDAINE, A., *Un commentaire scripturaire de Roland de Crémone, « Le livre de Job »*, dans *AFP*, 11 (1941) 109–137.

—— *Introduction à l'Expositio super Job ad litteram*, Rome, Commission Léonine, 1965, t. XXVI, pp. 1*–142*.

—— *Secrétaires de saint Thomas*, Rome, Commission Léonine, 1956.

DONDAINE, A. – PETERS, J., *Jacques de Tonengo et Giffredus d'Anagni, auditeurs de Saint Thomas*, dans *AFP*, 29 (1959) 52–72.

DONDAINE, H.-F., *L'attrition suffisante* (Bibliothèque thomiste, XXV), Paris, J. Vrin, 1943.

—— *L'attribution suffisante*, dans *RSPT*, 36 (1952) 660–674.

DOZOIS, C., *Sources patristiques chez saint Thomas d'Aquin*, dans *RUO*, 33 (1963) 28*–48* ; 145*–167* ; 34 (1964) 231*–241* ; 35 (1965) 73*–90*.

DUGRÉ, A., *La tolérance du vice d'après St. Augustin et St. Thomas*, dans *Greg*, 6 (1925) 442–446.

DÜRIG, W., *Disciplina, Eine Studie zum Bedeutungsumfang des Wortes in der Sprache der Liturgie und der Väter*, dans *SaE*, 4 (1952) 245–279.

ESCHMANN, I. T., *A Catalogue of St. Thomas's Work*, Published as an Appendix in E. GILSON, *The Christian Philosophy of Saint Thomas Aquinas*, New York, Random House, 1956, pp. 379–439.

—— *Introduction* à ST. THOMAS AQUINAS, *On Kingship to the King of Cyprus*, Toronto, The Pontifical Institute of Medieval Studies, 1949, pp. IX–XXXIX.

FOLGHERA, J.-D., – NOBLE, H.-D., *La force, 2a–2ae, questions 123–140*, Paris, Desclée et Cie, 1926.

—— *La tempérance, t. I, 2a–2ae, question 141–154*, Paris, Desclée et Cie, 1928.

GABORIAU, F., *Interview sur la mort avec Karl Rahner*, Paris, P. Lethielleux, 1967.

GARDEIL, A., *Crainte*, dans *DTC*, 3 (1908) 2010–2022.

—— *Le Don de crainte et la béatitude de la pauvreté*, dans *VSp* 33 (1932) 225–244.

GAUTHIER, R.-A., *Magnanimité, L'idéal de la grandeur dans la philosophie païenne et dans la théologie chrétienne*, (Bibliothèque thomiste, XXVIII), Paris, J. Vrin, 1951.

—— *Introduction historique* à SAINT THOMAS D'AQUIN, *Contra Gen-*

tiles, Paris, P. Lethielleux, 1961, t. I, pp. 7–129.

GEENEN, G., *The Place of Tradition in the Theology of St. Thomas*, dans *Thom*, 15 (1952) 110–135.

—— *Saint Thomas et les Pères*, dans *DTC*, 15 (1946) 738–761 .

GHELLINCK, J. de, *Pierre Lombard*, dans *DTC*, 12 (1935) 1941–2019.

GILLON, L. B., *L'imitation du Christ et la morale de saint Thomas*, dans *Ang*, 36 (1959) 263–286.

GILSON, É., *L'esprit de la philosophie médiévale* (Études de philosophie médiévale, 33), 2ᵉ éd. rev., Paris, J. Vrin, 1944.

—— *La vertu de patience selon St. Thomas et St. Augustin*, dans *AHDLMA*, 15 (1946) 93–104.

GLORIEUX, P., *Le « Contra impugnantes » de S. Thomas, Ses sources – son plan*, dans *Mélanges Mandonnet* (Bibliothèque thomiste, XIII), Paris, J. Vrin, 1930, t. I, pp. 51–81.

—— *Répertoire des maîtres en théologie à Paris au XIIIᵉ siècle*, (Études de philosophie médiévale, XVII et XVIII), Paris, J. Vrin, 1933–1934.

GRELOT, P., *Sens chrétien de l'Ancien Testament, Esquisse d'un Traité Dogmatique* (Bibliothèque de Théologie, Série I, vol. 3), Tournai, Desclée et Cie, 1962.

GRIBOMONT, J., *Le lien des deux Testaments selon la théologie de s. Thomas*, dans *ETL*, 22 (1946) 70–89.

GUINDON, A., *La «crainte honteuse» selon Thomas d'Aquin*, dans *RT*, 69 (1969) 589–623.

—— *Le vocabulaire de l'angoisse chez Thomas d'Aquin*, dans *EgTh* 2 (1971) 55–92.

—— *L'influence de la crainte sur la qualité humaine de l'action selon Thomas d'Aquin*, dans *RT* 72 (1972) 33–57.

GUINDON, R., *Béatitude et Théologie morale chez saint Thomas d'Aquin, Origines – Interprétation*, Ottawa, Éditions de l'Université d'Ottawa, 1956.

—— *Le caractère évangélique de la morale de saint Thomas d'Aquin*, dans *RUO*, 25 (1955) 145*–167*.

—— *Le « De Sermone Domini in monte » de S. Augustin dans l'œuvre de S. Thomas d'Aquin*, dans *RUO*, 28 (1958) 57*–85*.

—— *L' « Expositio in Isaiam » est–elle une œuvre de Thomas d'Aquin « bachelier biblique »?*, dans *RTAM*, 21 (1954) 312–321.

—— *La « Lectura super Matthaeum incompleta » de saint Thomas*, dans *RUO*, 25 (1955) 213*–219*.

HAMEL, E., *Valeur et limites de la casuistique*, dans *ScE*, 11 (1959) 147–173.

HAYEN, A., *Le thomiste et l'histoire*, dans *RT*, 62 (1962) 51–82.

HOFFMANN, A. M., *Die Gnade der Gerechten des Alten Bundes nach Thomas von Aquin*, dans *DTFr*, 29 (1951) 167–187.

HUFTIER, M., *Le tragique dans la condition chrétienne chez S. Augustin*, (Bibliothèque de théologie, Théologie morale, Série II, vol. 9), Tournai, Desclée, 1964.

HUNT, I., *The Theology of St. Thomas on the Old Law*, Dissertation Submitted to the Faculty of Sacred Sciences at the University of Ottawa, 1949.

JACOB, E., *Théologie de l'Ancien Testament*, Neuchâtel, Delachaux et Niestlé, 1955.

JACOB, J., *Passiones, Ihr Wesen und ihre Anteilnahme an der Vernunft nach dem hl. Thomas von Aquin* (St. Gabrieler Studien, Bd. 17), Mödling bei Wien, St. Gabriel–Verlag, 1958.

JESSBERGER, L., *Das Abhängigkeitsverhältnis des hl. Thomas von Aquin von Albertus Magnus und Bonaventura im dritten Buch des Sentenzenkommentars*, Würzburg, 1936.

JOURNET, Ch., *L'économie de la loi mosaïque*, dans *RT*, 63 (1963) 5–36 ; 193–224 ; 515–547.

KENNEDY, L. O., *De fortitudine christiana*, Gembloux, J. Duculot, 1938.

KOPF, J., *La loi, indispensable pédagogue*, dans *VSp, Suppl.*, 5 (1951) 185–200.

KÜHN, U., *Via caritatis, Theologie des Gesetzes bei Thomas von Aquin* (Kirche und Konfession, Band 9), Göttingen, Vandenhoeck und Ruprecht, 1965.

La BONNARDIÈRE, A.–M., *Le verset paulinien Rom. V, 5 dans l'œuvre de saint Augustin*, dans *Augustinus Magister*, Paris, Études Augustiniennes, 1954, t. II, pp. 657–665.

LABOURDETTE, M. M., *Dons du Saint–Esprit*, dans *DSp*, 3 (1957) 1610–1635.

—— *La vertu d'obéissance selon saint Thomas*, dans *RT*, 57 (1957) 626–656.

LACHANCE, L., *Le concept de droit selon Aristote et S. Thomas*, 2e éd. rev. et corr., Ottawa–Montréal, Les éditions du lévrier, 1948.

LAFONT, G., *Structures et méthode dans la Somme théologique de saint Thomas d'Aquin*, Paris, Desclée de Br., 1961.

LALANDE, A., *Vocabulaire technique et critique de la philosophie*, 10e éd. rev. et aug., Paris, Presses Universitaires de France, 1968.

LAMBOT, D. C., *L'ordre et le texte des degrés d'humilité dans S. Thomas*, dans *RBén*, 39 (1927) 129–135.

LANDGRAF, A. M., *Dogmengeschichte der Früscholastik*, Regensburg, F. Pustet, 1952–1956. 4 parties en 8 volumes. En particulier :
Die Gnadenökonomie des Alten Bundes, III/1, pp. 19–60.
Die Knechtische Furcht, IV/1, pp. 276–371.
Die Wirkungen der Beschneidung, III/1, pp. 61–108.

LATREILLE, J., *L'adulte chrétien, ou l'effet du sacrement de confirmation chez saint Thomas d'Aquin*, dans *RT*, 57 (1957) 5–28 ; 58 (1958) 214–243.

LÉCUYER, J., *La causalité efficiente des mystères du Christ selon saint Thomas*, dans *DC*, 6 (1953) 91–120.

—— *Pentecôte et la loi nouvelle*, dans *VSp*, 88 (1953) 471–490.

LENICQUE, P., *La liberté des Enfants de Dieu selon saint Augustin*, dans *ATA*, 13 (1953) 110–144.

LETTER, P. de, *Two Concepts of Attrition and Contrition*, dans *TSt*, 11 (1950) 3–33.

LEVY, L.–G., *Maïmonide*, Paris, F. Alcan, 1911.

LOTTIN, O., *Psychologie et Morale au XIIe et XIIIe siècles*, Gembloux, J. Duculot, 1942–1960. 6 tomes en 8 volumes. En particulier :

La loi en général. La définition thomiste et ses antécédents, II/1, pp. 11–47.

Table chronologique des écrits et leur influence littéraire, III/2, pp. 681–735.

LUBAC, H. de, *Catholicisme, Les aspects sociaux du dogme* (Unam Sanctam, 3), 4ᵉ éd. rev. et aug., Paris, Éditions du Cerf, 1947.

—— *Exégèse médiévale, Les quatre sens de l'Écriture* (Théologie, Études publiés sous la direction de la Faculté de théologie S. J. de Lyon–Fourvières, 41), Paris, Aubier, 1959–1964, 4 vol.

LUMBRERAS, P., *El Decálogo según Santo Tomás*, dans *RET*, 4 (1944) 391–428.

—— *El temor en Santo Tomás y en los clásicos*, dans *CT*, 79 (1952) 611–632.

—— *Theologia Moralis ad Decalogum*, dans *Ang*, 20 (1943) 265–299.

LUNEAU, A., *L'histoire du salut chez les Pères de l'Église, La doctrine des âges du monde* (Théologie historique, 2), Paris, Beauchesne et ses fils, 1964.

LYNCH, K. F., *The Sacramental Grace of Confirmation in Thirteenth-Century Theology*, dans *FSt*, 22 (1962) 32–149 ; 172–300.

LYONNET, St., *Liberté chrétienne et loi de l'Esprit selon saint Paul*, dans *Chr*, no 4 (1954) 6–27.

MAILHIOT, M. D., *La pensée de saint Thomas sur le sens spirituel*, dans *RT*, 59 (1959) 613–663.

MANDONNET, P., *Le Carême de Saint Thomas d'Aquin à Naples (1273)*, dans *S. Tommaso d'Aquino O.P., Miscellanea storico-artistica*, Roma, 1924, pp. 195–211.

MANGENOT, E., *Catéchisme*, dans *DTC*, 2 (1905) 1895–1901.

MARC, P., *S. Thomas Aquinatis Liber de Veritate Catholicæ Fidei contra errores Infidelium qui dicitur Summa Contra Gentiles*, Turin–Rome, Marietti ; Paris, P. Lethielleux, 1967, vol. I.

MARITAIN, J., *La sagesse augustinienne*, dans *RdP*, 30 (1930) 715–741.

MARTY, F., *La perfection de l'homme selon saint Thomas d'Aquin, Ses fondements ontologiques et leur vérification dans l'ordre actuel*, Roma, Pontificia Universitas Gregoriana, 1962 (Analecta Gregoriana, 123).

MICHAUD QUANTIN, P., *Le traité des passions chez saint Albert le Grand*, dans *RTAM*, 17 (1950) 90–120.

MONDA, A. M. di, *La Legge nuova della libertà secondo S. Tommaso*, Napoli, Convento S. Lorenzo Maggiore, 1954.

MURPHY, Th., *The Date and Purpose of the « Contra Gentiles »*, dans *HJ*, 10 (1969) 405–415.

NOBLE, H.-D., *Les passions dans la vie morale (La vie morale d'après S. Thomas d'Aquin)*, Paris, P. Lethielleux, 1931–1932, 2 vol.

OUWERKERK, C. A. J. van, *Caritas et ratio, Étude sur le double principe de la vie morale chrétienne d'après s. Thomas d'Aquin*, Nijmegen, G. Janssen, 1956.

PARKER, St., *The Sacramental Aspect of the Ceremonial Law*, dans *DSt*, 4 (1951) 153–163.

PEGIS, A. C., *Qu'est-ce que la Summa contra Gentiles ?*, dans *L'homme devant Dieu, Mélanges offerts au Père Henri de Lubac* (Théologie.

Études publiées sous la direction de la Faculté de théologie S. J. de Lyon-Fourvière, 57), Paris, Aubier, 1964, t. II, pp. 169–182.

PFÜRTNER, St., *Triebleben und sittliche Vollendung, Eine moral-psychologische Untersuchung nach Thomas von Aquin* (Studia Friburgensia, 22), Freiburg, Universitätsverlag, 1958.

PHILIPPE, P., *Plan des Sentences de Pierre Lombard d'après S. Thomas*, dans *BT*, 3 (1932) pp. 131*–154*.

PHILIPS, G., *La grâce des Justes de l'Ancien Testament*, dans *ETL*, 23 (1947) 521–556 ; 24 (1948) 23–58.

PIEPER, J., *Vom Sinn der Tapferkeit*, 8. Auflage, München, Kösel, 1963.

PINARD, H., *Les infiltrations païennes dans l'ancienne Loi d'après les Pères de l'Église*, dans *RSR*, 9 (1919) 197–221.

PINCKAERS, S., *La vertu est toute autre chose qu'une habitude*, dans *NRT*, 32 (1960) 387–403.

PLAGNIEUX, J., *Le chrétien en face de la Loi d'après le De Spiritu et Littera de saint Augustin*, dans *Theologie in Geschichte und Gegenwart, Festgabe Michael Schmaus*, München, K. Zink, 1957, pp. 725–754.

PLOEG, J. van der, *The Place of Holy Scripture in the Theology of St. Thomas*, dans *Thom*, 10 (1947) 398–422.

POHIER, J. M., *Psychologie et théologie* (« Cogitatio Fidei », 25), Paris, Éditions du Cerf, 1967.

RIMML, R., *Das Furchtproblem in der lehre des hl. Augustinus*, dans *ZKTh*, 45 (1921) 43–65 ; 229–259.

ROHNER, A., *Das Schöpfungsproblem bei Moses Maimonides, Albertus Magnus und Thomas von Aquin* (Beiträge zur Geschichte der Philosophie des Mittalters, Band XI, Heft 5), Münster, Aschendorffsche Verlagsbuchhandlung, 1913.

ROLAND-GOSSELIN, M. D., *Le sermon sur la Montagne et la théologie thomiste*, dans *RSPT*, 17 (1928) 201–234.

RONDET, H., *L'anthropologie religieuse de Saint Augustin*, dans *RSR*, 29 (1939) 163–196.

SALET, G., *La Loi dans nos cœurs*, dans *NRT*, 79 (1957) 449–462 ; 561–578.

SCHÜTZ, L., *Thomas-Lexikon, Sammlung, Übersetzung und Erklärung der in sämtlichen Werken des h. Thomas von Aquin vorkommenden Kunstausdrücke und wissenschaftlichen Aussprüche*, Zweite, sehr vergrösserte Auflage, Paderborn, F. Schöningh, 1895.

SECKLER, M., *Das Heil in der Geschichte, Geschichtstheologisches Denken bei Thomas von Aquin*, München, Kösel-Verlag, 1964.

SERTILLANGES, A. D., *Vrai caractère de la loi morale chez saint Thomas d'Aquin*, dans *RSPT*, 31 (1947) 73–76.

SHOONER, H.-V., *La « Lectura in Matthaeum » de S. Thomas*, dans *Ang*, 33 (1956) 121–142.

SMALLEY, B., *The Study of the Bible in the Middle Ages*, reprinted by Notre Dame (Indiana), University of Notre Dame Press, 1964.

SOLIGNAC, A., *La condition de l'homme pécheur d'après saint Augustin*, dans *NRT*, 78 (1956) 359–387.

SPICQ, C., *Esquisse d'une histoire de l'exégèse au moyen âge* (Bibliothèque thomiste, XXVI), Paris, J. Vrin, 1944.

—— *Pourquoi le moyen âge n'a-t-il pas davantage pratiqué l'exégèse littérale ?*, dans *RSPT*, 30 (1941-1942) 169–179.

STANG, A., *La notion de la loi dans saint Thomas d'Aquin*, Paris, Éditions et publications contemporaines, 1926.

SULLIVAN, F. B., *Reverence Towards God According to St. Thomas*, Doctoral thesis submitted to the Faculty of Theology, University of Ottawa, 1952.

—— *The Notion of Reverence*, dans *RUO*, 23 (1953) 5*–35*.

SYNAVE, P., *La doctrine de saint Thomas d'Aquin sur le sens littéral des Écritures*, dans *RB*, 35 (1926) 40–65.

THONNARD, F.-J., *La vie affective de l'âme selon saint Augustin*, dans *ATA*, 13 (1953) 33–55.

TILLICH, P., *Le courage d'être* (Christianisme en mouvement, 5), Paris, Casterman, 1967.

VALSECCHI, A., *La « legge nuova » del cristiano secondo San Tommaso d'Aquino*, Excerpta ex dissertatione ad Lauream in Facultate Theologica Pontificiæ Universitatis Gregorianæ, Varese, Tipografia Varese, 1963.

VAUX, R. de, *Peut-on écrire une « théologie de l'Ancien Testament »?*, dans *Mélanges offerts à M.-D. Chenu* (Bibliothèque thomiste, XXXVII), Paris, J. Vrin, 1967.

VERPAALEN, A. P., *Der Begriff des Gemeinwohls bei Thomas von Aquin, Ein Beitrag zum Problem des Personalismus* (Sammlung Politeia, Bd. 6), Heidelberg, F. H. Kerle, 1954.

VOOGHT, P. de, *La justification dans le sacrement de pénitence d'après saint Thomas d'Aquin*, dans *ETL*, 5 (1928) 225–256.

—— *À propos de la causalité du sacrement de pénitence, Théologie thomiste et théologie tout court*, dans *ETL*, 7 (1930) 663–675.

VOSTE, J.-M., *Sanctus Albertus Magnus, evangeliorum interpres*, dans *Ang*, 9 (1932) 239–298.

WALZ, A. - NOVARINA, P., *Saint Thomas d'Aquin* (Philosophes médiévaux, V), Louvain, Publications universitaires ; Paris, Béatrice-Nauwelaerts, 1962.

WANG TCH'ANG-TCHE, J., *Saint Augustin et les vertus des païens*, Paris, G. Beauchesne et ses fils, 1938.

WRIGHT, J. H., *The Order of the Universe in the Theology of St. Thomas Aquinas* (Analecta Gregoriana, 89), Romæ, apud sedes Universitatis Gregorianæ, 1957.

TABLE DES MATIÈRES

RECHERCHES

Collection dirigée par les Facultés S.J. au Québec

OUVRAGES DÉJÀ PARUS :

Imprimerie des Éditions Paulines
250 nord, boul. Saint-François, Sherbrooke, Québec, Canada

Imprimé au Canada

Printed in Canada